L'ÉTAT
DU
TIERS MONDE

sous la direction de Elio Comarin

LA DÉCOUVERTE/COMITÉ FRANÇAIS CONTRE LA FAIM
BORÉAL EXPRESS

Dessins

Autret, Cabu, Hoviv, Plantu, Wolinski.

Les figurines réparties dans tout le livre ont été dessinées par Autret à partir de diverses sources : art persan, art africain traditionnel, art islamique des VIIIᵉ et IXᵉ siècles, imagerie populaire chinoise des XVIIIᵉ et XIXᵉ siècles.

Secrétariat de rédaction

Elio Comarin
Jeane Molia
Sylvaine Villeneuve.

Bibliographie

Thierry Paquot.

Documentation, chronologie

Françoise Dedieu.

Cartographie

Études et cartographie (Lille).

Fabrication

Monique Mory.

Illustration de couverture

Extrait d'une toile de Laurent Casimir : *Crowded Market*, 1972 (publié dans *Haitian Art*, The Brooklyn Museum, 1979; toile appartenant à Flagg Tanning Corp., Milwaukee, États-Unis). (D.R.)

Nous remercions Médecins du monde de nous avoir autorisés à reproduire des extraits des communications au colloque « Droit et morale humanitaire », organisé par cette association et l'université de Paris-Sud en mars 1987 (actes à paraître aux Éditions Denoël). Il s'agit des contributions de : Michael Barry, Abdul Rahman Ghassemlou, Bernard Kouchner et Christine Ockrent.

Le Comité français contre la faim

Organisme fédérateur, le Comité français contre la faim regroupe quatre-vingt deux associations d'origines diverses : œuvres humanitaires, la quasi-totalité des syndicats de salariés, syndicats patronaux, associations laïques et confessionnelles, organisations agricoles et agronomiques, associations de développement. Fondé en 1960 en réponse au lancement national par la FAO de la campagne mondiale contre la faim, le CFCF, placé sous le haut patronage du président de la République, se veut un lieu de rassemblement et de concertation active contre la faim. Son action est suivie par plusieurs ministères dans le cadre d'un comité interministériel, et les préfectures apportent à ses représentants locaux un double appui, moral et matériel. Une structure et des soutiens à la hauteur des défis à relever : 430 millions de personnes gravement sous-alimentées dans le monde, 1300 millions de personnes sans eau potable, des millions de décès imputables à la faim.

Le CFCF s'est vu confier, lors de sa création, une double mission :
• Informer le public français sur les problèmes de la faim et du développement : il dispose à cet effet d'un mensuel d'informations générales sur le tiers monde, *Nations Solidaires,* ainsi que d'un trimestriel d'information sur les projets de développement. Il publie par ailleurs divers documents d'information et réalise des montages diapos, des expositions, des films vidéos et 16 mm.
• Soutenir dans les pays en développement des initiatives de groupes préalablement organisés, dans plusieurs directions complémentaires : lutte contre l'avancée du désert, maîtrise de la production agricole, aide aux populations urbaines défavorisées, etc.

Table des matières

Le tiers monde et les autres 181

Initiatives et solidarités 227

Avant-propos

I l est toujours des combats qui marquent une époque. La nôtre est griffée médiatisation. C'est tellement vrai que l'événement parfois n'existe réellement qu'en apparaissant « cinq colonnes à la une » ou en ouverture du « 20 h » sur le petit écran. Cette évolution porte ses propres contraintes, et quelques perversions. La contrainte essentielle, c'est la nécessaire adaptation de la société civile à cette nouvelle donne. Premier obstacle, de taille, la ligne de départ n'est pas la même pour tout le monde. La perversion, c'est que, pressé par la nécessité, l'on oublie en chemin quelques principes, quelques objectifs. Une démarche.

C'est un peu ce qui arrive à l'ensemble du mouvement de la coopération associative. Les organisations non gouvernementales, ou ONG, comme on dit communément. Laïques ou confessionnelles, elles sont peu ou prou toutes venues, dans les années soixante, d'une mouvance caritative. Et ceux qui les animaient, porteurs pour la plupart de solidarité et de consensus entre les hommes et les peuples, se sont trouvés distancés par l'évolution à grandes enjambées des pratiques médiatiques depuis quelques années.

L'événement déclenche l'action humanitaire d'urgence. Secouristes et journalistes arrivent souvent ensemble sur les lieux de la catastrophe. Rien d'étonnant dans ces conditions que devant le courage des secouristes, l'information en oublie parfois les victimes. Surtout dans les mois et les années qui vont suivre l'instant du drame. C'est alors qu'entrent en scène d'autres associations humanitaires qui interviennent dans la durée. Et le silence. On les appelle « ONG de développement » : terminologie barbare qui ne renseigne guère sur leur travail. Mais pour celles-là, la médiatisation est un véritable casse-tête. Car entre le trait didactique d'antan – ne s'adressant de toute évidence qu'à des convaincus – et la diffusion « live » en mondiovision de morts et de sang, reste, pour ces associations, l'impérieuse nécessité d'informer le public sur les réalités d'un monde qui n'est pas aussi équitable qu'on le souhaiterait.

Un monde complexe où quelques pays qui se comptent sur les doigts de la main dominent tous les autres par la simple maîtrise des flux monétaires et commerciaux. Un monde où un habitant sur quatre ne mange pas à sa faim. Meurt à l'âge où l'on sort, ailleurs, de l'université. Où les paysans creusent encore de leurs mains le sillon pour déposer la semence qui ne donnera peut-être pas d'épis, si la pluie ne vient pas à temps, ou trop brutalement.

Un monde qu'on avait cru pouvoir oublier, engoncés dans nos égoïsmes multiples et notre abondance passagère. Mais qui aujourd'hui nous interpelle, à la fois par sa pauvreté croissante et son désir de vivre. Qui du haut de sa jeunesse, nous donne des leçons de dignité, et parfois aussi d'économie. Un monde qu'on appelle tiers monde par accident, probablement, ou par commodité de langage. Par habitude. En fait, une mauvaise habitude car il n'y a rien de commun entre la Chine et le Bourkina Faso, le Brésil et le Bangladesh. Un tiers monde où on vend davantage de canons pour tuer que de médicaments pour soigner et de livres pour apprendre.

D'où cet État du tiers monde, *pour faire le point de l'histoire, de la culture, de la santé et des droits de ces hommes, femmes et enfants qui se comptent par centaines de millions, par milliards, sur les cinq continents. Pour analyser les évolutions et les dépendances des systèmes économiques de ces pays qu'on dit « en développement ». Pour expliquer l'état de la solidarité entre riches et pauvres, et comprendre la responsabilité collective que prendraient les uns à ne pas donner un coup de main décisif aux autres.* L'État du tiers monde *pour souligner le rôle que peut – que doit – jouer la coopération associative.*

L'État du tiers monde *comporte donc quatre grandes parties :*
● *« Le tiers monde et les tiers mondes » présente les caractéristiques géographiques et géopolitiques des ensembles continentaux du « Sud », complétées par un article de synthèse d'Yves Lacoste et les textes « fondateurs » d'Alfred Sauvy et Georges Balandier.*
● *Les « questions stratégiques » sont au nombre de quinze : de la création culturelle aux conflits politiques et militaires, une approche comparative et transversale des grands débats de l'heure.*
● *« Le tiers monde et les autres », ou l'évolution récente des rapports Nord-Sud, Est-Sud ou Sud-Sud.*
● *« Initiatives et solidarités » : un bilan nécessairement provisoire et incomplet, de l'action des ONG dans le domaine de l'aide d'urgence, de l'aide au développement ou de la lutte pour les droits de l'homme.*

Chacune de ces parties est composée d'articles de fond faisant la synthèse des plus récentes informations, de nombreux « encadrés » présentant de manière très vivante des cas plus ponctuels, des témoignages directs et des points de vue, comme ceux d'Edgard Pisani, Bernard Langlois, Christine Ockrent ou Bernard Kouchner.

L'État du tiers monde *est le fruit d'une collaboration inédite entre le Comité français contre la faim et les Éditions La Découverte, parce que nous croyons qu'au-delà des mots il faut avancer. Produire un outil de travail : entre les « principes sans information » des uns et « l'information sans principe » des autres, un livre qui les rassemble tous. Une première. Pour informer, simplement.*

Menotti Bottazzi

Le tiers monde
et les tiers mondes

*Un passé dont nous ne savons encore
rien et l'âpreté de leur milieu
géographique actuel expliqueront peut-être
un jour cette destinée d'enfants prodigues
auxquels l'histoire a refusé le veau gras.*

Claude Lévi-Strauss

Le tiers monde, quarante ans après

par Elio Comarin

Quarante ans et plus de mille milliards de dollars de dettes!

Loin des capitales – de toutes les capitales, de leurs cercles et de leurs salons –, ce qu'on appelle depuis 1952 le « tiers monde » apparaît dans toute sa complexité, et nous offre une autre image, bien plus réelle et parfois encore plus dramatique, de son identité actuelle. Traumatisé par toutes les formes passées et présentes de colonialisme européen ou autre, le tiers monde n'a visiblement pas tenu certaines promesses, ni satisfait ceux qui, en son sein comme ailleurs, crurent y voir naître une forme moins institutionnelle du pouvoir, des relations plus humaines, des cultures enfin affranchies.

Guerres et massacres, famines et sécheresses, révoltes et coups d'État ont accompagné, presque au jour le jour, bon nombre de pays d'Asie, d'Afrique et d'Amérique latine. A la génération des pionniers asiatiques et africains des indépendances, a succédé celle des « déçus du nationalisme », étroit et souvent autocratique, qui a de fait pris le pouvoir presque partout. Le panasiatisme et le panafricanisme ont été vite oubliés, sous le charme des privilèges liés au pouvoir. Presque toutes les tentatives d'union ont échoué en l'espace de quelques années, voire de quelques semaines.

Le « caudillisme » sud-américain n'a pratiquement pas été mis en cause par la vague de guérillas surgies au lendemain de la victoire de Fidel Castro à Cuba. Et, si, dans ce continent, la démocratie semble gagner du terrain au cours des années quatre-vingt, c'est grâce aux bulletins de vote, et non aux kalachnikov. Les démocraties argentine, indienne ou sénégalaise ne peuvent que confirmer que la bataille pour les droits de l'homme dans le tiers monde se nourrit quotidiennement de celle pour les libertés politiques et le vrai multipartisme.

Les déçus du nationalisme

En fait, cette nouvelle cause semble être le principal cheval de bataille de tous les enfants des indépendances formelles, notamment d'Afrique. Après l'échec des modèles de développement, importés ou autochtones, il ne reste aux nouveaux leaders, politiques ou culturels, du tiers monde que des ambitions revisées à la baisse et une forte dose de pragmatisme. Capitalisme et socialisme demeurent souvent les mots clés dans la langue de bois du discours officiel; mais ils ont perdu leur impact face aux chocs répétés des réalités du sous-développement ou de la guerre fratricide (Iran-Irak, Chine-Vietnam, Nigéria-Biafra). Cette déception s'accompagne cependant d'une prise de conscience assez large de la nécessité de lutter contre toute forme de tutelle étrangère. « Camarades, ne nous occupons plus des progressistes d'Europe; ni d'aucun pays impérialiste ou simplement héritier de l'impérialisme. Ils sont encore plus " paumés " que nous; broyés qu'ils sont par le système d'où ils procèdent. Nous, au moins, avons au départ la couleur, ce petit minimum qui était autrefois une injure et qui, si nous le voulons et le comprenons vraiment, doit produire le triomphe du sens sur le non-sens. » L'intellectuel béninois Stanislas Adotevi écrivait cela en 1972. Quinze ans plus tard, ce point de vue paraît de plus en plus partagé.

L'émergence de nouveaux pays leaders ou de véritables puissances régionales en est la conséquence, inattendue en Occident. Il s'agit des NPI (nouveaux pays industrialisés) ou de pays qui ont à leur tour des ambitions impérialistes vis-à-vis de leurs « frères » (Chine, Inde, Vietnam, Nigéria ou Brésil). Par leur comportement, ils confirment que le tiers monde a subi, en quelques décennies seulement, une transformation profonde, au point qu'on a du mal à reconnaître ses traits d'origine. D'aucuns vont même jusqu'à nier son existence, en raison notamment des difficultés croissantes rencontrées par les organisations qui le représentent, à commencer par le mouvement des non-alignés.

L'opinion publique occidentale en revanche a peu évolué, même si les jeunes paraissent très préoccupés par les malheurs des autres. Elle ne voit pas toujours que les maux dont souffre le tiers monde sont largement partagés avec les pays occidentaux. Elle a même oublié que les guerres, les famines et les massacres ne sont pas l'apanage des seuls pays en développement; les deux guerres mondiales, et leurs dizaines de millions de morts, sont là pour le rappeler. Aussi, quelques précisions nous semblent indispensables. Il est en effet des clichés sur le tiers monde qui ont la vie dure, des raccourcis qui blessent, des propos qui relèvent d'autres temps.

Le non-alignement n'est pas mort. Né, en fait, en 1947, lorsque les États-Unis lancent à la fois le plan Marshall et la guerre froide, le non-alignement n'a pas pesé lourd face à l'affrontement entre les deux Grands, le tiers monde n'ayant pas les moyens de ses ambitions politiques. Les deux superpuissances, hier favorables à la décolonisation, ont remplacé, partout où cela a été possible, la Grande-Bretagne, la France, l'Espagne, le Portugal et les autres puissances coloniales ouest-européennes. Seule la France a conservé une « chasse gardée », en Afrique, sur le plan monétaire (zone CFA) et militaire (un chapelet de bases qui ceinturent le continent).

Coincé entre anciennes et nouvelles puissances extérieures, le tiers monde a souvent dû choisir son camp. Certains pays (Égypte, Somalie) ont même changé de bord du jour au lendemain, à l'occasion d'une grave crise. Ainsi, paradoxalement, anciens colonisateurs européens et anciens colonisés, pour des raisons différentes, se retrouvent maintenant presque « condamnés » à s'entendre, face aux grandes puissances, et à agir, sur un plan d'égalité, pour un non-

LE DÉVELOPPEMENT DU

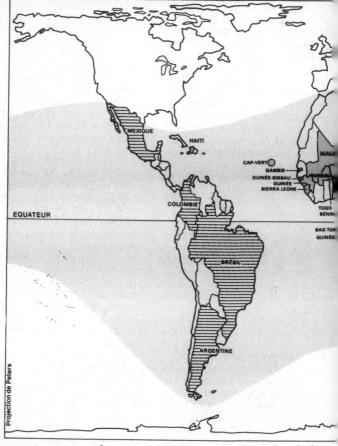

alignement nouveau, plus pragmatique et plus réaliste.

Le tiers monde n'est pas pauvre. Détenteur des principales sources d'énergie (pétrole, uranium), le tiers monde vit pauvrement mais est loin d'être pauvre, à tous les points de vue. Ses civilisations et ses cultures sont plus anciennes que celles de l'Occident. Ses ressources minérales ne sont pas encore entière-

ment explorées. Mais l'explosion démographique à laquelle il est toujours confronté et les énormes inégalités qu'on y rencontre provoquent encore des disettes difficiles à réduire, et surtout des situations de malnutrition endémique qui touchent des centaines de millions de personnes et contribuent à maintenir des niveaux élevés de mortalité infantile. Mais sait-on que

TIERS MONDE

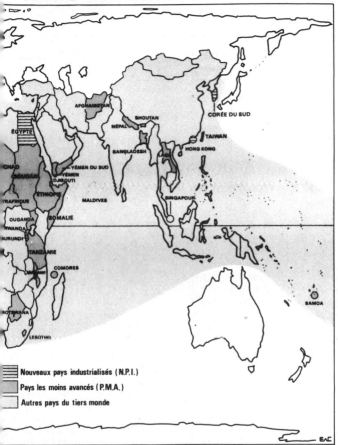

Nouveaux pays industrialisés (N.P.I.)
Pays les moins avancés (P.M.A.)
Autres pays du tiers monde

l'Inde, pays « pauvre » par excellence, a expédié des milliers de tonnes de céréales à l'Éthiopie, en 1985? Sait-on aussi qu'en 1979, alors que le Karamoja (Ouganda) tenait la vedette, le Turkana tout proche (Kénya) souffrait d'une famine aussi dramatique et que presque personne ne s'est porté à son secours?

Le tiers monde n'est pas un *cas social.* Soumis à la même dure loi de la crise ou de la faible croissance que les autres, le tiers monde n'est pas un monde à part. « Déghettoïser » le tiers monde, le sortir du ghetto de la charité-business, de la bonne conscience et des clichés faciles : telles semblent être aujourd'hui les nouvelles exigences, elles aussi très pragmatiques, de tous ceux qui luttent,

	Population (milliers)	PIB/ habitant (dollars)
AFRIQUE		
Afrique du Sud	32 400	1 677
Algérie	21 600	2 694
Angola	8 540	290
Bénin	3 930	251
Botswana	1 080	910 a
Bourkina	6 640	160 a
Burundi	4 650	218
Cameroun	9 540	810 a
Cap-Vert	320	320 a
Centrafrique	2 520	270 a
Comores	430	229
Congo	1 700	1 120 a
Côte d'Ivoire	9 460	610 a
Djibouti	430	475 b
Égypte	45 800	728 a
Éthiopie	43 350	110
Gabon	1 130	3 480 a
Gambie	630	260 a
Ghana	13 150	395
Guinée	5 930	300 a
Guinée-Bissao	880	180 a
Guinée équatoriale	380	158 a
Kénya	20 330	300 a
Lésotho	1 470	530 a
Libéria	2 190	470 a
Libye	3 620	6 998 a
Madagascar	9 730	232
Malawi	7 060	210 a
Mali	8 210	140 a
Malte	38	3 370 a
Maurice (île)	990	1 050 a
Mauritanie	1 830	450 a
Maroc	22 040	668 a
Mozambique	13 600	147 a
Namibie	1 510	1 470
Niger	5 940	190 a
Nigéria	95 200	647
Ouganda	14 960	230 a

	Population (milliers)	PIB/ habitant (dollars)
Réunion	530	3 690 a
Rwanda	5 870	280
St. Thomas et Prince	90	320 a
Sénégal	6 400	402
Seychelles	60	2 430 b
Sierra Léone	3 540	300 a
Somalie	4 540	260 a
Soudan	20 950	340 a
Swaziland	650	800 a
Tanzanie	21 730	242
Tchad	4 900	80 b
Togo	2 870	240
Tunisie	7 100	1 158
Zaïre	29 060	140 a
Zambie	6 450	470 a
Zimbabwe	8 300	740 a
Total Afrique (54 pays)	546 248	

	Population (milliers)	PIB/ habitant (dollars)
AMÉRIQUE LATINE		
Antigue et Barbude	80	1 830 a
Argentine	30 560	2 232 a
Bahamas	230	4 260 a
Barbade	250	4 340 a
Bélize	160	1 226
Bolivie	6 430	410 a
Brésil	135 600	1 579 a
Cayman (îles)	19	..
Chili	12 070	1 334
Colombie	28 600	1 370 a
Costa Rica	2 530	1 408
Cuba	10 090	..
Dominique	80	1 080 a
Équateur	9 380	1 220 a

* Chiffres 1985, sauf notes : a. 1984 ; b. 1983.

DU TIERS MONDE *

	Population (milliers)	PIB/ habitant (dollars)
Grenade	110	880 [a]
Guadeloupe	330	4 330 [b]
Guatemala	7 960	1 120 [a]
Guyana	940	491
Guyane franç.	70	3 230 [b]
Haïti	5 180	379
Honduras	4 370	769
Jamaïque	2 300	1 080 [a]
Martinique	330	4 260 [b]
Mexique	78 500	2 067
Nicaragua	3 160	870 [a]
Panama	2 180	2 100 [a]
Paraguay	3 280	1 250
Pérou	19 700	964
Porto Rico	3 400	4 200 [a]
Rép. Dominic.	6 420	990 [a]
St-Christ. Nevis	45	..
Sainte-Lucie	130	1 130 [a]
St-Vincent-Gren.	100	900 [a]
Salvador	4 820	1 163
Surinam	370	3 520 [a]
Trinité et Tobago	1 170	7 140 [a]
Uruguay	2 990	1 679
Vénézuela	17 320	3 220 [a]
Total Amérique latine (38 pays)	401 254	

ASIE	Population (milliers)	PIB/ habitant (dollars)
Afghanistan	18 100	168
Bangladesh	98 700	155
Bhoutan	1 390	96 [b]
Birmanie	38 500	164
Brunei	220	33931
Cambodge	7 060	50 [b]
Chine	1 061 100	310 [a]

	Population (milliers)	PIB/ habitant (dollars)
Chypre	670	3 590 [a]
Corée du Nord	20 400	..
Corée du Sud	41 200	2 092 [a]
Hong Kong	5 360	6 343
Inde	750 900	239
Indonésie	163 400	540
Laos	3 600	..
Macao	340	2 560 [a]
Malaisie	15 190	2 067
Maldives	170	149 [a]
Mongolie	1 870	..
Népal	16 600	142
Pakistan	96 200	328
Philippines	54 400	636
Singapour	2 560	7 260
Sri Lanka	15 800	360 [a]
Taïwan	19 260	3 142
Thaïlande	51 300	752
Turquie	49 300	1 075
Vietnam	58 600	..
Total Asie (27 pays)	2 592 190	

MOYEN-ORIENT	Population (milliers)	PIB/ habitant (dollars)
Arabie saoudite	11 090	10 833 [a]
Bahreïn	420	12 262
Émirats arabes unis	1 270	22 300 [a]
Irak	15 900	2 983 [b]
Iran	44 800	..
Israël	4 200	5 286
Jordanie	3 380	1 710
Koweït	1 710	14 003 [a]
Liban	2 640	..
Oman	1 190	8 456
Qatar	290	20 600 [a]

	Population (milliers)	PIB/ habitant
Syrie	10 270	1 792
Yémen du Nord	6 660	510 [a]
Yémen du Sud	2 290	560 [a]
Total M.-Orient (14 pays)	106 110	

	Population (milliers)	PIB/ habitant
Nlle-Calédonie	149	6 240 [a]
Papouasie-N-G.	3 430	760 [a]
Salomon (îles)	260	640 [b]
Samoa	160	626 [b]
Tonga	100	813 [b]
Tuvalu	8	680 [b]
Vanuatu	130	350 [b]
Total Océanie (10 pays)	5 005	
Total (143 pays)	3 650 807	

OCÉANIE		
Fidji	700	1 840 [a]
Kiribati	60	460
Nauru	8	..

16

sans arrière-pensées, pour plus de justice y compris dans la manière de gérer l'aide du Nord.

La mise entre parenthèses de l'idéologie est à l'origine d'autres formes de solidarité dans le tiers monde : la secte ou le clan, le parti ou la famille, la ville ou le village. Le tiers monde semble avoir compris que son affranchissement à l'égard de tous ceux qui voudraient l'exploiter, le « conseiller », l'orienter, bref le maintenir sous tutelle, ne peut que venir de lui-même. A droite comme à gauche, on se méfie des bonnes intentions venant d'ailleurs. Ce qui pourrait dégager enfin un terrain d'entente plus équitable et acceptable entre le Nord et le Sud.

Mais peut-on parler toujours de « Sud », pour désigner le tiers monde? Si l'on regarde une mappemonde, on s'aperçoit vite que les pays du tiers monde se situent, en gros, de part et d'autre de l'équateur; et que, dans le Sud géographique, un « pôle » plus développé semble se dessiner (Australie, Nouvelle-Zélande, et, peut-être plus tard, Argentine, Chili et Afrique du Sud). En fait, on ne peut plus parler de tiers monde comme s'il s'agissait d'un seul continent. Du point de vue des niveaux de développement, au moins trois grandes catégories de pays peuvent être distinguées : les « nouveaux pays industrialisés » (NPI) d'un côté, les « pays les moins avancés » (PMA) de l'autre, et, entre les deux, tous les autres pays, dont les situations sont d'ailleurs souvent très contrastées.

Sur le plan culturel, mais aussi en partie politique et économique, d'autres partages subsistent, qui nous imposent de parler de cinq « ensembles » différents : le monde latino-américain, le monde noir-africain, le monde islamique, le monde asiatique et le monde océanien. Les frontières qui les séparent ne sont guère fixes : on peut appartenir à la fois au monde noir et au monde islamique, à ce dernier et au monde asiatique. Mais cette distinction est sans conteste utile pour expliquer, en partie au moins, les évolutions en cours, les affrontements ou les ententes de demain.

Le monde latino-américain

par Pierre Benoit

Amérique latine : l'expression désigne un espace géographique et une zone d'influence culturelle. Le mot « Amérique » signifiant spontanément États-Unis, tout se passe comme si les habitants du sous-continent avaient perdu le droit de s'appeler « Américains » et peupleraient une Amérique à l'identité nébuleuse.

En réalité, même s'il était convaincu d'être arrivé en Asie par la route de l'ouest, Christophe Colomb aborda les rivages de la Caraïbe en 1492, soit un siècle avant les pionniers du *Mayflower*. La conquête du continent, épopée sanglante, réalisée sous la houlette du royaume de Castille, dans la foulée de la Reconquête espagnole contre l'islam, fut une suite de campagnes militaires rapides et acharnées. Elle avait pour but de rechercher de nouvelles sources d'approvisionnement en épices et en plantes tropicales, mais, surtout, de se procurer de l'or, car les caisses du Trésor royal espagnol étaient vides après huit siècles de guerre chrétienne contre l'islam. Entre 1498 et 1540, Espagnols et Portugais se partagèrent le nouveau monde : Hernán Cortés avait démantelé l'Empire aztèque au Mexique, Pedro de Alvarado avait conquis l'Amérique centrale, Francisco Pizarre s'était emparé de Cuzco, capitale de l'Empire inca, Pedro de Valdivia avait fondé Santiago du Chili, tandis que les Portugais installaient les ports de Bahia et Rio sur la côte Est du continent.

Une poignée d'hommes et de canons avait suffi pour abattre des empires, car le choc entre l'Europe de la Renaissance et l'Amérique précolombienne ne fut pas seulement militaire : les sociétés indigènes étaient composées d'ingénieurs et de savants, mais aussi de peuples de la forêt. Aucune de ces cultures aborigènes ne connaissaient la charrue et la poudre. En revanche, des villes comme la capitale aztèque Tenochtitlan étaient deux fois plus peuplées que Séville, la plus importante ville d'Espagne de l'époque.

La *Patria Grande,* le rêve unificateur qui anima l'action politique et militaire de Simon Bolivar, le « libérateur » du continent, dans la décennie de l'indépendance (1816-1825), ne vit jamais le jour : de la Terre de Feu au Rio Grande, sur la frontière du Mexique, la bourgeoisie créole construisit une vingtaine d'États concurrents sur le modèle des anciennes puissances coloniales. Puis, dès la fin du XIXe siècle, les États-Unis prirent le relais de l'Espagne et du Portugal pour s'assurer un droit de regard politique sur le sous-continent. Ce fut la fameuse *doctrine de Monroe* résumée dans cette formule lapidaire : « L'Amérique aux Américains. » Aujourd'hui, dominée économiquement par les États-Unis, l'Amérique latine est liée à son

AMÉRIQUE LATINE

Golfe
du
Mexique

MEXIQUE

Mexico

La Havane   CUBA

BELIZE

GUATEMALA   NICARAGUA   HAITI   R.DOMINICAINE

COSTA RICA   PANAMA   Océan

Caracas

Bogota   VENEZUELA   GUYANA

COLOMBIE   SURINAM

ÉQUATEUR   GUYANE

PÉROU

Océan   Lima

BRÉSIL

BOLIVIE

PARAGUAY

São Paulo   Rio de Janeiro

ARGENTINE

Santiago   URUGUAY

Buenos Aires

Pacifique   Atlantique

- **Noirs**
- **Indiens**
- **Blancs**
- **Zone faiblement peuplée**

EAC

puissant voisin du nord par l'Organisation des États américains (1948) et par un accord de défense mutuelle, le traité de Rio (1947).

Ensemble géographique possédant les traits caractéristiques du tiers monde, l'Amérique latine connaît en particulier une croissance démographique rapide : 132 millions d'habitants en 1945, 300 millions en 1975, avec une projection de 600 millions à l'horizon de l'an 2000. A la fin du siècle, la majorité des catholiques dans le monde seront latino-américains : c'est une donnée culturelle, mais aussi géopolitique avec laquelle il faut compter dans cette région du monde où l'Église participe aux débats politiques et sociaux, le plus souvent aux côtés des défavorisés.

L'intégration économique et culturelle, renforcée par un mode de colonisation relativement homogène, ne doit pas masquer les différences régionales, les disparités culturelles et économiques. Différences régionales, d'abord, puisque quatre grands ensembles géographiques se partagent de façon inégale le plateau continental : l'Amérique centrale, les pays andins, les pays du cône sud et le Brésil. Disparités culturelles, ensuite, car la domination de la culture hispanique et portugaise n'a pas entièrement balayé les cultures indiennes dans des pays comme le Mexique, le Guatémala, le Pérou, la Colombie qui possèdent de larges communautés. A noter aussi la présence de populations noires ou mulâtres au Brésil et dans le bassin des Caraïbes : toutes ces communautés sont largement marginalisées. Disparités économiques,

enfin, entre des petits pays pauvres en ressources, comme le Honduras, et le géant brésilien, qui arrive au huitième rang des pays occidentaux pour son P I B.

Le *Brésil* est en effet le « poids lourd » de l'Amérique latine, la seule véritable puissance régionale. Disposant d'importantes ressources humaines et économiques, il peut espérer un développement exceptionnel, s'il parvient à contrôler son propre espace. Mais les ressources inexploitées considérables dont il dispose ne suffisent pas à assurer définitivement le décollage amorcé depuis quelques années : à preuve, le fait que son potentiel économique est aussi impressionnant que sa dette extérieure (109 milliards de dollars à la fin 1986!), qu'il traîne comme un boulet.

Situé à moins de 3 000 kilomètres des côtes sénégalaises, le Brésil, seul État lusophone du continent, développe une vision du monde largement orientée « Sud-Sud ». Il existe une sorte d' « équateur lusitanien » qui pousse, pour ainsi dire naturellement, la diplomatie brésilienne à resserrer ses liens avec les anciennes colonies portugaises d'Afrique comme l'Angola et le Mozambique, plus récemment avec le Nigéria. Ces ambitions Sud-Sud vont de pair avec un développement qui cherche à s'affirmer notamment dans le domaine des armements. Malgré son endettement, le Brésil, comme l'Inde ou la Corée du Sud, est un élément actif au sein du club des nouveaux pays industriels.

Le leadership brésilien ne peut toutefois éclipser l'existence de trois autres puissances régionales. L'*Argentine* dont les richesses agricoles et le niveau culturel devraient constituer un atout. Mais l'instabilité politique, les séquelles de la dictature militaire (1976-1983), la défaite des Malouines en 1982 en ont décidé autrement. Le *Vénézuela,* jadis Eldorado pétrolier, aujourd'hui puissance régionale modeste, qui occupe une position géostratégique en direction du bassin des Caraïbes. Le *Mexique,* enfin, pays lourdement endetté, qui manifeste sa fragilité économique depuis la fin du « boom » pétrolier, et, plus récemment, des faiblesses politiques dues au fait que le Parti révolutionnaire institutionnel monopolise le pouvoir depuis un demi-siècle. Puissance régionale incontournable en Amérique centrale, la diplomatie mexicaine est obligée de modérer ses ambitions en raison de son puissant voisin du Nord.

Les conflits de l'Amérique centrale, accélérés par la révolution sandiniste au Nicaragua (1979), sont devenus un point de fixation dans le cadre du grand marchandage entre Moscou et Washington. Les États-Unis en ont fait un test de volonté politique, car ils considèrent le bassin des Caraïbes et l'isthme centro-américain comme une région vitale pour leurs intérêts stratégiques. D'une manière générale, la stabilité politique du sous-continent est un élément constitutif de la politique étrangère aux États-Unis. Et pourtant, en dépit des coups d'État militaires, des révolutions de palais, des guérillas endémiques comme au Pérou ou en Colombie, l'Amérique latine connaît une relative stabilité. Deux exceptions seulement sont venues modifier les données géopolitiques du continent au cours des dernières décennies : la révolution cubaine qui assure à l'Union soviétique une présence dans « l'arrière-cour » des États-Unis et plus récemment celle du Nicaragua.

■

Le monde noir-africain

par Elio Comarin

Ce n'est qu'en 1487 que le cap de Bonne-Espérance est doublé par le Portugais Dias, et le continent noir ne commence à être véritablement « découvert » par les Européens que bien après. Leur installation dans la quasi-totalité des colonies sud-sahariennes ne se termine en réalité qu'à la veille de la Première Guerre mondiale. Et c'est au lendemain de la Seconde que débute la décolonisation, en raison notamment de la participation des tirailleurs noirs à cette guerre qui fut l'un des plus grands massacres de l'histoire contemporaine.

Mais, vue d'Afrique, l'histoire a une tout autre épaisseur. D'abord c'est en Afrique noire, dans les alentours du lac Turkana, au Kénya, que l'humanité a trouvé son origine, selon le célèbre professeur Leakey. Selon le grand anthropologue sénégalais Cheikh Anta Diop, l'Afrique noire a pour sa part retrouvé son berceau en Égypte. Pygmées, Boshimans et Hottentots, les premiers habitants connus du continent, côtoyaient presque ceux de la Haute-Égypte, avant d'être repoussés, respectivement, vers la forêt équatoriale, le désert du Kalahari et la pointe méridionale, par les Bantous (Afrique centrale et australe), les Soudanais (Afrique occidentale), et les Hamito-Sémitiques (Afrique orientale).

A la fin du Iᵉʳ millénaire avant Jésus-Christ, de « puissants royaumes » existent déjà, selon le géographe Ptolémée, au Soudan et en Éthiopie. Mais ce n'est que trois siècles après Jésus-Christ que les « grands empires » noirs apparaissent : celui du Ghana, celui du Mali, ou celui du Monomotapa, dont la capitale – Zimbabwe – demeure, grâce à ses imposantes ruines, le témoin d'une civilisation très puissante. D'autres royaumes émergent, avant et après l'arrivée, à partir du VIIᵉ siècle, des Arabes et de l'islam, c'est-à-dire la venue de la première grande traite et de la première religion importée. Seule la frontière de la forêt semble avoir arrêté les cavaliers d'Allah.

Lorsque la colonisation européenne commence, d'autres empires sont en construction. La résistance noire est parfois admirable, mais insuffisante. Même l'islam, fortement adapté, se révèle incapable de stopper l'avancée des soldats, des missionnaires et des commerçants européens. Toute nouvelle migration est ainsi gelée. Des frontières modernes apparaissent, qui, souvent, ne se fondent pas sur des réalités ethniques ou étatiques. Des travaux forcés ayant entraîné des milliers de morts parmi les « indigènes » permettent la mise en place d'infrastructures étatiques. Mais le modèle européen permet aussi la constitution de nombreux mouvements politiques ou syndicaux, plus tolérés que souhaités par l'administration européenne. Ce ne sera pratiquement plus le cas au lendemain des indépendances des années soixante.

Accordée à contrecœur, l'autonomie interne, puis l'indépendance s'accompagnent de la mise en place des contrôles politiques et policiers sans commune mesure avec ce qui existe en Europe. Les États se soucient d'abord de l'ordre. Les responsables locaux, imposés parfois par l'ancienne puissance coloniale, favorisent le renforcement de bourgeoisies directement liées aux anciens maîtres. Des coups d'État militaires viennent souvent mettre en cause cet « ordre ». D'autres régimes s'installent, parfois encore plus violents et plus dictatoriaux. La « caporalisation » de l'Afrique noire connaît son apogée dans les années soixante-dix, alors qu'apparaît la première « grande famine », dans le Sahel occidental (Mauritanie, Mali, Niger) et oriental (Éthiopie).

Les années quatre-vingt apportent la confirmation de l'ouverture démocratique sénégalaise, la disparition des dictatures les plus outrancières (Amin

Dada, Bokassa, Macias Nguema) mais aussi d'autres famines et l'inévitable durcissement des conflits en Afrique australe. En Afrique du Sud, le régime d'*apartheid* semble s'autodétruire, incapable qu'il est de comprendre l'évolution réelle d'un continent peu à peu impliqué dans le jeu des grandes puissances issues de la Seconde Guerre mondiale.

Laissée par les Américains aux Européens, en application de la fameuse doctrine Monroe, l'Afrique noire ne semble intéresser véritablement que la France de De Gaulle et de ses successeurs, après le départ discret de la Grande-Bretagne et avant l'exclusion violente du colonialisme anachronique du Portugal au milieu des années soixante-dix. Se croyant investis d'une nouvelle mission au nom de l'Occident, les gouvernements français poursuivent la politique de présence – militaire, économique et culturelle – partout où les finances publiques le permettent. Ils se heurtent néanmoins à l'Union soviétique, qui sait exploiter les fautes commises à Paris, à Londres et à Lisbonne, et les ressentiments antioccidentaux des pays en lutte pour leur indépendance ou contre le néo-colonialisme. Mais les « pays amis » de l'URSS dans les années soixante (Égypte, Mali, Guinée) ne paraissent guère fidèles et se rapprochent de l'Occident. Quant à ceux des années soixante-dix (Éthiopie, Angola, Mozambique) ils sont tous confrontés à des guérillas antimarxistes ou indépendantistes qui ne permettent pas aux régimes en place de se passer de l'aide militaire soviétique. L'URSS parvient ainsi à s'installer dans ces pays, mais son image de marque n'est guère brillante. Sa coopération relève du troc (armes contre produits alimentaires), et son inexpérience africaine est un handicap presque insurmontable.

Les États-Unis comptent eux aussi des alliés (Zaïre, Somalie, Kénya et Libéria) et voudraient peut-être amoindrir l'influence française – notamment *via* le Canada. Mais ils ne semblent pas convaincus de l'importance du continent africain. Le seul « vrai » partenaire de l'Amérique reaganienne est l'Afrique du Sud, avec ses richesses minières stratégiques. L'enjeu est de taille et conditionne les relations euro-africaines et américano-africaines. Mais il favorise aussi le rapprochement, déjà en cours, entre le monde noir d'Afrique et celui d'Amérique.

De nouveaux pays « leaders », notamment sur le plan culturel, apparaissent : le *Nigéria* du chanteur Fela et du prix Nobel de littérature Wole Soyinka ; l'*Éthiopie* (seul pays non colonisé) ; le *Zimbabwe*, qui a su arracher le pouvoir à la Rhodésie « blanche » de Ian Smith ; et l'*Afrique du Sud* du leader nationaliste Nelson Mandela, de la chanteuse Myriam Makeba et du jazzman Dollar Brand. La *Côte d'Ivoire* fascine certains par son développement, mais sa dépendance paraît s'accroître, notamment vis-à-vis de la France. Quant au *Cameroun*, un pays clé au cœur de l'Afrique, le régime très autoritaire d'Ahidjo a empêché tout rayonnement en dehors des frontières.

Aux leaders historiques des années de l'indépendance – Senghor (Sénégal), Sekou Touré

AFRIQUE

Population noire

Zone christianisée

Limite sud de l'islam

EⱭC

(Guinée), Houphouët-Boigny (Côte d'Ivoire), Kenyatta (Kénya), Nyerere (Tanzanie), et Nkrumah (Ghana) – ont succédé de nouveaux héros : le Zimbabwéen Mugabe ou le Burkinabé Sankara. L'Afrique noire semble presque vouloir « con-quérir » l'Occident, surtout l'Europe, par sa présence culturelle de plus en plus forte (littérature, musique et danse) et par ses exploits sportifs. Mais sa tâche principale reste, presque partout, d'acquérir la démocratie. ∎

Le monde islamique

par Paul Balta

Semblable à une écharpe qui entourerait le globe au niveau de l'Afrique et de l'Asie, l'aire islamique s'étire de l'Atlantique au Pacifique, du Maroc à l'Indonésie. L'islam est la foi qui progresse le plus – y compris en Europe et aux États-Unis – bien qu'elle soit perçue comme une religion du tiers monde. Ainsi, un Africain sur deux est musulman, un sur quatre chrétien et un sur huit catholique. En 1980, la *World Christian Encyclopedia* (Oxford University Press) estimait à 722 millions le nombre total de musulmans (16 % de la population mondiale). En 1987, la Ligue islamique avançait le chiffre de un milliard au minimum parmi lesquels les moins de vingt ans représentent environ 60 %.

Troisième religion monothéiste après le judaïsme et le christianisme, l'islam, qui signifie soumission à Dieu, est fondé sur le *Coran,* révélé à Mohamed. La doctrine de base est la même pour tous les musulmans qui doivent pratiquer cinq obliga-tions appelées les « cinq piliers » : la profession de foi (« Il n'y a de Dieu que Dieu et Mohamed est son prophète »), la prière, le jeûne du mois de ramadan, l'aumône et le pèlerinage à La Mecque. Néanmoins, les musulmans se répartissent en deux grandes tendances, les *sunnites* et les *chi'ites,* lesquels ne représentent que 10 % du total. Bien que le prophète soit un Arabe, tous les musulmans ne sont pas arabes et tous les Arabes (165 millions dont 10 à 12 % de chrétiens) ne sont pas musulmans.

L'Indonésie est le pays qui compte le plus de musulmans : 135 millions sur 165 millions d'habitants. En URSS, les musulmans, qui étaient 18 millions en 1959 et 50 en 1986, seront 65 à 75 millions en l'an 2000 : les Slaves des républiques musulmanes soviétiques ne seraient plus alors que 15 à 20 % contre 33 % en 1959. Aux États-Unis, les 4 millions de musulmans se répartissent entre les *Black muslims* et les immigrés du Proche-Orient (Arabes et Iraniens).

Les dirigeants du monde islamique contemporain se divisent en deux grands courants qui ont vu le jour au XIXᵉ siècle lors de la Nahda (Renaissance) : les *modernistes,* influencés par la philosophie des Lumières, la Révolution de 1789 et les idées de l'Europe industrielle, et les *fondamentalistes,* partisans d'un retour aux sources tout en tenant compte des exigences du monde moderne. Parmi les dirigeants qui, au XXᵉ siècle, se rattachent au premier courant, figurent notamment Mossadegh (Iran), Gamal Abdel Nasser (Égypte), Ali Bhutto (Pakistan), Habib Bourguiba (Tunisie), Houari Boumediène (Algérie) et les dirigeants du parti Baas, Hafez el Assad (Syrie) et Saddam Hussein (Irak).

Le courant fondamentaliste a engendré l'Association des Frères musulmans, fondée en 1928 en Égypte par Hassan el Banna ; c'est le noyau d'où sont issus tous les mouvements islamistes (sunnites et chi'ites) qualifiés en Occident d'intégristes. Les fondamentalistes se partagent entre deux tendances, l'une modérée (elle comprend principalement les dirigeants du Golfe), l'autre révolutionnaire. Cette dernière prône le renversement par la violence de la plupart des régimes en place qualifiés de « corrompus » et de « traîtres à l'islam » ; son théoricien est l'Égyptien Sayyid Qotb (pendu en 1966), qui a également défini le « socialisme islamique ». Les figures marquantes de l'islamisme sont Ruhollah Khomeyni (Iran, né en 1900), Maulana Mawdoudi (Pakistan, 1903-1979), Mohamed Baker Sadr (Irak, exécuté en 1980), Rached Ghannouchi (Tunisie). Le colonel Kadhafi (Libye), auteur du *Livre vert,* n'est pas un « intégriste » mais un réformiste qui se situe à mi-chemin de l'arabisme et de l'islamisme.

L'expansion de l'islam s'est faite en deux temps. La conquête des cavaliers d'Allah partis d'Arabie au VIIᵉ siècle a été fulgurante. En effet, le prophète meurt en 632, et en 732 (bataille de Poitiers) les musulmans ont édifié, par l'épée mais plus encore par le Coran, le plus vaste empire du monde depuis Alexandre le Grand : il s'étend des Pyrénées à l'Indus. La perte de l'Andalousie après la chute de Grenade (1492) confirme le déclin des Arabes et l'émergence des Turcs ottomans qui vont occuper les Balkans. On assiste, parallèlement, à la deuxième expansion, celle des commerçants qui assurent la pénétration de l'islam en Afrique noire et dans l'Asie du Sud-Est jusqu'à l'Indonésie.

Au XXᵉ siècle, les modernistes seront, plus que les fondamentalistes, le fer de lance des luttes de libération, puis les artisans du développement économique une fois les indépendances acquises. Toutefois, plusieurs causes vont, à partir des années soixante-dix, favoriser la montée de la vague islamique : les défaites arabes face à Israël, surtout en 1967, le relatif échec du développement dont les acquis sont grignotés par une démographie galopante, la mutation – toujours déchirante – de sociétés traditionnelles et agricoles sous l'effet de l'industrialisation, de l'urbanisation et de l'accélération du rythme de l'histoire.

Aujourd'hui, l'islam fait peur à l'Europe à cause des actions terroristes ; il est vrai qu'on fait la paix et la guerre avec ses

LE MONDE ISLAMIQUE

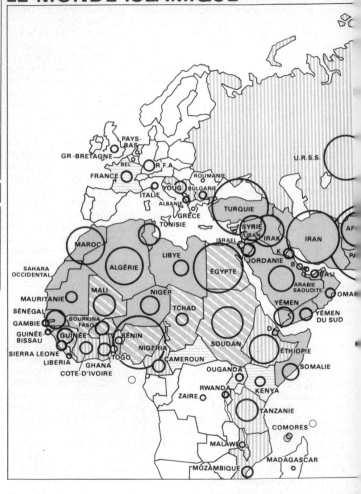

voisins. Pourtant, l'Islam est la seule aire de vieille civilisation qui – Pakistan mis à part – n'a pas la maîtrise pacifique de l'atome alors que tous ses voisins qui sont, à l'occasion, ses adversaires, possèdent l'arme nucléaire : Chine, URSS, Inde, Israël, Afrique du Sud, Europe, États-Unis. Cela a fait dire à un ayatollah iranien : « La prise d'otages est la bombe atomique

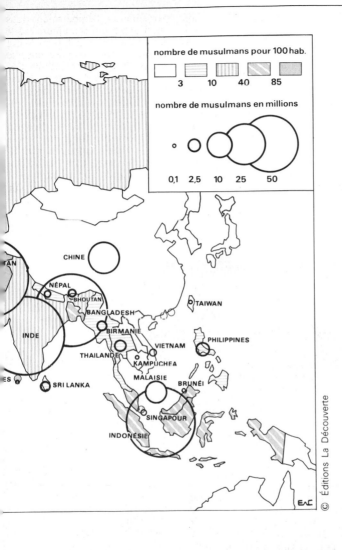

nombre de musulmans pour 100 hab.

3   10   40   85

nombre de musulmans en millions

0,1   2,5   10   25   50

CHINE

NÉPAL
BHOUTAN
BANGLADESH
BIRMANIE
INDE
THAILANDE
KAMPUCHEA
VIETNAM
TAIWAN
PHILIPPINES
SRI LANKA
MALAISIE
BRUNÉI
SINGAPOUR
INDONÉSIE

du pauvre. » L'aire islamique qui a manqué la révolution nucléaire va-t-elle manquer la révolution informatique ?

La guerre Irak-Iran illustre tragiquement la confrontation qui existe à l'intérieur même de l'islam, du Maroc à l'Indonésie, entre arabisme et islamisme, modernité et authenticité. Ce n'est pas le moindre des enjeux. De même, la question palestinienne est, en l'absence d'un règlement, comme un cancer qui se généralise depuis 1948 et produit des guerres-gigognes (conflits israélo-arabes, guerres du Liban, guerre du Golfe...) dont les activistes islamiques s'efforcent de tirer parti pour s'emparer du pouvoir. Or, une déstabilisation par l'Iran des États du Golfe – qui recèlent les plus importantes réserves de pétrole – affecterait l'Europe au premier chef. Qu'adviendrait-il aussi si les islamistes, soutenus par Téhéran, l'emportaient dans une Égypte qui a toujours été le pivot du Proche-Orient ? La même question se pose pour le Maghreb, aux portes d'une Europe soucieuse d'assurer la stabilité en Méditerranée occidentale. Enfin, la révolution iranienne et le conflit d'Afghanistan ont favorisé la pénétration de l'idéologie fondamentaliste dans les Républiques musulmanes soviétiques, avec les conséquences qu'on peut imaginer.

■

Le monde asiatique

par Francis Deron

Le monde asiatique – le plus grand ensemble humain de la planète – recèle deux des plus anciennes civilisations à n'avoir jamais connu d'interruption : l'Inde et la Chine. Pourtant, on pourrait soutenir que ce monde n'est né que vers la fin du XXᵉ siècle. Longtemps, ce qu'il est convenu d'appeler « l'Asie » n'a existé que comme une référence européenne à un ensemble privé d'identité intrinsèque. On serait bien en peine, d'ailleurs, de donner une définition géographique satisfaisante du continent asiatique.

Le phénomène dominant des années quatre-vingt aura été une tendance nouvelle, de la part des pays d'Asie, à rechercher une approche commune, sur une base régionale, à leurs problèmes de développement, dans leurs échanges et dans leurs rapports avec le monde industrialisé.

Trois sous-ensembles principaux forment cette *Asie* : le monde sinisé (Chine, Taiwan, Hong Kong et Macao, Japon, les Corées, Indochine, Thaïlande, Malaisie, Singapour) ; le sous-continent indien (Inde, Bangladesh, Pakistan, Birmanie, Sri Lanka, les États hymalayens) ; enfin, l'Asie du Sud-Est insulaire (Philippines, Indonésie, Papouasie-Nouvelle-Guinée, Brunéi).

Un trait commun à presque tous ces États : la surpopulation. Un milliard d'hommes peuplaient l'Asie après la Seconde Guerre mondiale ; ils étaient 2,7 milliards en 1986. Si le déclin de la croissance démographique enregistré dans les années quatre-vingt se maintient, ce qui n'est pas certain, ils seront 3,2 milliards à l'aube du siècle prochain.

Ce sont, bien sûr, les deux géants que sont l'Inde et la Chine qui dominent la scène asiatique, par le simple poids de leur population, en dépit du sous-développement que ces deux pays ont en commun. Mais le Japon, minuscule à leurs côtés par sa taille et sa population, vaincu militairement en 1945, ne s'en est pas moins imposé comme le troisième pôle de cet ensemble, par son formidable dynamisme économique. Un dynamisme qui reste fragile du fait de sa vocation exportatrice, mais dont tous les pays voisins, y compris la Chine communiste, ont fini par devoir tenir compte.

Face au Japon, l'Asie est scindée sur le plan économique en deux parts pratiquement égales : 1,2 milliard d'hommes vivent sous des systèmes économiques s'apparentant à la planification socialiste de type soviétique, et 1,3 milliard dans des économies de libre entreprise plus ou moins réglementées.

Les disparités des niveaux de développement n'en sont que plus frappantes. Alors que les Chinois devaient se contenter, en 1986, d'un revenu moyen, de 320 dollars (contre 220 pour les Indiens), la petite Corée du Nord, aux mécanismes économiques singulièrement rétrogrades, aurait assuré à ses 20 millions d'habitants un revenu de 956 dollars, tandis qu'un pays potentiellement très riche, comme la Birmanie, en raison de ses choix politiques notamment,

n'obtenait que 177 dollars par habitant. La même année, les poches de pauvreté absolue restaient nombreuses sur la carte de l'Asie, bien que la *Food and Agriculture Organisation* (FAO) juge la situation nettement meilleure que par le passé : 300 millions d'hommes « seulement » étaient classés comme « mal nourris ».

Depuis la fin de la guerre du Vietnam, en 1975, la plus grande surprise en matière de développement économique est venue des nouveaux pays industrialisés (Corée du Sud, pays de l'Association des nations du Sud-Est asiatique comme Singapour, ou encore Taiwan, Hong Kong, etc.), dont les revenus par habitant se rapprochent progressivement de celui du Japon (8 316 dollars américains par an en 1986). Un processus fragile, naturellement : ces pays sont souvent victimes des fluctuations des marchés internationaux, leur compétitivité les fait se heurter au protectionnisme des nations occidentales, et les richesses y restent extrêmement mal distribuées. Mais le dynamisme dont ils ont su faire preuve a contraint les pays occidentaux – en particulier les États-Unis – à considérer le périmètre décrit par les rives du Pacifique comme une zone prioritaire de développement, où certains voient le germe de ce qui pourrait être le carrefour du monde moderne au siècle prochain.

Les enjeux économiques ne doivent cependant pas faire oublier que l'Asie est encore traversée par des rivalités et des conflits redoutables, dont le potentiel destructeur est énorme. Ainsi, les pays communistes

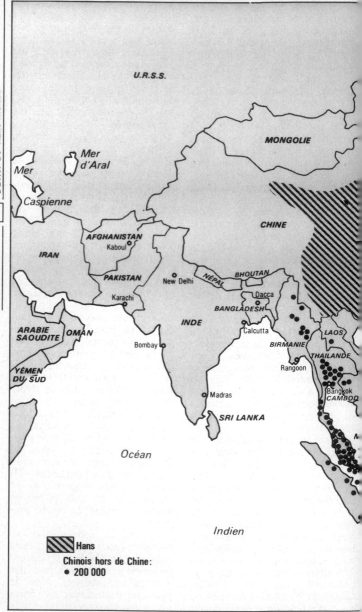

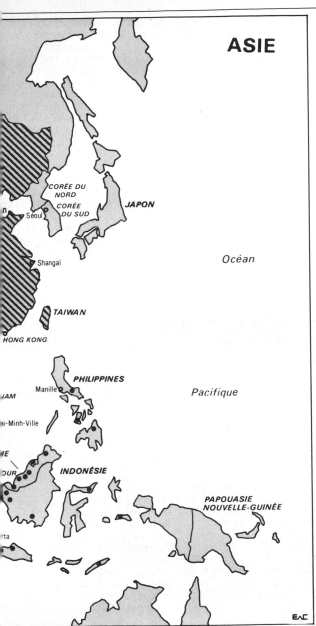

ASIE

CORÉE DU NORD

CORÉE DU SUD

Séoul

JAPON

Shangaï

Océan

TAIWAN

HONG KONG

PHILIPPINES

Manille

AM

Pacifique

ni-Minh-Ville

IE

OUR

INDONÉSIE

PAPOUASIE
NOUVELLE-GUINÉE

rta

EAC

© Éditions La Découverte

de la région comme ceux qui entretiennent de bons rapports avec l'Occident capitaliste, voient d'un œil soit inquiet, soit hostile, les efforts de l'Union soviétique – elle-même puissance asiatique considérable en devenir grâce à son gigantesque territoire sibérien – pour s'imposer militairement et politiquement. Tel est notamment le cas du Vietnam, pourtant allié de Moscou faute d'un autre choix.

La lutte d'influence qui oppose ainsi l'Union soviétique aux États-Unis dans cette région se traduit, entre autres, par le conflit d'Afghanistan, par la tension régnant dans la poudrière qu'est toujours la péninsule coréenne, ou encore, de façon plus indirec-te, par la rivalité sino-vietnamienne et ses conséquences dans le conflit du Cambodge, sans parler des grandes manœuvres navales de Washington et Moscou autour des grandes voies d'approvisionnement en énergie qui font vivre le Japon. Enfin, des hostilités territoriales plus anciennes (opposant la Chine et l'Inde, la Chine et l'Union soviétique, par exemple), ou des troubles ethniques (comme dans le sous-continent indien) jouent un rôle de déstabilisation certain. Un bouillonnement qui rappelle celui de l'Europe au siècle dernier – mais sur une échelle territoriale et démographique multipliée par plus de dix.

■

Le monde océanien

par Francis Deron

Au début des années quatre-vingt, le monde océanien semblait encore voué à rester à l'écart de la rivalité des grandes puissances. Trois d'entre elles, seulement, y étaient physiquement présentes, et toutes trois appartenaient au même camp : les États-Unis de façon massive, la France et, de moins en moins visible, la Grande-Bretagne. Sept ans plus tard, cette rivalité battait son plein dans toute la région. Pour la première fois, l'Union soviétique entreprenait d'y damer le pion aux Occidentaux.

C'est le déséquilibre géographique, humain et économique, qui frappe à première vue dans cette région. D'un côté, deux nations industrialisées, assimilables au Vieux Continent, l'Australie et la Nouvelle-Zélande – dont l'une aux dimensions colossales. De l'autre, un ensemble fragmenté à l'extrême, sous-développé : le Pacifique sud – dix mille îles, dont un tiers seulement répertoriées nommément sur les cartes usuelles. On y distingue trois sous-groupes plus ou moins cohérents du fait de leur peuplement ethnique : Micronésie, Mélanésie et Polynésie.

Hormis l'Australie et la Nouvelle-Zélande, qui ont accédé au

tatut de dominion respectivement en 1901 et 1907, il a fallu
attendre 1962 pour voir naître le
premier État indépendant du
Pacifique sud : le Samoa occidental. Une étape a été franchie
vers le concept d'identité régionale en 1971 lorsque le Forum
du Pacifique sud a été fondé.
À l'origine composé de l'Australie, de la Nouvelle-Zélande et
des îles Fidji, Nauru, Cook,
Tonga et Samoa occidental, il a
été rejoint, par la suite, par
la Papouasie-Nouvelle-Guinée,
Niue, Kiribati, Salomon, Tuvalu
et Vanuatu.

La constitution du Forum
visait, à l'origine, à jeter les
bases d'une démarche régionale
commune aux problèmes de
développement, tout en traduisant une volonté de l'Australie et
de la Nouvelle-Zélande d'assurer une présence économique
croissante auprès des micro-
États. La vulnérabilité économique de ces derniers, due à l'isolement et à l'absence de ressources terrestres, pourrait en effet
se transformer en prospérité, si
les richesses minérales qu'on
prête à leurs eaux étaient exploi-
tées.

Ces perspectives ne peuvent
qu'attirer l'Australie, qui n'a
fait, dans les années quatre-
vingt, que combler partiellement le retard technologique
pris sur le reste du monde industrialisé au cours de la décennie
précédente. Le pays-continent
restait, certes, le plus riche des
États de la région en 1986, avec
10 900 dollars de revenu annuel
par habitant, pour une population dangereusement faible de
16 millions d'âmes. Mais l'Australie devait poursuivre une
vigoureuse et ardue restructuration industrielle pour réaliser à

terme son ambition d'exporter
une technologie de pointe.

Bien différente est la Nouvelle-Zélande, aux proportions plus
modestes (3,3 millions d'habitants) et, surtout, à la vocation
encore agricole. Une vocation
qui constitue un handicap face
au reste du monde industrialisé
quand il s'agit pour les Néo-
Zélandais de défendre leurs
options politiques ou stratégiques.

Le *statu quo* de l'après-guerre
a été remis en cause, au milieu
des années quatre-vingt, par plusieurs facteurs, en tête desquels
l'opposition à la présence d'armements nucléaires dans la
région. Ce fut d'abord la Nouvelle-Zélande qui devait rompre
ipso facto son engagement dans
le traité Anzus la liant aux
États-Unis et à l'Australie, en
refusant l'accès de ses ports aux
navires américains porteurs
d'équipements nucléaires. Puis
le Forum du Pacifique sud adop-
tait, en 1985, un traité de dénu-
cléarisation de la région qui contraignait les pays occidentaux à
prendre pour la première fois en
compte dans leurs options
l'émergence du monde océanien.
Au centre des polémiques, se
trouvait naturellement la France, vivement critiquée par plusieurs pays de la région pour ses
essais nucléaires à Mururoa,
ainsi que pour sa présence, de
type encore colonial, en Nouvelle-Calédonie.

Ces difficultés nouvelles des
Occidentaux dans le Pacifique
ne sont pas passées inaperçues à
Moscou, à l'heure où l'Union
soviétique s'efforce de rénover
son économie et se découvre une
dimension orientale. Moscou a
ainsi multiplié les gestes pour se
faire des amis dans le Pacifique,

ILES DU PACIFIQUE

102 Chiffres de population en milliers

Midway (E.U.)

Marcus (Jap.)

Jap.

Rép. de Belau (E-U.)

Koror

Commonwealth des Mariannes du Nord (E.U.)

Garapan

Agana Guam (E.U.)

Carolines

États fédérés de Micronésie (E-U.)

Wake (E.U.)

Marshall (E.U.)

Johnston (E.U.)

Hawaii (E.U.)

Honolulu

Hilo

PACIFIQUE

Caroline

Christmas

Palmyra (E.U.)

Jarvis (E.U.)

Line Islands

Canton-Enderbury

Howland-Baker (E.U.)

Phoenix

Marquises (Fr.)

Polynésie française

Touamotou (Fr.)

Pitcairn (Brit.)

200

Société (Fr.)

Papeete

Toubouai (Fr.)

Cook

24

Tokelau (N.Z.)

SAMOA OCC. **160**

Apia   Pago-Pago
Samoa (E.U.)

Niué
(tutelle N-Z) **33**

TONGA **100**

Nuku'alofa

1500 km

KIRIBATI

Tarawa **60**

TUVALU

Funafuti

Wallis-Futuna (Fr.)

Lambasa

FIDJI **700**

Suva

NAURU

SALOMON

Honiara

VANUATU **130**

Port-Vila **260**

Rabaul

PAPOUASIE

Madang
Lae
Port Moresby

3400

IND.

N. Calédonie (Fr.) Nouméa

Équateur

AUSTRALIE

Townsville

au point de susciter une certaine inquiétude tant chez les Occidentaux qu'au Japon. En effet, si la présence militaire américaine dans la région demeure un élément capital du dispositif de sécurité occidental, c'est une nécessité absolue pour le Japon, dont les voies d'approvisionnement en énergie pourraient être menacées en cas de progression soviétique marquée.

En fait, le monde océanien dans son ensemble n'en est pas à se détacher du camp occidental. Même sous des gouvernements travaillistes, l'Australie et la Nouvelle-Zélande demeurent des alliés des États-Unis et de l'Europe de l'Ouest. Quant aux micro-États, une bonne partie d'entre eux se montrent également très méfiants devant les appels du pied soviétiques. Mais c'est plutôt à l'établissement de nouvelles bases dans les relations économiques et politiques entre la région et le monde capitaliste que ces pays appellent désormais. C'est tout particulièrement le cas pour les micro-États, qui n'ont bénéficié par le passé que d'une assistance réduite pour leur développement et qui entendent bien monnayer auprès des nations occidentales l'exploitation à venir des fonds marins qu'ils contrôlent.

Les perspectives offertes par l'aquaculture, les zones de pêche redéfinies, l'exploitation des nodules polymétalliques figurent parmi les éléments qui ont pu conduire à prévoir l'émergence d'un nouveau « centre de gravité » économique du monde allant d'une rive à l'autre du Pacifique. Il ne prendra peut-être pas la forme d'Eldorado moderne qu'on a voulu imaginer, mais il est certain qu'un développement important de l'activité économique dans cette partie du monde se produira durant la dernière décennie du siècle. L'important, pour les pays du Pacifique sud, est d'y prendre part. ∎

Unité et diversité du tiers monde

par Yves Lacoste

C'est au lendemain de la Seconde Guerre mondiale, et plus précisément dès les débuts de la « guerre froide », qu'une vaste campagne fut lancée – d'abord aux États-Unis puis en Europe occidentale – pour faire comprendre à l'opinion la gravité et l'ampleur des problèmes de ce que l'on appela les pays « sous-développés ». Cette campagne, contemporaine du processus de « décolonisation », avait essentiellement pour but de justifier par des raisons morales et humanitaires le financement de politiques d'*aide* qui étaient en fait néo-colonialistes. Il s'agissait surtout (comme le proclama le président Truman dans son fameux « Point IV » en 1948) de fournir des moyens financiers, techniques et militaires à des appareils d'État plus ou moins récents et fragiles, de façon à ce qu'ils puissent faire face à la poussée révolutionnaire qui se développe alors dans de nombreux pays d'Amérique latine, d'Asie et bientôt d'Afrique.

D'une vision simpliste...

Dans cette première phase, qui avait pour but de justifier une politique globale d'aide à un très grand nombre d'États menacés – disait-on – par la « subversion communiste », on fit abstraction des particularités de chacun d'eux. Et on souligna leurs caractéristiques communes, c'est-à-dire les grandes différences qu'ils présentaient dans leur ensemble par rapport au groupe beaucoup moins nombreux des pays « développés ». Cette représentation très schématique du monde, fondée sur la violence du contraste entre les caractéristiques surtout économiques de deux grands groupes de pays, fut reprise par les mouvements anti-impérialistes : ceux-ci dénoncèrent les mécanismes de l' « échange inégal » entre pays développés et pays sous-développés et le fait que l' « aide » fournie par les premiers, loin de contribuer à réduire les facteurs de « sous-développement », tendait en fait à les pérenniser et à les renforcer. Au-delà de leur antagonisme, la thèse « libérale » (ou néo-impérialiste) et la thèse anti-impérialiste se fondaient donc sur le même schéma, très simplifié.

Au bout d'un certain temps, toutefois, les tenants de l'une et l'autre thèse se rendirent compte qu'il ne fallait pas seulement prendre en compte les indicateurs strictement économiques du contraste entre les deux grands ensembles planétaires, mais aussi des caractéristiques sociales, démographiques et même culturelles. On établit alors des listes des principaux critères du « sous-développement », et l'on considéra que chacun d'eux s'appliquait peu ou prou à l'ensemble des pays du « tiers monde ». Cette expression, qui ne fut d'abord qu'un jeu de mot d'Alfred Sauvy en 1952, connut à partir des années soixante un succès considérable et finit par désigner l'ensemble des pays d'Afrique, d'Asie et d'Amérique latine, les uns et les autres continuant d'être envisagés en fonction de leurs caractéristiques communes, c'est-à-dire selon les différences qu'ils présentaient globalement en regard des pays développés.

Un certain accord s'établit alors sur une sorte de liste de caractéristiques communes des pays du tiers monde :

1) insuffisances alimentaires,

2) graves déficiences des populations, forte proportion d'analphabètes, maladies de masse, forte mortalité infantile,

3) ressources négligées ou même gaspillées,

4) forte proportion d'agriculteurs à basse productivité,

5) faible proportion de citadins, faiblesse des classes « moyennes »,

6) industrialisation restreinte ou incomplète,

7) hypertrophie et parasitisme du secteur tertiaire,

8) faiblesse du produit national par habitant,

9) ampleur du chômage et du sous-emploi, travail des enfants,

10) situation de subordination économique,

11) très violentes inégalités sociales,

12) structures traditionnelles disloquées,

13) ampleur de la croissance démographique, la natalité restant forte alors que la mortalité diminue,

14) prise de conscience de la misère par l'ensemble de la population.

37

Une telle liste de « critères », qui ne prétendait d'ailleurs pas tenir lieu d'une définition du « sous-développement », n'est plus de mise aujourd'hui. Les différents pays du tiers monde ont connu en effet de profondes transformations depuis une trentaine d'années. Certains États ont enregistré une très forte croissance économique (c'est notamment le cas de certains États d'Amérique latine et des pays gros exportateurs de pétrole, alors que dans d'autres, le marasme économique continuait de sévir (cas de beaucoup de pays d'Afrique tropicale, mais aussi du Bangladesh, par exemple). Certains États ont connu de puissants phénomènes d'industrialisation, avec souvent le concours des firmes multinationales, alors que d'autres (ceux d'Afrique tropicale) paraissent encore relever du vieux « pacte colonial » (importation de produits manufacturés et exportation de matières premières). Enfin, le développement des luttes de classes dans la plupart des pays du tiers monde a provoqué d'importantes transformations

Inventer des sociétés neuves

par Georges Balandier

Ce texte est paru dans la revue *Arguments** en 1959. Il n'a pas pris de ride et mérite d'être lu et médité près de trente ans plus tard – ce qui par ailleurs ne peut que renforcer notre trouble et doit nous encourager à *reprendre* notre analyse du tiers monde et à réexaminer notre conception de l'histoire…

Toutes les maîtrises – techniques, économiques et politiques – se sont effondrées en une vingtaine d'années; au moment où l'homme moderne apparaît de plus en plus maître de la nature, il se révèle de moins en moins maître de ses œuvres, de ses cultures et de ses sociétés. Cette affirmation n'a rien de paradoxal : le dynamisme technique et scientifique, le capitalisme conquérant des inventeurs et premiers bénéficiaires de la « révolution industrielle » ne pouvaient être contenus dans le champ étroit des nations initiatrices. Très vite, le « secret européen » (Paul Valéry) devint le secret de Polichinelle; il fit naître le besoin de biens nouveaux et permit de mieux évaluer le prix des ressources naturelles. Cependant

que l'impérialisme, en exploitant celles-ci et en négociant ceux-là à ses conditions, en imposant sa domination, semait le ressentiment sur les trois quarts de la surface du globe. D'un monde cloisonné, et maîtrisé par les quelques nations équipées qui orientaient l'histoire, est sorti un monde déchiré où se multiplient les partenaires « majeurs » et où toutes les structures sont à l'épreuve.

Ce déchirement, nous le saisissons d'abord sous la forme des larges champs de forces politiques qui orientent les rapports internationaux. Il ne s'agit pas en l'occurrence du seul partage en deux « blocs » par rapport auxquels se situent les pays du tiers monde, plus ou moins engagés, plus ou moins méfiants vis-à-vis des deux puissances rivales qui, selon le mot du pandit Nehru, n'en adorent pas moins le même dieu : la machine. Il faut évoquer les incertitudes d'une Europe qui cherche ses frontières et son commun dénominateur, les mouvements d'une Amérique latine qui renonce à n'être que l'« économie-reflet » des États-Unis, les heurts résultant des poussées nationales et des rivalités internes pour la prééminence en Asie et en Afrique. De nouveaux contours politiques et des solidarités nouvelles tentent de s'affirmer. ▶

* Arguments, *revue dirigée par Edgar Morin et animée par Kostas Axelos et Jean Duvignaud. Réédition en deux volumes aux éditions Privat, Toulouse, 1983, à l'initiative d'Olivier Corpet.*

sociales et politiques, qu'il s'agisse de réformes plus ou moins poussées des structures agraires et des systèmes d'exportation (nationalisation des mines et des plantations) ou de révolutions radicales, comme l'abolition de la propriété privée des

moyens de production et la mise en place de structures collectivistes ou étatistes de production (c'est surtout le cas des États communistes, mais pas seulement). Toutes ces transformations font qu'il n'est plus possible aujourd'hui de se référer à

Pour l'instant, tout est remis en cause alors que le fragile support de l'ancienne (et inéquitable) économie internationale s'est disloqué.

Mais le déchirement n'affecte pas uniquement les entités politiques, il concerne aussi, et plus gravement, la plupart des civilisations et des cultures. Seules deux d'entre ces dernières, la soviétique et l'américaine, ont la certitude de répondre aux exigences du XXe siècle. Les autres, en dépit de leur éclat et de leur susceptibilité, se sentent atteintes par les maladies de vieillesse. L'Europe en ayant perdu ses privilèges a perdu sa force de rayonnement ; ses valeurs ne s'imposent plus par contagion et ses incertitudes la conduisent à un repli qui intervient aussi dans l'ordre culturel. L'Asie, mis à part la Chine qui s'efforce d'accomplir le plus total des « refaçonnages », se trouve de même en position de défense ; elle essaie de préserver les valeurs spécifiques de ses anciennes civilisations ; elle veut conquérir le mieux-être sans en accepter l'inéluctable conséquence : l'obligation d'être autrement. Les prises de position de certaines des élites indiennes révèlent l'acuité de ce débat sans issue. En Afrique, notamment dans les régions d'influence française, les intellectuels agissants (et certains responsables politiques) exaltent la volonté de reconstruire la « personnalité africaine » et de « désoccidentaliser » les cultures nègres ; ils suggèrent un pèlerinage aux sources tout en

affirmant la nécessité urgente d'équiper le monde noir, d'implanter les techniques productives modernes. C'est, là aussi, un univers de contradictions.

Ces remarques impliquent une première conclusion. Il faut partout recréer des civilisations adaptées aux nécessités du XXe siècle – recréer résolument et non se satisfaire de simples opérations de sauvetage. Ni les États-Unis ni la Russie soviétique n'ont aujourd'hui la civilisation que permet leur niveau de développement technique. L'Europe, dont la civilisation à la fois cumulative et dynamique résulta d'une conjonction exceptionnelle d'influences et d'apports très divers, ne retrouvera sa puissance créatrice qu'après s'être retrouvée elle-même et avoir liquidé les dernières séquelles du colonialisme. L'Asie et l'Afrique la recouvreront aussi en se détachant, pour une part, de leur passé, en maîtrisant leur hétérogénéité – cette dernière devenant force et non plus faiblesse. La résolution des problèmes techniques et économiques ne suffit pas, même dans les pays sous-équipés où elle s'impose de toute urgence : partout, les hommes du XXe siècle ont autant besoin de raisons d'être que de moyens matériels d'existence. Ils voient que leur avenir est maintenant bouché : ici, par un surplus de techniques au service de la volonté de puissance ; là, par un déficit de techniques qui ne pourrait se corriger que par un aménagement des solidarités mondiales. Mais cet ▶

une liste de caractéristiques communes des pays du tiers monde.

Certains auteurs en ont déduit que l'idée de tiers monde n'avait plus de raison d'être, et même qu'elle n'avait été dès l'origine qu'une illusion. La différencia-

tion croissante des États du tiers monde ne doit pourtant pas faire oublier, d'une part, que leur évolution historique a été déterminée par un phénomène capital, la *domination coloniale* (ou quasi coloniale), dont les conséquences pèsent encore très lourd

avenir ne sera pas en vue, quels que soient les succès du développement économique, tant que des civilisations nouvelles ne seront pas accouchées afin de redonner un sens à l'existence humaine.

Il reste un autre problème, parent du précédent, qui n'est plus : comment reconstruire les civilisations, mais comment les rendre communicantes? Les connaissances objectives, les techniques modernes, les produits résultant de ces dernières créent un tissu commun en se généralisant ; elles arment les esprits avec certains langages universels (ceux créés par les sciences pures); elles banalisent les paysages et les genres de vie. Cela ne suffit pas. Il faut l'apparition, dans les divers centres de pensée, de ce nouvel humanisme qui permettra aux civilisations et aux cultures d'être en rapport fécond, les exclusives et les orgueils ayant disparu. Pour la première fois dans l'histoire de l'espèce, des expériences humaines très variées, parce que divergentes depuis un lointain passé, sont totalement confrontées les unes avec les autres. C'est de leur affrontement, puis de leurs adaptations mutuelles aux problèmes de ce temps que doit surgir l'humanisme neuf qui les rendra compréhensibles les unes aux autres – et fera apparaître des valeurs moins particulières.

Le déchirement, évoqué sous les aspects politiques et culturels, atteint aussi et partout les rapports sociaux. Les conflits entre classes sociales, la coupure

entre milieu industriel et milieu rural, l'emprise bureaucratique et technocratique, le manque de communautés larges reconstruites au-delà des anciennes communautés agraires, ce sont là autant de « faiblesses » sociologiques qui affectent les nations équipées. La qualité des relations humaines y a cédé le pas devant le système abstrait des règles, des prescriptions, des contrats et des contraintes ; les « personnes » se sont effacées devant les « agents » économiques, politiques et sociaux; la cohésion sociale ne trouve une vigueur que par le recours aux expédients et par le jeu des passions. Dans les pays en cours de développement économique rapide, les ruptures sont plus brutales, plus graves aussi lorsqu'elles affectent les unités politiques ayant la taille de véritables sous-continents, comme c'est le cas pour l'Union indienne. Les dominations étrangères d'abord, l'industrialisation ensuite ont dégradé les anciennes structures sociales et rompu des équilibres jusqu'alors efficaces. ▶

aujourd'hui, quelles que puissent être les transformations politiques qui ont été réalisées depuis des indépendances plus ou moins récentes. D'autre part – et surtout –, les États du tiers monde, quel que puisse être leur

degré d'industrialisation et d'urbanisation, se caractérisent par l'ampleur de leur *croissance démographique*. C'est non seulement une de leurs différences majeures en regard des pays développés, mais aussi ce qui

L'ensemble du paysage sociologique reste bouleversé et l'homme, privé de son vieil équipement social et culturel, se trouve désemparé, disponible. Il est à prendre, et d'autant plus facilement qu'il demeure plus démuni des biens fondamentaux. La puissance révolutionnaire des paysanneries asiatiques et (à un moindre degré) africaines est aujourd'hui sans commune mesure avec la puissance révolutionnaire du premier prolétariat industriel et des paysanneries pauvres de l'Europe du XIXᵉ siècle. Elle résulte d'un dénuement plus total et, surtout, elle s'impose d'une manière plus massive – concernant presque la moitié de la population mondiale. C'est à la suite d'une telle constatation qu'Abdoulaye Ly – Les masses africaines et l'actuelle condition humaine *(Ed. Présence africaine, Paris, 1956)* –, essayiste et homme politique sénégalais, a exalté le rôle quasi messianique des paysanneries aujourd'hui révoltées.

Aux attentes et aux révoltes de ce temps, quels buts sont à proposer? Et quelles doctrines, quels moyens sont à concevoir afin de les viser? La première tâche s'impose avec la force de l'évidence : il faut assurer à toutes les sociétés du monde les assises matérielles indispensables, les infrastructures sans lesquelles l'œuvre des hommes restera construite sur le sable. Ce qui implique d'abord un recensement et une gestion commune des richesses naturelles, l'acheminement vers une administration mondiale de la production des matières premières. Lorsque celles-ci deviendront l'objet de solidarités inédites et non plus de compétitions et d'échanges inégaux, l'âge archaïque de l'économie internationale sera dépassé. D'autre part, en face d'une humanité en expansion démographique et de mieux en mieux outillée pour mettre à sac la planète, c'est une exploitation plus rationnelle qui s'impose. Plus rationnelle par ses localisations : elle aurait à fonder de grands ensembles régionaux d'activité économique et de développement ; et par son esprit : elle devrait réduire – puis éliminer – les contradictions entre projets nationaux. François Perroux, analysant la coexistence pacifique, vient de le montrer et de le démontrer pathétiquement.

Mais cette réorganisation internationale ne saurait suffire tant qu'une politique démographique n'aura pas prévalu auprès des populations à la fois massives et expansives, tant que n'aura pas été amorti ce ⸱ mouvement qui conduit à un doublement de la population mondiale aux environs de l'an 2000. Si le malthusianisme est haïssable, on ne peut cependant douter de l'insuffisance de la solution économique pour résoudre le tragique problème posé par la compétition entre expansion démographique et croissance économique. La Chine nouvelle, malgré ses variations, découvre que Marx ne peut totalement éliminer Malthus. La ▸

fonde indiscutablement l'exigence d'un développement économique rapide. Au sein de chaque pays du tiers monde, l'effectif de la population a doublé ou même triplé durant les trois dernières décennies, et il va encore doubler dans les vingt-cinq prochaines années. Les taux de mortalité ont en effet considérablement diminué, alors que les taux de natalité restent élevés, pour des raisons tout à la fois économiques, sociales et cultu-

solution interviendrait plus aisément si un accord international se réalisait entre pays équipés et pays sous-développés; ces derniers seraient moins incités à maintenir leur seule force apparente (qui est d'ailleurs leur faiblesse réelle), celle du nombre des hommes; ils disposeraient plus rapidement des moyens propres à transformer l'existence humaine, et par là même tous les comportements.

Sommes-nous intellectuellement armés pour concevoir les sociétés neuves (François Perroux) qui restent à construire, et le monde nouveau où elles devront s'ajuster les unes aux autres? Le capitalisme mitigé et organisé a, par un dynamisme retrouvé, transformé la composition des classes sociales et leurs rapports mutuels; il bénéficie de l'affaiblissement actuel des mouvements ouvriers; moins vulnérable à l'intérieur, il reste cependant incapable d'intervenir au-dehors pour contribuer efficacement, et sans se renier, au développement des régions d'économie retardée. Les menaces les plus immédiates se trouvent moins au sein des sociétés qu'il régit qu'à ses frontières. Le socialisme marxiste, parce qu'il ne s'est imposé à aucune des sociétés déjà industrialisées, apparaît d'abord *comme une technique de mobilisation des masses et de développement économique rapide (sur la base de la planification centralisée et de l'industrialisation lourde). Ainsi, les deux systèmes s'affrontent-ils surtout* au niveau du tiers monde; l'actualité le révèle suffisamment. Leur lutte, qui fait des pays sous-développés à la fois des enjeux et des arbitres, affaiblit en se prolongeant leurs positions respectives auprès de ceux-ci. Leur affrontement, manifesté par la guerre froide entre les deux blocs que dirigent les deux premières puissances industrielles du monde, apparaît comme une « querelle de riches » et une compétition pour la domination mondiale.*

Cette situation explique les tentatives faites pour organiser le tiers monde hors systèmes, les efforts accomplis sous le couvert du neutralisme « actif » ou « positif ». Elle conditionne aussi le renouvellement doctrinal dont quelques Asiatiques et Africains prennent l'initiative; entreprises ▶

relles. Certes, dans certains États, la natalité commence à diminuer (en Chine, elle a été réduite par des méthodes draconiennes de contraintes qui risquent de ne pas être durables), mais la mortalité continuant d'être abaissée, l'excédent naturel restera important pendant encore au moins vingt ans. Il faut aussi tenir compte de la très forte augmentation de la population urbaine : du fait de l'exode rural, elle va tripler ou

que l'on pourrait situer sous le signe du socialisme syncrétique. L'Union indienne a ici valeur exemplaire. La doctrine officiellement acceptée comme le montre le préambule du second plan quinquennal, révèle la diversité des sources d'inspiration. On y retrouve l'agrarianisme hérité de Gandhi, le social welfare reçu de la pensée économique anglo-saxonne, la passion d'industrialisation (avec ses exigences les plus modernes) et le socialisme conçu sur la base des conditions indiennes ; c'est-à-dire un socialisme adopté en tant que nécessité, mais qui se veut respectueux des anciennes valeurs cardinales, qui nie la lutte des classes et rejette même l'analyse dialectique des phénomènes. Ce n'est là qu'une première ébauche, encore très imparfaite, mais significative puisqu'elle comporte des répliques africaines : ainsi, la démarche théorique présentée par Mamadou Dia, président du gouvernement sénégalais, dans son Économie africaine *(PUF, 1957).*

Ces recherches montrent la bonne voie. Il faut qu'un exceptionnel effort doctrinal, aidé par une imagination mise au service des techniques sociales et non des seules techniques matérielles, contribue à briser les dogmatismes et permette de concevoir des sociétés nouvelles et des rapports internationaux inédits. Celles-là et ceux-ci portant inéluctablement la marque du socialisme, d'un socialisme qui se sera lui-même transformé en se généralisant.

G.B.

quadrupler dans les deux prochaines décennies. Tout cela impose la continuation d'un énorme effort de développement, et celui-ci exige la prise en compte des particularités de chaque État.

... à la prise en compte de la diversité

Tant que les problèmes du tiers monde ont été envisagés de *l'extérieur*, à partir des pays développés, dans le cadre d'une stratégie globale d'aide, il a été compréhensible que l'on privilégie l'examen des caractéristiques communes aux pays d'Afrique, d'Asie et d'Amérique latine. Mais aussi, tant que l'on a pu penser qu'une solution radicale allait être apportée aux problèmes du « sous-développement », par l'abolition de la propriété privée des moyens de production et la mise en place de structures collectivistes ou étatistes, il était tout autant compréhensible que l'on envisage les différents pays en fonction de leur commune dépendance à l'égard de l'impérialisme. Mais aujourd'hui, il apparaît que ni l'« aide » fournie par les pays industrialisés, ni la rupture avec le marché mondial, ni les structures du socialisme, ne permettent de faire face à l'ensemble des problèmes qui vont encore s'accroître du fait du nouveau doublement de la population d'ici 2010. Si ces problèmes doivent être évoqués de façon globale pour l'ensemble du tiers monde, c'est-à-dire à un degré relativement poussé de généralisation et d'abstraction, c'est en revanche dans le cadre de chaque État qu'ils se posent concrètement et c'est dans le cadre de chacun de ces États – et de chacune de leurs régions – qu'il est possible de les affronter réellement. Le développement agricole, notamment, dépend bien sûr pour une part des méca-

43

Trois mondes, une planète *

par Alfred Sauvy

Nous parlons volontiers des deux mondes en présence, de leur guerre possible, de leur coexistence, etc., oubliant trop souvent qu'il en existe un troisième, le plus important et, en somme, le premier dans la chronologie. C'est l'ensemble de ceux que l'on appelle, en style Nations unies, les pays sous-développés.

Nous pouvons voir les choses autrement, en nous plaçant du point de vue du gros de la troupe : pour lui, deux avant-gardes se sont détachées de quelques siècles en avant, l'occidentale et l'orientale. Faut-il suivre l'une d'elles ou essayer une autre voie ?

Sans ce troisième ou ce premier monde, la coexistence des deux autres ne poserait pas de grand problème. Berlin ? Allemagne ? Il y a longtemps qu'aurait été mis en vigueur le système d'occupation invisible, qui laisserait les Allemands libres et que seuls les militaires,

épris de vie civile, peuvent condamner. Les Soviétiques ne redoutent rien tant que voir l'Europe occidentale tourner au communisme. Le plus fervent stalinien d'ici est considéré là-bas comme contaminé par l'Occident. Parlez plutôt d'un bon Chinois, d'un Indien ayant fait ses classes à Moscou et ne connaissant la bourgeoisie que par la vision correcte et pure qui est donnée là-bas. Mais les Anglais, les Suédois, les Français, autant d'indésirables recrues.

Ce qui importe à chacun des deux mondes, c'est de conquérir le troisième ou du moins de l'avoir de son côté. Et de là viennent tous les troubles de la coexistence.

Le capitalisme d'Occident et le communisme oriental prennent appui l'un sur l'autre. Si l'un d'eux disparaissait, l'autre subirait une crise sans précédent. La coexistence des deux devrait être une marche vers quelque régime commun aussi lointain que discret. Il suffirait à chacun de nier constamment ce rapprochement futur et de laisser aller le temps et la technique. D'autres problèmes surgiraient, qui occuperaient suffisamment de place. Lesquels ? Gardons-nous de poser la question. ▶

* L'Observateur, 14 août 1952, p. 5. Nous remercions Alfred Sauvy de nous avoir aimablement autorisé à reproduire cet article.

nismes du marché mondial ; mais il dépend surtout, à la base, de l'effort des paysans qui sont confrontés à des difficultés naturelles, sociales, politiques, etc., qu'il faut à présent envisager avec précision.

Il est désormais indispensable de prendre en considération les caractéristiques particulières de chaque pays du tiers monde, car au-delà de leurs caractéristiques communes, ils sont en fait extrêmement différents les uns des autres. Il faut tenir compte ainsi de la différence considérable entre les tailles de ces États, non seulement en terme de superficie du territoire, mais aussi en terme d'effectifs de population : certains États sont gigantesques et leur population se compte par centaines de millions d'habitants, alors que d'autres – leur nombre s'accroît notamment dans le Pacifique – sont minuscules et ne comptabilisent chacun que quelques dizaines de milliers d'habitants (le record du minuscule est la République

Transportez-vous un peu dans l'histoire : au cœur des guerres de religion, émettez négligemment l'opinion que, peut-être, un jour, catholiques et protestants auront d'autres soucis que l'Immaculée Conception. Vous serez curieusement considéré et sans doute brûlé à un titre ou l'autre, peut-être comme fou.

Malheureusement, la lutte pour la possession du troisième monde ne permet pas aux deux autres de cheminer en chantant, chacun dans sa vallée, la meilleure bien entendu, la seule, la « vraie ». Car la guerre froide a de curieuses conséquences : là-bas, c'est une peur morbide de l'espionnage qui pousse à l'isolement le plus farouche. Chez nous, c'est l'arrêt de l'évolution sociale. A quoi bon se gêner et se priver, du moment que la peur du communisme retient sur la pente ceux qui voudraient aller de l'avant ? Pourquoi considérer quoi que ce soit, puisque la majorité progressiste est coupée en deux ? Jamais période ne fut plus favorable à la législation de classe, nous le voyons bien. Absolvons-nous donc de nos vols, par l'amnistie fiscale, amputons sans crainte les investissements vitaux, les constructions d'écoles et de logements pour doter largement le fonds routier, de façon que se fassent plus aisément les retours du dimanche soir dans les beaux quartiers. Renforçons les privilèges betteraviers

et alcooliers les moins défendables. Pourquoi se tourmenter, puisqu'il n'y a pas d'opposition ?

Ainsi l'évolution vers le régime lointain et inconnu a été stoppée dans les deux camps, et cet arrêt n'a pas pour seule cause les dépenses de guerre. Il s'agit de prendre appui sur l'adversaire pour se fixer solidement. Ce sont les durs qui l'emportent dans chaque camp, du moins pour le moment. Il leur suffit de qualifier les autres de traîtres ; bataille facile et classique. Et ainsi ils s'unissent pour une cause en somme commune : la guerre.

Et cependant, il y a un élément qui ne s'arrête pas, c'est le temps. Son action lente permet de prévoir que l'ampleur des ruptures sera, comme toujours, en rapport avec l'artifice des stagnations. Comment s'exerce cette lente action ? De plusieurs façons, mais d'une en particulier, plus implacable que toutes.

Les pays sous-développés, le troisième monde, sont entrés dans une phase nouvelle : certaines techniques médicales s'introduisent assez vite pour une raison majeure : elles coûtent peu. Toute une région de l'Algérie a été traitée au DDT, contre la malaria : coût 68 francs par personne. Ailleurs, à Ceylan, dans l'Inde etc., des résultats analogues sont enregistrés. Pour quelques cents la ▶

45

de Nué, avec 3 200 habitants !).

Il faut aussi tenir compte des conditions naturelles : le tiers monde déborde largement la zone tropicale et les hivers sont très froids en Chine du Nord et en Corée. La zone aride concerne pour une part les pays d'Afrique et du Moyen-Orient ; et au sein de la zone tropicale, où les sols sont dans l'ensemble pauvres et fragiles, il faut faire une radicale distinction entre d'une part les pays de l'Asie

tropicale où grâce à d'importants aménagements hydrauliques la population met surtout en valeur des vallées aux alluvions fertiles, et, d'autre part, les pays d'Afrique tropicale où les vallées sont encore désertes et où la population se trouve sur les sols les plus vulnérables dont la dégradation est rapide. Autre facteur de différenciation, les caractéristiques culturelles et géopolitiques : alors que l'État-nation est une structure ancienne et solidement charpentée

vie d'un homme est prolongée de plusieurs années. De ce fait, ces pays ont notre mortalité de 1914 et notre natalité du XVIIIe siècle. Certes, une amélioration économique en résulte : moins de mortalité de jeunes, meilleure productivité des adultes, etc. Néanmoins, on conçoit bien que cet accroissement démographique devrait être accompagné d'importants investissements pour adapter le contenant au contenu. Or ces investissements vitaux coûtent, eux, beaucoup plus de 68 francs par personne. Ils se heurtent alors au mur financier de la guerre froide. Le résultat est éloquent : le cycle millénaire de la vie et de la mort est ouvert, mais c'est un cycle de misère. N'entendez-vous pas sur la Côte d'Azur les cris qui nous parviennent de l'autre bout de la Méditerranée, d'Égypte ou de Tunisie ? Pensez-vous qu'il ne s'agit que de révolution de palais ou de grondement de quelques ambitieux, en quête de place ? Non, non, la pression augmente constamment dans la chaudière humaine.

A ces souffrances d'aujourd'hui, à ces catastrophes de demain, il existe un remède souverain ; vous le connaissez, il s'écoule lentement ici dans les obligations du Pacte atlantique, là-bas dans des constructions fébriles d'armes qui seront démodées dans trois ans.

Il y a dans cette aventure une fatalité mathématique qu'un immense cerveau pourrait se piquer de concevoir. La préparation de la guerre étant le souci n° 1, les soucis secondaires comme la faim du monde ne doivent retenir l'attention que dans la limite juste suffisante pour éviter l'explosion ou plus exactement pour éviter un trouble susceptible de compromettre l'objectif n° 1. Mais quand on songe aux énormes erreurs qu'ont tant de fois commises, en matière de patience humaine, les conservateurs de tout temps, on peut ne nourrir qu'une médiocre confiance dans l'aptitude des Américains à jouer avec le feu populaire. Néophytes de la domination, mystiques de la libre entreprise au point de la concevoir comme une fin, ils n'ont pas nettement perçu encore que le pays sous-développé de type féodal pouvait passer beaucoup plus facilement au régime communiste qu'au capitalisme démocratique. Que l'on se console, si l'on veut, en y voyant la preuve d'une avance plus grande du capitalisme, mais le fait n'est pas niable. Et peut-être, à sa vive lueur, le monde n° 1, pourrait-il, même en dehors de toute solidarité humaine, ne pas rester insensible à une poussée lente et irrésistible, humble et féroce, vers la vie. Car enfin, ce tiers monde ignoré, exploité, méprisé comme le tiers état, veut, lui aussi, être quelque chose.

dans de nombreux États de l'Asie tropicale (comme le Vietnam, par exemple), elle est encore fragile et assez artificielle dans une grande partie de l'Afrique tropicale où l'héritage de la traite des esclaves (ethnies opprimées par des États négriers africains) continue de peser lourd à l'intérieur des frontières tracées par les colonisateurs.

Au total, la prise en compte de l'extrême diversité des pays du tiers monde est une étape indispensable dans l'effort de développement. Mais cela n'exclut en rien l'évocation de ce qui fait l'unité de cet immense ensemble de quatre milliards d'hommes.

Questions stratégiques

*Ils s'octroyèrent
Fermes, fouets, esclaves,
Catéchisme, résidences,
Instruments de tortures, petits couvents, Bordels,
Et appelèrent tout cela
Sainte culture occidentale.*

Pablo Neruda

CULTURES

Si sa culture est plurielle, le patrimoine culturel du tiers monde est unique, et son accès requiert un apprentissage.

par Thierry Paquot

En ce temps-là, Léonard de Vinci n'en finissait pas d'achever la *Joconde,* et les troupes espagnoles entraient à Tenochtitlan, mettant fin à la civilisation aztèque. A quelques siècles de là, une ville nouvelle à l'architecture moderne surgit du cœur du Brésil, Brasilia... Quelques millénaires plus tôt, à Lascaux, des hommes (ou des femmes?) « préhistoriques » tracent sur les parois d'une grotte la cavalcade magique d'un troupeau de taureaux, cerfs et chevaux, avec même une licorne... Loin de là et à une autre époque, un potier africain fabrique en série des statuettes garanties « antiques » pour des touristes japonais, un petit Brésilien se confectionne un jouet avec quelques boîtes de conserve et, dans une rue de Kaboul, un soldat soviétique boit un Coca-Cola en écoutant sur son walkman une cassette de rock. Tandis qu'à Casablanca, Nabil rêve à l'achat d'un jean tout comme Piotr à Gdansk. A Paris, à la messe littéraire du vendredi soir, Bernard Pivot apostrophe des écrivains sur l'amour, l'émotion, la passion. Un tel inventaire à la Prévert serait interminable, et sa conclusion bien banale : la culture est le terme le plus délicat à définir, tant son sens est daté et inscrit dans un espace social et religieux particulier, tant ses manifestations sont variées et parfois contradictoires, tant ses pratiques sont multiples et supplémentaires.

Ainsi la culture est nécessairement plurielle, et nous serions bien présomptueux de déclarer telle ou telle forme d'expression meilleure que telle autre. Comme le remarquait, avec bon sens, Emmanuel Berl : « Dans la jungle des œuvres, on ne peut avancer qu'au coupe-coupe du jugement esthétique. Je ne saurais me fier au mien ; je l'ai trop vu changer pour le croire et pour m'en faire accroire. »

Ainsi la culture, tout en s'en-

Être Soninké à Paris

Le soninké est une des langues africaines les plus parlées en France et pourtant son existence est ignorée de beaucoup! C'est le sort d'autres langues d'Afrique, essentiellement orales, comme le peul, le lingala, le wolof, le bambara, utilisées par les communautés installées en région parisienne, en Rhône-Alpes et sur l'axe Le Havre-Paris.

Les Soninkés constituent une ethnie de cultivateurs de la région, malheureusement trop célèbre depuis une dizaine d'années, du Sahel africain : Mali, Mauritanie, Sénégal et Gambie. Au total, à l'heure de la décolonisation et au hasard des frontières définies, les Soninkés apparaissent comme minoritaires dans chacun de ces quatre États. Au contraire, l'ethnie soninké est fortement majoritaire dans l'émigration africaine en France : sur les 125 000 Africains non maghrébins, 70 à 80 % sont de nationalités diverses, mais appartiennent à une seule ethnie et parlent une même langue : le soninké.

C'est dans les années soixante, que la demande de travailleurs immigrés par l'industrie française et la nécessité pour des familles africaines d'envoyer un ou plusieurs cadets rechercher des liquidités loin du village, vont se conjuguer; le mouvement s'amplifiant tout au long de la décennie. L'émigration est alors essentiellement le fait de jeunes célibataires qui, à l'occasion de leur mariage,

reviennent au village et sont remplacés par leurs frères.

En 1974, la fermeture des frontières françaises interrompra ce va-et-vient. Les travailleurs, représentants de leurs familles et villages, ne peuvent plus être relevés. Ils sont contraints de demeurer en France, bien après leur mariage. Dès lors, l'idée de faire venir leurs épouses devient nécessité, phénomène rarissime au début de l'émigration en raison de la méfiance des communautés. A partir de ce moment-là, les regroupements familiaux, et les naissances d'enfants soninkés en France augmentent très rapidement. Dans l'esprit des parents et des chefs de communautés, ces regroupements de la cellule familiale réduite ne signifient pas coupure avec le milieu d'origine. L'idéal reste le retour au village.

La formation culturelle de la deuxième génération, très francisée, en particulier par son passage à l'école, est évidemment le problème qui amène la communauté soninké à s'interroger davantage sur sa propre langue. Elle se demande comment enseigner le respect de sa propre culture à ses enfants, comment l'affirmer vis-à-vis des autres communautés. Cette question est liée à la précarité d'une culture véhiculée par une langue qui ne s'écrit pas. D'autres contraintes poussent de plus en plus la communauté. Le contenu des lettres est souvent autocensuré (ce qui est une cause de frustrations permanentes), car la communication écrite avec le pays s'effectue par l'intermédiaire d'écrivains lettrés en français ou en arabe, quelquefois peu fiables. Pour certains enfin, le retour au pays n'est envisageable ▶

racinant dans une société particulière, en demeure relativement autonome, et nous pouvons toujours être émus par l'Acropole, le Sphinx, le théâtre Nô, ou *Le Jardin des délices* de Jérôme Bosch.

Ainsi une culture circule et en

de façon positive que s'il est l'occasion d'un progrès technique dans la vie au village. Cela ne semble possible que par une vulgarisation des informations techniques de base (mécanique, agriculture), qui passe par la rédaction de manuels dans la langue commune.

Les premiers essais de transcription du soninké ont été tentés par des moniteurs d'alphabétisation. Ceux-ci étaient conscients d'avoir à enseigner à des adultes ayant un passé culturel qu'il convenait de découvrir, pour être plus efficace. La tâche était d'autant plus difficile qu'il n'existe aucun document datant de l'ère coloniale, à l'exception d'ébauches de lexiques (Faidherbe, Charles Monteil).

Dans d'autres pays que la France, les mêmes préoccupations firent naître des initiatives analogues. A l'université du Caire, un groupe d'étudiants soninkés s'étaient attachés à étudier une transcription qui, bien qu'imparfaite techniquement, allait avoir une grande importance, dans la mesure où elle émanait de Soninkés eux-mêmes. A Bamako, au Mali, la direction nationale pour l'alphabétisation fonctionnelle et la linguistique appliquée (DNAFLA), s'est penchée sur le problème et a introduit l'alphabétisation soninké dans la région de Kaarta, autour de Nioro. A Nouakchott, en Mauritanie, la reconnaissance des minorités ethniques, Soninkés, Hall Poular et Wolofs, s'est traduite notamment par la création de l'Institut des langues nationales, chargé d'étudier et, à terme, d'enseigner les langues africaines dans le cadre de l'instruction publique. A Dakar, au Sénégal, un décret gouvernemental a été pris réglementant la transcription du soninké. La multiplication des centres d'études risquait d'entraîner des divergences dans les méthodes et une concurrence entre les travaux. Pour l'éviter, les Soninkés organisèrent alors un premier congrès en 1982, à Nouakchott. Ils y définirent les bases d'une transcription et établirent les premières convergences des travaux en cours.

L'Association pour la promotion du soninké (APS) s'est créée à Paris en 1979 dans le but de promouvoir l'enseignement de cette langue, de populariser les travaux des divers chercheurs et de développer la connaissance de la culture soninké en France. Elle a ouvert plusieurs centres d'enseignement pour adultes soninkés, un cours pour les Français désireux de se familiariser avec cette langue, un cours pour les enfants soninkés. Le renforcement des liens entre ces enfants et leur pays d'origine, que la législation française de fermeture des frontières tendrait à dissoudre, est nécessaire pour éviter qu'à terme l'émigration ait des conséquences désastreuses sur la région du Sahel dont ils sont originaires. Depuis de longs siècles, les Soninkés quittent le fleuve Sénégal et y retournent. La langue est le lien avec leur base de départ, lors des périodes d'absence. Aujourd'hui, permettra-t-elle le retour, en contribuant au développement de la région du fleuve ?

Diadié Soumaré

nourrit d'autres qui l'assimilent sélectivement et parfois se l'accaparent entièrement.

Ainsi la culture repose-t-elle sur des croyances, des techniques, des pratiques sociales et des expressions artistiques.

Ainsi la culture des États du

tiers monde est complexe à présenter : il y a de jeunes États avec de vieilles cultures encore très vivantes, de vieux États sans culture nationale et ouverts aux cultures étrangères, des États dont le parti unique instrumentalise la culture à sa seule gloire et rejette autoritairement telle ou telle expression culturelle comme *antirévolutionnaire* (souvenons-nous du caractère « bourgeois et réactionnaire » de la *Neuvième Symphonie* de Beethoven!) ou *impérialiste* (la culture américaine (?))...

Ainsi les principaux thèmes, qu'il faut évoquer en présentant cette planète aux astres si nombreux qu'est la culture, et à la logique si difficile à déceler, sont les suivants : si l'*écriture* n'est pas la garantie de l'éternité culturelle, l'*oralité* ne l'est pas davantage ; le *traditionnel* est un moderne ancien et la *modernité* *actuelle* appartiendra vraisemblablement au domaine des traditions ; l'*étranger* ne doit pas être surestimé, ou censuré, par rapport au *local*, et réciproquement ; l'*universalité* est une nécessité en un temps où le monde se mondialise, mais ne doit pas rejeter les cultures à visée plus particulière ; la *laïcisation* imposée par l'économie marchande ne peut gommer le sacré qui gît dans l'œuvre d'art ; la *tolérance* du public doit être aussi forte que l'*exigence* de l'artiste face à l'œuvre d'art. Enfin, si la culture est plurielle, le *patrimoine* culturel du monde est *unique* et son accès requiert un apprentissage. Architecture, littérature, cinéma, musique, peinture, danse, sculpture, etc., sont autant de moyens de communiquer avec l'autre et de se rencontrer soi-même.

■

Littérature :
la parole est la force du faible

Les pays riches peuvent crouler sous une production imprimée à la fois pléthorique et insignifiante, véhiculant le caquetage des modes et le pilonnage des conditionnements. Il n'empêche que c'est le tiers monde qui fournit à notre époque les quelques œuvres essentielles qui témoigneront pour elle, confirmant l'axiome grec selon lequel la parole est la force du faible.

Si l'Asie et le monde arabe trouvent dans le souvenir de cultures millénaires de quoi se ressourcer, offrant même à l'Occident affamé l'aliment spirituel que la stérilité de sa puissance ne peut plus produire, aucune œuvre-phare n'est venue encore signaler une éclatante renaissance. En revanche, de part et d'autre de l'Atlantique, jaillissant du cœur d'une humanité blessée, se sont ouvertes toutes grandes les sources du génie. D'Homère à Dostoïevski, cela consiste à fournir la parole naïve et magique à la fois, exactement appropriée à un instant et à un lieu, mais en même temps à tous les instants et à tous les lieux, sans rien perdre d'une éloquence inépuisable; pas une littérature parmi d'autres littératures, mais la littérature dans sa continuité.

A cette famille appartiennent d'abord quelques Latino-Américains. Miguel Angel Asturias, né en 1899 au Guatemala, pose, avec *Monsieur le Président* (1949), une inégalable saisie poétique du fonctionnement de la tyrannie policière, qui transcende tous les témoignages-vérité sur Staline, Hitler, Vorster, Videla, Pinochet et autres obscurs de l'horreur, de l'atroce litanie des pouvoirs du XXᵉ siècle. « Que celui qui n'a pas de cadenas pour se fermer la bouche se passe les menottes. »

Pablo Neruda, né au Chili en 1904, signe, avec *Chant général* (1950), la réussite unique d'une poésie totale du XXᵉ siècle. N'est-il pas notre Homère lorsque, « dans une classique langue de diamant », il apostrophe : « Chacals que les chacals repousseraient... Généraux, traîtres, ... Regardez ma maison morte... Mais de chaque enfant mort sort un fusil avec des yeux » (« Expliquons-nous », *L'Espagne au cœur,* 1938). Sur le rôle de la littérature il dit tout d'un mot : « Je ne suis rien de plus qu'un poète... Je ne viens rien résoudre. Je suis venu ici pour chanter et pour que tu chantes avec moi » *(Chant général).* Mais faut-il rappeler, avec Hugo, que « le beau n'est pas dégradé pour avoir servi à la liberté » ?

Gabriel Garcia Marquez, né en Colombie en 1927, écrit, avec *Cent ans de solitude* (1967), le roman clef de toute littérature, entendue comme déchiffrement clair-obscur de l'homme, et non comme chiffrage incompréhensible du vide. « Aureliano se mit à déchiffrer l'instant qu'il était en train de vivre, le déchiffrant au fur et à mesure qu'il le vivait, se prophétisant lui-même en train de déchiffrer la dernière page des manuscrits, comme s'il

Wole Soyinka, le Nobel inattendu

Paris, octobre 1986. La nouvelle tombe : pour la première fois depuis sa création, quatre-vingt-cinq ans plus tôt, le prix Nobel de littérature est décerné à un Africain : Wole Soyinka, écrivain, poète, dramaturge, nigérian. Immédiatement, branle-bas de combat autour de cet homme de cinquante-deux ans qui, peu de temps auparavant, circulait dans les rues de la capitale française, inconnu de tous, sauf de quelques initiés et de la presse africaniste. Siège chez ses éditeurs, articles dans toute la presse, réception à l'Unesco, conférence au quartier Latin. On se bouscule, on se l'arrache. Dans un français sans failles, il répond aux questions, bien que son regard malicieux commence à s'affoler sous les flashes inquisiteurs : « Non, contrairement à ce que vous dites, je ne suis pas masochiste. Je dirais plutôt que je suis le spectateur des événements. Mon mode d'expression préféré est le théâtre... Je ne suis pas certain d'être un traditionaliste pur. Aujourd'hui, il nous faut apprendre à transposer. Ainsi le dieu Ogun, dieu yoruba de la guerre, du fer, peut être considéré comme le dieu de la technologie. » (Celui-là même que – enchaîné – il interpelle en captivité : « Ogun, camarade, vois comment ton métal est travesti. »)

Puis il est question de sa célèbre repartie à l'adresse de Senghor chantant la négritude : « Le tigre ne proclame pas sa tigritude » ; de Mandela ; des droits de l'homme ; de l'expulsion récente de travailleurs immigrés. Très vite après, ce fut, en direct l'émission *Apostrophes* ; Soyinka la prend en route, tel un roi mage venu de loin apporter son offrande à la culture universelle. « Vous êtes peu connu, souligne le présentateur. Les Africains francophones vont être déçus, le prix Nobel de littérature ne leur revient pas. » Alors, posément, Soyinka explique qu'il tire essentiellement son inspiration de son patrimoine culturel qui est yoruba et que les Yorubas sont présents dans différents États d'Afrique occidentale.

Peu connu, peut-être ; mais par la faute de qui ? La France, qui se glorifie de son espace francophone, ne réserve aux écrivains africains que des émissions ghettos, des thèmes ghettos, des emplacements ghettos dans les salons d'exposition. Qui connaît en France le plus grand poète congolais, quinquagénaire : Tchicaya U'Tam'si ? La Grande-Bretagne, elle, a très tôt pratiqué une politique d'assimilation vis-à-vis des auteurs issus de son ex-empire, en les diffusant, les traduisant, les intégrant aux programmes scolaires : Soyinka est connu depuis longtemps des Anglais et des Américains. ▶

se fût regardé dans un miroir de paroles. »

Si la littérature, c'est seulement mais tout l'inoubliable, le tiers monde hispano-américain ne craint guère la concurrence. L'esprit court d'étincelle en étincelle. Comme Unamuno appelle Asturias, André Breton consacre Aimé Césaire, né en 1913 à la Martinique, comme « le premier souffle revivifiant apte à redonner toute confiance » à une époque marquée par

Recevant à Stockholm le prix Nobel de littérature, Soyinka dira : « Je me sens honoré, mais il s'agit du succès collectif de tous les écrivains africains. »

Pour un écrivain du tiers monde, que d'obstacles à franchir pour parvenir à une telle consécration. Un vrai parcours du combattant. D'abord, sortir de la brousse où l'enseignement est distillé au compte-gouttes, dans une langue étrangère. Accéder à des villes sans bibliothèques, où livres et revues se vendent à des prix prohibitifs. Étudier, livré aux moustiques, à la lueur des réverbères. Prendre le risque de devenir suspect : celui qui témoigne est potentiellement dangereux. Parvenir à contacter une maison d'édition, souvent sur un autre continent, car localement elles sont rares ou inaccessibles. Réussir à convaincre. Et le livre enfin imprimé, tout n'est pas gagné. On se souvient des censures brutales qui frappèrent dans les années soixante-dix les écrits de Kamitatu et de Mongo Beti (Éditions Maspero). Ce dernier, écrivain reconnu d'origine camerounaise, osait, dans *Main basse sur le Cameroun*, dénoncer de front le régime d'Ahidjo.

Et pourtant, du Vietnam à la Bolivie, du Cap-Vert à l'Afrique du Sud, le tiers monde a enfanté une nouvelle espèce : les poètes combattants. « Un fusil dans la main, un poème dans la poche », disait Emmanuel Dongala. « La libération est une fonction de l'art », écrit Soyinka. En 1967,

lors de la guerre du Biafra, il est condamné à la prison pour avoir tenté une médiation entre Haoussas et Ibos. On lui reproche aussi d'avoir mené une campagne internationale contre la vente d'armes aux nouveaux maîtres du Nigéria. C'est en prison qu'il verra pour la première fois imprimé un exemplaire d'*Idanre*, son recueil de poèmes : « Miraculeusement un sentiment d'exaltation s'empare de moi devant cette tranche palpable toute neuve de mon être intime. Le livre s'ouvre à la page du poème à ma fille. » Mis au secret, gréviste de la faim, c'est entre les lignes de son recueil et sur des feuilles de papier hygiénique, qu'il décrit, avec le stylo volé au médecin de la prison, l'inhumanité des régimes oppresseurs, l'horreur et le vertige qui saisissent le captif. « L'homme continue de mourir en tous ceux qui se taisent face à la tyrannie... »

Ce projecteur rapidement braqué sur le Prix Nobel de littérature devrait permettre d'éclairer du même coup toute la littérature du continent. Elle est en pleine effervescence. Entre autres, récente publication de *Pétales de sang* du Kényan Ngugu Wa Thiong'o, qui du kikuyu a été traduit en anglais, pour enfin l'être en français. Les auteurs affluent à la porte étroite des maisons d'édition. Tout un florilège, camerounais, béninois, azanien (sud-africain), etc., témoigne malgré tout de la vitalité de la littérature africaine.

Jeane Molia

« l'abdication générale de l'esprit ». Le *Cahier d'un retour au pays natal* (1939) chante la nouveauté éternellement triomphante d'une création poétique portée par l'exigence d'expression de l'homme refoulé, à la lettre, de la parole : « Car il n'est point vrai que l'œuvre de l'homme est finie/Que nous n'avons rien à faire au monde/Que nous parasitons le monde/Qu'il suffit que nous nous mettions au pas du monde... »

« La vieille négritude progressivement se cadavérise », car toute mise à part est toujours condamnée par le temps. « Le temps la liberté » (« Sommation », *Corps perdu, 1950*).

La Martinique peut également s'enorgueillir d'avoir donné au tiers monde sa parole politique essentielle avec Frantz Fanon, né en 1925, celle qui en affirmant : « Il s'agit pour le tiers monde de recommencer une histoire de l'homme » (*Les Damnés de la terre,* 1961), envoie aux vieilles lunes de la quadrature du cercle le plus que jamais problématique *développement*. Rien ne peut, sur ce sujet vital pour la totalité de l'humanité, empêcher Fanon d'être une Bible, c'est-à-dire le livre par excellence, la parole belle et bonne.

Alors que ni les clichés de la bonne conscience tourmentée ni la mystification de l'apologie d'une culture traditionnelle momifiée n'ont réussi à lever l'opacité du voile qui couvre la plus brûlante de toutes les questions posées à l'humanité du XXe siècle, celle de l'*apartheid* en Afrique du Sud, la littérature déchire en un éclair toutes les hypocrisies avec le superbe *Down second avenue* (1959) d'Ezkia Mphahlele, né en 1919 près de Prétoria. « L'autre homme m'a exilé dans la deuxième avenue. Et maintenant il m'a enseigné à ne jamais espérer de pitié... Mais qui veut de la pitié ? » Du cœur de la plus inhumaine des réalités, Mphahlele pose l'unique question humaine : « La solution la plus simple serait, bien sûr, de laisser l'âme dans sa cage... ne plus désirer que la nourriture, le couvert, les vêtements. »

Dans *Le monde s'effondre* (1958), Chinua Achebe, né en 1930 au Nigéria, traduit toute la désolation de l'homme, plus désorienté qu'il ne le fut jamais, au sein d'un univers qu'il comprend de moins en moins, où les anciens langages sont périmés, tandis que les nouveaux se révèlent vides. C'est d'Afrique que vient la plus éloquente des fables de notre destin.

Il y a des livres qui endorment, ils sont innombrables ; il y a les livres qui tiennent éveillé, ils sont inoubliables et peu nombreux. La grande majorité d'entre eux vient aujourd'hui du tiers monde. Ils disent à haute et intelligible voix que l'homme ne veut, selon le mot de Victor Hugo, ni de la compassion ni de la répression.

Mongo Beti,
Odile Tobner

Cinéma : des images pour contester?

La notion géopolitique de tiers monde recouvre, dans le domaine du cinéma aussi, des situations économiques et culturelles très diverses d'un pays à l'autre, mais qui se caractérisent pourtant par des traits communs. Économiquement, la production semble avoir moins souffert de la concurrence de la télévision que dans les nations développées et le cinéma y reste un élément majeur de divertissement populaire. Politiquement, la prédominance des films américains sur le marché, du moins dans les pays d'économie libérale, a souvent conduit les gouvernements à prendre des mesures protectionnistes sous forme de *quotas* en faveur des films nationaux et à créer des systèmes d'aide financière à leur profit. Idéologiquement, la plupart des cinéastes les plus lucides s'inscrivent dans un courant de constestation de l'« ordre établi » et traduisent dans leurs films une volonté de critique sociale, voire politique. Artistiquement, l'apparition des « nouvelles vagues » dans les années soixante a favorisé l'éclosion de certaines productions locales, mais celles-ci se heurtent depuis une décennie à de grosses difficultés économiques, du moins en ce qui concerne les films manifestant quelque ambition artistique et culturelle.

Asie. Le panorama asiatique est dominé par deux phénomènes. D'abord l'énorme production indienne (plus de 900 films en 1985), essentiellement axée sur le spectacle populaire (mélodrame entrecoupé de chansons), mais qui compte aussi bon nombre de cinéastes de valeur dont les plus connus internationalement sont Satyajit Ray *(La Maison et Le Monde)* et Mrinal Sen *(Genesis)*; et la plupart des films indiens, même les plus commerciaux, manifestent un louable effort de conscientisation du public aux problèmes sociaux, en particulier la condition de la femme et l'exploitation du prolétariat.

L'autre fait essentiel, c'est le rapide et brillant redémarrage de la production chinoise, pratiquement stoppée durant la « révolution culturelle » et qui se situe dès maintenant autour de 130 films annuels avec de remarquables révélations comme *Terre jaune* et *Dans les montagnes sauvages*; bon nombre de ces films sont consacrés à la critique du maoïsme.

Aux Philippines, c'est surtout la personnalité de Lino Brocka qui domine la production (150 films) : cet excellent réalisateur s'est voulu le témoin lucide et engagé d'une société convulsive et a eu plusieurs fois maille à partir avec la censure de Marcos. Si les deux Corées ne sont pas vraiment parvenues à s'imposer, Hong Kong et Taiwan ont vu l'apparition d'une génération de cinéastes soucieux d'engagement social. Et au Vietnam, depuis la réunification, une production fort intéressante a vu le jour.

Afrique. Si son économie est « mal partie », le cinéma y a pourtant fait de bons débuts après les indépendances, en particulier au Sénégal avec Ousmane Sembène, Djibril Diop et Safi Faye, mais aujourd'hui, malgré l'aide de l'État, cette excellente production a bien du mal à survivre. La Mauritanie voisine compte un cinéaste de valeur, Med Hondo, qui a surtout travaillé en France, mais s'est affirmé comme un témoin lucide de la colonisation, ainsi qu'on l'a vu récemment avec son ambitieuse fresque, *Sarraounia*.

La production égyptienne (une centaine de films par an) reste empêtrée dans le mélodrame social, à quelques notoires exceptions près comme Youssef Chahine *(Adieu Bonaparte, Le Sixième Jour),* mais elle fait souvent preuve d'une méritoire volonté de critiquer les aspects négatifs de la vie quotidienne.

Le Maghreb mérite de retenir l'attention, encore que le Maroc et la Tunisie, après un bon départ, soient actuellement au creux de la vague; en revanche, l'Algérie se maintient depuis vingt ans à un très bon niveau, en particulier grâce à Lakhdar Hamina avec *Chronique des années de braise* (Palme d'or à Cannes en 1975) et *La Dernière Image,* entre autres.

Le Mali, la Côte d'Ivoire, le Bourkina n'ont donné naissance qu'à des individualités isolées mais souvent attachantes, tout comme les États anglophones.

Amérique latine. Le sous-continent est largement dominé par le Brésil (qui a produit jusqu'à 100 films) à qui le regretté Glauber Rocha et Nelson Pe-

reira dos Santos *(Mémoires de prison)* ont assuré une réputation méritée; mais la relève, quoique assumée par des personnalités brillantes, ne s'est pas maintenue au même niveau et la médiocrité commerciale fait la loi.

En Argentine, après une prometteuse nouvelle vague dans les années soixante et une période politiquement très difficile, les films les plus intéressants sont consacrés à l'évocation impartiale des crimes de la dictature militaire *(L'Histoire officielle).*

Au Mexique, après une floraison remarquable, jusqu'en 1976, essentiellement grâce au soutien actif de l'État, la production est retombée dans le pire commerce, à l'exception de rares films comme ceux de Paul Leduc *(Frida).* Le Vénézuéla a créé en 1981 un fonds de soutien qui a permis l'épanouissement d'une production intéressante avec, par exemple, le film de Fina Torrès, *Oriana,* primé à Cannes.

La Bolivie peut s'enorgueillir de compter un réalisateur de grand talent et de grand courage politique, Jorge Sanjinès, témoin lucide de la violence exercée depuis des lustres contre la classe ouvrière *(Le Courage du peuple)* et les Indiens *(L'Ennemi principal)*.

En Colombie, les documentaristes Marta Rodriguez et Jorge Silva font œuvre militante avec une semblable volonté d'engagement, tout comme Carlos Alvarez, les uns et les autres étant souvent exilés ou clandestins temporaires.

Et si le cinéma chilien est muselé par la dictature, l'exilé « interdit de retour », Miguel Littin, est retourné clandestinement dans son pays pendant quelques semaines pour y filmer un bilan accusateur du régime de Pinochet, *Actes du Chili.*

Marcel Martin

Musique :
le tiers monde est-il en train
de « coloniser » l'Occident ?

Comment résister à l'hégémonie culturelle occidentale sponsorisée à tout crin? C'est la question posée au tiers monde. Il devra « exporter » à son tour ses créations musicales ou théâtrales. Un voyage obligé pour deux raisons : témoigner de la vitalité de ses artistes et relancer ceux-ci dans sa propre opinion publique. L'Inde et l'Afrique noire ont tenté ainsi le pari à leur façon.

Décidée en 1982 par François Mitterrand et Indira Gandhi, l'année de l'Inde est un excellent exemple de ce « mouvement » culturel. Officiellement inaugurée en juin 1985, elle offre à un public français stupéfait la possibilité d'une mise au jour et permet en retour une légitimation : fascinée par Michael Jackson, l'Inde avait parfois oublié ses propres richesses. C'est l'effet boomerang : quand un artiste peut s'envoler vers l'étranger,

tout le pays se met à reconsidérer sa propre culture.

Qui connaît par exemple Tee Jan Païl? A Ganyari, un petit village du Madhya Pradesh à deux cents kilomètres de Bhopal, les maisonnettes de terre font penser aux rives du Niger. C'est là que vit cette femme qui ne sait ni lire ni écrire. Elle ne parle pas non plus un mot d'anglais, mais n'en est pas moins la première femme à raconter le *Mahâbhârata.* L'histoire et la manière de le dire lui ont été transmises oralement par son père, soir après soir. Sa tambura à la main, Tee Jan Païl sera l'une des révélations du programme, et, quand Peter Brook aura fait du *Mahâbhârata* (quinze fois la longueur de la Bible, un texte introuvable en traduction française) un spectacle de neuf heures au festival d'Avignon 1985, cette femme aura contribué à nous ouvrir les yeux.

Entre le Népal et le golfe du Bengale, c'est le territoire du *chchau*. Là-bas, on mélange danse, théâtre, masques, épopée, arts martiaux et liturgie. Joué entièrement par des hommes qui campent tous les rôles, le chchau est représenté au printemps, lors des fêtes solaires dédiées à la fécondité et à la fertilité. Le public parisien médusé n'a pas fini de rêver aux danses du paon, de l'océan et de la fleur, « des danses hybrides et miraculeuses nées une première fois du croisement entre des danses de paysans et la pratique d'un art martial, le *parikanda* (*pari*: « bouclier », *kanda*: « épée ») naguère pratiqué par les soldats du défunt royaume de Seraikella. Puis nées une seconde fois d'un voyage que fit un prince danseur dans les années trente, allant se produire en Europe et revenant dans son royaume, des pointes, des entrechats et des arabesques plein la tête » (Jean-Pierre Thibaudat, in *Libération,* juin 1985).

L'effet boomerang à l'œuvre... Qui revient en looping quand Ravi Shankar et Zubin Mehta coopèrent pour jouer avec l'Orchestre de Paris le *Deuxième Concerto pour sitar et orchestre:* « Ce second concerto est une expérimentation de ce que peuvent apporter les logiques mélodiques et rythmiques indiennes à la forme orchestrale », commente le grand maître du sitar.

Puissance du raffinement sophistiqué d'une tradition millénaire qui peut se permettre sereinement la rencontre avec l'Occident. Comme U. Srinivas, le jeune prodige de la mandoline, qui relève, à quinze ans, le défi de se faire admettre dans le cercle très orthodoxe et exigeant des musiciens traditionnels carnatiques en adoptant une mandoline électrifiée qui attire à lui un public de jeunes gens qui en parlent comme du Jimi Hendrix madrasi. Restaurée dans son prestige et renouvelée dans ses formes, la musique indienne n'aura rien perdu au change.

Les musiciens africains se retrouvent, au détour des années soixante, confrontés au même problème. Après avoir fait un crochet par l'interprétation de la variété occidentale (colonialisme oblige), ils s'aperçoivent qu'ils ont sous la main des rythmes fabuleux, susceptibles d'enthousiasmer la planète et de reconquérir leur propre public. La grande vogue de la salsa sud-américaine leur avait ouvert les yeux. L'interprétant à leur tour, se détachant des Tino Rossi et consort, introduisant l'instrumentation moderne, les orchestres congolais et zaïrois vont lancer leur rumba dans la foulée sur les pistes de danses. Franco, Tabu Ley ou le Docteur Nico se retrouvent vite relayés par le Bembeya Jazz de Guinée, modernisant les mélodies mandingues, ou Manu Dibango, faisant exploser le makossa au sommet des hit-parades. La salsa a créé le déclic, le reggae et la percée mondiale de Bob Marley font naître, dix ans plus tard, une génération qui fouille avec optimisme dans sa tradition musicale. Partant d'une île minuscule et d'un tempo lancinant et imperturbable, Marley a réussi à enflammer le monde entier; pourquoi n'y parviendraient-ils pas à leur tour en modernisant leurs rythmes et leurs mélodies au contact des techniques d'enregistrement de la production occidentale?

Paris se révèle une plaque tournante idéale pour trouver les studios et monter un business efficace. Des dizaines de groupes s'y établissent au début des années quatre-vingt et tentent, chacun à leur manière, de trouver le son : Salif Keita, Mory Kanté, Xalam, Ray Lema, Ghetto Blaster, Papa Wemba rêvent du premier disque d'or remis à Toure Kunda en 1985, un disque qui consacre la démarche de cette nouvelle vague de musiciens africains. Et le mouvement se renforce, même si certains retournent au pays, déçus de ne pas avoir trouvé le succès aussi rapidement qu'ils le souhaitaient. C'est du continent que viendront les nouveaux conquérants. Profitant de la technologie d'avant-garde, voyageant sans cesse comme Youssou N'Dour – le Sénégalais dont le m'balax a conquis l'Amérique grâce au coup de main de Peter Gabriel –, une des plus grandes stars de la planète, ils inventeront le renouveau de leur culture par ces aller et retour incessants.

Philippe Conrath

RELIGIONS

Le monothéisme favorise souvent le totalitarisme, l'islam redevient conquérant. Pourtant, religion rime parfois avec libération.

par Michel Clévenot

Les trois grandes religions du monde – christianisme, islam, bouddhisme sont-elles en train de devenir les nouveaux moteurs du développement du tiers monde?

Notre réponse ne peut être entièrement objective. Habitants du « premier monde », nous regardons forcément les deux autres à travers nos propres cadres de pensée. La devise inscrite aux frontons de nos édifices publics, *Liberté, Égalité, Fraternité,* s'enracine dans un double héritage, gréco-latin et chrétien. Athènes et Rome nous ont légué l'idéal d'une démocratie établie sur un droit. L'Évangile a semé le germe d'une communauté bâtie sur le partage et sur la désacralisation du pouvoir. Les premiers chrétiens étaient accusés d'athéisme, parce qu'ils refusaient de considérer comme sacrés les arbres, les sources, l'argent, la sexualité, l'empereur, etc. Pour eux, Jésus et son Père ne faisaient pas nombre avec tous ces « dieux »-là. Par le fait même, le monde d'ici-bas échappait à l' « enchantement », il devenait profane, il était l'affaire des hommes et des femmes qui, désormais, s'en trouvaient responsables.

Le christianisme, après le judaïsme, a ouvert la possibilité d'une conception laïque de la vie en société. La Révolution française a appliqué ces principes (contre l'Église catholique). La plupart des régimes politiques européens sont issus de cette histoire. Gardons nous d'oublier qu'il n'en va pas de même dans le reste du monde.

Le cas de l'Amérique du Sud paraît ici exemplaire. Un simple détail permet de s'en rendre compte : la dénomination courante Amérique « latine ». On ignore trop souvent que cet adjectif date du XIXe siècle, quand Napoléon III tentait de rétablir, au Mexique, un pouvoir européen contre l' « usurpation » indigène. La « latinité » de l'Amérique centrale et méridionale est une forme de l'impérialisme colonialiste. Or, il n'est pas sans intérêt de remarquer que même les textes les plus vigoureux des théologiens de la libération continuent à employer le terme Amérique « latine »...

Les conditions dans lesquelles s'est déroulée l' « évangélisation » de l'Amérique du Sud sont bien connues. Mais les Européens n'ont pas apporté là-bas que l'épée et la croix. Comme partout ailleurs dans le monde, ils ont implanté leur organisation sociale, leur système de valeurs, leur technologie, etc. Or tout cela résulte du christianisme, c'est en quelque sorte une autre face de l'Occident chrétien. Par conséquent, les luttes de libération des peuples d'Amérique du Sud se trouvent prises dans une contradiction capitale : c'est au nom de la Bible que le combat est mené contre une oppression qui, finalement, comme le montre le discours de Ronald Reagan, s'identifie à la civilisation occidentalo-chrétienne.

Les « sectes » noires

En Afrique, les problèmes, pour complexes qu'ils soient, n'apparaissent pas radicalement différents. Là aussi, nous avons déstructuré des cultures et des sociétés auxquelles nous avons substitué nos propres modèles. Si la colonisation s'est passée autrement qu'en Amérique du Sud, elle n'en a pas moins laissé une empreinte profonde. Et d'abord celle de la christianisation. Aujourd'hui, les efforts des

L'Église du Diable

« Le Diable vient, la nuit, dormir dans un cercueil tout noir, à l'intérieur de sa cathédrale, bâtie elle-même en forme de cercueil ! » L'épicier du Parque dos Farois – un quartier d'Aracajù, la capitale de l'État du Sergipe, dans le Nord-Est brésilien – n'apprécie guère que « le professeur Howarth » ait choisi cette colline pour donner au Diable une demeure à sa mesure. « Quand ils ont organisé une fête, en novembre dernier, ils ont fait un boucan infernal. Ils criaient tous : " Vive le Diable ! Vive le Diable ! " mais pour moi c'est un véritable malheur. Vous êtes le premier client de la journée... »

Le petit chemin qui monte au sommet de la « colline de Satan », comme on l'appelle désormais, serpente à travers baraques délabrées et petites maisons en potopoto. D'ici peu, ce sera une nouvelle *favela* (« bidonville »). Une fine pluie enveloppe la colline maudite où les nouveaux fidèles, des petits bourgeois de la ville, viennent se faire baptiser en s'allongeant dans un cercueil noir.

Beaucoup de maisons sont abandonnées. En fait, la première pierre de l'église du Diable n'était pas encore posée que le prix des terrains avait déjà baissé de moi-

Africains pour accéder à une indépendance réelle passent évidemment par une appropriation critique de cet apport forcé.

La forme la plus curieuse de cette inculturation est l'essor extraordinaire des « sectes ». Ce terme péjoratif recouvre en réalité une multitude de syncrétis-

tié. Ceux qui l'ont pu ont vite déménagé, et les plus pauvres prennent leur place. Ainsi, Manuel, le « sacristain du Diable » qui me fait visiter la *Igreja du Diabo* : une bâtisse très longue qui surplombe la colline et attend d'être entièrement peinte en noir. Il y a deux étages dont l'un servira d'habitation au « pape du Diable » et un balcon qui accueillera les fidèles privilégiés.

A trente-cinq ans, avec une demi-douzaine d'enfants à nourrir, Manuel n'a pas eu le choix. Le professeur n'a pas manqué de lui promettre monts et merveilles, ainsi qu'un travail. Mais à l'enthousiasme du début ont vite succédé l'amertume et la solitude. « Depuis que je suis avec le Diable, plus personne ne m'adresse la parole », constate-t-il. Seuls ses enfants semblent faire bon ménage avec Lucifer. Ils n'ont pas peur de circuler à l'intérieur de l'église vide, et de poser pour la photo devant l'énorme « $ » en forme de dollar qui trône à l'entrée de l'église. Un symbole qui n'a pas besoin d'explication, mais qu'il a cru bon de retoucher en ajoutant deux têtes de serpent aux extrémités du sigle...

« Le Professeur », lui, est en ville, à son « centre astral », qu'il a inauguré il y a dix ans. Assis à l'intérieur d'une petite pyramide égyptienne qui lui sert de trône provisoire, dom Luiz Howarth, minuscule barbichette blanche, chemise à fleurs et pantalon de satin noir, reçoit au milieu d'innombrables signes zodiacaux, de peaux de chèvres, de croix de toutes les grandeurs, et même de quelques statues de saints appelées – dit-il – à disparaître plus tard. C'est ici qu'il vend ses fameux cierges : ils s'appellent *CE* (courant spirituel) et le secret de leur fabrication est diaboliquement bien gardé.

« J'ai été successivement pêcheur, commerçant, planteur, dit-il. A l'intérieur de la " zone franche " de Manaus j'ai même monté une petite usine chimique. » Il a d'abord tenté de « monter l'empire du Diable » dans le Roraima, à l'extrême nord du Brésil, mais « les gens n'ont pas voulu de la cathédrale de Satan ». D'autres m'ont certifié qu'il avait été chassé à coups de pierres du Roraima et d'ailleurs, mais cela ne l'a pas découragé : « L'idée d'œuvrer pour le triomphe du Diable, je l'ai depuis toujours, me dit-il. Lorsque j'étais enfant, Satan m'écoutait et moi, je l'entendais souvent. La première fois, j'avais treize ans. Je me posais beaucoup de questions, je ne comprenais pas pourquoi on opposait toujours le Diable et le Bon Dieu. Pourquoi ne pourraient-ils pas fraterniser ? Pourquoi y a-t-il cette dictature de Dieu ? Moi, j'ai vu le Diable et d'emblée il m'a dit : " *Levantate e fala !* Lève-toi et parle ! " C'est ce que j'ai com-

▶

mes, c'est-à-dire de mélanges de christianisme et de croyances et pratiques ancestrales. Le kimbanguisme, fondé au Zaïre par Simon Kimbangu, en est l'exemple le plus connu. Dans la seule Afrique francophone, on compte plus de six cents « sectes » de ce genre. Toutes ont au moins un point commun : l'anticolonialisme. Leur refus du mode de vie et de la religion importés-imposés s'exprime par un « bricolage » original de mythes et de rites divers. Il n'est pas sans intérêt de noter que le même phénomène se produit au Brésil avec l'umbanda, qui est sans doute

mencé à faire aussitôt. Et voilà que l'empire du Diable atteint déjà l'Amérique du Nord, l'Afrique, le Japon. Sachez d'ailleurs que j'ai des plans tout prêts pour implanter l'Église du Diable en France. »

Le Diable ? Pour « dom Luiz Howarth », « c'est une force de la nature, le côté féminin de l'Être suprême, le dieu-femme, l'Éternel féminin, Dieu n'étant que l'Éternel masculin ». Selon lui, on ne peut plus dire que Dieu est bon et le Diable méchant. Tous les deux seraient à l'origine du monde, donc également puissants. Et pour tout obtenir, il faut faciliter la rencontre fraternelle entre les deux.

On retrouvera tous ces principes dans *La Bible du Diable,* qui est encore sous presse. « Il s'agit d'un livre extraordinaire, dit le professeur, qui a été rédigé par un ami journaliste, sous la dictée du Diable lui-même. Il a commencé par nous dicter les commandements *(dix, bien entendu).* Pour cela il a dû nous apparaître cent huit fois, ce qui correspond très exactement aux cent huit chapitres de la Bible. » Il précise qu'il lui manque encore un chapitre, le tout dernier, mais ce sera fait sous peu, lors de la prochaine apparition du Diable. « Vous constaterez alors que ce livre révolutionnera toutes les conceptions acquises sur Lucifer. Son empire s'étendra jusque sur les astres. Car il faut mettre sur pied une

nouvelle civilisation, de type diabolique, s'entend. »

A ses ouailles – il en revendique 50 000 – le professeur promet les « trois choses fondamentales ». « Que cherchent les gens au juste ? De l'argent, la santé et l'amour. Je ne promets rien pour l'outre-tombe, mais pour ici. Je ne fais pas de miracles, je ne suis que le prophète du Diable et je peux éveiller l'esprit qui se cache dans tout homme, lui faire comprendre qu'il possède beaucoup d'énergie vitale, qu'il peut tout faire s'il le veut. Je peux entrer en contact avec les éléments de la nature, par des procédés naturels ou surnaturels. Ainsi on peut voyager dans le futur comme revenir dans le passé. » Mais ce luciférien ne dédaigne pas pour autant les plaisirs terrestres. « Le sexe est très important dans la vie, la polygamie et l'homosexualité de bonnes choses à condition qu'elles ne provoquent pas de troubles familiaux. En revanche, les dépravations sexuelles sont à bannir. » Marié autrefois à la sœur du préfet d'Aracajù, dom Luiz affirme aujourd'hui avoir beaucoup de femmes tout en vivant seul... « Ma couleur préférée, c'est le rouge, celle du sang et de l'amour. »

Ses prières commencent par une formule précise : « Tremblez cieux et terres, car le Diable est annoncé, avec tout le pouvoir et toute la gloire, pour dominer l'homme, ses biens et les éléments

aujourd'hui la principale « religion » du pays. Des peuples opprimés retrouvent là leurs racines, dans une ambiance magico-festive dont les visiteurs occidentaux ne voient pas toujours le caractère profondément subversif.

De nombreux Africains cher-

chent à élaborer actuellement une théologie africaine. Bien que leurs bases sociopolitiques ne soient pas les mêmes que celles de la théologie sud-américaine de la libération, ils se trouvent affrontés à un problème similaire : leurs cadres de pensée, leurs systèmes d'analy-

de la nature. » « L'Église du Diable est là où chacun de nous vit, ajoute-t-il. Vous êtes aussi l'Église du Diable. »

Lorsqu'il est triste, dom Luiz s'adresse à Satan. « Mon cœur commence à battre très fort, et mon Dieu infernal m'apparaît. » Il l'appelle aussi : « Celui-qui-habite-l'enfer-céleste », et il lui apparaît toujours en cas de danger. Sous quelle forme ? » « Comme une femme, *muito bonita,* symbole de l'optimisme et de l'amour. Une femme toute nue, ou plutôt revêtue d'une cuirasse magnétique qui la transfigure. Une femme qui n'a pas de corps, que tu ne peux toucher, car c'est un fluide magnétique très spécial. »

Avant de le laisser avec son Éternel féminin, il m'offre sa carte de visite, lettres blanches sur fond noir, des tracts qui auraient été tirés à 500 000 exemplaires, et il me dit : « Au revoir, en France. » Il s'en va préparer son émission quotidienne à *Radio-Liberté,* une station privée d'Aracajù. Une émission nocturne, à 5 ou 6 heures du matin, dans laquelle il rappelle aux fidèles et aux infidèles qu'en l'an 2016 l'empire du Diable sera définitivement établi sur la terre entière. Puis il termine son émission par une formule qui est sur toutes les lèvres : « A demain, si Dieu le veut et le Diable le permet ! »

Elio Comarin

se, leurs lectures de la Bible ont été fabriqués en Europe, avec les mêmes concepts qui ont servi à les exploiter. Par conséquent, leur première tâche consiste à réinventer une manière de penser à partir de leur propre culture. Le « développement » des sociétés africaines (comme de toutes celles du tiers monde) passe par cet effort considérable. On peut battre un adversaire avec les armes qu'il a lui-même forgées, les guerres d'indépendance l'ont prouvé. Mais la véritable victoire réside dans la capacité de créer soi-même son destin.

La montée de l'islam

L'un des phénomènes qui frappent le plus les observateurs, en Afrique et en Asie, c'est la montée de l'islam. Pour en comprendre la raison, il n'est pas mauvais de se souvenir de ce qui s'est passé au VIIe siècle... Mahomet est mort en 632; cent ans plus tard, Charles Martel arrête les Arabes à Poitiers. L'étendard du Prophète flotte désormais des Pyrénées au Caucase et à l'Indus. Comment expliquer un tel succès ? Notamment par le fait que l'islam est apparu aux populations conquises comme un libérateur. L'Empire byzantin, en particulier, traitait en hérétiques les chrétiens monophysites de Syrie, d'Égypte et d'Afrique du Nord; en Espagne, les rois wisigoths persécutaient les juifs. A tous ces gens, la loi islamique est apparue plus tolérante que le christianisme intransigeant qui leur était imposé.

Ce n'est pas tant du christianisme que cherchent à se libérer les peuples d'Afrique et d'Asie qui adoptent aujourd'hui l'islam, mais bien plutôt de l'Occident chrétien qui les a si longtemps dominés et asservis. Pour-

LES TENSIONS RELIGIEUSES

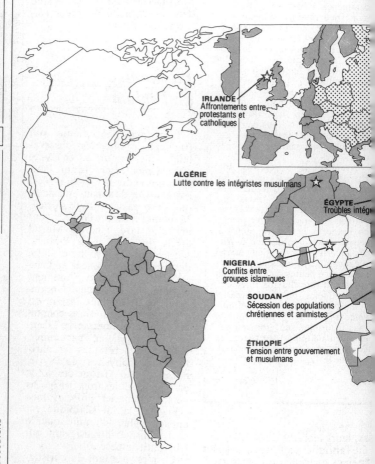

IRLANDE
Affrontements entre
protestants et
catholiques

ALGÉRIE
Lutte contre les intégristes musulmans

ÉGYPTE
Troubles intég

NIGERIA
Conflits entre
groupes islamiques

SOUDAN
Sécession des populations
chrétiennes et animistes

ÉTHIOPIE
Tension entre gouvernement
et musulmans

DANS LE MONDE

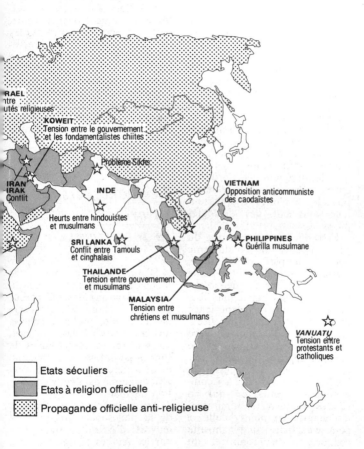

ISRAEL
...ntre
...utés religieuses

KOWEIT
Tension entre le gouvernement
et les fondamentalistes chiites

Problème Sikhs

**IRAN
IRAK**
Conflit

INDE
Heurts entre hindouistes
et musulmans

SRI LANKA
Conflit entre Tamouls
et cinghalais

THAILANDE
Tension entre gouvernement
et musulmans

MALAYSIA
Tension entre
chrétiens et musulmans

VIETNAM
Opposition anticommuniste
des caodaïstes

PHILIPPINES
Guérilla musulmane

VANUATU
Tension entre
protestants et
catholiques

☐ Etats séculiers

☐ Etats à religion officielle

☐ Propagande officielle anti-religieuse

tant, la situation n'est plus la même qu'au VIIe siècle. L'indépendance réelle des pays que nous avons contribué à rendre sous-développés peut-elle trouver dans le Coran un élément moteur? Notre premier mouvement serait de répondre négativement. Le fondamentalisme musulman, tel qu'on le voit en action en Iran et en bien des pays africains où l'on tente d'imposer la loi coranique dans toute sa rigueur, nous semble caractérisé par l'obscurantisme et le fanatisme. Il est probable que le développement économique et l'autonomie politique passent par un obligatoire «désenchantement», une laïcisation, que le tiers monde devra, un jour ou l'autre, entreprendre. Mais, tant que le déséquilibre Nord-Sud entretiendra la faim et le désespoir, les exploités chercheront leur salut dans des idéologies pures et dures.

Sans doute est-ce la cause du peu d'impact du bouddhisme comme utopie mobilisatrice. Certes, il se définit lui-même comme «un chemin de libération»; mais il s'agit d'une libération intérieure, une expérience spirituelle personnelle qui vise à la délivrance du «moi», source de souffrance, d'orgueil et de haine. Supprimer le désir permet d'accéder à la sagesse, au bonheur, à la vérité. La «compassion bienveillante» qui en résulte peut bien être admirable, il n'en reste pas moins qu'elle ne peut se comparer au dynamisme conquérant de l'islam et du christianisme.

Cette dernière constatation nous invite à revenir sur un point commun, capital entre le christianisme et l'islam. Ce sont des religions monothéistes. Or le monothéisme comporte une double tendance. En premier lieu, il favorise le totalitarisme. Croire en un Dieu unique, c'est automatiquement affirmer que tous les autres dieux sont faux, toutes les autres croyances erronées, par conséquent nuisibles, dangereuses, donc à détruire. Le système politique qui en découle, c'est la théocratie, où toutes les institutions dépendent directement de la loi religieuse. Le judaïsme a connu cela (et le sionisme prétend le remettre en valeur), les Églises chrétiennes aussi au cours de leur histoire, et l'islam s'est toujours présenté comme un État en même temps qu'une religion.

Le monothéisme favorise le totalitarisme

D'autre part, cependant, le monothéisme engendre une radicale séparation entre le Créateur et la création. Désacralisée, désenchantée, profane, celle-ci devient l'affaire des hommes, qui sont rendus responsables de son organisation. L'autonomie de la société et la sécularisation sont en germe dans cette conception du monde.

Au XIIe siècle, c'est l'apport de la philosophie grecque (les œuvres d'Aristote, transmises par les Arabes et traduites par des juifs) qui a permis à l'Europe occidentale d'opérer le formidable essor qui va la placer pour longtemps dans une situation de pointe par rapport au reste du monde. Grâce à cette greffe, le christianisme a pu, en effet, prendre de la distance vis-à-vis de lui-même ; la foi s'est mise « en quête d'intelligence ». La pensée des grands théologiens du XIIIe siècle (Thomas d'Aquin, notamment) aurait été impossible sans cela. Or, au même moment, l'islam a refusé Aristote ; son plus éminent interprète, Averroès, a été condamné par les théologiens musulmans conservateurs. Ayant manqué ce tournant décisif, l'islam n'a jamais accédé à la modernité. Actuellement encore, il est extrêmement difficile, par exemple, de trouver une lecture du Coran qui s'apparente à celles que l'on fait de la Bible. Le fondamentalisme règne, parce que la pensée moderne n'a pas été assimilée.

La théologie de la libération et la théologie africaine, encourant le même risque, vont-elles échapper aux modèles dominants, européens, masculins, cléricaux ? Mais ces modèles sont inhérents non seulement à la science et à la technologie que nous importons dans le tiers monde, mais aux idéologies qu'il utilise pour essayer de forger son indépendance. L'islamo-marxisme syrien ou algérien, le christiano-marxisme sud-américain présentent le même risque : celui de tourner le dos à la modernité, supposée incarnée par l'Occident impérialiste, pour tomber dans un fondamentalisme rétrograde.

Le problème, dès lors, paraît clair : le tiers monde ne trouvera sa voie propre qu'en inventant les instruments de sa libération. Qu'il les cherche dans la Bible, dans le Coran ou dans Marx n'est sans doute pas indifférent. L'essentiel, pourtant, sera qu'il les recrée à son usage et en fonction des cultures de chaque peuple. Bien sûr, beaucoup est fait déjà en ce sens, à la base, et l'islam sénégalais ressemble aussi peu à celui pratiqué en Indonésie qu'une paroisse bretonne à une communauté de base brésilienne. Mais nous voulons insister sur un autre aspect : l'occidentalisation des élites. Pendant que leurs peuples luttent pour leur autonomie, des centaines de milliers de futurs fonctionnaires, médecins, officiers vont se former aux États-Unis et en Europe de l'Ouest ou

de l'Est. Comment deviendront-ils des agents d'un développement original, respectueux des multiples différences qui font la spécificité d'une civilisation ?

Aucune religion, aucune idéologie ne constitue automatiquement un moteur pour le progrès. En ce qui nous concerne, notre histoire prouve que le christianisme peut être la pire ou la meilleure des choses.

■

DÉMOGRAPHIE

L'Afrique pourrait être, d'ici un siècle, aussi peuplée que l'Asie des années soixante. Les enjeux sont immenses.

par Jean-Claude Chesnais

Début 1987, le monde compte 5 milliards d'habitants, dont les trois quarts vivent dans le tiers monde. Au cours des vingt-cinq dernières années, la population du tiers monde a presque doublé. Serions-nous donc au cœur même de l'implacable arithmétique de Malthus, lorsqu'il énonce sa fameuse loi de progression géométrique avec doublement des effectifs tous les vingt-cinq ans, précisément?

Les choses sont, en réalité, moins simples. Le quart de siècle écoulé est tout à fait exceptionnel : il correspond à un maximum historique unique. Lors du prochain quart de siècle, la croissance démographique sera, en valeur relative, nettement moins forte. C'est que, contrairement aux vues de Malthus, au cours de la période moderne, les populations connaissent une loi de croissance non pas exponentielle, mais logistique. Avec l'en-trée dans l'ère du développement économique moderne, elles quittent, en effet, leur régime de croissance lente pour une phase d'accélération, liée à l'abaissement de la mortalité. Mais un ajustement se produit, par diminution de la fécondité, et le rythme de croissance redevient faible, parfois même négatif. Cette loi historique fondamentale est celle de la transition démographique.

La transition démographique

Dans la phase de modernisation de ses comportements reproductifs, toute population décrit ainsi un schéma d'évolution analogue. Son taux d'accroissement s'apparente à une courbe en cloche, mais la dimension de cette cloche varie selon les époques et les pays. C'est précisément cette variabilité des poussées démographiques et les décalages temporels qui les séparent qui sont à l'origine des déséquilibres géopolitiques et du remodelage de la carte économique mondiale.

Le profil de transition démographique propre à un continent ou à un pays peut être résumé par une valeur numérique, qu'on appelle *multiplicateur transitionnel de population*; c'est le coefficient par lequel est multipliée la population pendant la phase de transition entre le régime ancien (forte mortalité, forte fécondité) et le régime moderne (faible mortalité, faible fécondité). Ainsi, pour l'Asie, le multiplicateur ne de-

graphique est appelée à s'y poursuivre encore pendant plusieurs décennies, si bien que, à l'issue du processus de transition démographique, le nombre d'habitants devrait être compris entre 5 et 7 milliards.

L'Afrique et l'Amérique latine ont connu une augmentation relative plus forte encore puisque, entre 1950 et 1985, la population a été multipliée par 2,5; mais le poids démographique de ces continents est tout autre, puisqu'il est cinq et sept fois moindre, respectivement, que celui de l'Asie (Afrique : 550 millions, Amérique latine 400 millions). A terme, c'est-

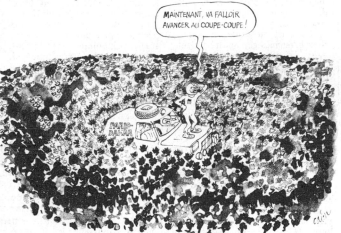

MAINTENANT, VA FALLOIR AVANCER AU COUPE-COUPE !

PARIS-DAKAR

vrait guère différer de ce qu'il a été pour la sphère de peuplement européen (5 à 7), cependant que pour l'Afrique l'accroissement pourrait être nettement supérieur (multiplication par 12 ou 15, voire par 20). De 1950 à 1985, la population de l'Asie a doublé, passant de 1,41 à 2,85 milliards d'individus; dès 1990, elle devrait dépasser 3 milliards. La croissance démo-

à-dire d'un demi-siècle à un siècle d'ici, la population devrait se stabiliser à un niveau compris entre 1 et 1,55 milliard en Amérique latine, et entre 1,5 et 2 milliards en Afrique (tableau 1). Selon ces perspectives – que la bonne qualité des prévisions passées rend vraisemblables –, en Asie, la population ne devrait donc plus guère que doubler, cependant qu'elle pourrait tri-

1986 : Les pays les plus peuplés
(en millions d'habitants)

AFRIQUE		AMÉRIQUE LATINE		ASIE			
Nigéria [a]	95	Brésil	136	Chine	1 043	Vietnam	60
Égypte	47	Mexique	79	Inde	761	Philippines	55
Éthiopie	36	Argentine	31	Indonésie	165	Thaïlande	52
Zaïre	33	Colombie	29	Pakistan	102	Turquie	50
Afrique du Sud	32	Vénézuela	18	Bangladesh	101		

a. Évaluation, faute de recensement.
Source : Nations unies.

La moitié des habitants du tiers monde vit en Chine et en Inde. L'autre moitié se partage en deux parts à peu près égales : la première, composée de pays de plus de 50 millions d'habitants, et la seconde de pays de moins de 50 millions. Si bien que, au total, trois personnes sur quatre vivent dans des nations de plus de 50 millions d'habitants. L'Asie représente 85 % de cet ensemble. Ce fait est lourd de conséquences pour la modification des équilibres planétaires, car la montée démographique s'y accompagne souvent d'un rattrapage économique, cela alors même que, parallèlement, le fléchissement démographique (stagnation et vieillissement) des vieilles nations européennes à population proche de ce seuil – République fédérale d'Allemagne, Italie, Royaume-Uni, France : 55 à 60 millions – coïncide d'ores et déjà avec une perte de dynamisme économique.

pler en Amérique latine, et quadrupler en Afrique.

Ces continents ne sont en effet pas parvenus au même stade de la transition démographique et ce processus s'y déroule à des rythmes relativement différents. Pour le continent asiatique, l'apogée de la croissance démographique appartient au passé; le taux d'accroissement a beaucoup fléchi, en raison notamment de l'évolution chinoise (politique autoritaire de limitation des naissances); la phase de croissance maximale se situe vers 1970 : 2,5 % par an environ.

En Amérique latine cette phase est un peu plus précoce, mais la croissance plafonne à un niveau plus élevé, proche de 3 % l'an, et pendant une période plus longue. Le cas de l'Afrique est plus spectaculaire : non seulement sa vitesse de croissance culmine à une hauteur sans précédent, supérieure à 3 %, mais la phase de croissance maximale semble devoir être beaucoup plus longue que sur les autres continents. D'autre part, la poussée démographique de l'Afrique appartient davantage à l'avenir qu'au passé. Ce qui signifie que, d'ici un siècle seulement, ce continent, longtemps sous-peuplé, pourrait être aussi peuplé que l'était l'Asie au milieu des années soixante.

Les vrais enjeux

Cette poussée démographique des pays pauvres, notamment en Afrique, sera à l'origine de défis nouveaux et d'autant plus importants que la fécondité tardera à baisser. Comme telle, cette poussée comporte d'énormes risques sociaux et politiques, que ce soit en matière d'emploi, de développement urbain, d'équilibre alimentaire, de stabilité politique, ou de relations internationales (tensions, menaces de débordement, émergence de nouveaux impérialismes). Mais, en même temps, pour les sociétés concernées, elle est porteuse d'espoir et de changement. L'histoire n'a-t-elle pas régulièrement démontré que, de par leur capacité technique, les sociétés contemporaines ont des possibilités d'adaptation très supérieures à celles des sociétés passées?

En outre, la signification économique de l'accroissement démographique est beaucoup plus complexe qu'il n'est dit dans la littérature courante; elle comporte de multiples faces cachées, souvent plus importantes en définitive, pour la dynamique historique, que ses aspects les plus visibles. Citons notamment l'incidence de l'élévation de la densité sur le progrès technique, sur la valeur du capital et sur la compétitivité des coûts de main-d'œuvre, et celle de l'abaissement de la mortalité (qui produit « l'explosion » démographique) sur l'investissement humain et la productivité du travail. L'échec de la prévision économique relative au devenir des sociétés du tiers monde doit, d'ailleurs, conduire à s'interroger sur les effets supposés de la pression démographique.

Deux données historiques fondamentales doivent être ici rappelées. Tout d'abord, le monde européen a connu, lui aussi, au siècle dernier, une « explosion » démographique (la croissance de la population a culminé – il est vrai – à un niveau de une fois et demie à deux fois moindre que celui des pays peu développés d'aujourd'hui); or cette phase de croissance maximale de la population a coïncidé avec le premier boom de l'économie mondiale (1870-1913). C'est aussi durant cette époque que le monde européen a creusé l'essentiel de son écart de niveau de vie par rapport aux pays moins avancés.

D'autre part, dans les pays peu développés, la croissance démographique a connu son maximum (sauf en Afrique) dans les dernières décennies, et, là encore, cette phase s'est inscrite dans un contexte d'essor économique sans précédent : le second boom de l'économie mondiale (1946-1973) a été nettement plus puissant que le premier et, surtout, il a autant touché en moyenne les pays peu développés que les pays développés.

Les différentes « explosions »

Mais la révision des dogmes doit aller plus loin encore, car la réalité est fort éloignée des constats biaisés qu'on trouve encore sous la plume d'experts reconnus. Le diagnostic conventionnel est le suivant : avec 75 %

TABLEAU 1. PASSÉ ET AVENIR DE LA POPULATION DES DIVERS CONTINENTS
(EN MILLIONS), 1700-2100

ANNÉE	AFRIQUE	AMÉRIQUE LATINE	ASIE [a]	EUROPE + URSS	AMÉRIQUE DU NORD	MONDE
1700	107	10	436	125	2	680
1800	102	19	633	195	5	954
1850	102	34	792	288	25	1 241
1900	138	75	909	422	90	1 634
1950	219	164	1 406	575	166	2 530
1985	553	406	2 850	770	263	4 842
2000	759- 818	563- 652	3 376-3 814	881- 898	273-333	5 853- 6 515
2050	1 412-1 926	1 026-1 409	4 727-6 336	924-1 116	288-440	8 377-11 228
2100	1 587-2 328	1 153-1 608	4 885-6 806	868-1 143	269-448	8 763-12 333

a. Y compris Océanie.

Sources : BIRABEN, J. N., : *Population,* 1979, n° 1, pour le passé. — NATIONS UNIES : *World Population Prospects Beyond the Year 2000,* 1973, E/CONF. 60/BP 3, Add 1, pour l'avenir (variante haute). — Chesnais, J.-C. : *Journal de la Société de statistique de Paris,* 1980, n° 1, pour l'avenir (variante basse).

de la population de la planète, le tiers monde ne dispose que du cinquième du produit mondial. Ce qui revient à dire que l'écart de revenu par tête est de 1 à 12 entre les pays développés et les pays du tiers monde ! Or, dans ce genre d'exercice, la précaution la plus élémentaire consiste à tenir compte des distorsions de prix et, accessoirement, à réviser les comptes nationaux des économies socialistes (Chine notamment). Après correction, non seulement l'écart se trouve ramené à un facteur de 1 à 5 ou 1 à 6 (au lieu de 1 à 12), mais son amplitude tend à se réduire sensiblement depuis la fin des années soixante-dix.

C'est sans doute à propos du tiers monde que l'on peut trouver les plus magnifiques exemples de contradiction entre les faits et les doctrines, entre la réalité et les discours. Tant de catastrophes, annoncées à grand renfort de publicité, ne se sont jamais produites : l'explosion démographique n'a pas tué le tiers monde, l'Inde a échappé aux famines. A l'inverse, la Chine et l'Afrique que l'on disait moins vulnérables ont sombré dans de sévères famines régionales (années 1959-1961 en Chine, période 1975-1985 en Afrique). Mais l'erreur d'appréciation a touché l'évolution démographique elle-même : la baisse de la fécondité a été plus forte que prévu.

La baisse de la fécondité

Contrairement aux pronostics alarmistes des années soixante, le mouvement séculaire de baisse de la fécondité est entamé sur presque toute la surface de la terre. Dans le monde en développement, l'inflexion s'est produite vers 1970, un siècle après le tournant européen. D'après

Le triangle
de l'esclavage

Au XVe siècle s'organise entre l'Europe, l'Afrique et l'Amérique l'une des plus importantes déportations de l'histoire de l'humanité : la traite des Noirs. Pendant quatre siècles, près de quinze millions d'Africains vont ainsi traverser l'Atlantique à fond de cale, enchaînés, dans les pires conditions d'hygiène. Près de deux millions de personnes n'arriveront jamais au bout du voyage.

D'abord pratiquée par l'Espagne et le Portugal, la traite des Noirs connaît son apogée au XVIIIe siècle, lorsque la France, la Hollande et la Grande-Bretagne y ont également recours. Elle répond à un besoin économique : les puissances européennes sont en train de constituer leurs empires coloniaux où se créent d'immenses domaines agricoles en manque de main-d'œuvre. En quelques années, les plantations de canne à sucre, de cacao, de coton, de café et de tabac voient arriver par milliers des esclaves en provenance du Sénégal, de Mauritanie et du golfe de Guinée.

Ce trafic fait la fortune de ceux qu'on appelle alors les « négriers » (souvent de riches bourgeois ou des nobles), mais aussi des « collaborateurs » locaux qui ont servi d'intermédiaires. De grandes fortunes se constituent dans les ports de Bordeaux, La Rochelle, Marseille, Nantes, Lisbonne et Copenhague. Pour eux, la traite est un négoce comme un autre. Ils la pratiquent sans honte et y attribuent même une fonction civilisatrice.

Les bateaux partent d'Europe pour dix-huit mois, chargés de cargaisons sans valeur, de verroterie, de tissus, d'armes qui seront échangés sur les côtes africaines contre des hommes et des femmes. Le « commerce » d'esclaves se fait avec les rois africains qui, le plus souvent, livrent aux négriers leurs « prisonniers » de guerre, les membres de tribus vaincues. Pour éviter des conflits entre négociants des différents pays européens, les puissances coloniales divisent l'Afrique en régions et chacune dispose de zones de traite où elle est dominante.

Les esclaves qui survivent au voyage sont vendus au Brésil et dans l'archipel antillais. Les négriers les échangent contre des matières premières qu'ils vendront à prix d'or en Europe.

Il faut attendre la fin du XVIIe siècle pour que des voix s'élèvent contre la traite. D'ailleurs, à cette époque, elle devient moins rentable ! Pendant les guerres napoléoniennes, les traites française et anglaise cessent presque complètement. La Constitution des États-Unis supprime la traite américaine. Mais cela ne veut pas dire pour autant la fin de l'esclavage. C'est à partir de 1822 que des sociétés philanthropiques américaines vont organiser le « retour » d'anciens esclaves et les aident à s'installer, notamment au Libéria. Mais cela n'a nullement permis de pallier le dépeuplement de régions entières (sur la côte angolaise surtout).

S. V.

LA POPULATION DANS LE MOND

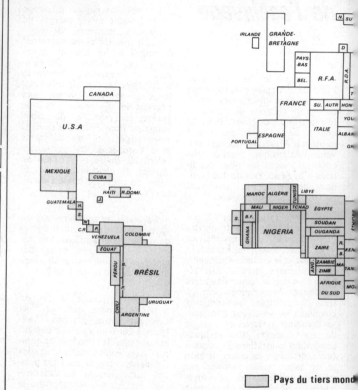

IRLANDE GRANDE-BRETAGNE
PAYS-BAS
BEL. R.F.A. R.D.A.
FRANCE SU. AUTR HON
ITALIE ALBAN
PORTUGAL ESPAGNE
N. SU
D

CANADA
U.S.A
MEXIQUE
CUBA
HAITI R.DOMI.
GUATEMALA
C.R.
VENEZUELA COLOMBIE
ÉQUAT
PEROU B. BRÉSIL
CHILI URUGUAY
ARGENTINE

MAROC ALGÉRIE TUNISIE LIBYE
MALI NIGER TCHAD ÉGYPTE
S. B.F. SOUDAN
GHANA NIGERIA OUGANDA
ZAIRE
ANG. ZAMBIE
ZIMB
AFRIQUE DU SUD
MOA

Pays du tiers mond

EAC

les estimations des Nations unies, le niveau de fécondité serait passé de 6,1 enfants en moyenne par femme, entre 1965 et 1970, à 3,9 vers 1985. Pour un laps de temps aussi court, la diminution est importante : deux enfants en moins par femme. La distance qui sépare la tradition (six enfants) de la modernité (deux enfants) aurait déjà été parcourue pour moitié. C'est exactement le cheminement qu'a connu un pays comme l'Inde qui épouse précisément le profil moyen.

Pourtant, les politiques de planning familial, lancées dès

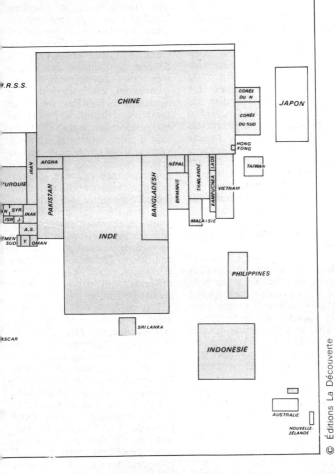

1952, s'étaient, jusque vers 1970, traduites par de cuisants échecs. On a donc affaire à un changement majeur. En Chine, la diminution observée va bien au-delà, même si, comme pour la mortalité, il est à craindre, tout au moins pour le milieu rural, que la statistique officielle exagère la baisse réelle. A l'exception du Nigéria, la mutation démographique est générale parmi les pays à forte population, car, bien qu'elle y demeure très forte, la fécondité a commencé à baisser dans les grands pays musulmans d'Asie (Pakistan, Bangladesh).

En Indonésie, autre géant asiatique, où la politique du gouvernement a été très ferme, le nombre moyen d'enfants par femme est passé de 5,5 vers 1970 à 3,5 vers 1985. Les seuls pays restés totalement ou presque à l'écart du mouvement sont les pays d'Afrique noire et la plupart des pays arabes. Ce changement de la fécondité traduit, pour l'essentiel, l'incidence des changements structurels (désenclavement rural, hausse de la scolarisation, etc.) liés à la croissance économique et, accessoirement, sauf en Chine, à l'influence des politiques de planning familial. Les baisses les plus précoces et les plus profondes sont, en effet, celles des pays à croissance économique rapide.

Dans les pays où le mouvement n'est pas encore entamé, la question n'est pas de savoir si la fécondité va fléchir, mais quand et à quel rythme. Compte tenu de la jeunesse de la pyramide des âges et des niveaux actuels de fécondité, la population est promise à un fort accroissement pour de nombreuses décennies encore.

Peut-on freiner cette croissance? Depuis la conférence de Bucarest (1974), les attitudes des gouvernements ont beaucoup changé (en contradiction parfois totale avec leurs comportements : la Chine niant, par exemple, la contrainte démographique, alors même qu'elle avait entamé la politique la plus drastique jamais vue, dépassant largement, en ampleur, les campagnes de stérilisation forcée menées en Inde en 1976-1977).

Même dans les pays catholiques ou musulmans, et même en Afrique francophone, le planning familial n'est plus posé comme une alternative, mais comme un complément au développement. Dans la plupart des pays, il est devenu un élément des stratégies de développement et, comme tel, est intégré dans le dispositif de politique sociale et sanitaire ; il bénéficie de crédits budgétaires fort variables et surtout d'aides internationales. Là encore, c'est en Afrique que le retard est le plus grand, cela pour diverses raisons : intégration plus tardive et moins réussie dans l'économie mondiale, faible densité de peuplement, maintien des systèmes de solidarité traditionnels (clanique ou lignagère), pesanteurs de la condition féminine, divisions ethniques, tous facteurs qui rendent moins impérieuse la nécessité de limiter les naissances.

Des politiques de développement et de coopération audacieuses devront être mises en place, sinon les excédents démographiques poseront des problèmes de plus en plus redoutables à la communauté internationale (afflux de réfugiés, migrations clandestines). Les déséquilibres démographiques à venir entre l'Europe et l'Afrique sont gigantesques. Ce défi est immense, sans précédent historique. Il comporte des risques, mais aussi des chances nouvelles, car, pour peu que des politiques adéquates soient mises en œuvre, l'Afrique dispose d'un des plus formidables potentiels de développement qui puisse se concevoir.

FORMATION

En Afrique, les dépenses par élève du primaire sont 34 fois plus faibles qu'en Amérique du Nord. Partout les inégalités sont considérables.

par Thierry Paquot

Le nombre d'enfants d'âge scolaire dans le monde n'allant pas à l'école était évalué en 1982 à 123 millions. 37 % des enfants de six à onze ans ne fréquentaient pas l'école en Afrique, 31 % en Asie et 19 % en Amérique latine. Les causes de cette situation sont multiples et variables d'un continent à l'autre, mais l'on retrouve toujours le manque d'écoles rurales, l'absence de maîtres, la situation familiale et surtout le travail prématuré des enfants.

D'après le rapport sur « L'exploitation du travail des enfants » établi par les Nations unies en 1982, le nombre d'enfants de moins de quinze ans au travail dans le monde s'élevait alors à 54,7 millions, dont 56 % en Asie méridionale, 18 % en Asie orientale, 17,5 % en Afrique et 6 % en Amérique latine.

Le pourcentage des enfants de dix à quinze ans qui travaillent est impressionnant dans certains pays : 20 % en Inde, 25 % en Thaïlande, 28 % au Mozambique, 30 % en Tanzanie... L'épuisement, les contraintes du travail précaire, le risque d'accidents du travail, etc., empêchent ces enfants d'avoir une scolarité « normale ».

Il va de soi que le milieu culturel et économique dans lequel évolue l'enfant est décisif pour sa scolarité. Une famille stable dans laquelle les parents sont attentifs aux progrès de l'enfant et l'entourent d'affection et d'intérêt constitue le meilleur atout pour son avenir. Mais une telle famille se rencontre plus souvent dans la littérature « rose » que dans la réalité du tiers monde! Des parents préoccupés par la survie économique du groupe n'ont guère l'esprit aux jeux et au suivi des études de leur progéniture. De plus en plus fréquemment, la famille est monoparentale et le climat affectif quelque peu perturbé... sans compter un environnement culturel parental souvent très limité. L'acquisition de la langue, la richesse en vocabulaire, la stimulation de la curiosité, etc., ne peuvent se manifester que si la famille elle-même en a conscience et volonté. A cette contrainte, il convient d'ajouter celles de l'alimentation (la *malnutrition* par manque de protéines entraîne inéluctablement un retard de la croissance du poids et du volume du cerveau), des conditions de logement (la possibilité de disposer d'un coin à soi pour lire et faire ses devoirs), et de l'environnement culturel (journaux, livres, musique, télévision, etc.), qui pèsent également de façon décisive sur la qualité de la scolarité.

Outre ces facteurs familiaux et socio-économiques, il ne faut pas oublier le rôle de l'organisation de l'école elle-même. Car les limites financières résultent certes des familles mais aussi des moyens de l'État, comme le montre une étude publiée par l'Unesco en 1979 : les dépenses par élève de l'enseignement primaire variaient de 1 734 $ (de 1974) en Amérique du Nord à... 50 $ en Afrique (Europe : 549 $; Océanie : 325 $; Amérique latine : 87 $; Asie : 79 $). Ainsi, on investit en Amérique du Nord 34 fois plus par élève qu'en Afrique, 28 fois plus qu'en Asie, 20 fois plus qu'en Amérique latine et 3,2 fois plus qu'en Europe. Mais il existe également des disparités à l'intérieur de chaque région : ainsi, en Afrique, le rapport entre le pays qui dépense le plus (Côte d'Ivoire) : 135,4 $) et celui qui dépense le moins (Malawi) est de 13 à 1. En

Aymara et informatique

Depuis que les ordinateurs sont commercialisés, on cherche à utiliser l'informatique pour faire de la traduction directe. Mais la diversité des langues fait obstacle. Des « langues artificielles » ont été créées, mais elles se sont révélées inefficaces. Des budgets spéciaux ont été consacrés à ces recherches, sans résultat. Il manque à l'ordinateur l'intelligence qui lui permettrait de saisir le sens exact d'un texte. Les efforts déployés ont cependant permis, ces derniers temps, de mettre au point des systèmes de traduction bilingue unidirectionnelle, comme le programme français Ariane 78 (russe-français).

Le programme réalisé par Ivan Guzman de Rojas est particulièrement original. Cet ingénieur et mathématicien bolivien, spécialiste en informatique, s'est intéressé un peu par hasard à la langue aymara. Il s'est alors rendu compte que cet idiome possédait toutes les qualités requises pour servir de langue relais. Sa grammaire, très développée, très harmonieuse et d'une régularité extrême, peut en effet contenir comme sous-ensembles les grammaires d'autres langues, ce qui la rend particulièrement apte à la traduction multilingue et bidirectionnelle.

Asie, le Koweït dépense 167 fois plus que la Birmanie, pays qui dépense le moins. En Amérique latine, le Vénézuela dépense 8,7 fois plus que la République dominicaine.

L'école primaire est généralement gratuite mais ce n'est pas toujours le cas, et certains États

La langue aymara, qui appartient à la civilisation du même nom, est apparue il y a plusieurs milliers d'années dans l'altiplano andin. Plus de trois millions et demi de personnes la parlent encore de nos jours, essentiellement en Bolivie, au Chili, au Pérou et en Argentine. Au XVIᵉ siècle, le jésuite Ludovico Vertonio, qui a consacré toute une partie de sa vie à découvrir les mystères de la construction de l'aymara, parlait déjà de langue « riche et articulatoire », se prêtant fort bien au « maniement des abstractions ». Les études qu'il a réalisées démontrent effectivement que l'aymara renferme un savoir concentré et riche en vocabulaire.

La « redécouverte » de cette langue est cependant très récente. Autrefois, elle était beaucoup plus répandue, et son étude a même constitué une des branches de la connaissance andine. Mais l'étude systématique de l'aymara n'a commencé que dans la seconde moitié du XXᵉ siècle. Et il n'existe toujours pas d'académie de la langue aymara.

L'étude scientifique de l'aymara se heurte à des difficultés particulières. Ainsi, le système de raisonnement de cette langue possède trois valeurs logiques : vrai, faux et incertain, alors que la logique aristotélicienne ne connaît que le vrai et le faux. Autre exemple : les phrases se construisent avec des particules dynamiques et constantes (suffixes, affixes, infixes), dont le sens est lié au contenu naturel. La langue aymara est un instrument linguistique d'une grande richesse dans le raisonnement, très précis et très efficace pour exprimer les sentiments, les pensées et les activités. Les principes internes qui déterminent la langue sont de nature mathématique puisqu'il est possible de les transformer en équations algébriques, les particules jouant le rôle de symboles axiomatiques.

Le premier système au monde de traduction multilingue et bidirectionnelle, baptisé Atamari et élaboré en Bolivie par Ivan Guzman de Rojas, est actuellement mis en place dans un centre régional de traduction (Unesco) établi à Panama. Il permet de traduire des textes et des manuels à partir de et vers l'anglais, l'espagnol et l'allemand, grâce à l'aymara. Le système Atamari utilise environ 250 000 mots et 230 formes structurelles qui peuvent donner naissance à une grande variété de structures syntaxiques à la vitesse de 40 000 mots à l'heure. Selon Guzman de Rojas, ce nouveau système de traduction par ordinateur est destiné à faciliter la tâche du traducteur à qui reviendra toujours la responsabilité du travail... et le dernier mot.

Victor Hugo Chinchiroca
(traduit de l'espagnol par Laurent Gimenez)

favorisent leurs étudiants au détriment de la scolarisation de base. Ainsi, le coût d'un étudiant d'université africain est 59 fois plus élevé que celui d'un élève de l'enseignement primaire, alors que ce rapport est de 1 à 9 en Amérique latine, de 9 à 1 en Asie, de 2 à 1 en Europe et de 1,5 à 1 en Amérique du Nord.

De même, la durée de l'année scolaire peut accuser des différences surprenantes, variant de 170 à 240 jours. A la fin d'un cycle primaire de six ans, les enfants qui sont allés en classe 240 jours par an et cinq heures par jour, auront eu 2 100 heures d'enseignement de plus que ceux qui n'ont eu que 170 jours de classe par an. La durée des vacances scolaires varie de 10 à 16 semaines par an. Les vacances les plus courtes sont celles des élèves de Bulgarie (deux mois) et de Nouvelle-Guinée (neuf semaines); les plus longues sont celles des élèves de France (16 semaines), du Japon (17 semaines), de l'Indonésie (20 semaines).

Le temps consacré à l'enseignement varie de 20 à 30 heures par semaine. C'est au Vénézuela que cette durée est la plus courte (16 heures), et au Chili ainsi qu'en Thaïlande qu'elle est la plus longue (35 heures).

Ivan Illich, le novateur

A relire l'œuvre d'Ivan Illich, on ne peut qu'être étonné par la cohérence de sa recherche — malgré l'apparent éparpillement de sa pensée — et par la constante remise en cause de ses propres acquis théoriques ou pratiques.

En 1971, quand paraît *Une société sans école*, Mai 68 est toujours présent, et le public trouve alors dans cet ouvrage la confirmation de son rejet du système scolaire, jugé inadéquat et obsolète, et la nécessité de repenser, outre la relation entre la société et l'école, le rapport bien plus complexe de l'enseignant, l'enseigné et l'enseignement. Les dégâts perpétrés dans les pays du tiers monde par un système scolaire importé des pays industriels ou imposé par l'occupation coloniale sont considérables. L'école scolarise peu et mal et coûte cher, très cher, en argent, en mobilisation intellectuelle et en dépendance culturelle...

Deux ans plus tard, avec *La Convivialité*, Ivan Illich ne se contente pas d'une scrupuleuse analyse des institutions, il élabore une série de propositions de rechange. « Lorsqu'une activité outillée dépasse un *seuil* défini par l'échelle *ad hoc*, elle retourne d'abord contre sa fin, puis menace de destruction le corps social tout entier » : un tel constat ne vaut pas seulement pour l'école mais concerne également les transports, la médecine, l'Église, l'État, les méga-outils, etc. Il faut mettre en place, par exemple, de nouvelles machines entraînant d'autres usages, d'autres conditions de travail. En fait, il s'agit pour chacun d'une véritable conquête de son environnement associé à une autonomie de plus en plus large. *La convivialité* repose sur l'adoption de certaines valeurs telles que *l'équité* et *l'austérité* qui impose une redéfinition de la notion de *besoin*.

Tous ces termes seront explicités dans les ouvrages suivants d'Ivan Illich. *La Némésis médicale* (1973) dénonce le pouvoir démesuré des médecins, la surconsommation aberrante de médicaments, la surtechnicité des équipements hospitaliers. Il y montre comment l'institution médicale se nourrit ainsi de patients qu'elle se fabrique. *Le Chômage créateur* (1977), *Le Travail fantôme* (1981) et *Le Genre vernaculaire* (1983) abordent tour à tour et de façon chaque fois plus philosophique et historique des thèmes nouveaux : « la pauvreté modernisée », « l'économie informelle », « le non-marchand » et sa place dans des sociétés ouvertement *sexuées*.

Au fur et à mesure que la dénonciation spectaculaire des institutions et autres « machine-

L'école n'est pas seulement ouverte aux enfants, elle sert aussi à l'alphabétisation des adultes. Le nombre de personnes qui ne savent ni lire ni écrire ne cesse en effet d'augmenter : en 1950, on estimait à 700 millions le nombre d'analphabètes dans le monde ; en 1960, 735 millions ; en 1970, 742 millions ; en 1980, 814 millions, et l'on prévoit que ce nombre dépassera 900 millions en 1990.

Et pourtant, le fait de savoir lire et écrire est considéré comme le principal moyen d'être indépendant et responsable. Nombreux sont les États qui ont lancé et soutenu des campagnes d'alphabétisation. La Tanzanie a su réduire son taux d'analphabétisme de 87 % en 1970 à moins de 30 % dix ans plus tard, et le Nicaragua après le renversement de la dictature en 1979 a pu en l'espace de neuf mois ramener le taux d'analphabétisme de 53 % à 12 %... Mais ces résultats ne peuvent durer que si le savoir ainsi acquis est constamment sollicité.

C'est le Brésilien Paulo Freire (né en 1921) qui a conçu et mis en œuvre l'une des méthodes d'alphabétisation les plus efficaces et mobilisatrices, largement utilisée dans le tiers monde. Pour lui, il s'agit de « promouvoir chez le peuple touché par une action éducative une conscience claire de sa situation objective ». L'éducation est alors un acte de libération, « une approche critique de la réalité ». « Le but de l'éducateur n'est plus seulement d'apprendre quelque chose à son interlocuteur, mais de rechercher avec lui les moyens de transformer le monde dans lequel il vit. »

Une telle démarche a été largement revendiquée par les animateurs et pédagogues sud-américains attirés par ce marxisme humaniste. L'implication sociale et politique du formateur n'est pas niée par le sociologue Albert Meister, qui pourtant s'interroge sur « la soif d'apprendre » et « la volonté de changement » des adultes à alphabéti-

ries » sociales fait place à une étude théorique et anthropologique visant à les fonder, le succès des thèses d'Ivan Illich se réduit, comme si la difficulté de la lecture suffisait à expliquer ce retournement de situation. En fait, les derniers ouvrages – les plus importants de son œuvre actuelle – qui laissent augurer des développements novateurs, ne correspondent plus à *l'air du temps* et exigent du lecteur une attention soutenue. De plus, ses réflexions et ses thèses sont *inconfortables* à qui refuse de remettre en cause l'histoire même de sa propre civilisation, sa périodisation et ses grilles d'analyses. Ivan Illich, né à Vienne en 1926, a étudié la philosophie et la théologie. Il sera prêtre durant cinq ans dans un quartier pauvre de New York, puis directeur de l'université catholique à Porto Rico, puis animateur du CIDOC (Centre interculturel de documentation) qu'il créa à Cuernavaca (Mexique). Il enseigne aujourd'hui l'histoire des idées au XIIᵉ siècle dans une université allemande. Son itinéraire et sa démarche intellectuelle se retrouvent tout entiers dans le mythe de Pandore. Pandore épouse d'Épiméthée, frère de Prométhée, ouvre la jarre reçue en cadeau, laissant s'échapper sur la terre tous les malheurs des hommes, mais au fond, se tient l'espérance...

T. P.

Une école coranique

Au bord de l'oued Soumail, sous un palmier qui dispense une ombre légère, le petit groupe apparaît soudain, au milieu des rochers. Assis à même le sol, une vingtaine de garçons et de filles – les garçons d'un côté, les filles de l'autre – apprennent leur leçon sous la surveillance d'un vieillard à la longue barbe blanche. Pour ardoises... des omoplates de chameau, dont l'os a été lissé par des générations et des générations de petits élèves. Trempant dans un petit pot d'encre un stylet taillé dans une branche, les garçons calligraphient sur leur ardoise un verset du Coran que vient de leur dicter le maître *(taleb)*. Vêtus d'une longue chemise blanche ou brune, les yeux fardés de kohl, portant au cou un petit porte-coran ou une amulette, les garçons, âgés de 6 à 12 ans, sont assez indisciplinés et le *taleb* doit sévir, frappant des mains pour ramener le calme.

Assises en demi-cercle autour du maître, enveloppées dans des voiles aux couleurs chatoyantes qui couvrent négligemment leurs cheveux longs, le front orné d'une pièce d'argent, les fillettes sont beaucoup plus calmes : trois d'entre elles ont un exemplaire du livre sacré posé sur leurs genoux, et elles en lisent un passage, que les autres fillettes écoutent et essaient de mémoriser.

C'était en 1970. Il n'y avait alors dans tout le sultanat d'Oman que trois écoles, et cette scène, fixée pour l'éternité par l'objectif du photographe, illustre à merveille ce qu'ont été pendant des siècles les écoles coraniques dans tout le monde arabe – et islamique : en même temps une initiation à la religion du Coran, et souvent le seul apprentissage de la lecture et de l'écriture de la langue arabe dans des régions dépourvues d'écoles. Même dans les villages ou les oasis les plus reculés, il y avait toujours un ancien qui savait lire le Coran, et en transmettre la connaissance.

Aujourd'hui peu de choses ont changé. Même dans les pays européens d'immigration maghrébine ou turque, c'est dans le décor rudimentaire d'un atelier d'usine désaffectée que des enfants accroupis à même le sol griffonnent sur une tablette de bois des versets du Coran, sous la dictée d'un *taleb*. Souvent il s'agit d'un ouvrier dont toute la science se résume à la connaissance du Coran – et qui assure ainsi, envers et contre tout, la transmission de la connaissance du livre sacré, avec des rudiments de la langue arabe, et une certaine identité.

Chris Kutschera

ser. Ces derniers, selon lui, ne sont pas *spontanément* les acteurs convaincus de la nécessité d'agir. Au contraire, il a plus d'une fois rencontré un refus volontaire de l'innovation et la recherche sécurisante du *statu quo*. Là également les présupposés généreux et naïfs peuvent se révéler être de sérieux handicaps. La réalité, complexe par définition, ne peut se résumer en un quelconque schéma. L'éducation et la formation doivent concourir à la prise en mains des conditions de changement et d'amélioration de cette réalité par les personnes directement concernées. Au-delà de telles généralités, il ne reste qu'à ouvrir des écoles...

HABITAT

Plus d'un milliard de personnes vivent dans des bidonvilles. C'est-à-dire dans les villes de demain.

par Noël Cannat

Les populations les plus démunies ne vivent plus aujourd'hui dans les zones rurales, mais dans les villes. Ce qui met en cause les plans de développement élaborés jusqu'à présent.

En l'an 2000, près de la moitié de la population du tiers monde sera urbanisée. Avec près de 30 millions d'habitants, Mexico viendra en tête de ces grandes métropoles où la paupérisation des centres, le manque d'eau, la pollution industrielle et l'encombrement automobile dû à l'extension des banlieues résidentielles ont déjà pris d'inquiétantes proportions. Mais de tous les problèmes soulevés par la croissance urbaine, il n'en est pas de plus aigu que la prolifération des bidondilles.

Un quart peut-être de la population mondiale, soit largement plus d'un milliard de personnes, vit dans des taudis au cœur des villes ou dans d'immenses « zones d'habitat spontané » qu'on appelle ici des « bidonvilles », là des *slums,* des *ranchitos,* des *favelas,* des *barriadas,* des *poblaciones...* Dissimulés à la vue des touristes, tapis derrière des rangées de boutiques, étagés aux flancs des collines, ce sont par exemple, parmi les quartiers que nous avons visités, Santa Mesa à Manille, Klong Toey à Bangkok, Cheetah Camp à Bombay, Orangi à Karachi, Al-Thawra à Bagdad, Ben-Msik à Casablanca, Primera Victoria à Mexico, et tant d'autres où les ressources moyennes des habitants oscillent entre 1 et 3 francs par tête et par jour.

Mais ce n'est pas tant la pauvreté qui fait le bidonville que l'occupation illégale et précaire du sol urbain par des gens que la ville refuse parce qu'ils sont démunis de tout. A Dharavi (Bombay), un *slum* de 400 000 habitants, l'eau n'est disponible que deux heures par jour aux robinets publics, chacun d'eux alimentant des centaines de personnes. Le manque d'égouts et de latrines dans 90 % des cas, les ordures qui s'entassent, les rats qui mordent les bébés, les rues sans éclairage, les risques d'incendie, l'éloignement des lieux de travail et l'insuffisance des moyens de transport, l'absence d'écoles et de dispensaires, telle est la réalité de la vie quotidienne dans ce bidonville. Sans oublier les malversations des propriétaires et les mafias de trafiquants qui règlent leurs différends au cocktail Molotov. Pourtant les habitants s'efforcent sans relâche d'améliorer leurs demeures avec tout ce qui leur tombe sous la main : bidons, planches, lambeaux de plastique, briques chapardées sur les chantiers... L'ingéniosité palliant le manque de moyens, des artisans s'installent, pauvres en outils mais habiles et confiants dans leurs capacités : « L'individu est un trésor! » nous disait un ouvrier du Caire.

La population de ces zones qui, par immigration puis accroissement naturel, augmente quatre fois plus vite que la population mondiale et, dans certaines métropoles, représente plus de la moitié du total, ne peut plus être considérée comme marginale. C'est commettre un grave contresens que se borner à lui accorder une compassion un peu effarouchée en cherchant à supprimer ces « poches de pauvreté ». Car la ville est là, tout autant que dans les beaux quartiers, dans ces vastes rassemblements qui sont des lieux d'espoir avant d'être des lieux de misère.

Car le bidonville s'organise comme un village. Par le style de ses constructions, la largeur de ses rues, le mode de vie de ses habitants, il est souvent à l'image des communautés villageoises que les immigrants ont quittées. Bousculés par la pression démographique, attirés par le mirage d'un emploi et l'éclat de la « civilisation » (« nous n'avons rien vu de notre vie », disent-ils), les paysans viennent demander à la ville « le pain et l'éducation ». Accoutumés à une vie rude, fiers de leur courage et de leur endurance à la faim, soutenus par une foi, ils sont aussi en quête de dignité : « Les conditions de vie des paysans coréens, les avons-nous entendu dire, sont pires que celles des animaux domestiques dans les zones urbaines... » Mais les vieilles médinas du Maghreb, les *chawls* (immeubles collectifs) de Bombay, le centre historique de Mexico ou du Caire, croulent bientôt littéralement sous la masse de ces exilés analphabètes.

Le bidonville semi-rural

Surpeuplés, les bâtiments se dégradent et s'effondrent lorsque la modicité des loyers (bloqués par mesure sociale) dissuade les propriétaires de les entretenir. Aussi, lorsque l'entassement est devenu intenable – et parfois dès leur arrivée –, les immigrants ou leurs fils, pris à la gorge, se cherchent un terrain libre à la périphérie. Les *bustees* de l'Inde, les djebels de Tunis, les « cités perdues » de Mexico représentent ainsi, pour ces hommes, le couronnement d'un immense effort pour s'arracher au malheur, pour changer la vie. Ils ne veulent pas d'un appartement moderne, ils souhaitent rester là, affirmer leurs assises, jouir d'un salaire régulier, en-

LES GRANDES VILLES DE L'AN 2000 (en millions d'habitants)			
Mexico	26,3	Rio de Janeiro	13,3
São Paulo	24,0	Delhi	13,3
Tokyo/Yokohama	17,1	Buenos Aires	13,2
Calcutta	16,6	Le Caire/Gizeh/Imbaba	13,2
Bombay	16,0	Djakarta	12,8
New York/NE New Jersey	15,5	Bagdad	12,8
Séoul	13,5	Téhéran	12,7
Shangaï	13,5		

Source : prévisions 1982 des Nations unies.

voyer leurs enfants à l'école, vivre en bonne intelligence avec leurs voisins. Mais tous ne parviennent pas à ce stade : on estime que, dans le monde, plus de 100 millions de personnes (dont 20 millions d'enfants en Amérique latine) vivent dans la rue... Et les plus chanceux se félicitent : « On n'est pas toujours sûr de son pain », disait cette mère de famille de Rugenge, quartier en marge de Kigali au Ruanda, « mais au moins nous ne payons pas de loyer ! »

Généralement peu étendu, le bidonville semi-rural, avec ses jardins maraîchers, alimente aussi le centre-ville en produits frais. Il ne déséquilibre pas la ville : il joue le rôle de ces « franges évolutives » que furent autrefois les faubourgs. Mais trop souvent, les autorités, retranchées derrière le droit de propriété, ne veulent rien entendre, et les abris des « squatters » sont détruits au bulldozer. L'insécurité est le lot quotidien des habitants des bidonvilles. Aussi l'angoisse étreint-elle quotidiennement ceux qui travaillent loin de leur domicile, à la pensée que, le soir même, ils peuvent trouver leur maison en ruine et leur famille dispersée... A court terme, les « déguerpis » (comme

on dit à Dakar) iront reconstruire les mêmes baraques un peu plus loin, avec des moyens amputés, sur un espace plus restreint, et sans plus de garanties qu'avant : « On nous balaie comme des ordures ! » explosent parfois les gens. Et le jour viendra où, leur élan initial définitivement brisé par des expulsions successives, ils perdront tout espoir de s'en tirer par eux-mêmes et sombreront dans la déchéance. A plus long terme, les enfants ainsi élevés dans l'angoisse et l'illégalité, souvent abandonnés par le père qui s'est créé un autre foyer ailleurs, glissent dans la petite délinquance et tombent sous la coupe des mafias qui recrutent leurs tueurs à gages dans les bidonvilles-pourrissoirs. Pris en tenaille entre le refus de leurs parents de rester à la campagne et le refus de la ville de les accueillir, certains se cherchent aussi des raisons de vivre (et de mourir) dans le fanatisme religieux ou l'extrémisme politique. Des études ont montré qu'une population qui perd l'espoir glisse inconsciemment vers le suicide collectif : réduite et disséminée comme les tribus indiennes d'Amazonie, elle est condamnée à s'éteindre ; importante et concentrée, elle

Le Caire, un village de douze millions d'habitants

En dialecte égyptien, Le Caire se dit *masr*, soit tout simplement... « Égypte »! A raison de douze millions d'habitants, Le Caire rassemble le quart de la population de l'Égypte. L'Égypte des villages, qui afflue vers la capitale, symbole d'opportunités sociales, au rythme de 100 000 nouveaux arrivants par an. L'Égypte des ânes et des chevaux traînant les carrioles de fruits et légumes, et encore presque exclusivement chargés avec les éboueurs privés, les *zabalines*, d'évacuer les ordures de la métropole. Jusqu'aux chèvres qu'on voit brouter sur les terre-pleins des « Champs-Élysées » du quartier neuf de Mohandessin, et même les *gamousses*, ces énormes buffles de la vallée du Nil ruminant dans les ruelles de la vieille ville fatimide. Au Caire, les œufs sont pondus en ville, et les coqs chantent tous les matins rue Talaat-Harb, au cœur de la ville moderne.

En arabe classique, Le Caire se dit *El-Qahira* : la Victorieuse. Victoire quotidienne des Cairotes pour faire leur trou dans la capitale, alors que le rythme annuel des naissances donne au Caire 250 000 nouveaux habitants par an. La ville comptera au minimum seize millions d'habitants en l'an 2000.

Pourtant, Le Caire ne connaît pas les bidonvilles. Non pas que l'État parvienne à répondre à la demande : à la fin des années soixante, l'effort militaire conduit à un ralentissement de la construction de logements. Le blocage des loyers a pour effet pervers un renchérissement du prix des logements et la ruine des immeubles laissés en l'état par les propriétaires. Les arrivants les plus pauvres se logent sur les terrasses, véritable ville suspendue où les étages précaires de cabanes s'empilent sur les étages en dur, eux-mêmes rajoutés au fil des ans. Près d'un million et demi de Cairotes seraient logés ainsi. Les quartiers du vieux Caire fatimide, entre la citadelle et le bazar, absorbent tant bien que mal des familles entières dans les immeubles délabrés, voire les mosquées.

Dès les années soixante, les Cairotes investissent les cités des morts. Le phénomène – impressionnant pour l'Occidental ébahi par l'installation d'antennes de télévision sur les mausolées – est plus logique qu'il n'y paraît. Les deux immenses cimetières du Caire – le cimetière de l'iman Chafei, au sud, s'étend sur deux kilomètres de long et un kilomètre de large – sont très proches du centre urbain pourvoyeur d'emploi, et aisément desservis. Historiquement, les tombes, fort différentes des tombes occidentales, s'accompagnaient de maisons, voire de véritables palais où les familles s'installaient lorsqu'elles venaient, parfois de très loin, honorer leurs morts. Un petit peuple de fossoyeurs, jardiniers et constructeurs de mausolées habitait là en permanence, et des hostelleries recevaient les pèlerins, les élèves des grandes mosquées et les mystiques. La structure de base : une maisonnette ouvrant sur le jardin où repose le caveau, était donc aisément transformable.

Aujourd'hui, on estime que 500 000 personnes habitent les mausolées, tandis qu'un million d'autres habitent les immeubles de quatre étages construits à l'intérieur des cimetières. L'eau, squattée, et l'électricité, également installée par les services nationaux, équipent près de la moitié des cimetières. De fait, si habiter une cité des morts n'était pas vécu comme une honte et une marque d'extrême pauvreté, les conditions de vie dans les cimetières seraient largement supérieures à celles prévalant dans les quartiers populaires du Caire : les jardins apportent un bien-être oublié depuis longtemps en ville ; le bruit et la pollution y sont minimes.

La saturation du centre et la dégradation des immeubles ont conduit les couches inférieures des classes moyennes à quitter la ville pour de nouveaux quartiers poussés spontanément dans la campagne à l'ouest et le long du Nil. L'urbanisation sauvage « mange » 600 hectares de terres agricoles par an, dans un pays où la terre cultivable représente moins de 4 % du territoire. C'est que, sur ces anciens champs irrigués, les canaux garantissent l'approvisionnement en eau, et constituent des égouts naturels à ciel ouvert. Ce sont Boulaq-el-Dakrour, véritable ville dont les premières rues remontent à trente ans, Imbaba, la route des pyramides, Choubra-el-Kheima...

Cet habitat « sauvage » représente 16 % de la surface résidentielle du Caire, et 20 % de sa population. Il ne cesse de s'étendre, menaçant de recouvrir la moitié des terres vivrières du Caire d'ici à l'an 2000. L'habitat spontané présente en outre de graves lacunes en matière d'infrastructure. Fort bien équipé en boutiques et transports, reposant sur l'initiative individuelle, il manque en revanche d'écoles, d'espaces collectifs. Construit au plus serré par les lotisseurs spéculateurs, le quartier ne donne pas prise aux équipements collectifs. C'est pourtant là que vont les Cairotes, dès que leurs revenus leur permettent de quitter le centre, et non vers les villes nouvelles construites par le gouvernement.

Ces villes, construites en plein désert, devaient détourner du Caire les populations nouvelles. Mais elles se sont révélées très onéreuses pour le gouvernement égyptien, tandis que Le Caire gardait tout son pouvoir attractif. Enfin, il se révèle illusoire de déplacer les Cairotes en plein désert : si, en effet, les nouveaux migrants représentent près de 30 % de la croissance de la population, le seul jeu des naissances en est responsable à 70 %.

L'idée force du nouveau schéma directeur du Caire est donc d'accompagner cet essor inéluctable de la ville, de l'orienter non sur les précieuses terres agricoles, mais sur le désert, et de tirer les leçons de l'habitat spontané. Celui-ci a su répondre aux besoins des Cairotes à raison des trois quarts des logements construits chaque année. Avec ses voies étroites, ses boutiques en rez-de-chaussée courant le long des rues, son incroyable débrouillardise, l'habitat spontané, « ça marche ». Mais anarchiquement. Le nouveau plan du Caire fait le pari, avec un périphérique de soixante-douze kilomètres et dix nouveaux quartiers sur les terres désertiques proches, d'urbaniser la ville aux mille villages.

Marie-Pierre Ferey

risque d'entraîner dans sa perte le corps social entier.

Depuis trente ans, les autorités urbaines ont, de par le monde, cherché une solution dans trois directions.

1. L'expulsion

Encore pratiqué çà et là, en 1987, le rejet des plus pauvres, reconduits dans leurs villages ou déportés à 30 ou 40 kilomètres du centre, ne fait que déplacer le problème sans le résoudre. Les gens reviennent clandestinement et recréent un bidonville ailleurs. Ceux qui parviennent à s'enraciner dans les zones de relogement hâtivement tracées, sur des terrains non viabilisés, se voient souvent réclamer, des années après, le prix d'un lot qu'ils croyaient avoir reçu en toute propriété et qui a pris de la valeur grâce à leurs efforts. Il faut payer ou partir encore. Et ce sont des fonctionnaires du régime, des militaires, des policiers, qui jouiront de leur travail d'aménagement non rétribué.

2. Le relogement

Préconisé par certains experts, le *relogement dans de grands ensembles* est une solution coûteuse, imitée des pays riches, qui ne répond pas aux besoins des plus démunis incapables de payer les loyers exigés, faute de ressources régulières. En outre, les conditions de vie imposées aux locataires sont grosses d'autres difficultés à moyen terme (dépressions, alcoolisme, usage des drogues, violences quotidiennes, etc.). Partout, au contraire, où les autorités sont parvenues à régulariser la situation des « squatters » en leur garantissant la libre occu-

Vive la ville!

En l'an 2000, et pour la première fois dans l'histoire, un Terrien sur deux sera un citadin.

Comme dans la nouvelle de Jack London, *Au sud de la Fente,* la ville du tiers monde est un espace divisé, compartimenté, fortement ségrégé. Cette configuration spatiale a certes été favorisée par la colonisation qui séparait « la ville européenne » des « villages indigènes », mais résulte davantage du *fait urbain.* On retrouve des quartiers riches et des quartiers pauvres, des quartiers commerçants et des quartiers sans équipement, des quartiers industrieux et pollués et des quartiers résidentiels dans les villes européennes ou nord-américaines du XIXᵉ siècle. Comme l'écrivait Georges Balandier : « La ville moderne est une société hétérogène. Elle impose la coexistence d'éléments n'ayant pendant longtemps entretenu que des rapports très distants ou antagonistes, qu'il s'agisse de castes, de groupes ethniques ou de tribus. Dans un tel contexte les conflits entre comportements, croyances et genres de vie apparaissent. »

La ville abrite une société composite où règnent les pouvoirs de l'argent et de l'État. La ville et l'État sont bien souvent des nouveautés simultanées pour ces régions. La ville accélère la monétarisation des relations interindividuelles, car elle est d'abord un marché. Elle propose de nouveaux *besoins* à des populations démunies – dans tous les sens de ce terme – qui ne peuvent les satisfaire, d'où des frustrations, des colères, des révoltes, des résignations. La ville facilite la confrontation culturelle, la cohabitation de modes de vie différents et concurrents. La ville et ses plaisirs disponibles. La ville et ses désirs interdits. La ville et ses violences. D'exclusion et de marginalisation, d'acculturation et d'homogénéisation, la ville a ses langues, ses valeurs, ses références ; elle a ses règles, ses lois et ses règlements de comptes. La ville est une entité à multiples facettes.

Elle attire le paysan ou la paysanne en leur promettant une liberté jusqu'alors inconnue. Elle brise, c'est vrai, le carcan du patriarcat. Elle redistribue les cartes sociales et assure pour certains une réelle et incroyable ascension sociale. Elle offre le refuge de l'anonymat à celui ou celle qui souhaite « vivre sa vie », hors du contrôle familial, de l'autorité des vieillards. Elle attire aussi par la *modernité* qu'elle exprime. Mais la ville pour beaucoup se révélera une promesse non tenue. Il y a plus qu'un fossé entre la ville réelle et les images qu'elle dispense par le biais des feuilletons télévisés. La ville est aussi un mirage. L'oasis d'un rêve.

Il est certain que la ville est aussi porteuse de mieux-être et de transformation culturelle non maîtrisable. Mais comment éviter les mille et une souffrances que connaît l'écrasante majorité de ses habitants ? Que deviennent chaque jour les 150 000 nouveaux arrivants ? Peuplent-ils les innombrables bidonvilles encerclant les villes ou les taudis des centres ? Les mal-logés sont actuellement évalués à un milliard de personnes – dont 100 millions n'ont aucun abri même précaire et insalubre ! Une étude a montré que, de 1980 à l'an 2000, les villes du tiers monde vont grignoter 4 millions d'hectares de terres arables qui pourraient nourrir plus de 80 millions de personnes...

Les impératifs, en plus du *logement*, liés à cette urbanisation

accélérée du tiers monde sont connus et touchent à tous les domaines de la société : *santé* (souvent moins bonne en ville qu'à la campagne, perte des connaissances médicales populaires et cherté des soins hospitaliers) ; *éducation* (sous-équipement et inadéquation des institutions scolaires) ; *démographie* (la fécondité demeure encore trop élevée en ville) ; *alimentation* (nourrir une telle population entraîne un déséquilibre national entre la ville et la campagne et nécessite d'importer des biens alimentaires, sans compter l'adoption de « normes » alimentaires internationales) ; *emploi* (le secteur informel ne cesse de s'amplifier ainsi que le sous-emploi, l'industrialisation n'accompagnant pas nécessairement l'urbanisation...).

La ville se fait tous les jours, et ce faisant, elle *urbanise* les comportements de chacun. Elle urbanise également les campagnes. C'est tout un mode de vie qui se diffuse. Ce sont les références et les valeurs qui changent tout autant que le paysage. Ce sont les attentes et les certitudes qui muent. Au sein de la ville s'entremêlent de profondes modifications sociales, économiques, culturelles s'effectuant à des rythmes différents. Ces temps contrastés donnent à chaque ville son allure propre.

La civilisation urbaine qui aux quatre coins du monde s'élabore – mélangeant *le traditionnel* et *le moderne* en une alchimie inconnue – bouleversera la plupart de nos repères et donnera de nouveaux acteurs sociaux (les femmes, notamment, ou la *middle-class*) des rôles inédits. La ville n'est ni le bien ni le mal. Elle est notre environnement, le cadre même de notre devenir. Soyons urbains !

T. P.

pation du sol qu'ils avaient envahi, le bidonville s'est mué en cité populaire.

3. La fixation

Consolidation *in situ* ou sur des sites équipés, « la solution ne consiste pas à démolir les logements, déclare-t-on à la Banque mondiale, mais à améliorer l'environnement ». Les formules juridiques ne manquent pas : attribution gratuite, vente à bas prix, location-vente, bail à long terme, etc. Les autorités locales prennent enfin en compte cette population et lui fournissent les équipements de première nécessité. Les habitants, libérés de la hantise de l'expulsion, mobilisent toutes leurs ressources pour améliorer leurs conditions de vie. On a même vu certains bidonvilles acquérir cette reconnaissance à l'usure, par la négligence (plus ou moins monnayée) des autorités, qui hésitaient à prendre le risque de déclencher une émeute.

L'exemple de Calcutta

Depuis une dizaine d'années, dans les grandes villes d'Asie et d'Amérique latine, le *pouvoir des gens* s'organise face aux pouvoirs publics débordés et s'emploie à sa manière à reconstituer le tissu social. Issu dans de très nombreux cas de l'action démocratique et charitable des organisations non gouvernementales, ce pouvoir manifeste la volonté des exclus de reprendre leurs affaires en main, en vue d'une confrontation raisonnable et mesurée avec les autorités. Encore faut-il bien sûr qu'en

face d'eux les responsables soient conscients de la gravité des enjeux et ne tentent pas de perpétuer à tout prix des situations d'injustice. Dans cette perspective, rappelons l'exemple du Bengale-Occidental, un État indien de 50 millions d'habitants qui, depuis 1978, a su mener de front un effort de réhabilitation des *slums* de Calcutta et une réforme agraire qui a pratiquement stoppé l'exode rural. Il nous permet d'entrevoir les mesures à prendre pour rééquilibrer les rapports ville-campagne et relancer la dynamique urbaine sur des bases assainies. Dans les villages : ni le *statu quo*, ni le collectivisme (ou la « villagisation forcée » à l'éthiopienne), mais la petite propriété familiale soutenue par des prêts à faible intérêt, avec des pôles d'entraînement coopératifs. Dans les zones urbaines défavorisées : ni le laisser-faire, ni le déguerpissement, ni les HLM (habitations à loyer mo-

déré), mais des mesures légales donnant aux habitants la sécurité foncière, des travaux d'aménagement élémentaires (eau, égouts, latrines, revêtement des rues), et la formation d'équipes d'urgence pour le conseil à domicile (une assistante sociale, un médecin ou infirmier, un architecte-urbaniste). ■

ENVIRONNEMENT

Un paysage dévasté permet de survivre, mais empêche le véritable développement.

par Dominique Side

Les principales menaces contre l'environnement se manifestent au Sud et non plus au Nord, selon le dernier rapport de la Commission mondiale de l'environnement et du développement (Genève, 1987). Des centaines de milliers de vies humaines sont en jeu. Au Sud, les sécheresses et les inondations tuent, tandis que l'environnement des pays du Nord s'améliore à l'exception de la pollution atmosphérique. Le docteur Mustapha Tolba, directeur exécutif du Programme des Nations unies pour l'environnement (PNUE) a noté en 1982 que la tendance est inversée au Sud, où les fonds et l'infrastructure manquent pour appliquer les mesures de protection qui ont fait leurs preuves dans les pays développés : législation, conventions internationales, technologies pour limiter la pollution industrielle, zones protégées, etc. Or, s'il est vrai que le climat et les catastrophes naturelles sont particulièrement durs dans beaucoup de pays du tiers monde, leur impact sur l'environnement est nettement aggravé par l'activité humaine. L'homme devrait être en mesure de limiter sinon de stopper la dégradation écologique.

La forêt est l'écosystème le plus menacé. Entre 1950 et 1982, la surface des forêts tropicales humides, qui se trouvent entièrement dans le tiers monde, a été réduite entre 25 et 40 % selon les estimations de l'Organisation des Nations unies pour l'agriculture et l'alimentation (FAO). La FAO prévoit qu'entre 1982 et la fin du siècle la Thaïlande aura perdu 60 % de ses forêts, la Guinée 33 %, le Nigéria et la Côte d'Ivoire 100 %, le Costa Rica 80 %, le Honduras, le Nicaragua et l'Équateur au moins 50 % chacun. La déforestation est causée principalement par le défrichement nécessaire à l'agriculture. La pression démographique et l'extension des exploitations commerciales forcent les petits paysans à cultiver de nouvelles terres. Entre 1976 et 1986 presque 12 millions d'hectares de forêt, chaque année, ont cédé la place aux cultures, tandis que l'exploitation commerciale du bois a détruit annuellement de 4 à 5 millions d'hectares de forêt tropicale.

Un « cercle de désolation »

Les paysans profitent de l'abattement sélectif effectué par les entrepreneurs pour défricher les espaces restants et cultiver les clairières, mais généralement ils n'entament pas eux-mêmes la destruction des forêts. Ils se servent du bois comme bois de chauffe, bois de construction ou fourrage. Les bois disparaissent également à cause du broutement, de la sécheresse (surtout en Afrique), de l'agriculture itinérante, des mouvements forcés de population (notamment en Indonésie), ou de la spéculation foncière associée à l'élevage intensif (Amérique latine). Les arbres fournissent plus de 90 % de l'énergie totale utilisée dans les pays pauvres, les substituts tels que le kérosène ou le gaz étant trop chers ou indisponibles. Normalement les ruraux ramassent le bois sans perturber l'équilibre écologique, mais la grande majorité du bois de feu et du charbon de bois est vendue en ville. Autour de presque toutes les villes africaines le déboisement a créé un « cercle de désolation » sur un rayon de plusieurs kilomères. Au Sahel, on estime que le rythme de la consommation du bois de feu dépasse de 30 % celui de la repousse des ligneux. Selon la FAO, en l'an 2000 trois milliards de personnes souffriront de pénuries de bois de chauffe, ou seront contraintes de défricher les arbres plus vite qu'ils ne repoussent.

Depuis les années soixante-dix, de sérieux projets de reboisement ont tenté de combler le déficit en bois des populations urbaines et des industries consommatrices. Les plantations communautaires qui visent les ruraux ont connu un succès mitigé pour des raisons juridiques (droit à la terre) et socio-économiques. Il faut cependant noter de nombreux succès au niveau local, notamment de projets gérés par les organisations non gouvernementales : la plantation de « ceintures vertes » autour des villes sahéliennes, par exemple. La Chine détient le record mondial de reboisement : 1 à 3 millions d'hectares par an entre 1980 et 1984, précédant le Brésil (346 000 ha/an), mais le suivi des plants est mal assuré. Malgré ces efforts, le taux mondial de déforestation est environ dix fois plus élevé que le taux de reboisement.

La déforestation entraîne de graves conséquences écologiques. Les arbres stabilisent les sols, mais leur défrichement expose le sol à l'érosion éolienne et hydrique. Les sols ne peuvent plus retenir l'eau au moment des pluies, qui balaient la couche d'humus et les éléments nutritifs (phosphore, potassium, azote, calcium), réduisant la fertilité. Le Guatémala a perdu 40 % de sa productivité agricole à cause de l'érosion. En Haïti, où l'érosion emporte 14 millions de m³ de sol chaque année, il ne reste plus de terres agricoles de bonne qualité. Un rapport publié en

Ces Indiennes qui embrassent les arbres

« Cette forêt est la demeure de nos mères, nous la protégerons de toutes nos forces. » Ainsi chantaient les femmes du village indien de Réni quand, en 1974, elles barraient la route aux entrepreneurs venus abattre leurs arbres. Ce fut l'année la plus forte de l'*Andolan Chipko* – « le mouvement pour embrasser les arbres » – né spontanément dans la ville de Gopeshwar, dans le district de Chamoli, en mars 1973. Quand les représentants d'une fabrique d'articles de sport à Allahabad sont arrivés à Gopeshwar pour abattre dix frênes, les villageoises les ont poliment priés de ne pas le faire. Devant l'obstination des entrepreneurs, elles ont eu l'idée de s'attacher aux arbres en question. Leur initiative réussit.

Nombre d'autres villages dans l'État indien d'Uttar Pradesh ont ensuite suivi leur exemple avec succès, et le mouvement Chipko est devenu l'un des mouvements populaires les mieux connus au monde pour défendre les principes de l'écodéveloppement. Son objectif est double : sauver les arbres, et sauver la vie des communautés rurales. Les deux vont de pair.

Les paysans ont pris conscience de la fonction vitale de la forêt dans l'équilibre écologique après une inondation dévastatrice de leur vallée en 1970. Leur initiative a été également motivée par leur ressentiment devant la mise en coupe réglée de leurs forêts par les gouvernements successifs et les entreprises urbaines. Dans l'intérêt de l'industrie du bois, par exemple, on avait remplacé le chêne – avec lequel les paysans font des charrues – par des pins dont le bois est inutile à cet usage.

Depuis les années soixante-dix, le mouvement Chipko a organisé des « camps d'écodéveloppement » qui forment les paysans à la foresterie communautaire. C'est le plus important programme de reboisement du pays : en 1982, les paysans avaient planté plus d'un million d'arbres dans le cadre de Chipko, avec un taux de survie de 85 à 90 % dans la plupart des cas (à l'inverse, dans certaines plantations gouvernementales en Inde, ce sont les arbres morts qui atteignent un tel pourcentage).

Le rôle joué par les femmes dans la réussite de Chipko est remarquable et décisif. Toutefois le mouvement a mis en évidence les intérêts divergents des hommes et des femmes au sein d'une même communauté. Les hommes appuient volontiers les projets gouvernementaux de déboisement dans l'espoir de bénéficier du développement conventionnel : emploi, routes, électrification, etc., tandis que les femmes s'y opposent, car elles devront aller chercher plus loin le bois de feu.

Chipko est respecté jusque dans les milieux gouvernementaux et institutionnels pour son caractère gandhien de protestation paisible, mais aussi parce que la logique du plaidoyer contre le déboisement est plus sûre, voire plus scientifique que les arguments soutenus par les intérêts commerciaux. Depuis 1983 le gouvernement lui-même subventionne les camps d'écodéveloppement et, impressionné par l'efficacité incontestable de Chipko, a accordé des fonds significatifs aux organisations non gouvernementales dans leur ensemble.

D. S.

1982 par le Centre for Science and Environment (New Delhi) note qu'en Inde 13 millions d'hectares sont érodés par le vent et 74 millions par l'eau, soit un quart de la surface du pays.

L'érosion est également due à la surutilisation et au surpâturage. L'exploitation des terres agricoles sans rotation des cultures ou sans jachère épuise les sols et les rend vulnérables aux intempéries. On trouve ces mauvaises pratiques agricoles aussi bien dans le cas des petites exploitations – surtout sur les terres marginales – que dans celui des grandes exploitations commerciales. Quant au surpâturage : les programmes de vaccination du bétail, la multiplication des points d'eau et la sédentarisation des pasteurs nomades ont concouru en Afrique à une rupture de l'équilibre écologique due à l'importance du cheptel. En Amérique centrale, on a détruit les forêts, et sur ce sol très fragile on a introduit l'élevage intensif des bovins : le même phénomène écologique s'est produit. Le broutement et le piétinement des animaux déboisent et enlèvent progressivement le couvert végétal, rendant la terre vulnérable à l'érosion.

La mort de la terre

En amont, donc, l'érosion signifie une perte importante de terres agricoles, mais, en aval, le dépôt de sédiments dans les estuaires peut causer de graves inondations au moment des pluies, comme dans le cas du Bangladesh en 1986. (Ce pays se trouve en aval du Gange.) Il faut également noter que le dépôt de sédiments devant les barrages réduit la capacité du tiers monde en hydro-électricité. Le barrage d'Anchicaya en Colombie, par exemple, avait perdu 25 % de sa capacité deux ans seulement après sa construction, à cause des sédiments.

La réduction de la productivité biologique de la terre est appelée « désertification », car elle peut mener à des conditions désertiques. Ce processus se distingue de la « désertisation » qui est l'expansion des déserts. La désertification ne se produit pas nécessairement à proximité des déserts, mais partout où la dégradation écologique rend la terre stérile. Selon une étude du Programme des Nations unies pour l'environnement, au début des années quatre-vingt, 1 526 millions d'hectares de pâturages étaient menacés de désertification, 366 millions d'hectares de terres agricoles pluviales et 95 millions d'hectares de terres irriguées, dans les seuls pays en développement. La situation est particulièrement grave dans les zones arides où 61 % des terres agricoles sont menacées, et plus précisément dans la région soudano-sahélienne d'Afrique où ce chiffre est de 88 %. Les terres irriguées sont atteintes de façon paradoxale : en effet, l'irrigation mal conçue ou mal gérée peut entraîner le relèvement de la nappe phréatique, déposant les sels minéraux en surface. Or la plupart des plantes et des arbres ne peuvent pas tolérer cette « salinisation » de la terre. C'est ainsi que chaque année 92 millions d'hectares de terres irriguées deviennent stériles dans le tiers monde.

te contre la désertifica-
tion se fait de plusieurs manières : le reboisement des bassins
versants et des pentes, l'agrofo-
resterie, la plantation d'arbres
tels que le leucena qui est fixa-
teur d'azote, la construction de
terrasses, les petits barrages en
courbes de niveau, la construction ou la plantation de brise-
vent. De tels projets ont pu
réussir au niveau local , mais une
réunion du PNUE en 1984 a

La disparition d'autres écosystèmes menacés dans le tiers
monde, les mangroves et les
récifs coralliens, entraîne l'érosion côtière. Il existe 240 000
km² de mangroves en Afrique,
Amérique latine et Asie, qui
servent d'habitat à plus de deux
mille espèces de poissons, d'in-
vertébrés et de plantes, et qui
fournissent à l'homme bois de
construction et bois de feu. Ils
sont menacés par la coupe du

ON N'EST PAS PAYÉS DE RETOUR :
ON LEUR CREUSE DES PUITS
ET ON TOMBE DEDANS !

cabu

constaté que la volonté politique
nécessaire pour endiguer la désertification n'existe toujours
pas. Pour des raisons strictement
politiques, la majorité des gouvernements ne s'intéresse pas
aux implications à long terme
des projets de développement, et
préfère satisfaire les besoins des
populations urbaines dont dépend leur pouvoir. Le développement rural n'est donc pas une
priorité budgétaire.

bois, la réclamation des terres
pour l'agriculture, le détournement des rivières, les barrages.
Leur destruction réduit considérablement les rendements en
poissons et enlève la protection
naturelle du littoral contre l'érosion par la mer. Il en est de
même pour les récifs coralliens
dont la dégradation a réduit le
rendement en poisson de 90 %
en Indonésie et de 55 % aux
Philippines. Sont principale-

Des pesticides qui empoisonnent

« Le Kénya déteste que l'on se serve des pays du tiers monde comme de laboratoires ou de dépotoirs, pour des produits chimiques qui ont été interdits ou qui n'ont pas été convenablement testés », s'exclamait, en 1979 à l'O N U, un ministre kényan. Proclamation de plus en plus d'actualité. Par des techniques de marketing de masse, les multinationales ont créé un supermarché mondial de produits très dangereux. Des ouvriers, des agriculteurs, souvent analphabètes, conditionnent, utilisent des produits aussi toxiques que l'arsenic ou le cyanure.

Aux États-Unis, les exportations de pesticides ont doublé entre 1965 et 1975, et 30 % des produits exportés étaient interdits aux termes de la législation fédérale. En Europe, les procédures sont encore plus libérales. Rhône-Poulenc exportait en 1983, en Afrique, neuf produits interdits en France, dont du lindane impur (le H C H) et du D D T, de la famille des organochlorés, cancérogènes et très polluants pour l'environnement. L'opinion publique s'est fortement émue des 40 000 cancers prévus à la suite du fameux accident nucléaire de Tchernobyl, mais a-t-on évalué le risque potentiel des millions de tonnes de D D T déversées de par le monde ?

Le professeur Mohamed Bouguerra de Tunis et David Bull ont précisé l'impact dévastateur des pesticides : entre 10 000 et 20 000 morts par an. Bhôpal et ses 2 500 morts, sa baisse de natalité, ses problèmes mentaux, c'est le haut de l'iceberg. Selon l'O M S, le nombre d'intoxications graves atteindrait 250 000 à 1 450 000 cas par an. Et le long terme n'est pas chiffré. Partout, on se tait pour ne pas perdre son travail. Les accidents ne sont pas faciles à recenser ; par exemple, au Brésil, certains grands producteurs de coton ont leurs propres cliniques pour empêcher que les fonctionnaires de santé ne découvrent la gravité des empoisonnments par pesticides. En 1978, le petit État du Sri Lanka a déploré 1 000 morts, par pesticides, soit deux fois plus que celles dues aux poliomyélite, diphtérie, tétanos et coqueluche réunis. Le Salvador, champion de la consommation de parathion, détient aussi un record d'intoxications. Cet insecticide (un organophosphoré) provoque d'abord des nausées, des troubles de la vue, des crampes abdominales, une salivation excessive. La mort survient par asphyxie après convulsions. L'intoxication chronique occasionne troubles psychiatriques, ramollissement cérébral, maladies cutanées nouvelles et atteintes hépatiques. Le tiers monde consomme 43 % de la production mondiale d'insecticides.

Parmi les herbicides, le sinistre paraquat fait des ravages. En, Turquie, près de 2 000 enfants ont été intoxiqués dans les années soixante par le H C B (hexaclorobenzène), fongicide utilisé sur le blé de semence, blé consommé par erreur par des populations affamées. Le H C B a été transmis par le lait maternel, les bébés meurent avant deux ans et les survivants souffrent de très graves séquelles neurologiques, maladie de Parkinson, etc. Au Guatémala, le lait de femme présente le taux de DDT le plus élevé au monde. C'est tout l'avenir de ces populations qui est en jeu. Et les risques croissent pour l'environnement : les insectes devenant résistants exigent de plus en plus de pesticides. Le problème de l'eau est crucial. Le coton est la plante qui reçoit le plus de traitements, jusqu'à quarante par saison. Dans certaines régions du Brésil, la totalité des sources est contaminée.

L'incendie de 1 000 tonnes de pesticides dans un entrepôt de Sandoz à Bâle, en 1986, qui a provoqué la mort du Rhin pour des années, va obliger Sandoz à assumer ses responsabilités. Combien devraient payer les firmes qui vendent sans précaution des millions de tonnes de toxiques dans le tiers monde, provoquant des catastrophes écologiques permanentes ? Les firmes se justifient en prétendant vaincre la faim. Mais les pesticides vont surtout sur cultures d'exportation. Le bénéfice est pour les riches, le poison pour les pauvres, de plus en plus affamés, de plus en plus dépourvus de terre.

Le pouvoir des monopoles est exorbitant, d'autant plus qu'il s'appuie sur les responsables locaux, les banques internationales et sur des structures comme la FAO. Celle-ci s'est transformée en un dangereux relais entre pays du tiers monde et firmes de l'agro-business. En 1984, les banques exigeaient des autorités brésiliennes la garantie de la protection des marchés des pesticides, pour accorder un emprunt international de plusieurs milliards de dollars. Dans ce pays, deuxième consommateur mondial de pesticides, l'ancien ministre de l'Agriculture, Nestor Jost, était membre du conseil d'administration international de la firme allemande Bayer (numéro 1 de l'exportation). Le lobby des pesticides s'appelle aussi Ciba-Geigy (Suisse), Monsanto (États-Unis), Shell (Grande-Bretagne et Pays-Bas), ICI (Grande-Bretagne), Rhône-Poulenc (France). C'est un marché hyperconcentré, les quinze premiers regroupant les deux tiers du marché mondial estimé, en 1983, à 13 milliards de dollars, dont un milliard pour le tiers monde.

Il faudrait changer de modèle de production ; d'autres pratiques agricoles sont possibles. La lutte biologique commence à se développer. En quatre ans, on a éliminé les pesticides dans une grande région du Brésil pour le traitement du puceron du blé. Le contrôle intégré peut aussi devenir une réalité dans le tiers monde : on peut réduire les épandages abusifs, former des conseillers agricoles (indépendants des firmes), exploiter les insectes utiles, apprendre à respecter le sol, réintroduire des variétés robustes. Dans ce dossier brûlant, un point crucial sur lequel se battent les organisations non gouvernementales est l'alignement des législations Nord-Sud en matière de santé et de sécurité. On attend de l'OMS des rapports complets concernant l'impact sur la santé de certains produits et des propositions d'actions prioritaires. Pourquoi n'a-t-on pas interdit totalement les pesticides mortels à petite dose et tous les produits donnant le cancer aux animaux de laboratoire ? Le PAN, réseau international contre les pesticides, vient d'établir une première liste de douze poisons majeurs.

L'opinion mondiale ne peut plus fermer les yeux sur tous ces scandales.

Anne-Marie Pieux-Gilède

ment responsables l'exploitation du corail pour les touristes, les sédiments déposés par l'emploi de la dynamite pour pêcher, la pollution des eaux, et un facteur naturel : les invasions d'étoiles de mer.

D'une façon générale, la mort des écosystèmes menace d'extinction des milliers d'espèces de plantes et d'animaux. Le tiers monde est la réserve génétique la plus importante de la planète : 40 % de toutes les espèces sur terre vivent dans les forêts tropicales. D'autres espèces – le rhinocéros, l'éléphant, la baleine – sont menacées par la chasse, d'autres encore – les orchidées – par le commerce. Les parcs nationaux sont souvent mal surveillés, et créent des conflits entre les gardiens et les paysans/pasteurs qui doivent y pénétrer pour vivre.

La pollution industrielle

L'autre grand secteur de l'activité humaine qui dégrade sérieusement l'environnement est l'industrie. La pollution de l'eau causée par les déchets industriels, les résidus de pesticides et d'engrais et les eaux usées est un problème majeur. En Inde, plus de 70 % des eaux de surface sont polluées et 8 seulement des 3 119 villes indiennes avaient l'infrastructure nécessaire pour une épuration complète des eaux usées au début des années quatre-vingt. Cette pollution est d'autant plus grave que la grande majorité des populations n'a d'autre solution que de se servir de ces eaux pour boire, faire la cuisine et se laver. Vu la gravité des problèmes de santé

qui s'ensuivent – 80 % de la mortalité infantile sont dus à des maladies liées à l'eau – l'Organisation mondiale de la santé (OMS) a déclaré les années 1981-1990 « Décennie de l'eau potable et de l'assainissement ».

L'agro-industrie peut également avoir un impact environnemental négatif comme en témoigne l'emploi incontrôlé des pesticides (voir encadré).

D'autre part, la pollution industrielle de l'air est parfois plus grave dans le tiers monde que dans les pays dits industrialisés. Une étude du Programme des Nations unies pour l'environnement en 1980 démontre que la densité de particules en suspension dans l'air était plus élevée dans les villes des pays en développement : elles émanent de la combustion du bois et du charbon de bois. Les villes les plus touchées sont Bagdad (Irak), Téhéran (Iran), Bombay, Calcutta et New Delhi (Inde). D'autre part le tiers monde souffre de plus en plus des précipitations acides provoquées par les émissions d'anhydride sulfurique et d'autres gaz. Les pays et régions menacés sont l'Inde, la Chine, le Sud-Est asiatique, la Zambie, le Brésil, le Vénézuéla, le Chili et le Mexique.

Il est évident que seul l'éco-développement – le développement qui respecte l'environnement – aidera véritablement le tiers monde à décoller. Respecter l'environnement, c'est respecter la vie des hommes, pauvres et riches. Un paysage dévasté permettra peut-être de survivre, mais empêchera le plein développement du potentiel de ces nations. ◼

SANTÉ

Le tiers monde « va globalement mieux ». Mais on y meurt toujours de maladies que des méthodes simples permettraient de soigner.

par Claire Brisset

Depuis la fin de la Seconde Guerre mondiale, l'état de santé du tiers monde s'était – globalement – nettement amélioré, en particulier du fait de la découverte et de l'utilisation massive des antibiotiques et de puissants insecticides, ainsi que de l'amélioration des techniques vaccinales. Grâce au DDT et aux médicaments antimalariens, par exemple, on crut le paludisme vaincu ou en voie de l'être ; grâce à la pénicilline, à la streptomycine, bon nombre de maladies infectieuses jadis uniformément mortelles déclinèrent et, grâce à la vaccination, on se persuada de l'éradication prochaine de certaines affections virales. Les grandes famines semblaient se faire plus rares, et le progrès paraissait assuré.

Il est de fait qu'en vingt ans les améliorations furent spectaculaires. L'espérance de vie s'allongea nettement dans certaines parties du monde, la mortalité infantile régressa et la démographie mondiale, de ce fait (lire page 70), adopta un rythme de croissance qu'elle n'avait jamais connu, provoquant, d'ailleurs, de nouvelles préoccupations.

Une pathologie multiforme

Or, depuis quelques années, dans le domaine de la santé, le tiers monde – mis à part les pays où le « décollage » économique autorise aussi le « décollage » sanitaire – est sur la voie de la stagnation, voire dans certains cas de la régression pure et simple. D'abord, parce que la récession interdit la poursuite des investissements indispensables ; d'autre part, parce que des résistances sont apparues : résistances aux insecticides, aux antibiotiques, aux antiparasitaires, etc., qui supposeraient un effort de recherche décuplé. Enfin, le nombre des affamés, sur la terre, n'a cessé de croître, et la malnutrition creuse le lit de quantité d'affections parasitaires, microbiennes et virales.

Il est devenu d'usage courant de dire que les populations vieillissantes des pays industrialisés souffrent et meurent de maladies de surcharge (affections cardio-vasculaires) et dégénératives (cancers), tandis que les populations du Sud meurent d'états de carence et de maladies infectieuses que des méthodes simples permettraient d'endiguer. Pour simple qu'il paraisse, ce schéma n'en est pas moins exact. Les maladies du tiers monde sont à la fois :
– les affections liées à la malnutrition ;
– les maladies infectieuses et parasitaires ;
– les états pathologiques liés à l'environnement (eau),
auxquels s'ajoutent, dans les villes surtout, les maladies dites « de civilisation », proches de celles que l'on rencontre au Nord.

Maladies liées à la malnutrition

Selon les données fournies à la fin de 1986 par la FAO (Organisation des Nations unies pour l'alimentation et l'agriculture), l'effectif total de la population mal nourrie ou sous-alimentée dépasse les 450 millions d'individus. Cet effectif ne régresse pas. Dans certains pays (lire les pages 130 à 140), les disponibilités alimentaires globales diminuent alors que la population augmente.

Les besoins alimentaires quotidiens sont connus : 3 000 calories pour un homme adulte d'activité musculaire moyenne ; 2 200 pour une femme (plus 350 si elle est enceinte, et 550 si elle allaite) ; 2 900 pour un adolescent (2 500 pour une adolescente) ; 2 200 à l'âge de sept-neuf ans. Or la moyenne d'ingestion calorique des adultes dans le tiers monde est inférieure à 2 000 calories, voire à 1 500 dans certains pays.

A ce besoin exprimé en quantité s'ajoutent des exigences qualitatives. Il faut à un homme adulte, par exemple, environ 100 grammes de protéines quotidiennes, alors que dans le tiers monde cette dose est souvent inférieure à 40 grammes. S'ajoutent souvent à cela des carences en lipides (quoique le besoin quotidien ne soit que de quelques grammes) et, surtout, en vitamines et en sels minéraux indispensables.

Les « maladies de la faim » sont donc d'abord des maladies de carence : pour ne citer que quelques exemples, les déficiences en fer (les anémies) frappent quelque 700 millions d'individus dans le monde, les déficiences en iode (qui donnent le goitre), environ 200 millions. Le manque de vitamine B1 provoque le béribéri, la carence en vitamine A entraîne la cécité, le manque de vitamine D provoque le rachitisme, etc.

Plus spectaculaires peut-être sont les très grands états de carence : le manque prolongé de protéines chez un enfant entraîne le kwashiorkor, qui le gonfle d'œdèmes, lui décolore la peau et les cheveux et le tue rapidement, faute d'une alimentation forcée, hyperprotéinée. Deuxième état de carence mas-

LES MYTHES DE LA MEDECINE TRADITIONNELLE.

TRAITEMENT DU SIDA.

sive : le « marasme », dénutrition calorique globale qui donne à l'enfant l'aspect d'un petit vieillard squelettique, à la peau plissée et aux yeux immenses, et qui ne tarde pas, non plus, à entraîner la mort. Reste la combinaison de ces deux états extrêmes : la malnutrition protéino-calorique (MPC) ou malnutrition protéino-énergétique (MPE), elle aussi mortelle à bref délai faute d'une action rapide.

Enfin, nombre de chercheurs estiment que ces états de carences graves et précoces, s'ils ne tuent pas l'enfant, lèsent durablement son cerveau et ce, éventuellement, dès la vie intra-utérine. Surtout, ces carences – partielles ou globales – creusent le lit de toutes les maladies infectieuses et parasitaires. C'est sur un fond de malnutrition précoce, par exemple, que la rougeole est fréquemment

mortelle ou invalidante chez les enfants du tiers monde, de même que le paludisme, ou les multiples maladies diarrhéiques, responsables de déshydratations aiguës et mortelles.

Les maladies infectieuses et parasitaires

Elles sont, dans le tiers monde, en quantité innombrable, aggravées non seulement par la malnutrition mais aussi par des conditions écologiques et climatiques favorables à la pullulation des micro-organismes.

L'Organisation mondiale de la santé (OMS) a mis au point un programme de lutte contre les maladies tropicales qui vise essentiellement six d'entre elles, considérées comme les plus préoccupantes.

Le paludisme. Il menace 40 % de la population mondiale : deux milliards d'êtres humains vivent en zones impaludées. Du fait de la résistance du parasite aux médicaments (dans l'être humain) et aux insecticides (dans le milieu), résistance qui s'aggrave en Asie et a gagné de larges parties de l'Afrique (de l'Est) et de l'Amérique latine, la lutte contre le paludisme marque le pas. Tous les espoirs se tournent à présent vers la mise au point d'un vaccin, qui serait le premier vaccin antiparasitaire humain.

La lèpre. Son extension est bien moindre (le monde compte 15 à 20 millions de lépreux), mais le problème est comparable : la résistance aux antibiotiques reporte l'espoir sur la mise au point d'un vaccin.

La filariose. Il s'agit en fait d'un groupe de maladies dues à des parasites (des filaires) qui vivent dans l'organisme, où ils provoquent notamment de graves problèmes circulatoires (la filaire de Bancroft, qui affecte plusieurs centaines de millions d'individus) ou la cécité (l'onchocercose). Contre cette dernière, le très important programme de lutte (extermination de la mouche vectrice) mis en œuvre dans sept pays du Sahel a donné de remarquables résultats.

La maladie du sommeil – et son équivalent latino-américain, la *maladie de Chagas.* La maladie du sommeil, répandue en Afrique par la mouche tsé-tsé, couvre une zone de 10 millions de km², soit le tiers du continent, et menace 35 millions de personnes. On ne dispose contre cette maladie, mortelle, que d'un type de traitement, relativement toxique. La meilleure arme serait en réalité l'extermination de la

SIDA : l'incertitude d'une menace

Le SIDA (syndrome d'immuno-déficience acquise) menace le tiers monde en général, et l'Afrique en particulier, d'une catastrophe sanitaire sans précédent. Sans précédent dans l'histoire récente, car bien des maux qui frappent aujourd'hui les pays en voie de développement, sans être mineurs, ne sont plus sans remèdes.

Selon l'Institut Panos de Londres, qui a publié à la fin de 1986 une étude intitulée *Le SIDA dans le tiers monde,* dans certaines capitales d'Afrique centrale, une personne sur cinq est séropositive (c'est-à-dire porte le virus sans être malade, mais en étant contagieuse), alors que ce chiffre n'atteint qu'une sur 250 à New York, ville pourtant très touchée. Les femmes sont aussi frappées que les hommes en Afrique, et donnent naissance à des bébés infectés, qui, dans leur ensemble, ne tardent pas à mourir. On estime par exemple qu'en Zambie, en 1987, 6 000 nouveau-nés

mouche vectrice, extermination qui, aujourd'hui, marque le pas.

La bilharziose. Maladie parasitaire affectant l'appareil digestif ou le système urinaire, la bilharziose frappe plus de 200 millions de personnes dans le monde. Véhiculée par le parasite même d'un escargot aquatique, elle se répand dans le tiers

seront frappés par la maladie.

Selon les estimations de Panos, au moins un million d'Africains vont mourir du SIDA dans les dix ans à venir, ce qui est probablement une sous-estimation. La zone la plus touchée est incontestablement l'Afrique centrale, en particulier le Zaïre, le Congo, le Rwanda et le Burundi, le Kénya, l'Ouganda. Mais le virus se répand rapidement dans le reste de l'Afrique noire; disons plutôt les virus, car il semble bien qu'il existe deux, voire trois types de virus.

Par ailleurs, il faut souligner l'incertitude des chercheurs qui avouent ne pas savoir dans quelle proportion les porteurs sains développeront, à terme, la maladie. Sont-ce vingt, quarante, voire cent pour cent pour les plus pessimistes?

Les 15 et 16 décembre 1986, l'Organisation mondiale pour la santé (OMS) a organisé la première conférence internationale consacrée à l'expérimentation sur des hommes d'un vaccin contre le SIDA. A l'origine de cette réunion, une rumeur laissant entendre que des « essais sauvages » étaient entrepris au Zaïre. Quelques jours plus tard, les autorités zaïroises faisaient une mise au point : une équipe de chercheurs franco-zaïroise pratiquait bien des expérimentations humaines. Mais il ne s'agissait pas de tester un vaccin. Les médecins essayaient une méthode de stimulation des défenses immunitaires des personnes infectées, mais non malades. Les autorités zaïroises apportaient publiquement leur caution à cette démarche.

Pourtant, l'initiative de l'équipe franco-zaïroise soulevait un débat de fond : l'urgence de trouver un rempart contre le SIDA justifiait-elle l'abandon du consensus international qui veut que les essais thérapeutiques soient menés dans les pays qui les mettent au point, évitant ainsi que des programmes expérimentaux ne soient réalisés dans les pays du tiers monde. Les populations des pays pauvres allaient-elles servir de cobayes aux pays riches, sous prétexte que le SIDA faisait des ravages en Afrique?

D'autres régions du tiers monde sont également touchées par la maladie. Le gouvernement brésilien a pris des mesures de prévention depuis qu'un millier de cas ont été détectés au Brésil. Les autorités haïtiennes et celles de la zone caraïbe sont aussi hautement concernées. Le Moyen-Orient et l'Asie sont encore peu atteints, mais aucune partie du monde n'est désormais à l'abri.

monde à la faveur des travaux d'irrigation, grands et petits. Les médicaments antibilharziens actuels ne sont pas dénués de toxicité. Aussi la recherche porte-t-elle sur de nouvelles formules.

La leishmaniose. Maladie parasitaire transmise par une piqûre d'insecte, elle laisse la médecine désarmée devant ses formes les plus graves, fréquentes en Afrique noire et en Afrique du Nord. L'effectif total des malades est mal connu, mais l'OMS estime à 400 000 le nombre annuel de cas nouveaux de leishmaniose dans le monde.

Les maladies liées à l'eau

Près de la moitié de l'humanité, soit deux milliards de personnes, n'a pas accès à l'eau

SOYEZ BREF

potable. La pathologie liée à cette situation, à la pollution, est donc massive. Selon l'OMS, quelque 80 % de la pathologie du tiers monde est liée à l'eau. On distingue :
– les maladies directement véhiculées en milieu hydrique. Il s'agit essentiellement de la typhoïde, des dysenteries virales et bactériennes, du choléra, de l'hépatite, de la poliomyélite, des gastro-entérites qui tuent chaque année quelque 25 millions de personnes, dont la majorité sont des enfants;
– les maladies dues à un

« hôte intermédiaire » vivant dans l'eau. L'exemple de choix est constitué par la bilharziose, mais il en est d'autres, moins répandues;
– les maladies dues à un manque d'hygiène consécutif à la pénurie d'eau. Ce sont gale, typhus, maladies parasitaires intestinales diverses, lèpre, conjonctivites, trachome. Celui-ci, dû à un micro-organisme – pourtant vulnérable à l'eau, au savon et à une simple pommade – provoque la cécité, et affecte quelque 500 millions de personnes dans le monde.

Vers les soins de santé primaires?

Devant l'immensité des problèmes sanitaires du tiers monde, deux organisations internationales, l'OMS et l'UNICEF (Fonds des Nations unies pour l'enfance) ont remis en cause les stratégies de type classique, axées sur la médecine curative, pour adopter la stratégie des « soins de santé primaires », décentralisée, préventive, plus « sociale ». Cette stratégie fut définitivement mise en forme à la conférence convoquée par les deux organisations à Alma Ata (URSS), en 1978. Elle repose en particulier sur les points suivants.

« Médecins aux pieds nus » ?

Faut-il au tiers monde des médecins, des infirmières, formés « à l'occidentale » ou des travailleurs de la santé « aux pieds nus », sur le modèle chinois? Les pays développés comptent un médecin pour 500 habitants, les pays les plus pauvres un pour... 50 000 (en zones rurales), ou même moins. En outre, les pays pauvres, en particulier l'Inde, le Pakistan, les Philippines, sont devenus de très grands « exportateurs » de médecins. D'où l'idée de former des agents de santé adaptés à la pathologie locale, mais non « exportables ». Pourtant, jusqu'à présent, malgré leur adhésion verbale à ce projet, très rares sont les pays du tiers monde à avoir adopté cette pratique.

Renoncer à l'hôpital

Les budgets hospitaliers, dans le tiers monde, peuvent absorber jusqu'à la moitié des ressources affectées à la santé, pour ne soigner que de petites minorités urbaines. D'où l'idée de construire des unités dispersées dans le pays et non plus de vastes centres universitaires dispendieux. Si le rythme des constructions hospitalières s'est ralenti, faute de liquidités, on n'a assisté nulle part à la fermeture de grands centres hospitalo-universitaires.

Briser la dépendance pharmaceutique

Les pays industrialisés, qui comptent environ 15 % de la population mondiale, absorbent à eux seuls plus de la moitié des médicaments produits dans le monde. Ils produisent aussi 90 % des produits pharmaceutiques. Tels sont les éléments chiffrés de la dépendance. De plus, les pays riches exportent vers le tiers monde des médicaments dont ils n'ont plus l'usage. Ainsi, la CEE envoie dans les pays pauvres des produits non autorisés sur le marché communautaire, parfois nocifs et toujours distribués sans l'information indispensable. Moins du tiers des habitants du tiers monde ont accès aux médicaments ou aux vaccins essentiels.

C'est précisément pour créer cet accès que l'OMS et l'ONUDI (Organisation des Nations unies pour le développement industriel) ont conçu la stratégie dite « des médicaments essentiels », selon laquelle tous les pays du tiers monde devraient disposer de 230 médicaments et vaccins de base (selon l'OMS), voire de 26 seulement (selon l'ONUDI). Pour ce faire, ils devraient réduire considérablement l'entrée des produits pharmaceutiques sur leur territoire, centraliser les achats, conditionner sur place à partir du matériau brut et, à terme, produire eux-mêmes les produits nécessaires. Jusqu'à présent, très peu de pays se sont engagés sur cette voie : le pionnier en est incontestablement le Bangladesh, suivi, dans une moindre mesure, de l'Algérie.

Concentrer l'effort sur des actions préventives

Dans ce domaine, l'UNICEF a mis au point une stratégie, appliquée, en liaison avec l'OMS, dans différents pays depuis plusieurs années. L'effort est concentré sur quatre points :

– *vacciner.* L'objectif est de parvenir, d'ici à 1990, à la vaccination universelle des enfants contre six grandes maladies : poliomyélite, diphtérie, tétanos, rougeole, tuberculose, coqueluche ;

– *surveiller la croissance.* L'objectif est d'établir des courbes pour détecter et rectifier toutes les « ruptures » dans une croissance normale ;

– *encourager l'allaitement au sein.* Il s'agit de décourager le recours au couple biberon-lait en poudre, responsable de malnutrition et d'accidents infectieux ;

– *réhydrater par la voie orale.* Il s'agit de diffuser dans l'ensemble du tiers monde des sels de réhydratation d'usage très simple, pouvant être fabriqués localement, qui évitent le recours à la réhydratation par voie intraveineuse.

Les quatre éléments de cette stratégie, qui s'insèrent dans les soins de santé primaires, sont appliqués par un nombre croissant de pays du tiers monde.

La stratégie des soins de santé primaires n'exclut évidemment pas une action sur le contrôle des naissances : mais sur ce chapitre, les institutions internationales s'effacent devant l'autorité des États, qui mènent des politiques très diversifiées.

Toujours est-il que, près de dix ans après la conférence d'Alma Ata, l'application de la stratégie des soins de santé primaires est très inégale selon les éléments, et selon les pays qui ont marqué plus ou moins d'empressement à l'adopter.

■

AGRICULTURE

Le Brésil exporte des céréales alors que le Nordeste est sous-alimenté. Pourtant, l'agriculture reste une arme contre la faim.

par René Dumont

Le premier « bond démographique » de l'humanité s'est produit au néolithique, 4 000 ans avant notre ère, lorsque les hommes ont commencé à pratiquer l'agriculture et à domestiquer les animaux. Cette révolution transformera radicalement les modes de vie et provoquera la première croissance démographique de l'humanité qui passera de 15 millions à 150 millions en un millénaire.

L'agriculture se développa d'abord en Mésopotamie et en Égypte, avant de gagner le pourtour de la Méditerranée, puis l'Europe, sans oublier quatre autres foyers principaux : Chine et Inde, Afrique tropicale et Amérique précolombienne. La forte mortalité, les guerres et les épidémies freinent la croissance de la population. Celle-ci dispose de l'énergie animale, de l'araire et de la charrette : et la

production agricole suit aisément une population très lentement croissante; on n'atteindra les 2 % de croissance annuelle qu'à partir de la Renaissance.

Avec les grandes découvertes, voici l'Europe partie à la conquête du monde : ses colonies préfigurent le tiers monde. L'Amérique nous envoie le sucre, le coton et le cacao, plus tard le café et le caoutchouc; cultivés par les esclaves, en grande partie venus d'une Afrique ainsi déstabilisée. La Chine développe une agriculture assez intensive pour nourrir sa forte population, mais elle s'attarde ensuite en une économie semi-féodale qui, à partir du XIXᵉ siècle, ne pourra plus subvenir aux besoins d'une population à forte croissance. Les Anglais pillent l'Inde, démolissent son artisanat textile et introduisent une propriété privée qui facilite l'exploitation des paysans sans terre. En Afrique subsaharienne, les Européens qui sont venus l'exploiter, puis la conquérir, ont oublié de lui apporter la roue et la charrette qui font encore défaut dans la grande majorité des villages du Sahel : aussi, les femmes y sont encore de véritables « bêtes de somme ».

Entre-temps, notre révolution agricole des XVIIᵉ et XVIIIᵉ siècles, d'Italie du Nord à la Flandres, puis en Angleterre, celle du fourrage et du fumier, accélère les progrès de l'agriculture, enrichit les paysanneries euro-

Le Sahel se « féminise »...

Nombre de lecteurs et de téléspectateurs se sont émus devant les images dramatiques des dernières phases aiguës de la sécheresse au Sahel. Certains se sont interrogés sur ce que pouvait être la vie quotidienne dans ces paysages grandioses entrevus dans la poussière de sable et les vrombissements du rallye Paris-Dakar.

Il est néanmoins difficile d'imaginer, tant elles sont graves et nombreuses, tant elles bouleversent un mode de vie séculaire, les transformations socio-économiques majeures que subissent les populations depuis dix-huit ans, depuis que s'accélère l'aridification au Sahel.

Ce qui frappe tout d'abord, ce qui est évident et sans doute porteur de changements profonds, c'est la féminisation de régions entières d'où nombre d'hommes sont partis. Ce départ a généralement pour motivation la recherche, à l'extérieur de leur zone, de moyens matériels de survie. Dans de nombreux cas, les conditions trouvées par eux dans les pays d'accueil permettent difficilement de faire parvenir aux familles restées sur place le « grain » qu'elles attendent. Certains considèrent alors qu'une bouche de moins à nourrir, de façon saisonnière ou permanente, constitue un élément important dans la stratégie familiale de survie au cours des périodes les plus

perturbées (soudure ou sécheresse). Connaissant une nouvelle vie dans de nouveaux horizons, ils ont tendance – sauf lorsqu'ils sont en mesure d'afficher une réelle réussite – à ne plus rentrer même pour de brèves vacances, voire à ne plus donner de nouvelles.

Les champs sont peuplés de femmes, d'enfants, constituant la force productive principale – parfois unique – et de quelques vieux surveillant le travail et prodiguant des conseils. Abandonnés aux « grandes » sœurs, les nourrissons et les jeunes enfants courent de sérieux risques, surtout lorsqu'ils sont emmenés dans les champs parce que le travail de leur « petite mère » est sollicité aussi. Utilisés dès l'âge de raison comme force d'appoint indispensable à l'agriculture, les enfants n'ont plus le moindre espoir d'être scolarisés.

Dans certaines régions proches des villes, au Sénégal notamment, la stratégie de survie a contraint les femmes à confier leurs jeunes enfants à une parente restée au village, alors qu'elles se plaçaient comme « employées de maison » auprès de fonctionnaires ou de commerçants urbains. Le plus souvent, elles partent avec les aînés qui tentent, eux, de trouver les moyens de se nourrir grâce à mille et un petits métiers et constituent une partie de ces « enfants de la rue » qui peuplent aujourd'hui les grandes villes africaines.

On constate aussi qu'un certain nombre de femmes, nomades surtout, sans moyens de cultiver, sans troupeaux, ont échoué dans ▶

péennes, ce qui facilitera la révolution industrielle. L'Europe, avec ses appendices « blancs », devient le maître du monde par ses colonies. Celles-ci fournissent les cultures d'exportation : l'Asie donnera le thé, le coton, le coprah, puis le caoutchouc et l'huile de palme. L'explosion démographique, qui s'y accélère vers 1950, n'y sera pas suivie d'un progrès agricole comparable à celui de l'Europe. Seule suit l'Amérique du Nord déco-

les quartiers spontanés du désespoir qui se sont formés autour des villes secondaires ou des capitales des différents pays. Quant aux irréductibles – la majorité d'ailleurs –, elles ont relevé le défi en restant dans les campagnes. Leur acharnement à découvrir, à développer, face à l'adversité, leur stratégie de survie, à arracher légumes et céréales à une terre aride, à reconstituer un environnement du possible, à élever de rares poulets, de rares ovins ou des caprins, afin de se procurer les liquidités indispensables pour avoir accès à un minimum de nourriture, de vêtements, de soins..., force l'admiration. Mais qui se soucie vraiment d'elles ? Elles sont les grandes oubliées de l'État, des grandes et petites organisations, alors qu'elles sont en réalité les véritables agents de survie et de possible reconstruction au Sahel.

Avec ce nouveau rôle des femmes – devenu tel malgré la pudeur des intéressées – les structures familiales anciennes subissent de fortes secousses dont l'amplitude peut échapper, en partie du moins, à l'observateur extérieur.

Au Mali et au Niger par exemple, même dans les villages restés longtemps à l'abri des influences extérieures, la dernière phase aiguë de sécheresse a transformé la base économique de la grande famille patriarcale. Il est évident que cet état de fait va peu à peu entraîner des changements importants dans les rapports sociaux.

Déjà, les femmes font preuve de plus de hardiesse dans les relations avec les chefs de village et avec les hommes en général ; en maints villages, elles participent maintenant, à côté d'eux, aux réunions qui traitent des questions de développement...

L'éclatement des structures familiales fait que beaucoup de femmes, même en ville, sont chefs de famille. Dans une ville comme Nouakchott, 35 à 38 % des chefs de ménage des bidonvilles sont des femmes. Cette présence prépondérante des femmes dans les zones aridifiées et dans certains bidonvilles, où elles se trouvent placées en position de chefs de famille, va évidemment modifier les relations établies au sein de la société.

La différence essentielle entre les sécheresses précédentes et les sécheresses actuelles, c'est l'arrivée et l'accélération de la monétisation des échanges dans une société fondée sur d'autres valeurs.

La population a perdu son système d'organisation socio-économique, mis savamment au point des siècles durant, sans pour autant trouver de structures économiques modernes dans lesquelles elle puisse s'intégrer, sans être en mesure non plus de profiter des quelques services (santé et enseignement en particulier), désormais payants, qui lui sont « offerts ». Une proportion importante de cette population doit être considérée comme « déplacée », qu'elle soit allée vers les villes, vers les pays du Sud ou bien vers l'Europe.

Annick Miské-Talbot

lonisée, grâce à ses migrants européens et à ses vastes espaces préalablement « débarrassés » des populations autochtones.

De 1750 à 1950, l'Europe (jusqu'à l'Oural) passe de 146 à 572 millions d'habitants et sa production agricole suit très largement. A part l'Irlande de 1847 et les guerres, on ne connaît plus, au XIXᵉ siècle, de grandes famines. Au XXᵉ siècle, les deux grandes guerres font perdre à l'Europe sa place dominante dans le monde.

C'est vers 1945, au lendemain de la Seconde Guerre mondiale, que se déclenche la grande explosion démographique des colonies, au moment où elles vont accéder à l'indépendance dans des conditions déjà difficiles. Et la FAO (Organisation des Nations unies pour l'agriculture et l'alimentation), fondée cette année-là, va bientôt recenser les malnutritions qu'elle espérait alors voir bientôt disparaître. Espoirs vite déçus... Ce progrès aurait pourtant pu se réaliser si la seconde révolution agricole, celle du tracteur et des engrais, était devenue universelle. C'est elle en effet qui va permettre à la France, en moins de quarante ans, de multiplier par trois sa production agricole, tout en réduisant de 3 à 1 sa population rurale. C'est elle qui va submerger tous les pays « développés », l'Europe, l'Amérique du Nord et l'Australie d' « excédents » agricoles (céréales, viande, lait, sucre) dont ils ne savent que faire.

Revers de la médaille, la situation du tiers monde dans son ensemble (à part quelques « petits dragons » de l'Asie du Sud-Est et dans une certaine mesure la Malaisie et la Thaïlan-

de) ne s'améliore pas, la malnutrition y persiste et parfois s'y aggrave. Car la courbe de la production agricole est presque partout rejointe ou dépassée par celle de la population. La croissance démographique prend l'allure d'une véritable catastrophe, menaçant la survie même de l'humanité. Résumons la situation des principaux grands ensembles.

Démographie et agriculture

A tout seigneur, tout honneur : *la Chine* que je n'ai cessé de suivre de près, de 1929 à 1982. La révolution y était largement justifiée par l'exploitation éhontée des paysans par les propriétaires-usuriers-spéculateurs associés aux mandarins, sinon aux seigneurs de la guerre. De 1949 à 1953, grâce à la réforme agraire qui donne « la terre aux paysans », la production s'accroît rapidement. Mais bientôt cette terre leur est reprise par une collectivisation forcée, suivie du « grand bond en avant » et de la « révolution culturelle ». Et les Chinois reprochent plus encore à leur grand leader Mao Ze-dong d'avoir refusé le contrôle de la démographie dès 1955. Ce qui les oblige depuis 1976 à subir de féroces contraintes (un enfant par couple, etc.) pour ralentir la croissance démographique. En même temps, la décollectivisation amorcée dès 1978, généralisée vers 1981, imposée au Parti par les paysans, fait que la production agricole augmente rapidement : la malnutrition est donc en régression, même si elle n'a pas complètement disparu.

Mais les inégalités augmentent et le décalage avec Taiwan continue de croître; car, dans cette île, une paysannerie éduquée par la colonisation japonaise a réalisé une réforme agraire qui a donné, sans la lui reprendre, « la terre au paysan ». Celui-ci a reçu de plus tous les moyens de généraliser la révolution verte (variétés améliorées, maîtrise de l'eau, engrais et pesticides...), équivalent tropical de notre seconde révolution agricole, bien qu'on ait moins insisté, à Taiwan, sur la mécanisation.

L'Inde indépendante avait bien promis une réforme agraire, mais elle s'est vite arrêtée au quart du chemin. Les « féodaux », là où ils ont été dépossédés, l'ont été au profit d'une sorte de bourgeoisie agraire, confortée dans sa situation dominante par le système des castes. Le gouvernement a favorisé l'industrie et négligé l'agriculture, mais les semi-famines de 1965-1966 l'ont incité à impulser la révolution verte. On a cru qu'avec celle-ci on pourrait se dispenser de la réforme agraire. Certes du Pendjab à l'Haryana (Nord-Ouest) et aux deltas rizicoles du Sud-Est, cette « révolution » a permis un fort accroissement de production. Mais l'absence de réforme agraire ne cesse d'accroître le nombre et même la proportion de paysans sans terre qui sont aussi trop souvent sans travail.

Aussi quand on prétend que l'Inde est autosuffisant parce qu'elle cesse d'importer des grains, c'est un mensonge grossier. Jean Racine, le géographe, nous dit plus justement « greniers pleins, ventres creux ». En 1986, il y a 28 millions de tonnes de céréales en stock, mais aussi 300 millions de prolétaires, ruraux et urbains, plus ou moins gravement victimes de malnutrition. Par ailleurs l'écosystème de l'Inde, que j'ai pu suivre de 1932 à 1984, ne cesse de se dégrader : les forêts et les arbres isolés se raréfient partout, on brûle de plus en plus de bouses pour cuire les aliments, ce qui réduit la fumure, et l'érosion du sol s'aggrave.

La réforme agraire

Cette érosion domine aussi les pentes des sierras andines d'Amérique du Sud, où les colons d'origine ibérique, en accaparant les plaines et les plateaux, ont chassé les Indiens. Au *Brésil,* les latifundiaires ne cessent d'accroître leurs domaines dont un bon quart est laissé en friches, dans l'attente d'une plus-value foncière. Près de la moitié du reste est en pacages extensifs, en prairies dégradées, qui nourrissent du bétail à viande, mais connaissent un rendement très faible (20 kilos par hectare, poids vif) et offrent moins d'emplois encore (jusqu'à un travailleur pour 1 000 hectares, soit 10 km²). Quand ils sont labourés, les grands domaines accueillent alors en priorité les cultures d'exportation. Dans ces pays étranglés par leurs dettes, les banques ne financent que ces dernières pour les devises qu'elles rapportent. Mais cela ne permet pas de produire assez de vivres pour les pauvres. Le soja du Brésil exporté en Europe nous permet de produire des excédents de viande et surtout de lait. Mais quand nos excédents de beurre gardés à grands frais commencent à rancir dans

La trêve alimentaire

par Sophie Bessis

Il y a dix ans, le monde criait famine. Non seulement les peuples des continents du Sud ne mangeaient pas à leur faim, mais les surplus des grands pays producteurs de céréales parvenaient à peine à satisfaire la demande internationale. Les stocks céréaliers mondiaux étaient au plus bas. La FAO multipliait les cris d'alarme : qu'un accident climatique se produisît dans une région fortement peuplée du tiers monde et la catastrophe était assurée, les excédents des pays riches étant insuffisants pour garantir un minimum de sécurité à la planète. Le Club de Rome publiait des prévisions apocalyptiques. La CIA, dans un rapport devenu célèbre, assurait que les États-Unis pouvaient, en utilisant la totalité de leur capacité productive, devenir peu ou prou les maîtres du monde grâce à la possession de l'arme alimentaire, l'arme absolue. Les pays occidentaux, Amérique du Nord et Europe de l'Ouest, véritables greniers de la planète, disposaient là d'un puissant moyen de pression vis-à-vis de l'Union soviétique et du tiers monde, qui renforçait leur position dominante dans les rapports de force internationaux. Qu'en est-il une décennie plus tard ?

Des peuples du Sud ne mangent toujours pas à leur faim, mais la situation mondiale a considérablement évolué. Jamais de par le monde les silos n'ont été aussi pleins : les grands exportateurs ne savent plus que faire de leurs excédents et se livrent à une guerre sans merci pour les brader à des clients qui se raréfient. L'Union soviétique en effet, si elle est toujours importatrice, a des déficits beaucoup moins importants qu'à la fin des années soixante-dix. De nombreux pays du tiers monde ont vu leur situation céréalière s'améliorer sensiblement : l'Asie a cessé d'être importatrice nette, plusieurs pays d'Amérique latine figurent parmi les principaux exportateurs de denrées alimentaires. Même l'Afrique, dont la situation était épouvantable au début de la décennie, a vu ces deux dernières années son déficit décroître grâce à deux bonnes saisons pluviométriques. Le Maghreb, gros client des Occidentaux, a connu lui aussi une excellente récolte en 1985-1986.

Alors, rangée au musée, l'arme alimentaire ? Les choses ne sont pas si simples. Dans de nombreuses régions du tiers monde, la réduction du déséquilibre alimentaire est très relative et résulte davantage de bonnes conditions climatiques que d'une véritable révolution agricole. Si, par ailleurs, la demande solvable est satisfaite par la production intérieure dans des pays comme l'Inde, la demande réelle est loin de l'être et il

les frigos, on les brade en Union soviétique ! Le potentiel agricole du Brésil est huit à dix fois plus élevé que la production actuelle : aussi la malnutrition (bien plus difficile à combattre en Asie surpeuplée ou au Sahel semi-aride) y est un véritable crime social.

La réforme agraire s'y impose d'autant plus que les petites fermes paysannes, où est pratiquée une culture intensive, produisant en moyenne cinq fois

faudrait produire bien davantage pour nourrir correctement l'ensemble de la population. Presque tous les gouvernements du tiers monde proclament d'ailleurs leur volonté d'intensifier la production alimentaire, non seulement pour réduire leur dépendance vis-à-vis de l'étranger, mais pour alléger la misère des campagnes et freiner un exode rural devenu plus qu'alarmant.

Le peuvent-ils? S'il existe de puissants blocages internes au développement de l'agriculture vivrière, ceux qui viennent de l'extérieur ne sont pas moins déterminants. L'Occident inonde la planète de ses excédents céréaliers et grâce à des subventions massives aux exportations, les écoulent à des prix dérisoires. Aucune agriculture, si productive soit-elle, ne peut dans de telles conditions être compétitive avec le sorgho américain ou le blé européen, a fortiori les agricultures traditionnelles d'un grand nombre de pays du tiers monde qui n'ont encore connu aucune révolution technique. Le mil produit par le paysan sahélien, le maïs cultivé sur les pentes des Andes sont plus chers à Dakar, Bamako ou Lima que les céréales importées.

Le financement de la commercialisation des excédents occidentaux, par le biais des subventions ou de l'aide alimentaire, constitue aujourd'hui un des freins les plus puissants à l'accroissement de la production dans le tiers monde où, dans bien des régions, le paysan est soumis à la concurrence directe et truquée du formidable agrobusiness des pays du Nord. Jusqu'à présent, de nombreux États ont eu tendance à favoriser les importations et à décourager le développement de la production locale. Solution de facilité qui permettait entre autres de nourrir à moindres frais les populations urbaines traditionnellement plus frondeuses que celles des campagnes. Mais, à la longue, une telle politique coûte cher et d'aucuns aimeraient l'infléchir dans un sens moins favorable aux importations.

On ose à peine pourtant aller jusqu'au bout du raisonnement : il apparaît aujourd'hui nécessaire d'édifier des barrières autour d'ensembles régionaux de pays en développement pour soustraire leur agriculture à une concurrence destructrice. C'est ainsi après tout que l'Europe du Marché commun est devenue excédentaire, et l'on sait que les États-Unis, s'ils prêchent aux autres les vertus du marché, n'hésitent pas à enfreindre ses lois quand il y va de leur intérêt.

Si le spectre de la pénurie mondiale s'est éloigné, le système pervers qui consiste en Occident à encourager l'accumulation de surplus, puis à s'en débarrasser, et dans le tiers monde à ne pas en limiter l'entrée prive les paysanneries du Sud de leurs débouchés naturels que sont les espaces nationaux et régionaux. Seul un changement des règles du jeu libérera leur immense potentiel productif. L'instauration d'un minimum de protectionnisme fait aujourd'hui partie du changement.

plus à l'hectare que les latifundias, et ce sont ces fermes qui fournissent les vivres de base : céréales, tubercules et haricots noirs, la précieuse protéine économique pour les pauvres. De cette réforme, on ne cesse de

parler au Brésil : les paysans espéraient que le gouvernement civil la mettrait assez vite en œuvre. Mais le lobby des propriétaires fonciers reste assez puissant pour continuer à s'y opposer. Dans ce but, il n'hésite

pas à recourir au terrorisme, au massacre de tous ceux qui défendent les *posseiros,* leaders paysans, avocats, prêtres de pastorale de la *tierra,* etc.

Des réformes agraires, ce continent en a déjà connu au moins trois qui ont été vite sabotées par les pouvoirs en place. Au Mexique, après une atroce guerre civile (1911-1921); en Bolivie, en 1952, et, au Chili d'Allende, en 1970-1973. Elle n'en reste pas moins l'arme la plus puissante pour faire démarrer les progrès agricoles et par là venir à bout de la malnutrition. Nous savons déjà que, dans le tiers monde, la révolution verte peut s'y ajouter, mais non la remplacer.

La dérive africaine

Toute différente est la situation en Afrique subsaharienne, et plus difficile encore celle du Sahel au sud du Sahara, du Sénégal au Tchad. Le recul – et d'ici vingt ans, la disparition – de la forêt côtière a déjà contribué à l'aggravation de la sécheresse, nettement plus marquée depuis 1968. Au Sahel même, la forêt claire recule – tout comme les arbres dispersés dans les champs qui étaient les protecteurs de la fertilité – sous les coups d'une explosion démographique ici plus terrifiante qu'ailleurs. Elle atteint des sommets au Kénya. Depuis l'indépendance (vers 1960), la population du Sahel a largement doublé, mais la production céréalière n'y a guère progressé que de 4 à 5 millions de tonnes. Cela par l'accroissement des surfaces, mais non des rendements que la dégradation des sols et des pâturages font plutôt reculer. Faute d'énergie animale, faute de charrettes, on n'a pu faire la révolution des fourrages et du fumier et les tentatives de motorisation ont échoué.

Paysans et paysannes ne pourront investir, faire progresser et protéger leurs villages, donc reboiser, faire des jardins de contre-saison, avec de multiples retenues d'eau, etc., que si on leur donne accès à un minimum d'instruction et de ressources. L'école en français n'a pu être généralisée au Sahel rural; cependant l'alphabétisation fonctionnelle en langues africaines pourrait être développée. La bureaucratie ne tient pas toujours à avoir en face d'elle des paysans un peu instruits, donc moins « exploitables » à merci.

Le tiers monde n'est pas sans ressources, mais le système économique dominant applique deux poids, deux mesures : il fait jouer la loi du marché pour les productions agricoles et minérales des pays pauvres et « protège » les agriculteurs riches! C'est alors le pillage du tiers monde, la dégradation des termes de l'échange... Et l'endettement, qui « étrangle » surtout l'Amérique latine, mais tout autant l'Afrique. Car cette dernière, débitrice de 175 milliards de dollars en 1986, est plus endettée encore que le Mexique ou le Brésil par rapport à sa production et à ses exportations.

L'endettement bloque les progrès agricoles et industriels. Alors on construit en ce moment deux énormes barrages sur le fleuve Sénégal, à Diama et à Manantali, qui vont accroître cet endettement sans aboutir à une augmentation assez forte de la production pour les justifier, comme nous le prouve à l'avance l'échec de l'Office du Niger au Mali.

La démographie, à long terme, nous dit Jacques Vallin, menace l'Afrique, plus encore que l'Asie. Ceux qui comparent l'évolution de ces deux continents et n'attribuent le retard de l'Afrique qu'à des considérations politiques oublient que celle-ci compte seulement 8 millions d'hectares irrigués, contre 133 millions en Asie. Cette dernière a une longue pratique de l'irrigation, de vastes deltas très fertiles et des potentialités très supérieures – ne serait-ce que par l'ancienneté de sa culture technique –, autant d'éléments qui font défaut en Afrique.

La malnutrition risque d'être de plus en plus catastrophique en Afrique, si celle-ci ne réussit pas à ralentir très vite son explosion démographique. Ses dirigeants politiques n'ont pas encore compris qu'un accroissement de population de 3 % l'an, calculé « à intérêt composé », multiplie par 20 la population en un siècle... Les Africains du XXIe siècle, qui en pâtiront, jugeront sévèrement l'attitude de leurs aînés, comme les Chinois le font pour le Mao de 1955 qui refusait alors le contrôle des naissances.

Cela n'atténue en rien notre responsabilité, nous restons les dominants du tiers monde et nous y avons largement échoué. Certes, les communistes n'ont pas mieux réussi, surtout dans le domaine politique. Il nous faut donc rechercher une « troisième voie » : comment mieux partager, à travers le monde, les richesses et le travail? Si nous laissons s'accroître l'écart des revenus riches-pauvres et, à l'inverse, si nous laissons se creuser l'écart démographique entre le tiers monde et les pays riches, la marmite finira bien par nous sauter au nez. Le terrorisme nous contraint d'y réfléchir.

■

RICHESSES

Des pays sont très riches en matières premières, mais ils en consomment très peu et n'en contrôlent toujours pas les prix.

par Jean-Yves Barrère

« *Ce tiers monde ignoré, exploité, méprisé comme le tiers état (en 1789) veut, lui aussi, être quelque chose.* » Trente-cinq ans après le fameux article d'Alfred Sauvy (voir p. 44), on peut sans aucun doute affirmer que le tiers monde existe, qu'il est moins ignoré – sans être pour autant connu –, qu'il est toujours exploité, même si c'est d'une façon différente, et qu'il reste plus méprisé qu'on ne veut bien officiellement le reconnaître.

Le tiers monde existe comme entité globale, statistique, mais toujours dans sa définition initiale, c'est-à-dire par rapport aux deux autres : c'est le troisième tiers. Les conditions historiques, économiques et politiques qui ont justifié l'émergence du concept de « tiers monde » dans les années cinquante, sont toujours présentes en 1987, malgré les modifications importantes survenues dans le monde au cours de ce tiers de siècle. C'est ce que l'on peut constater en

dressant un bilan des richesses et ressources du tiers monde aujourd'hui. Mais cette existence ne signifie pas pour autant unité et cohérence, comme l'a si bien rappelé le géographe Yves Lacoste.

Quelques images stéréotypées ont facilité dans les années soixante la représentation d'un tiers monde exploité et sous tutelle coloniale : le travail forcé, la mainmise de grandes sociétés sur les ressources du sol et du sous-sol, l'absence de pouvoir politique... Ces images n'étaient pas sans fondement et ont donné une légitimité internationale à des revendications sur la plupart des continents, reprises et popularisées dans de grandes conférences après celle de Bandung (1955).

L'accession au pouvoir politique de nouvelles couches sociales dans de nouveaux États au cours de cette longue période n'a pas profondément modifié l'équilibre économique des relations Nord-Sud, notamment en ce qui concerne les matières premières, qu'elles soient minérales ou agricoles. Sur le plan énergétique, les effets sont plus contrastés. Mais cela réclame sans doute quelques explications.

Les matières premières minérales

En terme de *production,* de *transformation,* de *consommation* et de *prix* des matières premières minérales, la situation du tiers monde, globalement, ne s'est pas améliorée depuis un quart de siècle, malgré la volonté clairement affichée des principaux dirigeants du Sud et les nombreux efforts déployés par les organisations internationales dans ce secteur.

Il ne faut pas nier pour autant l'important accroissement de la production minière mondiale au cours de cette période : pour la bauxite, par exemple, matière première de l'aluminium, la production minière mondiale est ainsi passée de 27,6 millions de tonnes en 1960 à 88 millions de tonnes en 1985. Celle du cuivre a doublé. Celle de minerai de fer s'est accrue de plus de 70 %. De même pour le chrome, dont la production minière a plus que doublé, ainsi que celle du plomb et du zinc...

Ces statistiques sont certes impressionnantes, mais le plus surprenant, sans doute, est que la part du tiers monde dans cette activité minière mondiale s'est réduite relativement au cours des vingt-cinq dernières années. Quelques grands pays miniers, géopolitiquement situés parmi les pays industrialisés : Australie, Canada, Afrique du Sud, ont surtout bénéficié de la croissance de la demande mondiale au cours de la période dite des « trente glorieuses ». Dans le tiers monde, quelques pays : Brésil, Chili, Indonésie, Malaisie, tentent également de tirer leur épingle du jeu en prenant une position dominante sur le marché mondial de quelques matières premières minérales.

À l'exception de ces quelques rares pays qui réussissent à transformer une rente géologique en rente minière – comme le Chili pour le cuivre et, peut-être, le Brésil pour le minerai de fer et le charbon –, la plupart des pays du tiers monde connaissent aujourd'hui, avec la baisse dramatique des cours des minerais et des métaux sur le marché mondial, une chute de leurs ressources à l'exploitation, sans véritable possibilité de diversification.

Pourtant, la situation du tiers monde reste potentiellement favorable dans ce secteur des matières premières minérales, en termes de réserves actuellement identifiés : 71 % des réserves de bauxite, 83 % de cobalt, 61 % du cuivre, 57 % du phosphate, 65 % du lithium, etc., s'y trouvent concentrées (source : P. Crawson, *Minerals Handbook 1984-85*). Encore faut-il préciser que ces réserves s'accroissent régulièrement en fonction des recherches géologiques et minières qui y sont menées : or, depuis une quinzaine d'années, les compagnies minières des pays industrialisés, confrontées à de sérieuses difficultés financières, ont préféré investir en recherche dans les pays miniers du Nord, au détriment de ceux du Sud. Et les compagnies minières des pays du Sud sont très souvent incapables de financer et mener les programmes de recherche sur leurs territoires. Malgré cette sous-évaluation, le potentiel minier du tiers monde reste encore important à l'échelle mondiale; et, compte tenu de la faible rentabilité de ces activités d'extraction minière, dans le contexte dépressif actuel, les pays du Sud n'auront peut-être pas à le regretter.

Malgré des rythmes actuels de consommation de ces matières premières minérales plus rapides dans le tiers monde que dans les pays industrialisés de l'Ouest et de l'Est, l'inégalité est aujourd'hui frappante : les pays industrialisés (25 % de la population mondiale) consomment plus de 80 % des métaux non ferreux, 75 % de l'acier et 58 % des engrais phosphatés (source : Cerna, École des mines de Paris).

Les matières premières agricoles et alimentaires

Des prévisions sur les délais de rattrapage par le tiers monde du niveau de consommation de l'OCDE, fondées sur le maintien des taux de croissance observés entre 1974 et 1984, ont permis (Cerna, *op. cit.*) d'envisager des durées de 8 ans pour l'acier, 25 ans pour le cuivre, 16 ans pour le zinc, 32 ans pour le plomb, 38 ans pour le nickel et 102 ans pour l'étain. Il s'agit de

Cheikh Yamani, le roi nu du pétrole

Dans la nuit du 29 octobre 1986, la nouvelle tombe, surprenante : cheikh Yamani vient d'être relevé de ses fonctions de ministre du Pétrole et des Matières premières d'Arabie saoudite, sur ordre du roi Fahd. A cinquante-cinq ans, celui qui avait modernisé l'économie de son pays, mais, surtout, celui qui, pendant vingt-quatre ans, avait régné sur l'OPEP était limogé sans ménagement. Le désaveu était aussi spectaculaire que sa carrière.

En 1962, Ahmed Zaki Yamani n'a que trente-deux ans lorsque le roi Fayçal lui confie le portefeuille de ministre du Pétrole, jusqu'alors tenu par le fondateur de la jeune OPEP, créée deux ans plus tôt. Seul ministre saoudien d'origine roturière, Yamani, qui a été formé par les universités du Caire, de Columbia et d'Harvard, va jouer très vite de sa double culture – il est né à La Mecque – pour s'imposer à la fois comme porte-parole des pays producteurs de pétrole et comme interlocuteur privilégié des pays occidentaux qu'il va toujours s'attacher à ménager. Lorsqu'il devient ministre, le pétrole saoudien est alors aux mains de l'Aramco, consortium de compagnies dominé par les Américains, peu soucieux de partager ses bénéfi-

consommation globale et non de consommation... par tête d'habitant !

Le tiers monde a le quasi-

ces avec le royaume saoudien. La première mission du jeune ministre va consister à mettre fin au pillage du pétrole national. Mais plutôt qu'une nationalisation, il préfère négocier le maintien des compagnies pétrolières occidentales, à la condition que 25 %, puis 50 % de leurs bénéfices soient reversés à l'État saoudien. En quelques années, il étendra à tous les pays du Golfe les bénéfices de cette négociation. Étant donné la place prépondérante de l'Arabie saoudite parmi les pays producteurs – 28 % des réserves mondiales – Yamani va très vite exercer une grande influence au sein de l'O P E P.

Mais c'est en 1973, avec la guerre israélo-arabe, que l'Occident va découvrir le visage calme et souriant de Yamani. Car, si les Israéliens ont remporté une victoire militaire, les pays arabes gagnent la bataille politique en décidant unilatéralement une augmentation de 70 % des prix du pétrole. Pour les pays importateurs, Yamani est le symbole de cette nouvelle stratégie. Le *Guardian* de Londres écrit qu'il est « le plus redoutable émissaire de l'Orient depuis que les Tatars ont ravagé la Russie ».

Pourtant, et souvent contre l'avis de ses partenaires, Yamani a été sans trêve celui qui a veillé sur les besoins énergétiques des pays occidentaux importateurs. S'il n'a pas empêché que le baril monte à 34 dollars en 1982, soit huit fois le prix de 1973, il est conscient du danger que présenterait un pétrole trop cher, obligeant les pays importateurs riches à trouver des solutions de rechan-

ge. Il tente donc de limiter les hausses, au point que le Koweït et l'Irak l'accusent de « faire le jeu des impérialistes ». C'est aussi ce qui le fait condamner à mort par un commando palestinien qui réussit en 1975 à prendre en otages onze ministres de l'O P E P réunis à Vienne. Le drame sera évité grâce à l'intervention de l'Algérie.

A partir de 1983, la production mondiale de pétrole devient supérieure à la demande. Les prix baissent avant de s'effondrer complètement. L'O P E P affaiblie décide de limiter la production pour maintenir les prix. L'Arabie saoudite, premier fournisseur, voit sa production passer de 10 millions de barils par jour en 1982, à 2 millions en 1985. Les revenus du pétrole sont divisés par trois. Des centaines d'entreprises ferment leurs portes, des chantiers entiers sont laissés à l'abandon. Les princes saoudiens dont les fortunes reposent sur le pétrole commencent à voir d'un mauvais œil la politique de leur propre ministre. Lorsque, en 1985, Yamani décide de rouvrir le robinet pour reconquérir les marchés au risque de voir s'effondrer les prix, ce qui se produit, le cheikh a contre lui les princes saoudiens, les pays les plus pauvres de l'O P E P et les pays du tiers monde non producteurs de pétrole. Il est désavoué une première fois pendant l'été 1986, lorsque l'O P E P suit l'Algérie et l'Iran et rétablit des quotas, puis congédié quelques semaines plus tard par le roi Fadh.

S. V.

monopole de l'approvisionnement des pays industrialisés pour certains produits alimentaires dits tropicaux ou pour certains produits agricoles primaires : le cacao, le café, le caoutchouc, les bois tropicaux, les bananes, le thé, etc. Comme pour les matières premières minérales, certains pays en développement dépendent de l'exportation de l'une ou l'autre, ou de plusieurs de ces matières brutes : l'Ouganda et le Burundi pour le café, le Ghana et la Côte d'Ivoire pour le cacao, Ceylan pour le thé, l'île Maurice et Cuba pour le sucre, etc. Les facteurs qui vont influencer les revenus de l'État et de la paysannerie qui se consacrent à ces cultures d'exportation sont essentiellement au nombre de deux : le climat et les prix. Le premier relève du hasard météorologique, et les chroniques financières sont pleines de commentaires sur les risques courus par telle zone ou telle production, à cause d'une inondation ou d'une sécheresse. Quelle que soit la latitude d'ailleurs, cette menace pèse toujours sur les activités agricoles. Dans le tiers monde toutefois, les accidents climatiques sont presque plus réguliers que dans les pays tempérés du Nord : et, fait aggravant, les mécanismes de protection, d'assurance sont rares ou inexistants. Les prix sont influencés d'abord par les variations des niveaux de production, mais aussi par les seules lois du marché, qui s'exercent en toute souveraineté, pour la fixation des prix de ces matières premières en provenance du tiers monde. Les indices d'instabilité des prix de marché, calculés par la Cnuced sur la période 1960-1983 (Unctad – *Monthly Commodity Prices,* bulletin Cnuced), montrent des variations sur les prix mensuels allant de 15-20 % (bananes, thé, maïs) à 25 % (coprah, huiles, café...), 32 % (café), 62 % (sucre). Ce sont, bien sûr, des conditions tout à fait défavorables pour bâtir une quelconque stratégie de développement à partir de ressources stables.

Malgré la prédominance du tiers monde dans la production de matières premières agricoles, aucun accord n'a véritablement réussi, malgré des tentatives réitérées, à stabiliser les prix ou les ressources des pays producteurs : tous les instruments de régulation savamment mis au point pour le jute, le sucre, le cacao, le café..., sont aujourd'hui inappliqués et inapplicables. Ils cèdent la place à une concurrence accrue entre les producteurs du tiers monde qui souvent confrontés à des problèmes financiers graves, choisissent la fuite en avant et refusent de respecter des « quotas » de production, difficiles à définir et impossibles à contrôler. Sur le modèle des pays producteurs de pétrole (OPEP), qui se sont affrontés jusqu'à enregistrer une baisse des cours de près de 300 %, ou sur le modèle de producteurs d'étain depuis octobre 1985, les leaders des marchés de matières premières agricoles se déchirent aujourd'hui sous les yeux : Malaisie et Côte d'Ivoire pour le cacao, Indonésie et Brésil pour le café, etc. Les seuls bénéficiaires de cette concurrence entre pays du Sud... sont principalement situés au Nord : quelques négociants, les transformateurs industriels et les consommateurs. Dans le deux domaines passés rapidement en revue – matières premières minérales et agricoles – la situation du tiers monde n'est pas favorable. Elle est d'ailleur doublement défavorable, puisque les pays sont très souvent à la fois exportateurs de produit de base miniers, et de produits agricoles. Cette situation à la mi-1987 est sans doute la plus grave depuis la crise de 1930.

Les amateurs de cycle long pourront nous assurer d'un prochain et nécessaire renversement de tendance : il n'en reste pas moins que les déficits commerciaux, budgétaires et financiers se cumulent dans les pays les plus pauvres, qui s'excluent progressivement de la communauté économique internationale et s'enfoncent dans le sous-développement. La réalité du tiers monde aujourd'hui, c'est d'abord cet échec des processus de développement, fondés sur une croissance extravertie et une dépendance au marché mondial. Et pourtant, cette perception doit être complétée par une autre réalité du tiers monde : celle des nouveaux pays industrialisés – NPI et celle des NPI en formation. La Corée du Sud, Taiwan, Singapour, Hong Kong : quatre nouveaux pays industrialisés qui servent de contre-référence à une vision un peu trop misérabiliste du tiers monde. Mais quatre exceptions qui confirment la règle, car aucun de ces pays n'a fondé son décollage économique sur l'exportation de matières premières.

Quelques nouveaux pays industrialisés « en formation » : Brésil, Mexique, Vénézuéla..., revendiquent une place à part, pour l'avenir, dans la hiérarchie des pays du tiers monde ; mais pour l'instant, leur meilleur classement se situe par rapport à l'endettement international.

Si l'on compare l'évolution de la production d'acier de la France à celles du Brésil et de Corée du Sud, on observe la croissance régulière de ces deux dernières depuis 1975 (alors que la production française stagne, puis régresse), au point que la production sidérurgique brésilienne est supérieure à celle de la France. Ce qui montre bien que quelque chose est en train de se passer, et qu'une vision trop unifiante du tiers monde ne rendrait pas compte des changements qui sont à l'œuvre.

Le « sans-faute » des nouveaux pays industrialisés

Ces bouleversements, dans la hiérarchie des pays industriels avec l'émergence de nouveaux producteurs en provenance du tiers monde, se font dans la douleur : que ce soit au Brésil ou en Corée du Sud, le constat de ces résultats quantitatifs ne doit pas masquer le coût social déjà payé par les peuples de ces pays, ni la dette financière ou écologique qui, pour l'instant, reste à payer. Cet ajustement n'est pas sans effet sur la crise des pays industrialisés. Ceux-ci, déjà en surproduction depuis une dizaine d'années, se trouvent confrontés aux flux de biens manufacturés en provenance d'usines du tiers monde dont ils ont assuré le plus souvent l'installation et le financement. Personne ne fait d'hypothèse sur la durée de cette période d'ajustement, mais il s'agit d'un processus dans lequel le monde, au Nord comme au Sud, vient d'entrer et où l'ancien « dialogue » change de nature.

Ces « réussites » – René Dumont parle d'un « sans-faute » économique pour Taiwan –, pourtant, ne correspondent pas aux modèles de développement industriel, qui avaient été préconisés par les experts au chevet des pays « en voie de développement » dans les années soixante ; en tout cas, pas dans les délais escomptés ni dans les régions où ces experts professaient.

Le cercle vertueux du développement industriel qui présupposait :

salaires ⟶ consommation ⟶ production

s'est transformé dans de multiples pays du tiers monde en un cercle vicieux :

endettement ⟶ consommation ⟶ importation

avec de nombreuses usines désaffectées et inutiles dont il faut rembourser les coûts d'installation. Il est sans doute plus aisé de constater les dégâts, *a posteriori*, et de dénoncer les erreurs commises. Pourtant, l'unanimité était quasi totale, il y a un quart de siècle, entre les économistes du développement industriel, les élites du tiers monde et les organismes internationaux de coopération et de financement. Au-delà des terminologies spécifiques – noircissement des matrices d'échanges interindustriels, industries industrialisantes, développement des forces productives... – l'accord était très large

au Nord et au Sud sur les processus de décollage économique. Dans une première phase, les pays industrialisés ont bénéficié des commandes exceptionnelles, liées à ce « boom » économique du tiers monde, très vite relayé à partir de 1973 par les transferts financiers vers les pays de l'OPEP. A la fin des années soixante-dix, cette soupape ne permet plus de masquer la crise économique au Nord, qui a été ainsi retardée d'une bonne dizaine d'années. Mais la seconde phase s'épanouit alors : surproduction au Nord, endettement au Sud.

Les nouveaux concepts de « reconquête des marchés intérieurs », d'« autosuffisance », sans omettre les « technologies appropriées », ou les « transferts de technologies », vont se diffuser et marquer le début d'une remise en cause, sinon des théories anciennes, du moins des anciennes pratiques. A l'exception de quelques pays-continents : Brésil, Inde, Chine, qui disposent de marchés intérieurs énormes, le reste du tiers monde va sans doute éclater en « tiers mondes » diversifiés, où l'industrialisation sur la base de marchés extravertis ne pourra plus être la réponse unique aux exigences de populations sous-alimentées et sous-équipées, en croissance continue.

Le tiers monde n'est plus aujourd'hui le pourvoyeur essentiel de matières premières minérales ou agricoles qu'il a pu être dans une imagerie réductrice. Il conserve des ressources importantes pour l'avenir, dans le domaine minier comme dans le domaine agricole, sans parler de l'énergie. ∎

TRAVAIL

A moins d'un miracle, les chômeurs se compteront par centaines de millions à l'aube de l'an 2000.

par Sophie Bessis

Quelque part au Sahel, une paysanne penchée sur sa houe gratte la terre trop sèche. Dans les faubourgs de Karachi, une fillette tisse patiemment le tapis qu'on vendra cher puisqu'il est « fait main ». A São Paulo, les ouvriers s'affairent autour des chaînes d'une des plus grosses usines Volkswagen du monde. A Tunis, Abidjan ou Séoul, le cadre cravaté dicte une lettre à une secrétaire impeccablement stylée. Rien n'est plus difficile que de tenter de définir en quoi consiste le monde du travail dans ce qu'il est convenu d'appeler le tiers monde. Il prend des formes infiniment plus variées que dans les pays industriels, allant de l'ancestral nomadisme pastoral à la conception du logiciel le plus performant. Le salariat étant en outre beaucoup moins généralisé que dans les pays du Nord, le travail fourni dans le tiers monde est difficilement quantifiable, d'autant que

les statistiques mondiales ou nationales ne fournissent que de vagues approximations sur la situation des pays considérés.

Deux choses sont sûres cependant : on travaille plus et plus durement dans les nations sous-développées que dans les États nantis, en même temps qu'on y produit beaucoup moins de richesses, et le chômage y est un fléau autrement plus grave. A en croire les oracles, l'avenir est sombre et constituera l'un des plus grands risques d'explosion sociale au cours des prochaines décennies.

500 millions de chômeurs

La population d'âge actif du tiers monde dépasse les 2,1 milliards d'individus. En 1985, selon les estimations les moins pessimistes, 500 millions d'entre eux étaient au chômage, sans compter ceux qui subsistent à peine grâce à la multiplication des petits métiers urbains. Chiffres effrayants? Ils sont modestes en regard des prévisions : compte tenu de l'ampleur de la croissance démographique dans les pays les plus peuplés du monde – Chine exceptée –, il faudrait créer un milliard d'emplois d'ici l'an 2000 et 500 millions encore d'ici 2025. De 1985 à 2025, la population active du tiers monde aura augmenté d'environ 1,4 milliard de personnes. Pour faire face à la demande nouvelle et résorber le chômage actuel, les pays du tiers monde pris ensemble devront créer 47 millions d'emplois par an au cours des quarante prochaines années. Partout les jeunes vont arriver massivement sur le marché du travail : au nombre de 800 millions aujourd'hui, ils seront 160 millions de plus d'ici quinze ans et, comme ailleurs, le chômage les touche davantage que leurs aînés.

En *Afrique,* la population active passera de 115 millions en 1985 à 436 millions en 2025; le continent économiquement le moins dynamique du globe abritera 30 % de la population active mondiale. L'*Asie* verra en revanche sa part dans la population active mondiale baisser de près de 10 points pour être de 54,7 % en 2025; en chiffres absolus toutefois, la population d'âge actif aura augmenté de 193 millions de personnes. Elle aura doublé en *Amérique latine,* passant de 82 millions en 1985 à 167 millions en 2025. La situation semble toutefois moins alarmante qu'il y a quelques années : presque partout, le taux d'accroissement annuel de la population active sera moins rapide d'ici 2025 qu'au cours

des trente-cinq ans qui viennent de s'écouler. Seule l'Afrique fait exception : l'augmentation y sera de près de 3 % par an contre 2,2 % de 1950 à aujourd'hui.

Surtravail et sous-emploi

Sans nul doute, le travail constituera au cours des prochaines décennies le problème majeur des pays les plus démunis du monde. Or, depuis le début des années quatre-vingt, la situation a tendance à empirer du fait de la récession qui frappe nombre d'entre eux et des politiques d'ajustement mises en place sous l'égide des organisations financières internationales. En Afrique, la diminution des investissements, le coup d'arrêt donné aux importations de biens d'équipement et au recrutement dans la fonction publique ont fait chuter l'offre d'emplois, déjà faible, dans le secteur moderne : celle-ci a décru de 12 % en Côte d'Ivoire de 1979 à 1981, de 55 % en Zambie de 1979 à 1983, de 18 % au Zimbabwé de 1975 à 1982. Le chômage s'est également aggravé dans de nombreux pays d'Amérique latine, passant de 9,8 à 13,4 % au Vénézuéla ou de 11,2 à 13 % en Colombie de 1983 à 1984. Les pays industrialisés d'Asie du Sud-Est, comme la Corée du Sud, Singapour ou Hong Kong ont vu en revanche leur taux de chômage décroître légèrement depuis 1983 grâce au développement de nouvelles branches industrielles.

Comment expliquer qu'il soit si difficile de créer du travail dans les zones de la planète où l'on « trime » le plus, où la notion de loisirs est à peu près totalement inconnue, où le sort de milliards d'invididus est de se lever avant le soleil pour subvenir à leurs besoins fondamentaux ? La notion de population active est en fait plus large dans le tiers monde que dans les pays riches : les lois et les structures sociales y étant ce qu'elles sont, la vie active commence plus tôt et ne se termine souvent qu'avec la mort.

Les femmes et les enfants participent en outre beaucoup plus largement à la production. Comme ailleurs, seul l'emploi féminin salarié ou procurant d'une façon ou d'une autre des revenus monétaires est comptabilisé. On l'estime à 34 % de la population active totale en Asie, à 32 % en Afrique et à 24 % en Amérique latine, chiffres, on s'en doute, inférieurs à la réalité. Ainsi, en Afrique subsaharienne, le travail des femmes fournit 60 à 80 % de la production vivrière totale; dans les pays de l'Afrique côtière le commerce est une activité féminine; partout ailleurs les femmes fournissent une part prépondérante du travail dans les zones rurales. Même chose pour les enfants dont le travail, le plus souvent clandestin, est rarement comptabilisé dans les statistiques. Or, l'OIT estime qu'il y a au bas mot 55 millions d'enfants de moins de quinze ans travaillant dans le tiers monde; d'autres sources paraissant plus proches de la réalité avancent le chiffre de 145 millions.

Mis à part les conséquences de la crise mondiale qui aggravent le phénomène plus qu'elles ne l'ont créé, l'étonnante concomitance du surtravail et du sous-emploi est de nos jours une des caractéristiques majeures du sous-développement, transcendant les clivages économiques qui tendent par ailleurs à faire éclater le tiers monde. La plupart des nouveaux pays industriels n'échappent pas en effet à cette contradiction : si le Brésil ou l'Inde sont devenus de véritables géants industriels, il n'en reste pas moins que la structure du monde du travail, l'importance du sous-emploi, les conditions de vie de la main-d'œuvre rurale et urbaine y sont à peu près semblables à ce qu'on peut observer ailleurs. Souvent même, les pays en phase de croissance rapide comme la Corée du Sud, la Malaisie ou le Brésil sont ceux où le statut de la main-d'œuvre salariée est le plus précaire.

Si les travailleurs du tiers monde sont « les damnés de la terre », ceux de la campagne apparaissent dans bien des régions comme les plus mal lotis. Globalement, et malgré la rapidité de l'urbanisation, la population rurale est encore majoritaire dans le tiers monde : elle représente près des trois quarts de la population active totale dans les pays les plus peuplés de la planète – Chine et Inde – et dans les plus pauvres, du Bangladesh au Zaïre et du Mozambique au Soudan. Elle en représente encore la moitié, parfois davantage, dans les États ayant un PNB supérieur à celui de la catégorie précédente : les deux tiers en Côte-d'Ivoire, la moitié en Égypte, 45 % aux Philippines. Or, c'est dans les campagnes que le sous-emploi frappe le plus tragiquement, dépassant 50 % dans bien des pays. On estime qu'en Afrique subsaharienne le sous-emploi touchera dans vingt-cinq ans plus des deux tiers de la population rurale. Le manque de terre en Asie, le système latifundiaire en Amérique latine, la dérisoire productivité de la terre et du travail en Afrique, l'accroissement démographique partout ne permettent pas à l'agriculture d'offrir suffisamment d'emplois pour freiner l'exode rural.

Ce serait moins tragique si le secteur dit moderne offrait des débouchés en nombre suffisant aux immigrants qui envahissent les villes du Sud. Il n'en est rien. Rares sont les pays qui ont privilégié les activités fortes con-

La journée continue d'une Africaine

Récemment, je discutais avec un de mes frères d'Afrique noire de la condition des femmes de notre continent et des divers problèmes auxquels elles se trouvent quotidiennement confrontées. Nous avons ainsi été amenés à parler de la polygynie, improprement appelée polygamie. Mon interlocuteur a alors déclaré : « Dans nos sociétés où les femmes ne travaillent pas, prôner la monogamie serait condamner les femmes célibataires au dénuement, à une vie de précarité, ce serait leur rendre un mauvais service. Qui pourvoirait à leurs besoins ? »

Dire de ces forçats de tous les temps qu'elles ne *travaillent pas*, uniquement parce qu'on assimile *travail* et *emploi salarié*, relève de la légèreté, de la myopie ou tout simplement de la galéjade. Si les Africaines, et notamment les rurales, étaient rémunérées au prorata de toutes les besognes accomplies, elles rouleraient carrosse, et n'éprouveraient aucun désir d' « entrer en polygamie ».

Pour l'écrasante majorité des citadines – notre propos laisse de côté la minorité de nanties urbanisées pourvues de domestiques – c'est le système de « la journée continue ». Levées les premières,

sommatrices de main-d'œuvre et, dans la plupart d'entre eux, le secteur secondaire emploie péniblement entre 10 et 20 % de la population active totale. Dans une dizaine seulement de ces États l'industrie occupe environ 30 % de la population active. Les services offrent souvent des

couchées les dernières, elles commencent cette journée le balai à la main. La maison, la cuisine, la cour, les alentours. Plus vite écrit que fait. Suit le nettoyage des ustensiles de cuisine et de la vaisselle, tâche rarement effectuée la veille au soir.

Rarement aussi, il reste de l'eau de la veille. La corvée de l'eau est ainsi une des premières à accaparer le temps de la femme africaine, tant il est vrai que pour la majeure partie de la population, l'eau courante à la maison constitue un rêve inaccessible. Un seau à la main, une cuvette sur la tête, il faut aller s'approvisionner à la fontaine publique, tour à tour en eau de boisson, pour la préparation des aliments, et pour les autres usages domestiques. Au moment où elle accomplit son dernier voyage la citadine a déjà des kilomètres dans les jambes. Et il n'est pas encore 8 heures du matin! Et encore, elle peut s'estimer heureuse. Dans la plupart des villes africaines, l'eau n'est qu'exceptionnellement rare. Elle est potable. Le chemin vers la fontaine ne relève pas du parcours du combattant. Dans les campagnes, en revanche, il en va tout autrement. A la mauvaise saison surtout, le trajet vers la source tient de l'exploit quotidien.

La deuxième corvée est celle du bois. Même si l'usage des cuisinières à gaz se répand, pour beaucoup d'Africains les repas se préparent encore sur l'antique foyer à trois pierres. Les villes s'étant étendues et la végétation éloignée, en tout cas pour ce qui est des zones boisées, en agglomération, le bois de feu s'achète chez le détaillant.

Les campagnardes quant à elles, la machette à la main, s'en vont souvent chercher le bois assez loin. Lorsqu'elles reviennent au logis, leur fagot sur la tête ou sur le dos, elles savent déjà que le lendemain, ou au mieux le surlendemain, elles devront recommencer, tout comme les jours suivants.

Faire le marché, cuisiner, laver, repasser, coudre, raccommoder. Selon un dicton de chez nous, « pour une femme, il y a toujours quelque chose à faire dans sa maison ». Or, il n'y a pas que la maison. Pour les Africaines rurales, par exemple, les travaux des champs s'ajoutent au reste. Les cultures vivrières les concernent. Puis, selon la saison, elles enlèvent et calcinent les arbres abattus par les hommes, sarclent les mauvaises herbes. Le moment venu, elles moissonnent, transportent, engrangent et s'occupent de la commercialisation de la moisson. Nous allions oublier les soins aux enfants. En cas de maladie de l'un d'eux, l'hôpital constitue le dernier recours. Encore faut-il qu'il en existe un, qu'il ne se trouve pas à des années-lumière, que pour s'y rendre il y ait des moyens de locomotion, et de quoi faire face à la dépense. La mère, aidée des voisines, est donc souvent infirmière, aussi.

Lydie Dooh-Bunya

débouchés plus nombreux. Mais les pourcentages sont trompeurs, car le sous-emploi est une donnée structurelle du secteur secondaire du tiers monde : dans de nombreux pays, l'État recrute au-delà de ses besoins réels la majeure partie des jeunes sortis de l'université, mais cette fonction publique souvent pléthorique est sous-payée et ne tire qu'une partie de ses revenus de ses activités officielles.

L'importance de la population en quête d'emploi, l'absence de protection sociale contraignante qui garantisse un minimum de sécurité aux travailleurs, l'étroitesse du marché officiel du travail ont partout gonflé l'importance du secteur « informel » qui recouvre des réalités très différentes – du travail manufacturier non déclaré, entrant pour une part non négligeable dans le produit intérieur brut des pays concernés, aux petits métiers urbains de revendeurs de cigarettes au détail ou de cireurs de chaussures. On estime actuellement à un milliard le nombre de citadins du tiers monde tirant l'essentiel de leur subsistance du secteur non structuré, dont les activités fournissent un quart à un tiers du revenu total de l'ensemble des citoyens. En Afrique, ce secteur absorbe près des deux tiers de l'emploi urbain total.

Le travail des enfants

Jouant le rôle d'une véritable soupape de sécurité en matière sociale, cette immense économie souterraine pourrait offrir davantage de travail si elle faisait l'objet d'une réelle préoccupation de la part des pouvoirs publics. On y trouve souvent en effet les activités les plus consommatrices de main-d'œuvre, les plus adaptées à l'environnement local et les moins dévoreuses de capital. Mais l'absence totale de règles qui la caractérise peut aussi être un facteur aggravant le chômage : ainsi, le recours au travail des enfants, encore moins bien payés que leurs aînés et corvéables à merci, accroît dans bien des cas le chômage des adultes.

Enfin, dans une grande partie du tiers monde, le travail ne crée pas de travail : les rémunérations moyennes sont si dérisoires qu'elles sont incapables de créer un marché intérieur solvable générateur d'activités productives. La surexploitation de la main-d'œuvre devient un facteur limitant de la croissance économique elle-même : en Inde, le marché consommateur de produits industriels durables est estimé à une centaine de millions de personnes sur près de 750 millions d'habitants; au Brésil, il n'excède pas 40 millions sur une population totale de 130 millions. Et la tendance actuelle est plutôt à l'aggravation puisque, sous l'effet des politiques déflationnistes mises en œuvre un peu partout, les salaires réels ont diminué depuis le début de la décennie : de 15 % depuis 1984 en Tunisie, de plus de 10 % en Argentine entre 1981 et 1982.

La situation se débloquera-t-elle avant de ne plus pouvoir être gérée? Les sociétés du tiers monde qui, quelle que soit leur diversité, sont confrontées à ce problème sauront-elles offrir à leurs peuples un travail sans lequel aucune vie digne n'est possible? La question doit être posée différemment : seuls de profonds changements dans la distribution des outils de production, dans le choix des stratégies économiques, dans les politiques sociales, mais aussi dans l'actuelle division internationale du travail permettront de valoriser l'énorme potentiel humain du tiers monde. Mais il ne faut pas se leurrer : à moins d'un improbable miracle, les sans-travail du tiers monde se compteront encore par centaines de millions à l'aube du millénaire qui s'annonce.

INÉGALITÉS

Il y a « un Nord dans le Sud ». On ne peut plus considérer le tiers monde comme un espace économique homogène.

par Charles Condamines

Avec l'industrialisation de certains pays, de certaines régions, on ne peut plus considérer le tiers monde comme un espace économique homogène.

Encore une supériorité! Dans les pays riches, les chiffres de la pauvreté sont plus exacts que dans les pays du tiers monde. Tout d'abord parce que les calculs sont plus fiables et les relevés plus exhaustifs. Ensuite parce qu'en Occident l'activité économique est largement monétarisée. On peut compter l'argent et donc calculer au plus juste le sacro-saint P N B (Produit national brut). Divisé par le nombre d'habitants, il est facile alors d'obtenir le revenu par tête.

Dans les pays du tiers monde en revanche, les statistiques sont moins fiables. Surtout, l'usage de la monnaie est lui aussi sous-développé. Si un paysan se nour-rit simplement du fruit de sa récolte, il n'intéresse pas le P N B. Mais s'il est chassé de sa terre et doit acheter sa nourriture, le P N B le prend en considération. Et cela sans que son bien-être ou sa production se soient pour autant améliorés. Quoi qu'il en soit, il est fort probable que l'amélioration des performances économiques des pays en développement ne reflète que leur progressive monétarisation. Il est donc difficile d'évaluer précisément la situation économique des pays du tiers monde.

Les miettes de la pauvreté

Ces précautions prises, examinons toutefois les chiffres dont nous disposons pour établir une carte de la pauvreté. La Banque mondiale établit chaque année

	FAIBLES REVENUS	REVENUS INTERMÉDIAIRES		EXPORTA-TEURS DE PÉTROLE : REVENUS ÉLEVÉS	PAYS INDUSTRIELS À L'ÉCONOMIE DE MARCHÉ
		Inférieurs	Supérieurs		
Population (en millions d'habitants)	2 354	665	500	18	729
P N B par habitant en dollars U S	260	750	2 050	12 370	11 060
croissance annuelle moyenne (en %) [a]	2,7	2,9	3,8	3,8	2,5
Espérance de vie à la naissance (en années)	59	57	65	59	76
Inscrits à l'école secondaire (en % — groupe d'âge pertinent) [a]	20 à 30	16 à 35	26 à 51	10 à 44	71 à 87
Mortalité infantile pour mille enfants de moins de 1 an [a]	122 à 75	127 à 87	92 à 59	153 à 90	24 à 10
Part de l'industrie dans le P I B (en %) [a]	29 à 34	31 à 36	35 à 37	5 à 6	29 à 24
Part des produits primaires dans les exportations totales (en %) [b]	76 à 50	92 à 81	79 à 51	98 à 96	30 à 26

Tableau 1. LA PAUVRETÉ EN CHIFFRES

a. De 1965 à 1983 ; b. De 1965 à 1982.
Source : Banque mondiale, *Rapport sur le développement 1985.*

le palmarès de la richesse. Les pays sont tout simplement classés par tranches de 30 ou 40 unités selon le montant de leur revenu par habitant. Tout en bas de l'échelle ou plutôt de la pyramide, voici donc 35 pays à « faible revenu » : de 0 à 3 200 F de revenu annuel par personne. Ce peloton rassemble la moitié de la population mondiale. En moyenne, les 2 milliards 400 millions de personnes qui le composent ont disposé, en 1983, de 1 700 F chacune. C'est une moyenne ! Les habitants du Bangladesh ou de l'Éthiopie ont dû « faire avec » la moitié de cette somme. Et là aussi s'agit-il d'une moyenne : les généraux

Eshrad ou Menguistu qui règnent respectivement à Dacca et Addis-Abéba doivent se situer bien au-dessus et leurs paysans bien au-dessous...

Au milieu de la pyramide, nous trouvons une soixantaine de pays « à revenu intermédiaire » : 1 milliard 200 millions de personnes prennent place dans cette sorte de duplex. Ce casier est en effet divisé en deux étages : l'étage inférieur (3 200 à 12 000 F) et le supérieur (jusqu'à 56 000 F).

Les « pays exportateurs de pétrole à revenu élevé », sorte de nouveaux riches, constituent une catégorie spéciale. Peu nombreuse mais très fortunée. Viennent enfin les pays industrialisés à économie de marché (720 millions d'habitants et 90 000 F de revenu). Les pays de l'Est font l'objet d'une section particulière souvent laissée vide par manque d'information.

Pour la Banque mondiale, sont donc considérés comme pays en développement les pays ayant un revenu par tête inférieur à 7 000 dollars par an. Ils regroupent 75 % de la population mondiale et disposent d'environ 20 % des richesses produites. La croissance du PNB par habitant semble assez largement coïncider avec la progression d'un certain nombre d'indicateurs sociaux, directement liée aux ressources et à l'amélioration des conditions de vie : mortalité infantile, fréquentation scolaire, espérance de vie. Mais les exceptions sont nombreuses, par exemple le Sénégal, classé pour le revenu dans la catégorie intermédiaire, affiche pour les

hommes une espérance de vie de seulement 44 ans et un taux de mortalité infantile de 140 pour mille ; pour l'Arabie saoudite (100 000 F de revenu annuel), les chiffres sont respectivement de 50 ans et de 101 pour mille.

De manière tout aussi générale, on peut enfin observer que la répartition des revenus à l'intérieur de chaque pays est d'autant plus inégalitaire que le pays est plus pauvre. Aux Népal, Malawi, Kénya, Pérou, Panama et en Zambie, 10 % de la population accaparent plus de 40 % de la richesse nationale et même plus de 50 % dans le cas du Brésil. Parmi les exceptions à cette règle, il faut mentionner la Corée : le même pourcentage de privilégiés (10 %) doit se contenter d'un peu plus du quart du gâteau national (27 %). Contre un peu plus de 30 % en France ou en Australie.

On le voit, sur notre petite planète, à l'intérieur de la

QUI DORT DÎNE.

JE SUIS INSOMNIAQUE !

AUTRET.

famille humaine, les inégalités sont gigantesques. Un Français dispose en moyenne d'un revenu cent fois supérieur à celui d'un habitant du Bangladesh.

La pauvreté des théories

Voilà donc présentée une photographie très aérienne et instantanée de la pauvreté dans le monde. Mais dans la durée, que se passe-t-il?

Les réponses à cette question sont à la fois multiples et contradictoires. Au cours des vingt dernières années, les pays en développement ont réalisé d'énormes progrès économiques et sociaux. Leur production a augmenté de 6 % par an en moyenne. C'est-à-dire plus vite que celle des pays riches. L'espérance de vie est passée de 42 à 59 ans. La mortalité infantile a chuté de moitié et le nombre des enfants fréquentant l'école primaire a plus que doublé. En bref, ces pays sont dans une phase de rattrapage. On peut dire aussi que dans presque toute l'Afrique, le revenu réel par habitant n'est pas plus élevé, en moyenne, qu'il ne l'était en 1970. Dans la plupart des pays d'Amérique latine, il est retombé à son niveau de 1975. Bien sûr les taux de croissance ont été généralement plus élevés au Sud qu'au Nord. Mais il y a de nombreuses exceptions. De 1965 à 1983 le Zaïre a vu chuter sa production par habitant de 1,3 % par an, l'Ouganda de 4,4, le Ghana de 1,1, la Zambie de 1,3, le Nicaragua de 1,8 %, etc. Et si l'on compare les taux de croissance, il ne faut pas perdre

Tibor Mende, pessimiste et utopiste

En exergue de l'un de ses livres (*Regards sur l'histoire de demain*, Le Seuil, 1954), Tibor Mende situe en ces termes la démarche intellectuelle qui sera la sienne tout au long d'une vie ponctuée par une quinzaine d'ouvrages et une multitude d'articles : « Je n'entends point participer ici aux discussions idéologiques et politiques du moment, mais plutôt replacer les choses dans une meilleure perspective... » Et encore cette citation de Bertrand Russell : « Il n'y a plus d'espoir pour le monde si le pouvoir ne peut pas être apprivoisé et placé au service non de tel ou tel groupe de tyrans fanatiques, mais de l'espèce humaine tout entière, Blancs, Jaunes et Noirs, fascistes, communistes et démocrates; car la science les a rendus solidaires : ils doivent vivre ou mourir ensemble. »

Sirius donc, délibérément au-dessus de la mêlée des passions et des contingences, visionnaire et pionnier, pessimiste et utopiste, ce Hongrois – il est né à Budapest en 1915 –, économiste et journaliste naturalisé français après des études à Londres, homme d'action et de réflexion, a, bien avant Bandung, découvert le tiers monde, aux problèmes duquel il a

de vue les ordres de grandeur en présence : soit, par exemple, deux pays ayant respectivement 100 et 1 000 F de revenu. Si les deux progressent de 10 %, le premier aura 110 et le second

consacré l'essentiel de son travail.

Journaliste économique à l'*International Herald Tribune* après la guerre, il part effectuer son premier grand reportage en Inde, bientôt suivi de voyages en Birmanie, en Indonésie, au Pakistan, au Japon, en Indochine. Les livres qu'il en rapporte (*La Révolte de l'Asie, L'Inde devant l'orage, L'Asie du Sud-Est entre deux mondes, Au pays de la mousson, Regards sur l'histoire de demain, Conversations avec Nehru, Soleils levants*, etc.), traduits dans une douzaine de langues, témoignent du désarroi des pays du tiers monde et appellent au nécessaire recentrage autour de l'Asie. Un quart de siècle avant tout le monde, il plaide pour un véritable dialogue Nord-Sud et, bien avant que l'idée ne devienne à la mode, il place le nouveau « centre de gravité » des relations internationales autour de l'Asie et du Pacifique.

En 1964, Tibor Mende entre à l'ONU, où il ne restera que quelques mois, puis à la Conférence des Nations unies pour le commerce et le développement (CNUCED). De cette expérience, il tire en 1972 ce qui restera sans doute comme œuvre la plus achevée, celle d'où il prend le plus de hauteur et à laquelle il donne un titre lapidaire : *De l'aide à la recolonisation* (Le Seuil, 1972).

Sans aucune indulgence et sans aucun tabou, sans idée reçue et sans ménagement pour personne, à l'Ouest et à l'Est, il tire ainsi de ses années passées au service du développement et de l'aide multilatérale dans le système des Nations unies la « leçon d'un échec ». Un échec, l'aide au tiers monde – il n'emploie guère le mot de « pays en voie de développement », qu'il juge hypocrite – l'est bel et bien : selon Tibor Mende, son objectif ultime n'est pas de soulager des peuples, mais de maintenir une domination sur des États par l'intermédiaire d'élites corrompues ou subjuguées par les forces conservatrices.

La solution ? Dans l'état actuel de domination du Nord sur le Sud, il redoute pour le tiers monde ce qu'il appelle la « tentation de la quarantaine volontaire » : « Intégrés dans le marché mondial comme ils le sont, regardant vers l'extérieur, du Sud au Nord, à la recherche de perspectives économiques, les pays sous-développés ne peuvent guère discerner grand-chose de vraiment encourageant dans le panorama des années qui viennent. » Ce qui était vrai au début des années soixante-dix l'est encore à la fin des années quatre-vingt.

Ce pessimisme qui rien n'illusionne prédit les pires violences si, contrairement à ce qu'ont fait vaille que vaille l'Est et l'Ouest dans le domaine des armements et de la dissuasion nucléaire, le Nord et le Sud ne trouvent pas les moyens d'un *modus vivendi* acceptable pour la morale des hommes du Nord et le ventre des affamés du Sud. Tibor Mende est mort en 1984, au Canada, où il donnait une conférence.

Christian Biau

1 100 F. L'écart s'est élargi. Même si le deuxième ne progressait que de 1 %, l'écart entre les deux resterait inchangé (990 F). L'évaluation de la pauvreté varie selon le mode de développement qu'on préconise et les objectifs qu'on souhaite atteindre.

D'un côté, il y a les « développementalistes ». Pour eux, le sous-développement est une étape dans la marche vers le développement. La voie est *grosso modo* la même pour tous et il n'y en a qu'une seule (diminution des activités primaires, industrialisation, insertion dans les échanges internationaux, etc.). Bien sûr, il y a des coûts sociaux. L'Europe du XIXᵉ siècle n'en a-t-elle pas connu d'effroyables? Sur le chemin désormais ouvert par les pionniers de l'aventure moderne, les attardés ont le grand avantage de se trouver en territoire connu. Ils rattraperont d'autant plus vite leur retard que les premiers partis seront plus prospères, dynamiques et généreux. Et ils le sont : leur morale et leur intérêt les y contraignent. Que deviendraient les wagons si la locomotive tombait en panne? Encore faut-il qu'ils s'accrochent. Justement, rétorquent les théoriciens de l'anti-impérialisme et d'un certain tiers-mondisme, ces wagons feraient mieux de décrocher du train de l'économie mondiale. Ou en tout cas de prendre

Tableau 2. Population et P N B par habitant en 1980

	PNB EN 1980 (en milliards de dollars)	POPULATION EN 1980 (en millions d'habitants)	PNB EN 1980 PAR HABITANT (en dollars)	1965-1973
Pays en développement	2 059	3 119	660	4,1
Pays à faible revenu	547	2 098	260	3,0
Asie	495	1 901	260	3,2
Chine	284	980	290	4,9
Inde	162	687	240	1,7
Afrique	52	197	270	1,3
Pays à revenu intermédiaire importateurs de pétrole	962	579	1 660	4,6
Asie de l'Est et Pacifique	212	162	1 310	5,6
Moyen-Orient et Afrique du Nord	25	31	830	3,5
Afrique au sud du Sahara	26	33	780	2,0
Europe méridionale	214	91	2 350	5,4
Amérique latine et Caraïbes	409	234	1 750	4,5
Pays à revenu intermédiaire exportateurs de pétrole	550	442	1 240	4,6
Pays à revenu élevé exportateurs de pétrole	229	16	14 050	4,1
Pays industriels à économie de marché	7 477	714	10 480	3,7

a. Estimations; *b.* Projections.
Source : Banque mondiale, *Rapport sur le développement 1985.*

la distance nécessaire à leur propre essor. Car le train est piégé; le développement d'une minorité se nourrit du sous-développement d'une majorité; entre le fort et le faible, les échanges ne peuvent qu'augmenter l'avantage du premier. Sus donc aux multinationales qui sont les principaux artisans de ces échanges prétendument intégrateurs!

Voyez les fabuleux succès remportés par les nouveaux pays industrialisés (NPI), disent les

ET TAUX DE CROISSANCE, 1965-1984

TAUX MOYEN DE CROISSANCE ANNUELLE DU PNB PAR HABITANT (EN %)

1973-1980	1981	1982	1983ᵃ	1984ᵇ
3,3	0,8	− 0,7	− 0,1	2,1
3,1	2,0	2,8	5,2	4,7
3,5	2,5	3,4	6,0	5,3
4,5	1,6	5,8	7,6	7,7
1,9	3,5	0,4	4,2	2,0
0,0	− 1,7	− 2,6	− 2,6	− 1,5
3,1	− 0,8	− 2,0	− 1,6	1,1
5,7	3,7	1,9	4,5	3,4
4,3	− 2,5	2,6	0,5	− 1,3
0,5	4,1	− 4,8	− 5,4	− 5,4
2,9	0,2	0,3	− 0,5	0,2
2,9	− 4,1	− 4,8	− 4,5	1,1
3,1	1,5	−2,3	− 3,6	0,1
6,2	− 1,1	− 7,8	− 14,1	− 6,4
2,1	0,7	− 1,0	1,5	4,3

partisans de Rostow. Regardez plutôt le colossal endettement du tiers monde et le développement du sous-développement dans les pays les moins avancés (PMA), répondent les lecteurs de Gunder Frank et de Samir Amin. Ce genre d'arguments ne fait guère avancer la connaissance des réalités concrètes. Celles-ci sont, ô combien! plus mouvantes et complexes...

Certes il y a eu des empires et des colonies, des centres et des périphéries. Lorsque l'hégémonie fut anglaise, la périphérie a effectivement fourni des matières premières, attiré des capitaux et accueilli des migrants d'origine européenne. C'est à ce moment-là que la « division internationale du travail » a imprimé le plus solidement sa marque sur la marche du monde. Il en porte encore aujourd'hui des traces très profondes. Mais par la suite, les lignes de partage se sont déplacées et modifiées.

Lorsque l'hégémonie fut nord-américaine, les pays riches se sont davantage centrés sur eux-mêmes: ils ont d'abord produit chez eux et pour eux (fordisme, keynésianisme). Et si les échanges internationaux ont augmenté plus vite que la production, c'étaient essentiellement des échanges entre riches. Entre 1948 et 1970, la part de l'Afrique ou de l'Amérique latine dans les exportations mondiales a diminué de moitié. Et on peut penser que c'est de cette commune marginalisation que le tiers monde tire la force de son unité politique.

A partir des années soixante-dix, la tendance à l'exclusion se retourne et la participation des pays en développement aux échanges internationaux augmente rapidement. Surtout, il est devenu impossible de considérer le Sud comme un espace économique homogène.

La vieille division internationale du travail n'a pas disparu. Elle régit encore largement le destin de la plupart des pays en voie de développement, en particulier les plus pauvres et les moins peuplés. Mais les produits industriels représentent aujourd'hui 59 % des exportations de l'Inde. Et que dire de la Corée, du Mexique ou du Brésil? Celui-ci exporte des poulets, mais aussi des voitures, des séries télévisées et des armes. En 1980, dans ses échanges avec les autres pays du Sud, le géant latino-américain a réalisé un excédent de plus de 3 milliards de dollars. La Corée a fait encore mieux avec 4 milliards. Comme le dit l'économiste chilien Carlos Ominami, « il y a donc bien un Nord dans le Sud ». Un petit nombre de pays en développement ou, plutôt, certains espaces à l'intérieur de ces pays se sont réellement industrialisés, et cette industrialisation n'a pas toujours été prioritairement ou exclusivement tournée vers l'extérieur. Le « fordisme périphérique » existe bel et bien. En 1960, l'Angleterre était six fois plus riche que la Corée. Vingt ans après, elle ne l'était que trois fois plus.

La pauvreté en morceaux

En 1950, l'écart entre les pays les plus pauvres et les titulaires d'un revenu intermédiaire était de 1 à 4. En 1980, cet écart

Chief Fernandez, milliardaire noir

Du haut de ses deux mètres, ce chef Yoruba contrôle ses interlocuteurs à l'aide d'une canne argentée surmontée d'un pommeau d'ivoire, qu'il agite si le ton monte. Sa chevalière en or sertie d'une grosse pierre précieuse vient tout droit de la place Vendôme et son costume trois-pièces est *made in France*. Il ne dédaigne pas qu'on fasse de lui des portraits grandeur nature, revêtu de tous les insignes traditionnels d'*obagunwa d'Oyo*. Pourtant c'est en France que cet anglophone du Nigéria, grand admirateur du général de Gaulle, compte bien prendre sa retraite. Dans cette perspective, il a déjà acquis le château du général Billotte, près de Senlis.

Mais pour l'heure, *Chief* Antonio Alberto Eduardo Deinde Fernandez, 50 ans, se consacre entièrement aux affaires politiques et aux affaires tout court. C'est au Nigéria qu'il a débuté. Aujourd'hui sa réussite est matérialisée par un gratte-ciel à Lagos, la Fernandez Tower, et par une usine de réfrigérateurs. En 1980, alors que le Nigéria bascule dans une nouvelle période de turbulences peu propice aux affaires, notre « roi du frigo » choisit de résider à Washington et à Genève. Cela ne l'empêche pas de revenir souvent en Afrique, notamment dans sa partie australe, car il est convaincu que c'est là que se joue le destin de l'Afrique contemporaine. C'est là aussi que se trouvent les plus grandes richesses du continent noir !

Alors qu'il est déjà à la tête de

dizaines de sociétés, il s'implante peu à peu en Afrique australe : « Un marché formidable si on y rétablit la paix », dit-il. Pour cela, il se consacre d'abord à des missions diplomatiques secrètes, grâce à un ami tanzanien ancien membre du FRELIMO, le Front de libération mozambicain au pouvoir au Mozambique. La famine, la sécheresse, la guérilla antimarxiste et la désorganisation de l'économie mozambicaine sont pour Chief Fernandez l'occasion d'intervenir. Un exemple : à Maputo, les deux cents Fiat 1800 qui avaient remplacé les taxis portugais n'étaient plus utilisables après six mois, faute de pièces de rechange. « J'ai alors dit au président Samora Machel : Laissez-moi mettre dans les rues de la capitale une vingtaine de taxis à moi, que je gérerai à ma manière, sans intervention de l'État. Ça a marché et Samora m'a vite compris ! »

Reaganien de la première heure et grand apôtre du capitalisme, Chief Fernandez utilise ses relations américaines, notamment chez les conservateurs : George Shultz surtout, grâce à Melvin Laird, ancien responsable de la Défense sous Nixon. Son plan est simple : éviter l'embrasement généralisé de l'Afrique australe, tout en luttant contre le régime raciste sud-africain. Pour cela, il faut établir un contact direct et discret entre l'administration américaine et les gouvernements d'Angola et du Mozambique. Des rencontres ont lieu dans le Connecticut entre, d'un côté, l'Angolais Kito Rodrigues et le Mozambicain Jacinto Veloso et, de l'autre, George Shultz, le moins ultra de l'équipe dirigeante américaine. C'est ainsi que d'importants « accords de coexistence pacifique » sont signés, entre l'Angola et l'Afrique du Sud (à Lusaka en Zambie) et, en 1984, entre le Mozambique et l'Afrique du Sud (à Nkomati sur la frontière commune). Pour le capitaliste nigérian, la *pax africana* passe par Washington et, surtout, par la relance des économies locales. Au passage, il ne s'oublie tout de même pas !

Devenu consul honoraire du Mozambique (qu'il représente aux Nations unies), conseiller particulier du gouvernement angolais, Chief Fernandez s'intéresse autant au pétrole, au café et aux diamants angolais qu'aux pierres précieuses mozambicaines. Au Swaziland tout proche, il achète 50 % des parts détenues par une compagnie sud-africaine : la Swaziland Meat Corporation qui importe de la viande du Mozambique. Mais c'est en Angola que Chief réalise ses meilleures opérations en constituant une société d'import-export, la Tradeangol : 70 % État, 30 % Chief Fernandez. Elle fait vite des jaloux, notamment à la Sonangol, la société d'État d'exploitation et de commercialisation du pétrole, car on constate que le Chief ne se contente pas du tabac et du café, mais exporte aussi le pétrole. Le premier contrat porte d'ailleurs sur 10 000 barils de pétrole par jour. Un scandale éclate peu après dans les hautes sphères du régime angolais. Chief est vite montré du doigt. Certains vont jusqu'à l'accuser d'être un agent de la CIA, insulte suprême en Angola !

Pourtant, Fernandez ne se fait pas trop de soucis. Il a toujours l'oreille du président Dos Santos. Il répète : « Je suis propre... vous savez, je ne suis qu'un businessman. » S'agit-il de l'homme d'affaires le plus riche d'Afrique ? « Non, dit-il, l'un des plus riches seulement. » Mais ceux qui le connaissent bien le surnomme tout de même « le milliardaire noir ».

E. Co.

passe de 1 à 10. Si le tiers monde a été l'unique patrie de tous les pauvres de la terre, cette patrie est aujourd'hui déchirée en mille morceaux. D'un côté, il y a le petit nombre de ceux qui ont pu s'agripper à la croissance. Ils ont réussi à faire pousser chez eux la graine du fordisme.

De l'autre côté, le plus grand nombre est resté trop pauvre pour compter. Il n'intéresse guère ni les multinationales, ni les investisseurs, ni les hommes d'affaires, ni les négociants. Pour tous ceux-là le risque d'être exploités est encore moindre que celui d'être marginalisés et exclus. Et il n'est pas sûr que cette situation soit enfin l'occasion de leur décollage autocentré. Sans parler des pays qui achètent leur pétrole et de ceux qui le vendent. De ceux qui ont accès à la mer et de ceux qui sont enclavés.

De ceux qui ont une dimension continentale et de ceux qui comptent moins de 10 millions d'habitants. Ainsi, l'Inde, le Brésil ou le Mexique peuvent avoir un marché intérieur de grande taille, c'est-à-dire aussi considérable que celui de la Belgique, et en même temps être peuplés de dizaines ou de centaines de millions de « pauvres absolus ».

Bien sûr l'instabilité et souvent la baisse des cours des matières premières continuent de peser de tout leur poids. Tout comme les mesures protectionnistes décidées par les pays riches. La charge de l'endettement est devenue écrasante. Aujourd'hui le coût du dollar et les taux d'intérêt fixés à Washington menacent autant l'avenir des NPI (nouveaux pays industrialisés) que celui des pays les plus pauvres. ◼

DROITS DE L'HOMME

Bokassa, Somoza, Duvalier, Nguema, Pol Pot, Amin Dada et Marcos sont partis. Mais on torture toujours et de nouvelles « techniques » sont utilisées pour éliminer toute opposition.

par Philippe Malvé

« Désormais, dans ce pays, il n'y a plus de prisonniers détenus pour des raisons politiques. » Des dizaines de chefs d'État ont prononcé cette affirmation après l'annonce d'une amnistie. Hélas! Ces paroles interviennent souvent après de multiples dénégations de ces mêmes chefs d'État quant à la reconnaissance de prisonniers d'opinion dans les cellules du régime.

Les détentions arbitraires sont le lot quotidien des citoyens des trois quarts des pays. On peut être emprisonné sur le simple soupçon de ne pas être en accord avec la politique du gouvernement en place. Mais on peut aussi, pour le même motif, être torturé, « disparaître » ou être exécuté.

« En juillet 1985, trois membres de la police judiciaire ont été démis de leurs fonctions et placés à la disposition de la justice après la mort sous la torture d'Ernesto Jesus Garcia, prévenu de droit commun. » Cette phrase est extraite d'une page, consacrée au Vénézuela, du *Rapport 1986* d'Amnesty International. Les quelque quatre cents pages de ce rapport constituent une longue litanie des violations des droits de l'homme dans le monde. Pour ces victimes de l'intolérance, peu, voire pas de recours possible : pas de Constitution ni de séparation des pouvoirs exécutif et législatif. Dans certains pays, des règles non écrites, mouvantes au gré des événements politiques, font office de Code pénal. En bref, les fondements d'un régime démocratique sont soit inexistants, soit bafoués.

Handicap supplémentaire pour le respect des libertés individuelles : le système de parti unique instauré dans la grande majorité des pays du tiers monde. Toute opposition y est, par définition, illégale.

Deux exceptions

Notons cependant deux exceptions remarquables. La première est constituée par l'Inde et ses huit cents millions d'habitants. Les nombreux partis politiques ont droit de cité. Leur liberté d'expression et de réunion est garantie : du Parti communiste de l'Inde (marxiste, au pouvoir dans l'État du Bengale) au Bharatiya Janata Party (la droite hindouiste), en passant par le Congrès national indien (le parti du Premier ministre), tous peuvent participer aux élections et faire campagne.

La seconde exception est le Sénégal. Dans un continent africain pourtant fort avare en régimes multipartis, le président Diouf a su préserver le système pluraliste inauguré par son prédécesseur, Léopold Sédar Senghor : l'échiquier politique va de l'extrême gauche à l'extrême droite.

Ce pluralisme politique n'empêche toutefois pas des abus en matière de répression. Ainsi, en

Inde, la « loi sur les activités terroristes et déstabilisatrices », instaurée en mai 1985 pour une période de deux ans, prévoit l'application de peines sévères à la fois aux auteurs d'attentats et aux individus dont les activités sont jugées « déstabilisatrices ». Lesquelles sont définies, si l'on peut dire, comme « toute action qui, en actes, en paroles ou par tout autre moyen, remet en

Afghanistan : une guerre hors normes

Désert de cailloux et de ronces; désert médical; désert humanitaire; désert légal; l'Afghanistan en guerre se situe en dehors de toutes les normes, et les médecins et observateurs occidentaux qui s'y risquent doivent y transporter leurs propres références culturelles et juridiques avec le reste de leur matériel dans leurs sacoches de selle.

En dehors de toutes les normes? Celles du droit de la guerre, d'abord. Rappelons que ce conflit est total et sans quartier, non déclaré, sans front, sans règles, sans cadeaux et vise d'abord les civils, n'épargnant pas les prisonniers.

En 1978, dans ce petit pays musulman de quinze millions d'habitants, désespérément pauvre, isolé dans ses montagnes arides au centre de l'Asie entre l'Union soviétique et le sous-con-

question, perturbe ou cherche à perturber directement ou indirectement la souveraineté et l'intégrité territoriale de l'Inde ».

Quant au Sénégal, citons le cas de Boubacar Diop. Journaliste, il est arrêté en août 1985 pour « diffusion de fausses nouvelles et offense au chef de l'État ». En réalité, Boubacar Diop n'a fait que publier une interview de Me Abdoulaye Wade, secrétaire général d'un parti d'opposition, le Parti démocratique sénégalais. A l'évidence, le pluripartisme politique ne constitue pas à lui seul une garantie du respect des libertés fondamentales. Mais il en est une condition de première grandeur.

Les violations des droits de l'homme ne sont bien sûr pas l'apanage des pays du tiers mon-

tinent indien, jusque-là politiquement neutre et ne présentant aucune menace pour qui que ce soit, des officiers pro-soviétiques s'emparent du pouvoir par un coup d'État. Le nouveau régime entreprend une purge impitoyable de sa propre société pour en faire disparaître « les vieux cerveaux ». Bilan de cette politique de massacre à la Khmer rouge : 27 000 exécutions confirmées pour le seul camp de concentration de Pol-é Tcharkhî, à l'est de la capitale, durant une période de dix-huit mois. Les victimes : toute l'élite intellectuelle du pays, des dirigeants spirituels aux ingénieurs formés en Occident.

L'Afghanistan profond se révolte, le gros de l'armée passe à la dissidence, l'administration du pays s'effondre tandis que la résistance s'émiette en autant de vallées et chefferies autonomes. Pour prévenir la chute imminente d'un régime communiste à ses frontières, l'Union soviétique envahit l'Afghanistan en décembre 1979. Sept ans plus tard, la guerre de harcèlement continue. Si l'armée soviétique n'a pas réussi à soumettre la résistance, elle a néanmoins provoqué l'exode de population le plus vaste de la planète : cinq millions de personnes déplacées, un tiers du peuple, réfugiées en Iran et, surtout, au Pakistan. On l'ignore trop : un réfugié sur deux, dans le monde aujourd'hui, est un Afghan.

Privée de son élite éduquée occidentalisée, et mesurant avec amertume sa solitude internationale et la faiblesse de tout soutien venant de l'Ouest, cette population cherche un code de valeurs plus sûr dans la tradition de l'islam. Cela, hélas, à une époque où la civilisation islamique en pleine crise se voit parcourue de tentations intégristes, voire totalitaires, particulièrement dans l'Iran voisin. Au bas mot, l'affirmation de l'islam est celle d'une dignité humaine revendiquée dans l'Afghanistan en guerre. Une exaspération à coloration extrémiste ne peut, toutefois, être exclue à l'avenir, tant la population afghane, soumise à une constante tension guerrière à l'intérieur, à l'oisiveté désespérée des camps de réfugiés à l'extérieur, devient gavée de fiel. L'Afghanistan ? Cette boucherie comparable à l'Arménie de 1915 ou au Cambodge de 1975 obtient à peine un entrefilet de temps à autre dans nos journaux. Une guerre non télévisée n'existe pas. Le peuple afghan nous en veut.

Michael Barry

de. Reste, à l'évidence, à comparer ce qui est comparable : l'emprisonnement temporaire d'un objecteur de conscience est moins grave, au regard de la victime, que l'exécution extrajudiciaire de centaines d'opposants politiques.

Force est toutefois de constater que les cas les plus graves de violation des droits de l'homme sont perpétrés par des États du tiers monde. La presse internationale s'est fait largement écho ces dernières années des atrocités commises au Cambodge, au Centrafrique, en Ouganda, au Chili, en Argentine, aux Philippines. Exécutions, « disparitions », tortures, emprisonnements arbitraires, toute la panoplie a été ou est encore utilisée par ces États pour violer les droits fondamentaux. Un double objectif : supprimer toute opposition et imposer la terreur.

Vouloir établir une typologie des dictatures serait illusoire, tant les causes qui les ont créées sont complexes. Schématiquement, il est néanmoins possible de discerner deux catégories de dictatures. D'une part, celles issues des colonisations française (Centrafrique, Togo, Cameroun ou Guinée, par exemple), britannique (Ouganda notamment) et espagnole (Guinée équatoriale). D'autre part, les pays sous tutelle nord-américaine ou soviétique, considérés comme appartenant à des zones stratégiques (sur les plans économique, politique ou géopolitique) : tel est le cas des pays d'Amérique centrale et d'Amérique du Sud, des Philippines, et de l'Afghanistan.

Il aura fallu attendre la fin des années soixante-dix pour voir tomber les premières dictatures, celles issues principalement des colonisations : Macias Nguema en Guinée équatoriale, Amin Dada en Ouganda et Bokassa en Centrafrique, renversés tous trois en 1979, en sont une illustration. Mais il ne faudrait pas oublier Somoza au Nicaragua, en juillet 1979, ni Pol Pot au Cambodge en décembre 1978.

Une deuxième vague de démocratisation suivra dans les années 1985 et 1986 : le cône sud-américain, avec la chute des dictatures militaires d'Argentine et d'Uruguay ; les Antilles, avec Haïti qui, sous la pression populaire, contraint Jean-Claude Duvalier à l'exil ; l'Asie enfin, où, aux Philippines, le syndrome haïtien se reproduit pour chasser Ferdinand Marcos.

La « technique » sud-africaine

Faut-il en déduire que toute répression a cessé ? Non. Moins massive sans doute, elle n'en demeure pas moins vivace même si elle prend des formes différentes.

A cet égard, la formation progressive de services de sécurité permet aux États d'opérer une sélection plus sévère de leurs victimes. On fera ainsi comprendre à tel individu soupçonné de ne pas partager l'opinion officielle qu'il vaudrait mieux pour lui et les siens, aller vivre sous d'autres cieux. Tel autre se verra emprisonné pendant un temps variable.

Cela correspond d'ailleurs à une nouvelle technique de violation des droits de l'homme. Les

autorités sud-africaines semblent la maîtriser parfaitement. Le processus est le suivant : un individu est interpellé à son domicile, dans la rue ou sur son lieu de travail. Il est gardé à vue (ou transféré en prison) quelques heures, quelques jours au plus. Puis on le libère. Et ce scénario recommence les jours suivants. Plusieurs fois de suite. Cette nouvelle technique est efficace sur trois points : d'abord, les personnes interpellées sont beaucoup plus nombreuses ; ensuite, les familles et les organisations internationales de défense des droits de l'homme disposent de moins de temps pour procéder aux recherches ; enfin, l'intimidation des personnes interpellées est aussi efficace qu'une détention de longue durée.

Un inconvénient toutefois : cette technique exige la mobilisation d'un personnel policier et para-policier considérable. L'Afrique du Sud (comme le Vietnam ou la Turquie) connaît un des taux les plus élevés du nombre de policiers par habitant : plus de 500 pour 100 000 habitants. Le Chili ou

le Paraguay, entre 200 et 300. Le Pakistan ou la Thaïlande entre 100 et 200. Quant aux pays du Sahel et à ceux du golfe de Guinée, ce taux est inférieur à 100.

Pour ce qui concerne les pays sous influence soviétique, et bien que les chiffres ne soient pas disponibles (à l'exception de Cuba), ils semblent particulièrement bien pourvus en forces de sécurité et en matériels. Les « techniciens », venus principalement de la République démocratique allemande, ont organisé un quadrillage de la population souvent efficace.

La quasi-totalité des États qui violent couramment les droits de l'homme sont pourtant signataires de pactes, de conventions ou de traités internationaux qui condamnent de telles exactions et posent les principes juridiques de la protection des personnes. Et, malgré les apparences, les efforts de l'Organisation des Nations unies pour faire adhérer, par exemple, le plus grand nombre d'États à une sorte de « déontologie de la pratique gouvernementale » ne sont pas peine perdue. « Tout progrès dans la législation en faveur des droits de l'homme a suscité un intense débat politique », affirment les auteurs de l'introduction au *Rapport 1986* d'Amnesty International.

De plus, une large diffusion du contenu des débats favorise une condamnation, voire une action, de l'opinion publique internationale contre un État qui ne respecte pas ses engagements. Il est clair à ce sujet que les pressions internationales ont contribué à déposer notamment les dictatures d'Argentine, du Nicaragua ou de Centrafrique.

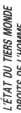

Bourkina : quatre présidents déchus

« Vous ne le savez peut-être pas, mais, moi, je ne voulais absolument pas devenir président de la République. » **Jean-Baptiste Ouédraogo**, quarante-trois ans et chef d'État malgré lui de novembre 1982 à août 1983, était assigné à résidence dans une caserne de Pô, petite ville du Bourkina, lorsque je l'ai rencontré. Médecin-commandant spécialisé en pédiatrie, il venait tout juste de rentrer d'un long stage à Mulhouse, lorsqu'il s'est retrouvé en été 1982 porte-parole d'un mouvement de contestation militaire contre le régime du colonel Saye Zerbo.

Quelques mois plus tard, le premier coup d'État « sankariste » réussit assez facilement. Les putschistes se retrouvent aussitôt après pour se donner un président, et l'unanimité se fait rapidement autour de Thomas Sankara. Mais « il n'a pas voulu accepter, raconte Jean-Baptiste Ouédraogo, et c'est lui qui m'a demandé d'être chef de l'État. Je n'ai pas pu dire non ».

Nommé néanmoins Premier ministre, Sankara se heurte vite à la vieille garde militaire, et notamment au chef d'état-major, Yorian Somé. En mai 1983, il est arrêté par celui-ci, et non par le chef de l'État. « Ma résidence avait été encerclée par les blindés de Somé, comme celle de Sankara, raconte Jean-Baptiste Ouédraogo. Je n'étais au courant de rien. Et finalement j'ai dû accepter la mise à l'écart du Premier ministre Sankara. »

Renversé trois mois plus tard par Sankara, Jean-Baptiste Ouédraogo s'est retrouvé aux arrêts. Il est tout à la fois étonné de pouvoir rencontrer un journaliste et heureux de pouvoir s'entretenir librement avec un étranger : « Je ne me plains de rien. Je lis beaucoup : tous les livres de René Dumont et les romans du Sud-Africain André Brink, mais aussi *Le Monde diplomatique*, *Jeune Afrique* et *Afrique-Asie*. J'écoute aussi Radio-France internationale et la BBC, mais je ne peux rencontrer ma femme et mes enfants qu'une fois par mois, car ils vivent à Ouagadougou (...). Je comprends que Sankara me garde ici. Mais il sait que je n'ai pas envie de faire de la politique. Tout ce que je lui demande, c'est de pouvoir exercer mon métier de pédiatre, même ici à Pô. Notre pays manque de médecins. Sankara a raison de demander aux gens de se retrousser les manches et de ne plus tendre la main. Mais nous aurons encore longtemps besoin de la France... » Il a été libéré en 1986.

Le colonel **Saye Zerbo**, chef de l'État de 1980 à 1982, était détenu, quant à lui, au siège du Conseil national de la révolution, à Ouagadougou, en compagnie de Gérard Kongo, autre dignitaire de l'ancien régime, mais qui avait été arrêté en 1980 par Saye Zerbo lui-même. Tous deux ne partagent pas la même pièce et n'acceptent de me rencontrer qu'après avoir obtenu une autorisation spéciale signée Thomas Sankara. D'emblée Kongo, politicien chevronné, tient à déclarer qu'il est beaucoup mieux traité depuis l'arrivée au pouvoir de Sankara. Il s'adresse aussitôt à Saye Zerbo pour lui déclarer : « Monsieur le président, je ne vous reproche pas de m'avoir jeté en prison. Quand on fait de la politique, on prend des risques. » Je les laisse s'expliquer, ce qu'ils font très courtoisement.

Apparemment en bonne santé, ils ne se plaignent de rien. Leurs familles leur apportent de la bonne nourriture, ils ont droit aux journaux et à la radio. Mais, bien entendu, « je ne comprends pas pourquoi j'ai été condamné ; je n'ai fait qu'appliquer la loi qui existait à l'époque ; et je crois profondément que le tribunal populaire qui m'a condamné a surtout voulu condamner l'ancien système, pas ma personne », dit Gérard Kongo, qui avait été président de l'Assemblée. Saye Zerbo parle moins facilement : « J'ai été condamné par les hommes, Dieu jugera. J'ai fait un coup d'État en 1980, et deux ans plus tard un autre coup d'État m'a renversé. C'est le jeu normal de la politique. »

Avant de prendre congé, ils tiennent tous deux à me confier un « message pressant pour les dirigeants français » : « Dites-leur de ne pas commettre l'erreur de mettre le régime de Sankara en quarantaine. Ce serait vraiment dommage à la fois pour notre pays, pour les pays voisins et pour la France. Les régimes africains changent, il faut que Paris le comprenne et l'accepte. »

Sangoulé Lamizana, général et président de la République de 1966 à 1980, est aujourd'hui un grand-père heureux, « parce que c'est Sankara qui m'a permis de retrouver la liberté », dit-il. Il est passé lui aussi devant les « tribunaux populaires » et il a finalement été acquitté. Témoins à l'appui, il a pu prouver qu'il n'avait pas détourné d'argent, mais uniquement « aidé des pauvres gens qui venaient (lui) demander de l'argent ». Il ne vit pas dans le luxe, mais sa retraite de l'armée française et celle de l'armée vol-

taïque lui permettent d'entretenir sa maison et même d'aider ses enfants. Il reconnaît que son régime était devenu très impopulaire vers la fin de son « règne », et regrette de ne pas avoir su « contrôler les syndicats ». Il parle volontiers de Sankara, en soulignant qu' « il est très populaire », qu' « il a su mobiliser le peuple, en lui disant qu'on ne peut plus attendre les bras croisés, s'appuyer uniquement sur l'étranger ». « Sankara est jeune, dit-il. Je crois qu'il a déjà compris ce dont a besoin ce pays : de paix et de travail. » Il ne se plaint que des conditions de détention des deux premières années : « J'ai dû attendre six mois avant de rencontrer un médecin. Et je n'ai pu rencontrer ma femme qu'une seule fois, pendant vingt minutes. » Mais ce n'est pour lui qu'un mauvais souvenir presque oublié.

Maurice Yaméogo, enfin, le premier président de la Haute-Volta, renversé en 1966 par le général Lamizana, vit lui aussi chez lui, à Koudougou, sa ville natale. Sa jeune femme veille sur lui et n'accepte pas qu'il rencontre des journalistes. Sa méfiance est compréhensible. Arrêté en 1966, Yaméogo a été jugé en 1969 et déchu de ses droits civiques, mais il a pu réintégrer sa maison. Ensuite, il ne peut se reprocher que d'avoir organisé une « marche de soutien » au président Ouédraogo, en mai 1983, au lendemain de l'arrestation du Premier ministre, Thomas Sankara. Lorsque, trois mois plus tard, celui-ci prend le pouvoir, Yaméogo est arrêté. Mais il fait aussitôt amende honorable, et demande publiquement pardon. Sankara décide finalement de le libérer en novembre 1983 : il n'a plus rien à craindre de celui que tout le monde appelle ici « le vieux Maurice ».

E. Co.

La mise au banc des accusés d'un État violant les droits de l'homme a en outre davantage de poids au sein des instances régionales, telles l'Organisation des États américains ou l'Organisation de l'unité africaine. Cette dernière d'ailleurs affectée par les exactions commises en leur temps par Idi Amin Dada, Macias Nguema et Bokassa, a spécialement appelé, en juillet 1979 à Monrovia (capitale du Libéria), à l'élaboration d'un projet de Charte africaine des droits de l'homme. Ce projet a été adopté au cours de l'assemblée générale qui s'est tenue en juin 1981.

Cette charte établit les droits et devoirs des individus, qui doivent être reconnus par les États membres. Mais elle recommande aussi la création d'un organisme spécialement chargé de veiller à la bonne application de ces textes. Il s'agit de la « Commission africaine relative aux droits de l'homme et des peuples », organe composé de onze membres qualifiés d'États parties à la charte.

Son rôle :

« Promouvoir les droits de l'homme et des peuples et notamment :

« rassembler de la documentation [...], diffuser des informations, encourager les organismes nationaux et locaux s'occupant des droits et l'homme et des peuples et, le cas échéant, donner des avis ou faire des recommandations aux gouvernements ;

« formuler et élaborer, en vue de servir de base à l'adoption de textes législatifs par les gouvernements africains, des principes et des règles qui permettent de résoudre les problèmes juridiques relatifs à la jouissance des droits de l'homme et des peuples et des libertés fondamentales ;

« coopérer avec les autres institutions africaines ou internationales qui s'intéressent à la promotion et à la protection des droits de l'homme et des peuples. [...] »

Inspirés de la Déclaration universelle des droits de l'homme, les textes existent désormais. Mais ils ne sauraient, à eux seuls, prévenir les manquements des États signataires. Et, à ce propos, nul doute qu'une meilleure intégration de ces États au sein des instances internationales faciliterait la tâche.

GUERRES

Les guerres se multiplient dans le tiers monde. Aux conflits liés à la décolonisation succèdent des affrontements entre des États toujours plus militarisés.

par Pierre Benoit et Elio Comarin

A l'est comme à l'ouest du Sahara, dans la jungle de Birmanie comme dans celle du Surinam, sur les deux rives du Chatt el-Arab comme dans les neiges du Nanga Parbat au Cachemire, la guerre semble omniprésente dans le tiers monde. Surtout depuis que dans la petite ville de Yalta, le monde – ou plutôt le Nord – a été partagé entre les trois Grands issus de la Seconde Guerre mondiale : l'Américain Roosevelt, le Soviétique Staline et le Britannique Churchill. Les pays du Sud n'ont pas fait l'objet d'un partage formel à cette occasion. Mais il est vite apparu que le continent sud-américain restait solidement dans l'orbite du « grand frère » du Nord ; que l'Afrique demeurait l'affaire des Européens – Est inclus ; et que l'immense Asie ne pouvait que faire l'objet de toutes les convoitises à venir, après que les vieux empires britannique, français,

portugais ou hollandais eurent été obligés de renoncer à leur passé, d'abord dans le sous-continent indien et ensuite dans la péninsule indochinoise.

La grande vague des guerres d'indépendance, qui avait commencé sur le continent sud-américain au XIXᵉ siècle, n'a pas encore tout à fait pris fin. De rares confettis américains, français, britanniques ou autres laissent présager d'autres conflits, parfois tout à fait surprenants, comme celui des îles Malouines entre l'Argentine et la Grande-Bretagne en 1982. Transformés parfois en châteaux forts, ces derniers vestiges de la colonisation côtoient déjà des bases militaires soviétiques, et ensemble ils quadrillent le tiers monde.

Mais force est de constater que d'autres types de guerres ont émaillé l'histoire récente des pays du Sud. Et rien n'indique que celles du Tchad, du Liban, du Sahara, du Cambodge ou du Nicaragua soient sur le point de prendre fin. Décolonisations ratées, désir de reconquêtes, répressions contre les minorités religieuses ou ethniques, rêves sécessionnistes, rivalités de frontières ou idéologiques, enjeux stratégiques liés notamment à la présence de matières premières, persistance de dictatures de droite comme de gauche, militarisation progressive de nombreux régimes : telle est la liste, non exhaustive, des différentes sources des guerres – grandes ou petites – qui s'étendent sur la planète tiers monde. Endogènes ou exogènes, ces guerres n'inquiètent pas outre mesure l'Occident, sinon lorsqu'il est directement impliqué, comme lors des conflits algérien et vietnamien, ou, dans un contexte très différent, lors de la révolution iranienne.

Le Golfe ou la Grande Guerre

Cinq cent mille ou un million de morts, on ne sait exactement : le conflit qui oppose l'Iran à l'Irak, c'est « la guerre de 14 » transposée dans le cadre de l'ancienne Mésopotamie, avec des offensives qui s'enlisent, une guerre de tranchée, des gaz moutarde. Il s'agit de l'affrontement le plus meurtrier depuis la Seconde Guerre mondiale, mais aussi de la reprise d'un conflit millénaire entre Arabes et Persans pour le contrôle des terres fécondes, et riches en pétrole, de l'embouchure du Tigre et de l'Euphrate.

À l'origine de l'affrontement, une classique dispute de frontières : la remise en cause, par Bagdad, de l'accord d'Alger conclu en 1975 entre Saddam Hussein et le chah d'Iran. Le document établissait comme frontière une ligne de partage au cœur de l'estuaire, le Chatt El-Arab. À l'époque, les armées du chah avaient l'avantage stratégique sur l'Irak, et Saddam Hussein s'accommodait assez bien du discours moderniste du maître de Téhéran. En fait, la médiation algérienne ne réglait rien sur le fond, car Bagdad a toujours considéré comme arabe la région du Khouzistan que les Irakiens appellent Arabistan.

À la chute du chah, le régime de Saddam Hussein estima que l'armée iranienne allait se désintégrer dans la tourmente de la révolution khomeyniste : Bagdad saisit alors l'occasion pour reconquérir les territoires du Chatt El-Arab, dont il s'estimait lésé depuis cinq ans.

Les hostilités démarrent dans la quasi-indifférence de la communauté internationale : l'Irak est considéré comme l'agresseur et le conflit strictement bilatéral. Du moins jusqu'en mai 1982, date à laquelle Téhéran parvient à reprendre le territoire perdu lors de l'offensive initiale de l'Irak. Dès lors, les Iraniens laissent passer l'occasion d'une paix honorable et cherchent à pousser leur avantage pour porter un coup décisif au régime honni de Bagdad. Cette détermination des troupes khomeynistes met en relief l'autre aspect du conflit : le contentieux personnel opposant l'imam et le président Saddam Hussein qui avait fait expulser le leader chi'ite un temps réfugié à Bagdad. Au-delà, le différend renvoie à l'affrontement entre deux régimes et deux projets historiques. D'un côté, le parti Baas, au pouvoir à

Bagdad – mais frère ennemi du Baas syrien –, fondé sur une conception laïque de l'État et sur le panarabisme. De l'autre, la révolution chi'ite, mouvement fondamentaliste, s'appuyant sur le pouvoir des mollahs, développant une conception théocratique de l'État et une vision panislamique de l'histoire.

En fait, aucun des pays du Proche-Orient n'échappe aujourd'hui à cette confrontation : le retour en force de l'intégrisme religieux apparaît le plus souvent comme une réplique sans concession aux expériences de laïcité avortées, dont le modèle fut importé d'Occident dans les années cinquante. C'est pourquoi le conflit Iran-Irak met en jeu l'ensemble des contradictions régionales et, au-delà, le rôle des grandes puissances. Il y va d'abord de l'unité de l'Irak, où les Kurdes du Nord, musulmans sunnites, sont en rébellion contre le pouvoir de Bagdad et les Arabes du Sud, chi'ites dans leur majorité. Il y va aussi de l'avenir des régimes arabes dits modérés de la région, comme le Koweït ou l'Arabie saoudite, qui connaissent, eux aussi, un regain de contestation intégriste. Il y va encore de l'équilibre géostratégique dans une région du monde où Moscou garde quelques cartes maîtresses par le biais de son allié syrien, la Syrie

étant elle-même du côté de Téhéran en raison de l'affrontement viscéral opposant les deux régimes baasistes. L'Occident enfin profite des demandes d'armes des belligérants. Au bout du compte, aucune puissance qu'elle soit occidentale, soviétique ou arabe ne tolérera la défaite de l'un des camps. En fait, c'est à l'effondrement possible de l'Irak que tout le monde pense en 1987.

Cette perspective est inconcevable pour les pays arabes dans le cadre de cette résurgence de l'affrontement millénaire avec les Perses. Quant aux grandes et moyennes puissances, elles ne sauraient masquer leurs responsabilités, puisque l'endettement considérable contracté par Bagdad pour ses livraisons d'armes, en particulier auprès de la France, donne la pleine mesure de l'enjeu financier et géopolitique de ce conflit. Un conflit qui englobe désormais la crise libanaise, puisque les otages occidentaux détenus par les groupes chi'ites pro-iraniens servent de monnaie d'échange macabre pour favoriser la victoire de Téhéran.

Mais d'autres conflits, également qualifiés de « régionaux », inquiètent de plus en plus les pays du Nord, à commencer par ceux d'Afrique australe.

L'apartheid ou la stratégie de la peur

« La guerre civile a commencé. Tous les coups sont permis. » C'est ainsi que le poète Breyten Breytenbach qualifie désormais la situation qui prévaut en Afri-

que du Sud depuis une préten-
due réforme constitutionnelle,
qui a littéralement mis le feu
aux poudres, en 1984. La révolte
des Noirs, d'abord larvée puis
très violente, a aussitôt fait
apparaître tous les clivages qui
opposent les différentes communautés – Noirs, Blancs, Métis,
Asiatiques –, mais aussi toutes
les contradictions internes à chaque communauté.

Exclus d'une réforme qui
n'est même pas parvenue à récupérer les Métis et les Asiatiques
(Indiens, Pakistanais ou Chinois), les Noirs ont vite compris
qu'ils n'avaient plus rien à perdre, et qu'ils pouvaient réclamer
« tout et tout de suite » : *amand-
la* (« le pouvoir »). Cette radicalisation est due essentiellement à la crise économique :
près de la moitié des 24 millions
de Noirs vivent en dessous du
seuil de pauvreté absolue. Leur
capital de révolte, dans les ghettos et les mines, s'est multiplié
presque à l'infini, depuis que les
parents d'aujourd'hui (c'est-à-
dire les « enfants de Soweto » de
1976) ont rejoint leurs fils en
révolte. Mais, dès que cette
résistance a commencé à s'organiser, les deux courants historiques de la révolte noire sont
réapparus : des règlements de
comptes sanglants ont éclaté
entre partisans de la Conscience
noire (AZAPO et Steve Biko),
qui prônent la libération des
Noirs par les seuls Noirs, et ceux
de la Charte pour la liberté
(ANC et UDF), qui préconi-
sent la collaboration entre toutes
les communautés, Blancs compris, et sont plus proches des
thèses communistes. Quant aux
Noirs modérés, représentés notamment par le chef zoulou
Buthelezi, ils ont été vite mis sur

Ruben Um Nyobé, Cameroun, 1913-1958

Trente ans après son assassinat
au maquis par les troupes coloniales françaises, alors qu'il poursui-
vait, les armes à la main, la lutte
pour l'indépendance du Cameroun, Ruben Um Nyobé, par son
indéniable stature morale, continue de dominer la vie politique de
son pays, alors que son parti,
l'UPC (Union des populations du
Cameroun), demeure interdit.

Né en 1913 près de Boumnyé-
bél, en pays bassa, Um Nyobé a
connu, enfant et adolescent, les
effets de la Grande Guerre entre
l'Allemagne (qui contrôlait le
Cameroun) et les alliés franco-
britannique. Surtout, en 1919,
quand la France et l'Angleterre
prennent la place de l'Allemagne
au Cameroun, alors que l'indigénat et les travaux forcés sont en
vigueur – notamment dans la
région natale de Ruben Um Nyobé, située entre le grand port de
Douala et la capitale Yaoundé –,
et, tout particulièrement, lors de
l'achèvement du chemin de fer
reliant les deux villes.

Après avoir obtenu le diplôme
de moniteur indigène, il exerce

la touche, voire éliminés lors
d'autres règlements de comptes.

Même la « tribu blanche » n'a
pas été épargnée par cette radicalisation : déjà partagée entre
Afrikaners (d'origine hollan-
daise ou française) et Anglo-
Saxons (d'origine britannique),
cette communauté de cinq millions d'hommes connaît désor-

comme enseignant privé dans des missions protestantes. Admis dans l'administration coloniale, il se distingue particulièrement lorsqu'il travaille à la direction des Finances de Yaoundé. Greffier au tribunal d'Edéa, il se marie et devient père de trois enfants. Il s'intéresse aussi au sport, et sa réputation d'arbitre est excellente. On fait souvent appel à lui pour les grands matches de football.

Quand, en 1944, il participe, à Yaoundé, aux cours de formation du Cercle d'études marxistes du syndicaliste français Gaston Donnat, il s'est déjà fixé une ligne de vie : souci de l'ordre et de la méthode, modestie et honnêteté scrupuleuse. En 1947, Ruben Um Nyobé est élu secrétaire général de l'Union des syndicats confédérés du Cameroun (apparentée à la CGT), et organise les premières revendications des travailleurs. Ce qui lui vaut d'être muté dans les postes les plus éloignés en brousse.

En 1948, il fonde l'UPC, dont le programme pose les revendications populaires d'indépendance et de réunification entre la partie occidentale (française) et orientale (britannique). Il parcourt alors le Cameroun, souvent à pied, de village en village, pour lutter contre l'indigénat et toute autre injustice. On l'appelle le *Mpodol* (« avocat »). Ses réunions publiques sont parfois interdites. Il n'échappe pas à la détention, en

1950, après le premier congrès de l'UPC qui avait connu un grand succès. Il voyage aussi à l'étranger, en France ou vers New York, où il plaide la cause de l'indépendance de son pays.

Ce n'est qu'après l'interdiction de son parti, en 1955, qu'il opte pour la clandestinité et la lutte armée. Durant les trois dernières années de sa vie, ce « combattant de la forêt » continue à œuvrer pour la paix et la réconciliation de tous les Camerounais. Pour cela, il accepte de rencontrer l'évêque de Douala, Mgr Mongo. On tente aussi de l'acheter. L'envoyé spécial du *Figaro* rapporte à ce sujet ces propos d'un ecclésiastique : « On a tout essayé pour le corrompre, même les femmes; il n'y a rien à faire. » Dans le dernier document doctrinal rédigé de sa main, en 1957, il précise notamment que le mouvement national camerounais se fonde sur l'anticolonialisme, l'anti-impérialisme, le panafricanisme, sans distinction entre croyants et athées.

Le samedi 13 septembre 1958, un commando composé de troupes françaises et camerounaises parvient à localiser le leader de l'UPC. Um Nyobé est abattu froidement, sans avoir eu le temps de se défendre. Mais la guérilla se poursuivra jusqu'au début des années soixante-dix. La riposte de l'armée française, puis camerounaise, a été impitoyable : plus de 40 000 morts.

Ndongo Ze

mais d'autres clivages. A l'extrême droite, de nouveaux partis et mouvements armés clandestins sont apparus. Sur l'autre versant, les libéraux sont convaincus que l'*apartheid* est un régime « archaïque » et donc totalement inadapté dans un pays qui n'a rien du tiers monde, car il est déjà engagé dans une

période post-industrielle. Au début de 1987, même l'organisation la plus chère aux Afrikaners (au pouvoir depuis 1948), à savoir le Broederbond – une sorte de confrérie secrète visant à protéger, partout et par tous les moyens, l'« Afrikanerdom » –, a pris position pour des réformes plus radicales.

Véritable puissance régionale et gardienne d'une position géostratégique capitale, l'Afrique du Sud n'échappe guère à la confrontation Est-Ouest. L'or, les diamants industriels et les autres matières stratégiques qu'elle détient, et une puissance économique et militaire inégalée sur le continent africain, lui permettent une politique très agressive vis-à-vis de ses voisins. Ceux-ci ont été obligés de signer des pactes de coexistence avec le « diable blanc ». Et Prétoria peut même se permettre de défier l'ONU, en occupant illégalement la Namibie.

En faisant constamment appel à la « solidarité entre Occidentaux », pour ne pas dire entre Blancs, Prétoria tente de reproduire, en Afrique australe, le cas de figure qui prévaut au Proche-Orient : une communauté pro-occidentale, « menacée » par une « vague de couleur » pouvant mettre en péril l'économie du monde entier, ne peut être abandonnée impunément à son sort. Pour l'heure l'Occident a toujours répondu favorablement aux appels au secours de Prétoria. Mais rien n'indique qu'il soit prêt, en cas de conflit ouvert, à s'engager militairement aux côtés du régime raciste sud-africain, comme au Vietnam dans les années soixante et soixante-dix. Et si c'était le cas, il se retrouverait nécessairement une nouvelle fois face aux Soviétiques et à leurs alliés régionaux.

L'Indochine ou la guerre permanente

Soviétiques et Américains, qui alimentent sur tous les continents des conflits régionaux, comme en Afghanistan, en Angola ou au Nicaragua, n'ont cependant pas le monopole de ces affrontements « bloc à bloc » reflets de la grande confrontation Est-Ouest.

Au sein du monde communiste, l'affrontement idéologique entre le camp soviétique et le camp chinois est, lui aussi, une source de guerre. La situation dans la péninsule indochinoise en est la meilleure illustration. Ainsi, depuis 1979, la frontière sino-vietnamienne est le théâtre d'affrontements sanglants et réguliers. A l'origine du conflit, il n'y a pas de véritable revendication territoriale, mais la conjonction de deux facteurs : d'une part, une rivalité historique entre la Chine, qui a toujours eu une attitude de suzerain vis-à-vis d'un Vietnam très pointilleux sur la question de sa souveraineté ; d'autre part, les données géopolitiques propres à la péninsule indochinoise, où le Cambodge, faiblement peuplé, attise depuis des siècles les convoitises de ses puissants voisins, Vietnamiens et Thaïlandais.

Cette rivalité sino-vietnamienne éclate au grand jour au lendemain de la débâcle américaine de 1975, à propos du Cambodge. Très vite, des tensions apparaissent entre les Khmers rouges de Phnom Penh, alliés à Pékin, et le régime pro-soviétique de Hanoi. Pol Pot, dont le rêve mégalomane et sanglant est aussi de reconquérir l'ancienne Cochinchine, jadis cambodgienne, semble avoir oublié le soutien décisif apporté à ses maquisards par le Vietnam. En décembre 1978, les troupes de Hanoi franchissent la frontière et balayent le régime san-

guinaire des Khmers rouges. Cette intervention consacre l'hégémonie du Vietnam sur la péninsule indochinoise.

Chassés du pouvoir, les partisans de Pol Pot regagnent le maquis, vite rejoints par les sihanoukistes et des nationalistes modérés de Sonn San. En février 1979, la frontière sino-vietnamienne s'embrase : Pékin cherche à venir en aide à ses alliés khmers rouges en ouvrant un front pour alléger la pression sur les maquisards cambodgiens. Mais la « leçon » que les Chinois voulaient donner aux Vietnamiens est un échec pour Pékin, qui ne parvient pas à conserver le terrain conquis. L'affrontement, qui fait plusieurs milliers de victimes de part et d'autre, se répétera les années suivantes, à chacune des grandes offensives de la saison sèche lancées par les guérilleros hostiles au régime provietnamien de Phnom Penh. Du moins jusqu'en 1985, après que l'armée vietnamienne eut détruit les principales bases de la résistance cambodgienne. Ce renversement stratégique oblige les maquisards à recourir aux techniques traditionnelles de la guérilla. Les Vietnamiens, de leur côté, édifient un mur de barbelés le long de la frontière avec la Thaïlande pour enrayer les infiltrations de combattants à partir des camps de réfugiés thaïlandais. Malgré sa suprématie militaire, le Vietnam, à la manière de l'Union soviétique en Afghanistan, est empêtré dans le bourbier cambodgien.

Derrière ce conflit régional, c'est la rivalité entre les deux géants du communisme qui se profile dans sa dimension idéologique et géostratégique. La Chine, qui, depuis l'arrivée au pouvoir de Deng Xiaoping, poursuit le rééquilibrage de sa politique extérieure pour se maintenir à équidistance de Moscou et de Washington, considère toujours l'Union soviétique comme « la menace principale ». En dépit d'un dégel incontestable, marqué par des consultations régulières, les relations sino-soviétiques piétinent. Pékin estime en effet que l'encerclement stratégique de la Chine est une réalité : sur sa frontière nord, les Soviétiques alignent un demi-million d'hommes; au sud, l'Union soviétique appuie l'occupation du Cambodge par le Vietnam, où elle renforce sa présence militaire; à l'ouest, enfin, l'Armée rouge occupe toujours l'Afghanistan, sans être inquiétée outre mesure par Washington qui est aux prises, à son tour, avec un conflit similaire dans son « arrière-cour » : l'Amérique centrale.

La « sale guerre »

Depuis la révolution sandiniste au Nicaragua (1979),

Oman : la guerre des gueux du Dhofar

Séparé de la partie centrale du sultanat d'Oman par cinq cents kilomètres de désert, le Dhofar est isolé du reste de l'Arabie par le désert du Rub-al-Khali, au nord, et par les steppes quasi désertiques du Sud-Yémen à l'ouest. C'est dans ce bout du monde arabe qu'éclate, au milieu des années soixante, la guerre du Dhofar, une guerre qui a duré dix ans, malgré l'intervention de forces d'élite britanniques et de plusieurs milliers de soldats iraniens.

La constitution physique du Dhofar explique partiellement qu'une guérilla ait pu survivre dans cet endroit : s'étendant sur environ deux cents kilomètres le long de l'océan Indien depuis la frontière du Sud-Yémen jusqu'à la baie de Kouria Mouria, le Dhofar comprend, schématiquement, trois zones distinctes : une plaine côtière, dont la largeur ne dépasse pas une dizaine de kilomètres ; une chaîne montagneuse culminant à environ 1 500 mètres, qui arrête les pluies de la mousson, de mai à septembre. Et une steppe qui descend graduellement vers le désert du Rub-al-Khali. La chaîne de montagnes est étroite, mais les ravins qui la sillonnent sont recouverts d'une végétation relativement épaisse dans laquelle des combattants peuvent se cacher sans risque d'être découverts. Pendant les mois de mous-

son, l'aviation ne peut pratiquement pas intervenir, une espèce de brouillard épais recouvrant les montagnes.

Les habitants du Dhofar – de 30 000 à 150 000 selon les estimations, au milieu des années soixante – se répartissent en trois groupes tribaux principaux, les Qarra, les Mahra et les Kathir, auxquels il faut ajouter un petit nombre de commerçants indiens et hadramis vivant dans les agglomérations de la côte et dans la « capitale », Salalah. Descendant des premiers habitants de l'Arabie du Sud, ne parlant pas l'arabe mais une langue dérivée de l'hymiarite, rattachés à l'école shaféite du sunnisme (alors que les habitants du reste du sultanat d'Oman sont ibadites), les Dhofaris, qui avaient vécu plus ou moins indépendants jusqu'à la fin du XIXᵉ siècle, avaient de nombreuses raisons de souffrir de l'autorité du sultan Said bin Taimour, un étrange tyran qui s'obstinait à maintenir son pays à l'écart du « progrès ».

On peut distinguer trois périodes dans l'histoire de la guerre du Dhofar. Tout d'abord la période du Front de libération du Dhofar, de 1965 à la fin de 1968. Le Front a été fondé par des éléments très composites, comme Youssef Alaoui, un étudiant nassérien qui deviendra le chef du bureau du Front au Caire ; Mohammed Said al-Ghassani, qui a travaillé dans le Golfe, où il a adhéré au Mouvement des nationalistes arabes, né à l'université américaine de Beyrouth dans les années cinquante, et dont est également issu le FPLP de Georges Habache ; et aussi des éléments purement tribaux comme Mousallem bin Noufel, un chef des Bait Kathir, qui voulait surtout bénéficier de la manne pétrolière que laissait entrevoir le forage de puits sur le territoire de sa tribu. Soutenu par

Le Caire et Riyad (un peu) et par Bagdad (davantage), le Front de libération du Dhofar compte quelques centaines de combattants, et se livre à des escarmouches contre les sociétés pétrolières et les forces de l'ordre. Au demeurant, c'est un mouvement à l'idéologie encore bien vague.

Ensuite advient la période du Front populaire pour la libération du golfe arabe occupé. Avec le deuxième congrès du Front (septembre 1968) qui change de nom et devient une organisation « marxiste-léniniste », on observe une radicalisation très accentuée du mouvement – conséquence notamment de l'indépendance d'Aden, en 1967, et de l'arrivée au pouvoir dans l'ancienne colonie britannique d'une équipe du Front de libération nationale qui va soutenir la lutte des Dhofaris. Le soutien de la Chine, qui a formé un certain nombre de cadres dhofaris, joue également un rôle, ainsi que l'élimination du chef traditionnel Mousallem bin Noufel, grièvement blessé par les forces de l'ordre. Souscrivant aux thèses du « socialisme scientifique », se faisant les adeptes de la « violence révolutionnaire », liant la « lutte au Dhofar avec celle des masses dans le Golfe », arborant des badges de Lénine et de Mao, les combattants du nouveau front se battent dans des unités baptisées « Hô Chi Minh » ou « Che Guevara », et fondent à Hauf, de l'autre côté de la frontière du Sud-Yémen, une « école de la révolution ». Ils veulent émanciper les femmes, qui participent à la lutte, et briser les structures tribales... Sur le plan militaire, le Front remporte succès sur succès, disposant de deux « zones libérées » à l'est et à l'ouest du djebel, et s'emparant en août 1969 de Rakhyout, près de la frontière du Sud-Yémen. C'est l'époque où la presse internationale découvre la guerre du Dhofar.

Enfin la troisième période commence avec un coup d'État : le 23 juillet 1970, les Britanniques déposent le sultan Said bin Taimour et portent au pouvoir son fils Qabbous, seul jugé capable de faire face à la montée des périls... Le nouveau sultan propose une « paix des braves » aux tribus du Dhofar, et lance un plan de développement de la province – dont sa mère est originaire. Certains chefs de tribu se soumettent, mais malgré la modernisation et le développement considérable des forces du sultan, les rebelles infligent défaite sur défaite aux forces gouvernementales, et la guerre continue. On observe parallèlement, à partir de la fusion, en décembre 1971, du Front populaire pour la libération du golfe arabe occupé du Dhofar et du Front national démocratique pour la libération d'Oman et du golfe arabe (qui opérait dans la partie centrale du sultanat), un renforcement de l'influence soviétique, suivie d'une diminution de l'influence chinoise. Il faudra la triple intervention de l'Arabie saoudite (financière), de la Jordanie (conseillers techniques, officiers du génie) et de l'Iran (envoi de plusieurs milliers de soldats, en décembre 1973) pour venir à bout de la guérilla, qui sera déclarée officiellement liquidée en 1975 – même si l'existence de quelques poches de résistance justifiera la présence de troupes iraniennes jusqu'à leur complet retrait après la révolution iranienne (1979).

Laboratoire de la révolution arabe, la guerre du Dhofar était surtout une guerre des gueux : hommes en haillons du djebel contre soldats d'un sultan qui n'avait même pas les moyens de construire des routes.

Chris Kutschera

LES BASES MILITAIRES DANS LE

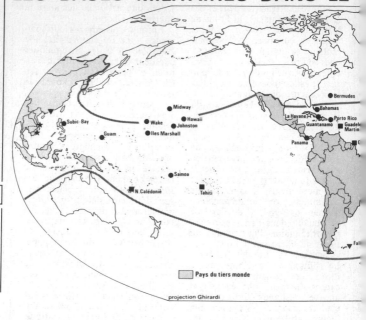

Pays du tiers monde

projection Ghirardi

l'Amérique centrale est devenue un point de fixation entre Moscou et Washington, un conflit régional au même titre que les précédents. On a beaucoup épilogué sur le fait que le président Reagan avait fait du « cas Nicaragua » un test de fermeté pour la reconquête du *leadership* américain après l'échec du Vietnam. En fait, aucune administration américaine n'aurait toléré sans broncher la consolidation d'un régime révolutionnaire proche de La Havane, dans une région considérée comme vitale pour la défense du flanc sud des États-Unis. C'est une démonstration qui a déjà été faite en 1962 au moment de la crise des

fusées à Cuba. Et qui se répète puisque l'histoire du XXe siècle fourmille d'exemples d'intervention directe des États-Unis dans le bassin des Caraïbes (au Nicaragua dans les années 1910-1930, au Guatémala en 1954, à Saint-Domingue en 1965, à La Grenade en 1983). En 1987, un débarquement de troupes américaines au Nicaragua n'était pas à écarter. Mais il est plus probable que les stratèges de Washington entretiendront, par le biais d'une armée rebelle, et pendant longtemps, ce qu'ils ont défini comme « un conflit de basse intensité ». Une situation qui, dans un tout autre contexte, n'est pas sans rappeler le cas

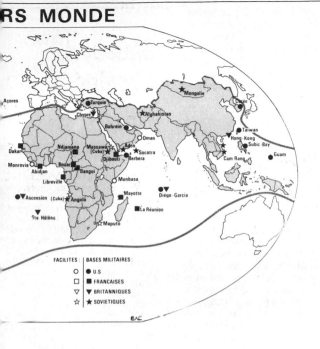

FACILITÉS : | BASES MILITAIRES :
- ○ | ● U.S
- □ | ■ FRANCAISES
- ▽ | ▼ BRITANNIQUES
- ☆ | ★ SOVIETIQUES

angolais avec les maquis de l'Unita.

Au sud du canal de Panama, les choses se passent différemment, mais toujours dans le cadre de la doctrine de Monroe : la stabilité politique du continent est une donnée incontournable de la diplomatie nord-américaine. Mais la mise en œuvre de cette politique devait nécessairement prendre d'autres formes car, s'agissant de pays aux fortes traditions nationalistes et aux institutions démocratiques parfois solidement enracinées, la « diplomatie de la canonnière » aurait eu des effets désastreux.

Les liens politiques, économi-ques, militaires tissés depuis la Seconde Guerre mondiale entre les États-Unis et le sous-continent ont, en effet, permis de contrôler ces pays à distance. En s'appuyant sur des forces politiques économiques locales, en suggérant parfois aux forces armées de briser les révoltes, Washington a ainsi joué un rôle de protagoniste plus ou moins direct dans toutes les crises majeures de l'histoire récente.

L'épisode peut-être le plus significatif de cette politique restera le coup d'État de 1973 au Chili. Mais le rôle actif de Washington s'affirme dès les années soixante, lorsque les armées du continent envoient leurs bataillons d'élite se former dans les académies militaires de Panama et de West Point. Les foyers de guérilla qui surgissent ici ou là dans la foulée de la révolution cubaine seront « nettoyés » au moyen des techniques de « lutte antisubversive » expérimentées au Vietnam. Après l'échec de ces guérillas rurales, ce sont des groupes armés urbains qui se créent dans les pays du cône sud (Chili, Argentine, Uruguay). Ces groupes n'auront pas plus de succès que leurs prédécesseurs qui prétendaient s'appuyer sur les masses paysannes. En revanche, ils finiront par provoquer une cascade de coups d'État militaires.

L'apparition de ces dictatures ne manifeste pas une simple volonté de briser nette une contestation radicale. Dans les années soixante-dix, la « lutte antisubversive » n'est plus seulement militaire, elle s'appuie sur une conception globale tout à la fois politique, économique et psychologique : la doctrine dite « de sécurité nationale » dont les fondements ont été élaborés aux États-Unis au lendemain de la Seconde Guerre mondiale. Les dictateurs argentins mettront en pratique de façon systématique (de 1976 à 1983) cette méthode de lutte globale et sans merci contre « l'ennemi intérieur ». Ce qu'on a appelé « la sale guerre » s'est ainsi traduit par l'enlèvement et la disparition de quelque 10 000 Argentins, guérilleros, militants politiques et syndicaux, supposés opposants, et aussi de membres de leurs familles et parfois de leurs enfants. Ce type de répression s'est aussi abattu, mais dans une moindre mesure, au Chili, au Brésil et en Uruguay. A l'heure où la démo-

Massoud, stratège afghan

Agé de trente-cinq ans, Ahmed Shah Massoud est le plus prestigieux de ces jeunes commandants qui ont émergé en Afghanistan, durant les premières années de résistance à l'occupation soviétique. De ces dirigeants dépend, pour une large part, le sort de la résistance armée, du fait de leur talent en tant que chefs militaires, mais, aussi, de leur aptitude à organiser l'administration civile pour répondre aux besoins actuels, économiques, sociaux, éducatifs, des populations des secteurs où ils opèrent.

Très tôt, au début des années soixante-dix, le commandant Massoud, élève du lycée français Istiqlal de Kaboul, puis de l'École polytechnique, rejoint le mouvement islamique qui se développe dans les universités, et qui va fournir à la résistance de nombreux leaders et cadres. Ce mouvement, qui met en cause le conservatisme et « l'arriération » de la société afghane, prône, face à la montée de l'influence marxiste, une révolution dont le contenu prendrait sa source dans l'islam.

Bien avant l'invasion soviétique, Massoud va attacher son nom à la vallée du Panshjir au nord-est de Kaboul. C'est là que dès 1975, année de la création du parti du professeur Rabbani, le Jamiat-e-Islami, auquel il adhère, il va tenter, avec d'autres intellectuels originaires de la vallée, de déclencher une insurrection contre le régime du président

Daoud. Mais la population et le clergé local, traditionnel, ne suivent pas. Massoud, arrêté, s'évade et s'enfuit au Pakistan, puis va militer dans un réseau clandestin à Kaboul, jusqu'au coup d'État communiste d'avril 1978. Ayant gagné pour quelque temps le Nouristan, première province à se soulever contre le nouveau pouvoir et ses méthodes qui visent à imposer par la force certaines réformes, Ahmed Shah Massoud revient au Panshjir à l'automne 1979, pour y organiser la révolte.

Cette fois, il va réussir à s'imposer auprès des populations locales et des notables, en combinant avec beaucoup de doigté la mise en œuvre de ses conceptions d'une guérilla moderne, efficace, dont il puise l'inspiration dans ses lectures de Mao et de Giap, et le respect des réalités socio-culturelles. Profitant du taux élevé d'instruction dans le Panshjir, Massoud va faire de jeunes Panshiris éduqués à Kaboul des cadres compétents du mouvement de résistance. En même temps, il parvient à canaliser l'influence des notables, chefs de villages, « barbes grises », *malawi* (théologiens), et à les intégrer progressivement dans l'organisation locale de la résistance. Il recherche le consensus de la population en consultant ses représentants, en les réunissant pour toutes les décisions importantes. La trêve provisoire, habilement négociée avec les Soviétiques en 1983, fut une illustration de ce souci constant de ne pas créer de divorce entre une société qui, soumise aux destructions et à l'exode massif, avait besoin de répit et l'organisation de la résistance. Cette trêve s'expliquait aussi par une volonté de comprendre la logique de l'adversaire et d'anticiper sur ses actions

militaires, y compris en recourant à des « informateurs » à Kaboul.

A la guérilla tribale, caractérisée par le combat spontané et sporadique, sous la direction des chefs traditionnels, avec des opérations « feu de paille », peu efficaces, rythmées par les variations saisonnières des travaux agricoles, A.S. Massoud oppose comme alternative, non l'imitation de l'armée régulière, mais la mise sur pied de troupes à la fois permanentes et très mobiles. L'organisation de Massoud, composée d'unités professionnalisées bien entraînées, bien armées, dotées d'uniformes, repose donc sur des groupes agissant sur un territoire précis et aussi, de plus en plus, sur des groupes mobiles qui ne sont plus liés ni à un territoire donné ni à une ethnie donnée. L'enjeu, c'est la mise en cause de ce que Massoud appelle le « syndrome du *markaz* », correspondant à une conception militaire dominante en zone tribale pashtoune, qui consiste à privilégier la défense des points fixes (les *markaz*) servant de « quartiers généraux » aux groupes de moudjaheddin. L'enjeu, c'est aussi dépasser le régionalisme de la résistance qui, s'il témoigne d'un profond enracinement, est aussi un obstacle à penser l'action sur le terrain à l'échelle nationale.

Massoud a entrepris, surtout depuis 1986, avec d'autres commandants locaux, toute une politique de coordination du Nord-Est. Ainsi, il n'est plus seulement le commandant du Panshjir, bastion affaibli par les assauts répétés des Soviétiques, mais le commandant le plus important, le chef reconnu, de toute cette région vitale située entre Kaboul et la frontière soviétique.

Jean-Paul Gay

cratie est de retour dans ces pays (sauf au Chili), l'âpreté de ces méthodes prouvent que les crises de l'Amérique latine, liées aux contradictions sociales du sous-développement, sont de véritables guerres civiles larvées, parfois héritées du siècle dernier.

Le « modèle » palestinien

Autre source majeure de conflits, ouverts ou rampants : l'héritage colonial. Les décolonisations ratées, bâclées ou manquées du Sahara et de l'Érythrée en Afrique, de Timor-Est et de la Nouvelle-Guinée (Irian) en Asie, des Antilles ou de la Guyane française en Amérique latine en sont l'illustration. Les découpages des frontières héritées de la période coloniale sont à l'origine, parfois directement, des conflits souvent les plus meurtriers : le rêve sécessionniste a ainsi provoqué des centaines de milliers de morts au Biafra (Nigéria), au Katanga (Zaïre), chez les « Tigres » tamouls (Sri Lanka) ou chez les sikhs du Pendjab (Inde). Les guerres d'indépendance qui persistent en Namibie ou à Timor-Est, la lutte pour la survie ou l'autonomie de minorités ethniques ou religieuses (Misquitos, Kurdes, Berbères, Karen...) constituent autant de foyers de résistance, actifs sinon armés, que les États du tiers monde, souvent très « jeunes », ont bien du mal à juguler.

Mais le conflit, qui semble avoir subi ou engendré, à tour de rôle, tous les aspects de la violence qui traverse le tiers monde depuis la fin de la Seconde Guerre mondiale, est sans doute celui des Palestiniens. La question palestinienne est manifestement la synthèse – et comme telle atypique – de toutes les contradictions engendrées par les pays du Sud, avec le concours parfois direct des grandes puissances. Depuis les premières manifestations de résistance contre les colonisations juives, en passant par les quatre conflits israélo-arabes et les différentes opérations de guérilla, et jusqu'aux derniers attentats terroristes aveugles dans les capitales européennes, le mouvement national palestinien a connu successivement plusieurs étapes : d'abord la difficulté de la recherche d'une autonomie réelle vis-à-vis des États arabes et l'âge d'or du nationalisme panarabe avec la montée en force de Yasser Arafat et de son organisation, le Fatah; puis la première grande crise arabo-palestinienne, en septembre 1971, avec le massacre des Palestiniens par les bédouins du roi Hussein de Jordanie; enfin, la radicalisation de certaines organisations, avec les débuts du terrorisme en dehors du Proche-Orient, jusqu'à la guerre civile libanaise et la mise au ban des « arafatistes » par la Syrie et ses alliés.

Comme l'Europe du XIXe et du XXe siècle, le tiers monde paraît promis à des crises violentes avant d'atteindre une certaine stabilité et un nouvel équilibre à la fois démographique, économique, politique, culturel et militaire.

◼

TERRORISMES

De la guérilla au terrorisme : de la lutte anticoloniale à la guerre psychologique.

par Gérard Chaliand

Il a fallu la défaite de Diên Biên Phu pour que la guerre révolutionnaire soit prise au sérieux. Jusque-là, pour les officiers formés à l'école classique, les techniques irrégulières ne pouvaient l'emporter sur une armée régulière. Tout dans le passé, de la conquête de l'Algérie jusqu'à la guerre marocaine du Rif, paraissait conforter cette conviction. Mais c'était sous-estimer les modifications profondes engendrées par l'évolution des esprits et du temps, et tout d'abord par la conjonction de deux facteurs : la montée des nationalismes en Asie et en Afrique et la perte progressive de la mentalité impériale dans les démocraties européennes après la Seconde Guerre mondiale.

Guerre révolutionnaire et guérilla urbaine

Cela dit, il faut souligner l'innovation de Mao Ze-dong qui ne pratiqua pas la guérilla traditionnelle (technique d'irréguliers, fondée sur la surprise et le harcèlement, destinée à affaiblir une armée régulière), mais la *guerre révolutionnaire* (technique irrégulière pour renverser un régime et s'emparer du pouvoir). L'originalité de Mao a été de greffer de façon non orthodoxe le parti d'avant-garde (à l'origine prolétarien) sur la paysannerie, afin de l'encadrer. Ce détournement du léninisme, joint à l'occupation japonaise permit aux communistes de capitaliser le nationalisme chinois et les aspirations populaires de la paysannerie.

Rappelons aussi que la victoire de Mao Ze-dong n'apparaissait nullement probable aux experts américains ou soviétiques, un an seulement avant la chute du Guomindang (pro-occidental).

Après Mao, la guerre révolutionnaire est une technique souvent utilisée par les mouvements marxistes-léninistes. Mais elle n'est pas une panacée : Grecs, Philippins, Malais seront vaincus. Le modèle sera toutefois repris à peu près partout, y compris dans des mouvements utilisant l'outil organisationnel léniniste, mais pas l'idéologie de la lutte des classes. C'est dans une large mesure ce que fera le FLN algérien. Il s'agit, en somme, une fois que le noyau initial a gagné l'appui d'une partie de la population, de tenir suffisamment longtemps pour que l'adversaire, lassé et sans solution au conflit, finisse par négocier. Notons que très peu de guérillas hors des colonies européennes ont pu triompher : à Cuba (en partie parce que le castrisme ne se donnait pas pour une révolution socialiste, ce qui lui a garanti l'appui des couches moyennes en ville et la neutralité des États-Unis), au Nicaragua (parce que le régime de Samoza a fini par s'effondrer faute d'appui social) et dans la péninsule indochinoise.

D'autre part, toutes les guérillas dirigées contre un État indépendant en Asie ou en Afrique ont été vaincues ou piétinent (Cameroun, Érythrée, Sahara occidental, Kurdistan, etc.). *Le droit des peuples à disposer d'eux-mêmes aura été le droit des peuples colonisés par les Européens à se libérer de la tutelle de l'Occident.* La seule exception est celle du Bangladesh, devenu indépendant grâce à l'intervention indienne.

La grande période triomphale des guérillas va donc de 1945 à 1974 (chute de la dictature au Portugal). Il est, en revanche, intéressant de noter que la guérilla comme technique est utilisée depuis une demi-douzaine d'années contre des régimes marxistes-léninistes (Angola, Mozambique, Nicaragua et Afghanistan).

La palme, en matière d'échec,

revient au cours des années soixante aux mouvements latino-américains qui, s'inspirant de la théorie cubaine du *foco,* ou foyer stratégique mobile, entament la lutte sans préparation politique des populations. Ces échecs mènent les Tupamaros d'Uruguay, et Carlos Marighela au Brésil, à la « guérilla urbaine » qui se révèle surtout comme un *foco* urbain. La stratégie des Tupamaros consiste, à travers la spirale violence/répression, à démontrer aux masses le caractère fondamentalement répressif de l'État. Mais les Tupamaros seront confrontés au dilemme que rencontre toute organisation clandestine, restreinte en nombre, entre mobiliser et encadrer, tout en restant totalement clandestine. Dans la pratique, les Tupamaros, isolés progressivement, finiront par provoquer la venue au pouvoir d'une dictature qui a remplacé pour douze ans le régime démocratique qu'ils combattaient. En Turquie, les terrorismes de gauche et de droite des années soixante-dix ont fini par provoquer l'arrivée au pouvoir d'une dictature militaire de remise en ordre.

Le terrorisme publicitaire

Le modèle urbain des Tupamaros et de Marighela, au Brésil, échoue comme échoueront les sectes à caractère idéologique des pays industriels démocratiques : Weathermen aux États-Unis, Fraction armée rouge en République fédérale d'Allemagne, Brigades rouges en Italie, fondées initialement sur le présupposé que l'État capitaliste démocratique est intrinsèquement répressif et exploiteur, et que l'action violente dévoilera cette évidence aux yeux des masses.

C'est en 1968 qu'apparaît, avec le détournement des avions de la compagnie israélienne El Al par le Front populaire de libération de la Palestine de George Habache, ce que j'appelle le terrorisme publicitaire comme *substitut à la guérilla*. L'incapacité des organisations palestiniennes à mener des opérations en territoire occupé provoque le transfert de la lutte sur le terrain des médias, par l'utilisation d'opérations transétatiques. Le théâtre essentiel de ces actions est l'Europe occidentale, géographiquement proche, d'accès facile et surtout dotée de médias démocratiques répercutant volontiers le spectaculaire.

Cette innovation est très vite imitée par de nombreux groupes n'ayant pas, comme les Palestiniens ou les Irlandais par exemple, de base de masse. L'un des avantages du terrorisme étant qu'il n'est pas nécessaire, pour faire du bruit, d'avoir de soutien populaire.

Pour reprendre la définition de Raymond Aron, on appelle terroriste une action violente dont les effets psychologiques sont hors de proportion avec ses effets purement physiques. En effet, le terrorisme est la forme la plus violente de la guerre psychologique.

Je ne parle pas ici de la terreur d'État ou du terrorisme

Profession : martyr

« *Je suis pleinement engagée dans la révolution palestinienne, je suis heureuse, ma vie est en danger... Il me semble certain, cette fois, que je pars pour la mort. Je sais. Je veux. Cette mort-là est la plus belle, cette vie-là aussi. J'aime à mourir... Si Dieu veut de ma mort, je serai si vivante à ce moment !* »
(Françoise Kesteman, tuée le 23 septembre 1984 au Liban par l'armée israélienne.)

« *Je suis tout à fait décontractée, je vais faire cette opération que j'ai choisie pour remplir mon devoir envers mon peuple... Je fais partie d'un groupe, prêt à l'autosacrifice et au martyre pour la libération de notre terre et de notre peuple... J'ai vécu la tragédie de l'occupation.* »
(Sana Nohaydaleh, morte au volant d'une voiture-suicide, le 9 avril 1985, au Liban.)

« *Je n'ai pas agi par sectarisme. J'accomplis cet acte pour le peuple qui veut survivre... Je vais au martyre pour restaurer l'honneur et la gloire de ma nation.* »
(Ibtissam Harb, morte au volant d'une voiture-suicide, le 9 juillet 1985, au Liban.)

« *J'ai choisi la voie du martyre pour libérer la terre, venger l'honneur de la patrie arabe... De nombreux camarades attendent leur tour pour remplir leur devoir national... J'aurais aimé vivre une seconde fois pour pouvoir de nouveau mourir en martyr pour la patrie.* »
(Hicham Ibrahim Abbas, mort au volant d'une voiture-suicide, le 15 juillet 1985, au Liban.)

Le droit à la violence

par Abdul Rahman Ghassemlou *

La guérilla est la réaction d'un peuple opprimé ou d'une force politique persécutée contre la répression et la violence du pouvoir despotique.

A travers l'histoire de l'humanité, les hommes se sont souvent insurgés contre la tyrannie et l'injustice. Agissant dans le sens d'un changement de société, ils ont été contraints de répondre à la violence par la violence. Ainsi sont apparus les révolutionnaires.

En cette fin du XXᵉ siècle, le but principal de la révolte, qui a pris la forme de la guérilla, demeure le même : elle réclame la liberté et la justice. A cette revendication légitime les régimes dictatoriaux répondent par la violence, l'emprisonnement, la torture et les exécutions massives.

Les dernières décennies démontrent clairement que, non seulement pour les pouvoirs despotiques du tiers monde, mais également pour les démocraties occidentales, tous les moyens étaient bons, pour mettre fin à la résistance des peuples colonisés et des forces révolutionnaires.

Hélas, il en est toujours ainsi en plusieurs points du globe.

Au Kurdistan iranien, la férocité d'un régime despotique de type moyenâgeux nous a contraints à prendre les armes. Les crimes commis par le régime des ayatollahs sont innombrables. Plus de 40 000 civils sans défense tués, des milliers de jeunes gens exécutés, des dizaines de villages rasés et leur population massacrée, des prisons remplies de prisonniers politiques sur qui la torture physique et mentale est quotidiennement pratiquée. Voilà un bilan incomplet des atrocités du régime de Khomeyni.

Le monde entier doit savoir que, dans la République islamique, les jeunes filles sont violées avant d'être exécutées, pour qu'elles ne meurent pas vierges et innocentes, et que les condamnés à mort sont vidés de leur sang parce que le régime en a besoin pour les blessés de guerre.

A de telles barbaries, à un régime aussi inhumain, la violence n'est-elle pas la seule réponse ? Cela dit, a-t-on le droit d'utiliser les mêmes moyens que le régime honni ? Est-il possible de lutter pour la liberté et de massacrer la population civile sans défense ? Est-il acceptable de se battre pour les droits de l'homme et en même temps de pratiquer la torture, d'exécuter des prisonniers de guerre et de recourir au terrorisme ? Nous croyons que cela n'est pas inévitable. Notre expérience de huit ans de guérilla au Kurdistan, contre un des régimes les plus barbares et les plus sanguinaires de l'histoire, montre que l'on peut lutter contre la violence par la violence, sans pour autant fouler aux pieds la démocratie et les droits de l'homme. Il n'est déjà pas facile de défendre la démocratie dans un pays sous-développé et sans tradition démocratique, mais cela devient très difficile lorsque ce pays est en guerre. Or, notre expérience démontre que si le mouvement de guérilla respecte et pratique la démocratie à l'intérieur même de son organisation ainsi que dans les zones libérées, alors la démocratie devient réalité et prend progressivement racine dans la vie politique et sociale du pays. Démocratie est incompatible avec terrorisme.

* Secrétaire général du Parti démocratique du Kurdistan iranien.

d'État à usage interne ni du terrorisme para-étatique – des terrorismes qui provoquent infiniment plus de victimes que les terrorismes de groupe ou d'organisations. Ce dont je traite, ce sont des terrorismes d'organisations dont il importe d'esquisser une typologie sommaire :

– sectes idéologiques dans les pays industriels;
– organisations ou groupes fondés sur un programme séparatiste (pour des raisons ethniques, linguistiques ou religieuses);
– terrorismes transétatiques ou internationaux.

Cette dernière catégorie est la plus intéressante dans la mesure où, de plus en plus, elle tend à exercer, non des actions à caractère publicitaire, mais une *diplomatie coercitive.*

La provenance géographique de ces groupes pour la période 1968-1985 est le Moyen-Orient et la Méditerranée orientale, et le théâtre moyen de leurs opérations, l'Europe occidentale – qui arrive loin devant les États-Unis. L'exiguïté et la porosité des frontières de l'Europe occidentale, le fait que, contrairement aux États-Unis, les peines soient moins sévères, les procès plus politiques, une certaine compréhension pour les motivations de certains groupes terroristes, toutes ces raisons peuvent partiellement expliquer le fait que l'Europe occidentale soit le théâtre privilégié des terrorismes transétatiques. Enfin, la vulnérabilité politique et économique de l'Europe est beaucoup plus grande que celle des États-Unis. Quant à la France, dont on dit souvent qu'elle a une politique laxiste en matière de terrorisme – aujourd'hui comme hier – je crois surtout que, contrairement à la République fédérale d'Allemagne (RAF), à l'Italie (BR), à l'Espagne (ETA) et à la Grande-Bretagne (IRA), elle n'a jamais été sérieusement menacée.

Quant à l'existence d'une conspiration terroriste manipulée de façon ultime par Moscou, elle me paraît surtout satisfaire ceux qui ont une vision de complot de l'histoire. Cependant, de façon notoire, certains États, particulièrement la Libye, l'Iran, la Syrie, l'Irak (du moins avant qu'il soit occupé à faire la guerre avec l'Iran), pratiquent indirectement ou directement le terrorisme. C'est également un fait que le Liban a constitué entre 1968 et 1982 le lieu où la faiblesse de l'État et l'existence des mouvements palestiniens ont permis à presque tous les groupes européens ou moyen-orientaux de s'entraîner, de se connaître et donc de nouer des liens. Le plus important et le plus difficile pour un groupe terroriste, c'est l'entraînement. Le reste – argent, papier, armes – se trouve assez aisément. Des contacts donc se nouent. L'assassinat, en 1971, du consul israélien d'Istanbul par un membre d'un groupe d'extrême gauche turc, par exemple, était une *procédure de paiement*. Des armes dont on connaît la provenance ont été utilisées par des groupes nationaux différents dans des pays différents.

Dans le contexte actuel, le terrorisme est une guerre psychologique où il s'agit, en fait, moins de déstabiliser les États démocratiques – exercice beaucoup moins facile que ne le laisse supposer notre apparente vulnérabilité – que de déstabiliser d'abord les esprits, de faire naître une psychose. Un sondage réalisé au cours de l'été 1985 sur les craintes des Français pour les années à venir indiquait, dans l'ordre, le chômage, le nucléaire et le terrorisme. Jusqu'à présent, le terrorisme n'a provoqué, à l'échelle mondiale, que très peu de victimes. Mais celles-ci sont

délibérées et souvent sans rapport aucun avec la cause proclamée des terroristes. Le simple fait cependant que le terrorisme figure dans cette courte énumération des inquiétudes est un indiscutable succès pour le terrorisme car il s'agit d'un phénomène moderne dont l'impact est fondé sur les médias.

Il va de soi que le rôle des médias dans une société démocratique est d'informer. Mais informer n'est pas nécessairement privilégier de façon quasi exclusive le spectaculaire. Il est devenu indispensable, notamment à la télévision, d'avoir un spécialiste par chaîne des questions relatives au terrorisme. Le traitement de faits aussi graves sur le plan de l'opinion publique ne peut être laissé au hasard des présences en studio lors d'un attentat. Il est devenu indispensable qu'à l'instar de quelques trop rares journaux – *Le Monde* est de ceux-là – il y ait des responsables de rubrique qui soient renseignés sur la nature des groupes qui opèrent et sur leurs buts.

Le terrorisme n'est pas seulement un problème à résoudre par les services spécialisés et par les mesures les mieux appropriées tout en sauvegardant la démocratie, mais aussi un problème de *fermeté des esprits*. Il importe que les États démocratiques, forts de leur consensus – bien plus profond qu'on ne se l'imagine souvent –, en plus de toutes les mesures de prévention et de rétorsion nécessaires à une lutte efficace, préparent l'opinion publique à cette nouvelle forme de conflit indirect dont les développements sont loin d'être épuisés.

∎

POUVOIRS

L'État a été parfois « sacralisé ». Il s'est même transformé en caserne, mais il se heurte à un nouveau réveil des peuples.

par Edmond Jouve

En 1976, à Alger, l'ambassadeur C. W. Pinto dressait du paysage juridique ce tableau saisissant : « Il se produit aujourd'hui une grande fermentation dans tous les domaines du droit international. Partout l'ancien ordre est soumis à examen, des coins obscurs s'éclairent, de nouvelles perspectives se dégagent. Les façades majestueuses qui, il y a deux décennies, semblaient si permanentes, apparaissent maintenant édifiées sur des marais d'iniquité et sont jetées à bas. » L'État qui paraissait disposer pour lui de l'éternité constitue un élément de cette remise en cause. Dans un premier temps, la sacralisation des États a conduit à une vassalisation des peuples. Mais, de nos jours, l'État-minotaure se heurte à leur renaissance. Ainsi est esquissé un mouvement qui, du tiers monde des États, nous permet d'entrevoir un tiers monde des peuples.

A peine né, l'État du tiers monde cherche à se calfeutrer à l'intérieur de ses frontières. Il se cadenasse au sein de sa forteresse. Il la transforme en caserne. Pour mieux se défendre, il se militarise. Dès lors, rien ne lui échappe. L'État récupère tout, aspire tout. Progressivement, l'État-forteresse, l'État-caserne et l'État-attrape-tout participent à l'entreprise de dépossession des peuples.

L'État-forteresse

Le continent pionnier fut, ici, l'Amérique latine. C'est elle qui, au XIXe siècle, invente la théorie de l'*uti possidetis juris*, à l'heure des indépendances. Les nouveaux États sont considérés alors comme coïncidant avec le tracé des anciennes colonies. Dans les années soixante, l'Afrique parut hésiter avant de choisir sa voie. Plus que toute autre, elle avait subi la loi du plus fort. A la suite de leur annexion, les terres avaient été souvent déli-

Démocratie et multipartisme

par Albert Bourgi

Dans le tiers monde de 1987, la démocratie fait l'objet de débats qui ne se situent plus, comme c'était le cas il y a à peine trois décennies, sur un plan largement formel et idéologique. On opposait alors couramment deux modèles, celui de la démocratie occidentale à celui de la démocratie socialiste. Même dans les États « anciens » du tiers monde (Amérique latine et Asie), le débat demeurait cantonné dans une formulation abstraite : selon leur appartenance idéologique, les formations politiques privilégiaient soit le « mythe » de la démocratie américaine, soit l'utopie de l'État du peuple tout entier, dans ses différentes versions, de Mao Zedong à Trotski, en passant par « Che » Guevara.

Aujourd'hui, les aspirations à la démocratie dans le tiers monde ont un contenu moins idéologique et plus pragmatique que par le passé. Au contact de dirigeants qui ont une vision très restrictive de la démocratie, les populations désirent de plus en plus vivre la démocratie, non plus dans l'absolu, mais de manière concrète, en recevant du pouvoir politique l'assurance qu'elles peuvent exercer un minimum de droits.

Dans cette quête d'une démocratie minimale, apparaît de plus en plus dans le tiers monde un phénomène de rejet des théories postulant, au nom de la mobilisation des forces sociales au service du développement, l'exclusion a priori de la démocratie. On constate ainsi un double mouvement qui traduit bien cette prise de conscience : une aspiration populaire à l'expression démocratique qui, dans certains cas, a fait s'effondrer comme des châteaux de cartes des bastions de la tyrannie (comme, par exemple, à Haïti et aux Philippines), ainsi qu'une répudiation des modèles et des idéologies politiques importés, ce que Joseph Ki Zerbo, d'une formule imagée, appelle le « prêt-à-porter institutionnel ».

On assiste aujourd'hui à une sorte de mondialisation de l'aspiration à la démocratie, et cette forme politique, au-delà des difficultés qu'elle rencontre pour s'imposer, doit être considérée comme une idée force appartenant au patrimoine de l'humanité. Dans le tiers monde, et certaines expériences tendent à le prouver, la démocratie constitue l'unique moyen de faire participer et d'impliquer les citoyens dans l'œuvre de développement national. Si la démocratie politique n'assure pas d'emblée de meilleures conditions d'existence, elle constitue néanmoins le seul régime capable de se dépasser lui-même.

Le continent africain offre, depuis près d'une vingtaine d'années, un paysage politique qui ne se distingue guère par ses traits démocratiques. Les coups d'État militaires qui se sont succédé à partir de 1963 ont fait

mitées au hasard des conquêtes ou des caprices des envahisseurs. Imposées de l'extérieur, les frontières traduisaient un mépris des peuples qu'on n'avait

pas hésité à morceler. Dès lors, trouve-t-on des Mandingues en Gambie et au Sénégal, des Agnis-Nzimas au Ghana et en Côte d'Ivoire, des Éwés au Gha-

voler en éclats les édifices institutionnels bâtis lors des indépendances, et calqués sur le modèle parlementaire importé. L'irruption de l'armée sur la scène politique a rapidement débouché sur des régimes d'exception où la vie politique est réduite à sa plus simple expression : dissolution des assemblées parlementaires et des partis politiques, réduction, voire abrogation des libertés d'expression. De nombreux États africains vivront de longues années et, pour certains d'entre eux, vivent encore, sous l'empire de lois et ordonnances provisoires décrétées lors de la prise du pouvoir par l'armée. Ce n'est que bien plus tard que se produira le phénomène de « civilisation du pouvoir » qui ne traduira en fait rien d'autre que la volonté affichée par les chefs militaires de se doter d'une certaine légitimité populaire. D'où un renouveau du constitutionnalisme où sera parfois consacré, et de la manière la plus officielle, l'unité de direction de l'État et du parti unique (Bénin, Congo, Zaïre, Algérie et, plus récemment, Éthiopie).

L'ère de la démocratie pluraliste, si brève qu'elle eût été dans certains pays, paraissait donc bien bannie. La personnalisation du pouvoir devait progressivement s'accompagner du règne du parti unique de fait ou institutionnalisé. Le Sénégal, longtemps présenté comme un exemple de démocratie en Afrique, n'allait pas échapper à cette évolution. Mais il est vrai que dans ce pays la parenthèse du parti unique de fait (l'Union progressiste sénégalaise) débouchera, quelques années après, sur le tripartisme et le quadripartisme institutionnalisés. Dans ces schémas, la légalité des formations politiques (dont le nombre était limité) était subordonnée à une identification idéologique. Dès son accession à la magistrature suprême, le président Abou Diouf élargira le processus démocratique en instaurant le multipartisme intégral. En 1987, seize formations s'affrontent sur l'échiquier politique sénégalais. Pour exceptionnelle qu'elle soit, cette embellie démocratique ne saurait masquer les imperfections ou les limites d'un système, où l'appareil d'État et le parti dominant (le Parti socialiste) se confondent étroitement et où l'alternance démocratique continue à relever d'une vue de l'esprit.

Il n'en demeure pas moins que l'exemple sénégalais de multipartisme et d'expression démocratique, comme celui d'autres États (Maurice, Gambie, Botswana, Zimbabwé, Égypte, Maroc, etc.), montre l'absurdité des thèses selon lesquelles l'arbitraire et la dictature seraient des fatalités auxquelles l'Afrique et, d'une manière plus générale, le tiers monde ne sauraient échapper. La quête incessante de démocratie que revendiquent les peuples du tiers monde (comme le démontrent les « brèches » dans le fonctionnement de certains partis uniques) renvoie à leur imagination les auteurs qui dissertent sur la non-acclimatation de l'espace sociopolitique du tiers monde au modèle démocratique. Les quelques doutes qui pourraient subsister seraient vite dissipés à la lumière de l'expérience démocratique que vivent, sans trop d'accrocs, l'Inde et bien d'autres pays du tiers monde.

A. B.

na, au Togo et au Bénin, des Yorubas et des Baribas au Bénin, au Nigéria et au Togo, des Haoussas et des Kanuris au Niger et au Nigéria, des Fangs au Cameroun, en Guinée équatoriale et au Gabon, des Ouolos au Sénégal et en Gambie...

Quelle est donc la vocation des frontières ? Unir les peuples ou enchaîner les États? Être un lien qui assemble ou un rempart qui protège? Faut-il « réviser » les frontières ou les laisser en l'état? Lors de la conférence des chefs d'État et de gouvernement africains réunie à Addis-Abéba, en 1963, le *statu quo* l'emportera. Le socialiste Modibo Keita propose de prendre l'Afrique « telle qu'elle est ». Il suggère de renoncer aux prétentions territoriales, et fait observer : « L'unité africaine exige de chacun de nous le respect intégral de l'héritage que nous avons reçu du système colonial. C'est-à-dire le maintien des frontières actuelles de nos États respectifs. » Le message fut entendu. Le pan-

tives d'annexion par d'autres nations ». Voilà donc l'État bien à l'abri à l'intérieur de frontières sûres, reconnues par ses pairs. Mais, pour couler des jours véritablement heureux, il lui fallait aussi se protéger contre d'éventuels adversaires. Il le fait en se militarisant, en devenant de plus en plus un État-caserne.

L'État-caserne

L'Amérique latine est, une fois encore, aux avant-postes. C'est elle, en effet, qui a popularisé l'idéologie de la « sécurité nationale ». Après avoir éclos aux États-Unis, à la fin de la Seconde Guerre mondiale, cette

africanisme fut sacrifié sur l'autel des nationalismes naissants. Pourtant, c'est seulement au sommet du Caire, le 21 juillet 1964, qu'une résolution liera le respect de l'intégrité territoriale et le maintien des frontières imposées par le colonisateur.

Cette position sera également adoptée par les non-alignés. Les participants au sommet de Belgrade, en 1961, font savoir qu'ils respecteront « scrupuleusement l'intégrité territoriale de tous les États », mais s'opposeront, « par tous les moyens, à toutes tentative

doctrine a été diffusée par l'École supérieure de guerre de Rio de Janeiro. Pour l'un de ses tenants, le maréchal Castelo Branco, « développement et sécurité sont liés par une causalité réciproque ».

Le général Golbery do Couto e Silva a donné à cette théorie, dans sa *Géopolitique du Brésil*, en 1967, sa forme la plus achevée. « De strictement militaire, écrit-il, la guerre est devenue une guerre totale, une guerre tout autant économique que financière, politique, psychologique et scientifique qu'une guerre d'armée, de flotte et d'aviation; de la guerre totale on est passé à la guerre globale et de la guerre globale à la guerre invisible, et – pourquoi ne pas le reconnaître? – à la guerre permanente. » Par la suite, les écrits consacrés à ce thème seront légion. En 1974, le général Pinochet définit la géopolitique comme « la branche des sciences politiques qui, en se fondant sur la connaissance historique, économique, stratégique et politique du passé et du présent, étudie l'ensemble de la vie humaine organisée sur un espace terrestre afin d'obtenir dans l'avenir le bien-être du peuple ».

plus enviable. Certes, l'État « nouveau » se donne pour mission de rechercher l'égalité et de faire régner la justice. Le « consciencisme » de Kwame Nkrumah, le socialisme de Julius Nyerere ou de Philibert Tsiranana se fixaient tous cet objectif. Cependant, pour l'atteindre, ils estimaient avoir besoin d'un appareil de contrainte approprié. Comme il « est naturel » de se heurter « à certains éléments réfractaires, imperméables à la persuasion et sourds à l'appel de la raison », observait Habib Bourguiba, il faut sévir afin de prévenir le mal et dissuader ceux qui seraient tentés, à leur exemple, de compromettre les

La « sécurité nationale » donne naissance, en matière institutionnelle, à la démocratie autoritaire. Le plus souvent, le Parlement, suspendu ou dissous, est remplacé par des organes de type consultatif. L'exécutif prend alors la forme d'une junte, parfois avec une façade démocratique. Lorsqu'un chef d'État civil est mis en avant, les militaires agissent dans l'ombre et l'appareil judiciaire fonctionne sous un régime de liberté surveillée.

En Afrique, la situation, quoique plus insidieuse, ne paraît pas

acquisitions du peuple. Ailleurs, en République populaire du Bénin, par exemple, la Loi fondamentale de 1977 reconnaît la toute-puissance de l'État. Il « exerce la dictature révolutionnaire dans la voie de l'instauration conséquente de la ligne de masse ».

Ainsi, quelle que soit l'idéologie défendue, c'est le règne de l'État-roi. Lui seul compte. Le peuple – sauf exception – n'a progressivement plus voix au chapitre. Si les citoyens résistent, ils sont neutralisés, ou éliminés. L'État parle pour eux,

Les indépendantistes du Nord-Est de l'Inde

Près de six mille morts et des centaines de milliers de réfugiés. En quelques jours seulement, les massacres et les contre-massacres de mars 1983 en Assam, dans le Nord-Est de l'Inde (une région interdite aux Occidentaux depuis très longtemps), ont contraint les « étrangers » à partir pour le Népal, l'Arunachal Pradesh, le Bengale occidental ou le Bengladesh, qu'ils avaient quittés pour aller travailler au-delà du fameux « cou de poulet » – ce couloir de vingt kilomètres de large qui sépare l'Inde du Gange de celle du Brahmapoutre. La révolte des tribus Assami contre les « étrangers » avait commencé après une grande famine causée par l'arrivée de millions de rats. Mais, début 1987, tout le Nord-Est de l'Inde paraissait confronté à des mouvements de guérilla prônant l'indépendance vis-à-vis de New Delhi, et qui bénéficient parfois du soutien de la Chine – qui continue d'ailleurs d'occuper une partie de l'Arunachal Pradesh.

Le Nord-Est de l'Inde, qui compte sept États – le Tripura, le Manipur, l'Assam, le Meghalaya, le Nagaland, le Mizoram et l'Arunachal Pradesh – est secoué depuis vingt ans par l'action de mouvement de guérilla. Presque tous les États de cette région connaissent des mouvements indépendantistes actifs : le Tribal National Volonteer (TNV) le Front uni de libération en Assam (ULFA), le Conseil national et socialiste dans le Nagaland, (NSCN) et le Front uni de libération nationale dans le Manipur (UNLF).

Dans l'État du **Tripura**, les militants du TNV ont lancé plusieurs offensives en 1986, provoquant la mort de plus de cent personnes. En conséquence, le gouvernement local du Tripura a interdit le TNV et eu recours à des pouvoirs d'exception pour « lutter efficacement contre l'insurrection ». Il projetait également d'envoyer l'armée combattre la guérilla, appliquant une loi d'urgence (*Armed Forces Act*) qui l'autorise à le faire lorsque l'ordre public est troublé. Au début de 1987, le TNV aurait lancé plusieurs attaques, faisant vingt-quatre morts. « Les troubles causés par le TNV ont été très sérieux et ses partisans doivent être traités avec fermeté pour avoir tué des innocents », a estimé le ministre indien de l'Intérieur, Buta Singh, devant le Parlement. A en croire plusieurs journaux indiens, le TNV a adressé un « ordre » à tous les citoyens indiens vivant dans l'État depuis 1949 – année de la fusion avec l'Union indienne – leur demandant de quitter le pays. « Lorsque la guerre est à

agit pour eux. Il détourne, à son profit, les aspirations les plus profondes des populations. « C'est l'armée qui garantit tout », déclarait, en février 1987,

le général Henri Namphy, président du Conseil national de gouvernement haïtien. Au fond, il s'agit d'un État-attrape-tout.

Les minorités nationales font

votre porte, a d'ailleurs déclaré Bijoy Kumar Hrangkhawl, leader du TNV, ni votre gouvernement [indien] ni le TNV ne peuvent assurer votre sécurité », ajoutant que « désormais, les personnes innocentes devraient revendiquer leur droit de vivre chez elles [en Inde] plutôt que de tolérer une situation précaire et de vivre aux crochets du Tripura ».

L'État du **Mizoram** est moins touché, depuis que le Front national Mizo (MNF), qui lutte depuis vingt-cinq ans pour l'indépendance, a signé une trêve avec le gouvernement indien en juillet 1986. Début 1987, le chef du MNF, M. Laldenga, occupait d'ailleurs les fonctions de Premier ministre du Mizoram. Mais il semblerait que l'un de ses anciens compagnons de lutte ait rejeté cet accord avec le gouvernement indien et rassemble autour de lui les partisans indépendantistes.

Le Conseil national et socialiste du **Nagaland** (NSCN) apparaît comme le plus puissant et le mieux organisé des mouvements de guérilla de la région. Il bénéficie de soutien en Chine populaire, en Birmanie et au Bangladesh. Selon des sources officielles indiennes, le NSCN, allié d'une organisation de guérilla birmane (Kachen Independent Army), a accepté d'entraîner les militants de l'UNLF (Manipur) et de l'ULFA (Assam), à son quartier général implanté dans les régions reculées de Birmanie.

Depuis la création du NSCN en 1976, plus de 250 personnes ont été tuées au **Manipur**, dont 20

militaires en 1986. Plusieurs dizaines de militants de l'ULFA se seraient rendus en Chine pour suivre un entraînement à la guérilla. La police, en arrêtant trois de ses membres, aurait trouvé sur eux une lettre du chef du NSCN, Isaac Swu. D'après cette lettre, les insurgés de l'ULFA devaient rejoindre le QG par petits groupes, et se rendre ensuite en Chine pour y suivre un entraînement intensif. Plus de 400 extrémistes ont ainsi été s'entraîner dans les camps du NSCN depuis une dizaine d'années. Cette lettre du chef du NSCN précisait également qu'il attendait de la part des indépendantistes de l'Assam une aide financière, en échange de quoi il assurerait leur formation. Il attendait également d'eux qu'ils soignent les membres du NSCN blessés ou malades, actuellement en Assam. C'est probablement à cause de ce marché que des membres présumés de l'ULFA ont perpétré plusieurs hold-up.

Au Manipur, le NSCN a repris la lutte en janvier 1987, jour anniversaire de la République indienne, en assassinant le leader politique N.S. Shimthat, proche ami du Premier ministre du Manipur, Rishang Keishing. D'après celui-ci, quelque 360 rebelles du Manipur et du Nagaland ont suivi un entraînement en Chine, et ensuite rejoint leur base birmane, un bastion inaccessible où, dit-il, « l'armée birmane elle-même ne peut imposer sa loi ».

Ph. Inaobi

les frais de son appétit dévastateur. Progressivement, leurs membres deviennent comme des étrangers dans leurs propres pays. C'est souvent le cas des

Berbères et des Kabyles en Afrique, des Indiens en Amérique, des Kurdes, écartelés entre l'Irak, la Turquie, la Syrie, l'Union soviétique et l'Iran. La

République populaire de Chine compte elle-même plus de cinquante nationalités. Les Hans – 94 % de la population totale – peuvent être tentés de dominer parfois les 6 % restants : quarante millions d'habitants répartis sur 60 % du territoire national, dans les régions montagneuses du nord, du nord-ouest et du sud-ouest du pays.

Partout existe le risque, y compris en matière de culture, de voir le pouvoir central abuser de sa position. Depuis longtemps déjà, en particulier à Bandung, en 1955, il est admis que les grandes puissances ont « dénié aux peuples coloniaux les droits fondamentaux dans le domaine de la culture ». Les États « nouveaux » ont voulu porter remède à cette situation. Ainsi, ont-ils, dans le cadre de l'Organisation de l'unité africaine, à Port-Louis, en 1976, adopté une charte culturelle de l'Afrique. Mais ce sont eux, et non les peuples, qui « reconnaissent qu'il ne saurait y avoir de politique culturelle sans politique d'information et de communication adéquate ».

Ce sont aussi les « gouvernements africains » qui devront assurer la décolonisation des moyens d'information. Ce sont eux, encore, qui devront créer des maisons d'édition et de distribution de livres, de manuels scolaires, de disques, d'organes

de presse pour en faire des instruments populaires d'éducation. Dès lors, comme de coutume, l'État s'institue porte-parole des peuples. De même, en matière de protection des droits de l'homme et des peuples, l'Afrique donne aux États la part du lion. Il suffit, pour s'en convaincre, de se reporter à la charte africaine adoptée à Nairobi le 28 juin 1981. L'État-minotaure s'efforce donc de tout régenter.

Cependant, cet appétit insatiable provoque un réveil des peuples. Dans leurs déclarations, les dirigeants des États du tiers monde rendent assez volontiers hommage aux peuples dont ils ont la charge. Cet hommage, cependant, est souvent verbal. L'intendance ne suit pas toujours. Le temps vient, dès lors, où les peuples, prenant conscience de la duperie dont ils ont été l'objet, entreprennent de faire restaurer leurs droits. Ils y sont souvent aidés par l'Organisation des Nations unies et par d'autres institutions internationales. Parfois même, les peuples bénéficient d'alliés inattendus : les États. On l'a vu avec la déclaration franco-mexicaine sur le Salvador, du 28 août 1981. Dans ce texte, en effet, les représentants patentés de deux États reconnaissent que « l'alliance du Front Farabundo Marti pour la libération nationale et du Front démocratique révolutionnaire constitue une force politique représentative ».

Les contre-pouvoirs religieux

Ainsi, au bout du compte, la citadelle étatique est minée par

les organisations internationales, affaiblie par certains États. Mais, surtout, elle est assiégée par les peuples. Ceux-ci sont à l'origine de contre-pouvoirs de type religieux ou philosophique, ou de nature politique ou sociale.

Ces contre-pouvoirs sont nombreux en Afrique. Au Sénégal, pays à majorité musulmane, les confréries religieuses exercent un rôle parfois décisif. La confrérie des Mourides, fondée par le cheik Amadou Bamba, est composée d'intégristes musulmans proches des chi'ites. N'hésitant pas à donner des consignes de vote, le pouvoir doit compter avec elle. Ne dit-on pas qu'elle est à l'origine de la chute de Mamadou Dia qui s'opposait à ses vues? Une autre confrérie –

celle des Tidjanes – compte elle aussi beaucoup dans la vie du pays.

Les sectes ont également pris, en Afrique, une importance certaine, qu'il s'agisse, au Zaïre, de l'Église du Christ sur la terre par le prophète Simon Kimbangu, des matswanistes au Congo, du harrisme en Côte d'Ivoire et au Libéria, de la secte Ndjobi au Gabon, etc. On connaît également le rôle joué par les Frères musulmans dans de nombreux pays arabes. Nombreux sont les dirigeants qui doivent compter avec eux. C'est le cas en Algérie où leur action persévérante a permis la construction de plusieurs mosquées et d'une université islamique.

Dans maint pays d'Afrique, cet attrait pour le mysticisme se manifeste par un engouement en faveur des sociétés secrètes, franc-maçonnerie et Rose-Croix, en particulier. Au Togo, de nombreux membres de l'appareil d'État et des notables appartiennent à ces sociétés. Il en est de même au Congo, au Gabon, etc. En Côte d'Ivoire, le danger a paru suffisamment sérieux pour justifier, de la part des évêques, une mise en garde sous la forme d'une note intitulée : « Rose-Croix et foi chrétien-

Marx, Mao et Gonzalo sur l'Altiplano péruvien

Le Parti communiste du Pérou-Sentier lumineux, plus connu sous le nom de « Sentier lumineux », a fait son apparition au grand jour pour la première fois le 17 mai 1980, au moment des élections présidentielles. Alors que les électeurs péruviens portaient une nouvelle fois Fernando Belaunde Terry à la présidence de la République après douze ans de régime militaire, les « sentiéristes » perturbaient la journée électorale dans la région d'Ayacucho à 480 kilomètres au sud-est de Lima.

Peu pris au sérieux à ses débuts, Sentier lumineux contraignait trois ans plus tard le président Belaunde Terry à confier les pleins pouvoirs à l'armée dans les régions d'Ayacucho, d'Apurimac et de Huancavelica, trois des départements les plus misérables du Pérou andin, d'où le Sentier lumineux avait expulsé les forces de police.

Contraints par la stratégie militaire à céder du terrain, les sentiéristes ont depuis lors déplacé leur zone d'activité à l'ensemble du Pérou, avec un succès très relatif dans certaines régions comme dans la ville minière de Cerro de Pasco, plus notable dans la capitale, Lima. L'activisme de Sentier lumineux dans le principal centre urbain du pays a un double but : déstabiliser les gouvernements démocratiques en place, mais aussi utiliser la ville comme caisse de résonance de son action.

Ni les mesures de sécurité prises lors de la venue du pape au début de 1985, ni celles adoptées lors de la tenue du congrès de l'Internationale socialiste en juin 1986 n'ont empêché les sentiéristes de se manifester pour profiter de l'intérêt international.

Le congrès de l'Internationale socialiste, les 18 et 19 juin 1986, fut marqué, en particulier, par le soulèvement simultané des sentiéristes détenus dans trois prisons de Lima. La répression, confiée à l'armée par le président Alan García, fut sanglante : 256 prisonniers exécutés après qu'ils se furent rendus.

Malgré ce coup très rude, Sentier lumineux ne tardait pas à reprendre ses opérations dans Lima. La rapide reconstitution des forces de cette mystérieuse organisation – ses chefs refusent toute aide extérieure et tout contact avec la presse – démontre que le Pérou vivra encore longtemps avec ce groupe de guérilla.

Puisant ses forces vives dans les

ne, une mise au point de la conférence épiscopale de Côte d'Ivoire. »

Dans de nombreux États, les chrétiens et les Églises auxquelles ils appartiennent constituent une force avec laquelle le pouvoir doit souvent se mesurer. En Amérique latine, les catholiques représentent 82 % de la population, en Afrique 12 %, en Asie 2,4 %. Cette force est décuplée lorsque ceux-ci sont des adeptes de la théologie de la libération.

couches misérables de la population mais aussi dans la masse des jeunes diplômés métis ou d'origine indienne, Sentier lumineux doit dorénavant être considéré comme un phénomène endémique de la société péruvienne, dû à la paupérisation de la majorité de la population et aux insuffisances de la machine étatique. C'est grâce à ces insuffisances, tant au niveau de l'exécutif que du judiciaire, que Sentier lumineux impose ses méthodes violentes, dont les premières victimes sont les communautés paysannes des hauts plateaux.

C'est en effet parmi ces communautés que le « président Gonzalo », fondateur et chef de Sentier lumineux, prévoyait d'asseoir sa puissance. Grâce à un travail préparatoire de plusieurs années dans le décennie soixante-dix, le professeur de philosophie Abimael Guzman (nom de guerre « Gonzalo »), spécialiste du philosophe allemand Emmanuel Kant, avait réussi à regrouper autour de lui à l'université d'Ayacucho, à l'époque l'une des plus réputées du pays, de nombreux étudiants et instituteurs envoyés plus tard dans les montagnes pour obtenir le soutien des villages indiens.

Sentier lumineux plonge ses racines dans plusieurs sources. Dans le maoïsme tout d'abord : les inspirateurs directs du groupe sont Marx, Lénine, Mao et Gonzalo. Sources péruviennes, aussi, car l'expression « Sentier lumineux » est empruntée à Jose Carlos Mariategui, fondateur des mouvements ouvriers marxistes au Pérou dans les années vingt. Sources indiennes, enfin, car les théories de Sentier lumineux s'inspirent beaucoup de l'esprit des cultures indiennes.

Selon les sentiéristes, le Pérou vit encore une époque féodale où les diverses bourgeoisies oppriment les masses. « Notre objectif », expliquent les sentiéristes dans un des textes-langue de bois qu'ils publient régulièrement, « est de détruire le système d'exploitation et d'oppression impérialiste yankee, de capitalisme bureaucratique et de semi-féodalité... »

Pour ce faire, les groupes armés de Sentier lumineux n'hésitent pas à mettre les zones paysannes en coupe réglée : qui n'est pas avec eux est contre eux et mérite le châtiment public, voire la mort. Les militants de Sentier lumineux sont ainsi devenus tristement célèbres pour leurs exécutions publiques.

Mais les différents corps d'armée envoyés sur place, appliquant le même principe du « qui n'est pas avec nous est contre nous » n'ont rien à leur envier en sauvagerie. Les 10 000 morts et disparus, bilan de l'affrontement entre armée et guérilla, ne sont malheureusement pas les derniers de la « sale guerre » dont la démocratie péruvienne est la grande perdante.

Jean-Pierre Boris

Née entre 1968 et 1972, elle entend puiser dans les convictions religieuses de ses membres la force de lutter contre toutes les oppressions. Gustavo Gutierrez, Leonardo Boff, John Sobrino... illustrent ce courant actuellement représenté sur tous les continents.

Les contre-pouvoirs politiques

Les chefs traditionnels figurent au nombre des contre-pouvoirs politiques ou sociaux. Spécialement en Afrique, nombreux sont les chefs d'État qui ont eu à les affronter. Ce fut le cas au Ghana où Kwame Nkrumah entra en conflit avec l'asanteheme, le chef suprême des Ashantis, en Ouganda où Milton Obote s'opposa au kabaka du Bouganda, en Côte d'Ivoire où Félix Houphouët-Boigny eut maille à partir avec le roi du Sanwi, en Haute-Volta (Burkina) où Maurice Yameogo affronta l'empereur et la chefferie des Mossis, au Cameroun où Ahmadou Ahidjo et Paul Biya eurent à composer avec les lamidos musulmans.

Les partis politiques constituent d'autres contre-pouvoirs. Le Sénégal en compte une quinzaine. Cependant, l'opposition est émiettée et victime de la mainmise du parti au pouvoir sur la quasi-totalité des moyens d'information, de l'administration et des forces de l'ordre. Ailleurs, des mouvements clandestins s'efforcent de mettre les gouvernants en difficulté. C'est le cas, au Maroc, du mouvement marxiste-léniniste Ila Alaman qui apporte son soutien au Front Polisario. C'est le cas, au Togo, du Mouvement togolais pour la démocratie (MTD); et au Gabon, du Mouvement de redressement national (MO.RE.NA.), mouvement d'opposition basé en France. Des formations et des mouvements algériens agissent également de l'extérieur du pays. Le Mouvement démocratique populaire (MDP), animé par Ahmed Ben Bella, milite en faveur de la légalisation de l'opposition dans ce pays, représentée, notamment, par la Ligue algérienne des droits de l'homme.

L'Asie connaît des phénomènes du même type. Aux Philippines, Corazon Aquino doit, elle-même, faire face à une opposition, non seulement légale, mais aussi clandestine. Celle-ci est illustrée par le Parti communiste des Philippines, la Nouvelle armée du peuple et le Front démocratique national.

Les mouvements de libération nationale prennent parfois la forme de partis. Quatre sont admis à titre d'observateurs permanents au sein de l'ONU : l'Organisation de libération de la Palestine (OLP), l'Organisation du peuple du Sud-Ouest africain (SWAPO), le Congrès national africain (ANC) et le Congrès panafricain (PAC). L'époque actuelle se caractérise par le fait que des mouvements de libération nationale ont également surgi à l'intérieur d'États indépendants. C'est le cas dans de nombreux pays latino-américains : au Pérou, avec le Sentier lumineux, en Colombie avec les guérilleros du M-19.

D'autres contre-pouvoirs — syndicats, minorités ethniques, etc. — peuvent, aussi, mettre le pouvoir central en difficulté.

Le tiers monde et les autres

LA CIVILISATION
EST EN MARCHE!

HAHA!

QUE DIANTRE!

CELUI-LÀ, IL ETAIT TROP
BEAU: ON L'A GARDÉ
POUR FAIRE MARRER
LES MÔMES...

AUTREF.

*Le monde entier a une grande leçon
à tirer de la capacité de pardon des
peuples noirs. Celle-ci est étroitement
liée aux préceptes éthiques découlant
de leur vision du monde et de leurs
authentiques religions, dont aucune
n'a jamais été totalement éliminée.*

Wole Soyinka

COLONISATIONS

Moins d'un siècle après le début de la « chasse aux colonies », la décolonisation paraît inscrite dans l'évolution économique des métropoles.

par Jacques Marseille

L'expansion coloniale de l'Europe est sans doute le phénomène le plus important de la seconde moitié du XIXᵉ siècle. Alors qu'en 1815 seule l'Angleterre manifestait de l'intérêt pour l'acquisition de territoires lointains, à partir des années 1870-1880 un mouvement irrésistible emporte les grandes nations européennes à la conquête des terres nouvelles.

Comme l'écrit Charles Faure en 1884, « l'entraînement prenait le caractère d'une vraie *course au clocher*. C'était à qui arriverait le premier à hisser son pavillon sur tel ou tel point de la côte d'Afrique non encore possédé par une des nations de l'Europe ».

Du XVIᵉ au XVIIIᵉ siècle, les rivalités coloniales entre les grandes puissances maritimes de l'Europe occidentale avaient été très vives. Au début du XIXᵉ siècle, en revanche, seule la Grande-Bretagne semble manifester de l'intérêt pour ces possessions lointaines. La France a vendu la Louisiane aux États-Unis en 1803. La Hollande récupère en 1815 des territoires que l'Angleterre a occupés au cours des guerres napoléoniennes, mais n'en voit pas clairement l'intérêt. Une grande puissance coloniale, l'Espagne, perd entre 1810 et 1822 l'essentiel de son empire en Amérique latine. Le peu d'attention accordé à la colonisation par les congressistes de Vienne, en 1815, témoigne du manque d'intérêt de l'opinion et des gouvernants.

C'est que la colonisation est condamnée par les idées libérales qui se développent sous l'influence d'économistes comme Adam Smith, Ricardo ou Jean-Baptiste Say. Pour ces derniers, les colonies ne présentent aucune utilité économique. Au contraire, les coûts des conquêtes et les privilèges accordés aux compagnies coloniales se font au détriment de l'intérêt général. Enfin, en multipliant les prétextes de guerre, en livrant les indigènes à l'arbitraire et à la violence, la colonisation est accusée de favoriser le maintien du despotisme alors qu'on veut développer les droits de l'homme. En 1833, sous la pression d'organisations anti-esclavagistes, l'esclavage est aboli dans les colonies anglaises. La France suit l'exemple en mars 1848 sur l'initiative de Victor Schœlcher.

La course au clocher

Jusqu'aux années 1880, c'est surtout l'Angleterre qui affirme sa vocation coloniale. Elle achève en 1857 la conquête de l'Inde, s'installe à Singapour, s'établit en Nouvelle-Zélande, occupe Aden et pénètre en Afrique du Sud.

En France, la reprise de l'expansion se fait dans l'incohérence, comme en témoigne la conquête de l'Algérie amorcée en 1830. Décidé sans enthousiasme, l'envoi d'un corps expéditionnaire se heurte aux réticences de la bourgeoisie libérale au pouvoir.

Pourtant, entre 1830 et 1870, sous l'effet d'initiatives multiples mais sans plan préconçu, la France pénètre au Sénégal, prend pied en Côte d'Ivoire, au Gabon et à Madagascar, annexe en 1853 la Nouvelle-Calédonie, établit sa souveraineté sur la Cochinchine et le Cambodge.

Il faut attendre en fait le début des années 1880 pour que s'accélère la « chasse aux colonies ». Le premier champ d'expansion est la Méditerranée, dont l'importance est accrue par l'ouverture du canal de Suez en 1869. Si la Grande-Bretagne poursuit le dessein de contrôler la Méditerranée orientale et la mer Rouge, la France entame la création d'un ensemble maghrébin autour de l'Algérie. Sous l'impulsion de Jules Ferry, elle intervient en 1881 en Tunisie pour y établir son protectorat, laissant l'Angleterre occuper l'Égypte en 1882.

En Afrique noire, la découverte du fleuve Congo par le journaliste américain Stanley ouvre la compétition. L'exploration de Stanley confirme en effet que le fleuve est la grande voie de pénétration vers l'intérieur de l'Afrique. En 1880, Savorgnan de Brazza signe avec le roi Makoko un traité qui prépare l'occupation française dans cette zone. Proposée par Bismark, une conférence internationale réunie à Berlin du 15 novembre 1884 au 2 février 1885 détermine les zones d'influence en Afrique. Le roi des Belges Léopold II peut réaliser son rêve de créer un État du Congo dont il est le souverain.

En Extrême-Orient, sous l'impulsion de Jules Ferry, la France s'installe au Tonkin. En 1885, l'Indochine est désormais placée sous souveraineté française. Inquiète de ces entreprises, la Grande-Bretagne occupe la Birmanie en 1885. Ces conquêtes des deux grandes puissances coloniales exaspèrent les pays qui ont démarré tardivement dans la « course au clocher », l'Allemagne et l'Italie, en particulier, qui en 1890 colonise l'Érythrée, puis en 1911-1912 annexe la Tripolitaine (en Libye) et les îles grecques du Dodécanèse. A la fin du siècle, les États-Unis annexent les Hawaii, Porto Rico et les Philippines. En 1914, les empires coloniaux européens couvrent environ 60 millions de km² et rassemblent plus d'un demi-milliard d'habitants. A lui seul, l'Empire britannique compte 33 millions de km² et 400 millions d'habitants ; l'Empire français 10,6 millions de km² et 56 millions d'habitants.

Les causes de l'expansion

C'est la rupture des années 1870-1880 qui pose encore aujourd'hui question. Si les causes de l'expansion coloniale sont diverses selon les pays, le mouvement est trop général pour ne pas avoir des motifs communs. Entre 1876 et 1884, les dirigeants politiques des grandes nations se convertissent à l'idée coloniale. Pourquoi précisément à partir de cette date ?

Cette expansion a tout d'abord été préparée par de fervents propagateurs de l'idée coloniale. A partir de 1870 se multiplient en France, en Italie, en Allemagne et en Belgique des

Le commerce captif de la CFAO

Pour les chroniqueurs boursiers, elle est l' « Afrique occidentale », une valeur sûre qui affiche depuis toujours ou presque des profits et des dividendes. La Compagnie française de l'Afrique occidentale (CFAO) est l'une des « africaines », comme la SCOA et Optorg ou comme les filiales du groupe anglo-néerlandais UAC – Unilever (Nosoco, Niger-France, Compagnie française de Côte d'Ivoire), c'est-à-dire une des grandes sociétés commerciales de l'Afrique noire. Avec 13,5 milliards de FF de chiffre d'affaires et 160 filiales et participations en 1985, elle est la première française de sa catégorie.

A partir de ses centrales d'achat installées dans les grands pays du Nord (Francap en France), elle approvisionne ses succursales africaines en un large éventail de produits : aliments, textiles, automobiles, matériel d'équipement, matériaux de construction... On se perd un peu dans la diversité des enseignes et des raisons sociales : Structor (BTP), Cica en Côte d'Ivoire et Cami au Cameroun (automobile), Transcap (transit), Monoprix... Ce qui caractérise la CFAO, comme ses consœurs, c'est d'une part une implantation dans les pays de la zone franc, en zone anglaise et principalement au Nigéria, d'autre part des positions dominantes

sociétés de géographie qui encouragent les explorations.

Ouvrant en 1875, à Paris, le Congrès international de géogra-

dans le commerce d'importation et dans la distribution intérieure de ces pays. Si l'on y ajoute la kyrielle de participations dans l'industrie légère locale et les filiales dans les services, rien ne manque au dispositif qui s'est mis en place au cours du temps pour garder les marchés captifs. A elle seule, en effet, la C F A O raconte un chapitre de l'histoire franco-africaine.

Quand Frédéric Bohn crée la C F A O en 1887 en reprenant une affaire de comptoirs, la traite commerciale est en plein essor en Afrique occidentale. La gomme, le caoutchouc, les peaux et, de plus en plus, l'arachide ou le cacao sont drainés vers la côte par des réseaux de collecteurs, puis exportés vers l'Europe; les bateaux reviennent avec des marchandises que les maisons d'import-export vendent à l'intérieur des terres grâce au colportage et dans leurs « factoreries » (magasins servant d'entrepôts pour les produits destinés à l'exportation et de bazar pour les marchandises importées).

La C F A O s'impose rapidement en modernisant les pratiques de la traite : elle limite le troc et l'usure largement utilisés par les commerçants français (bordelais pour la plupart), offre des prix incitatifs pour l'arachide et joue un rôle notable dans la promotion de cette culture. Son dynamisme, elle le doit beaucoup à sa base arrière, Marseille, où elle est domiciliée au départ : elle y trouve des financements bancaires et elle passe des alliances avec les entreprises de navigation et les industries (savonneries, huileries, sucreries). Ses employés sont formés sur le tas après un passage obligé « en brousse ». Celle qu'on appelle « la Compagnie » acquiert avec la prospérité une image de conservatisme.

A partir des années cinquante, elle fait peau neuve comme les autres sociétés de traite : l'ancien bazar polyvalent éclate en magasins spécialisés. Parallèlement, la C F A O se désengage de l'exportation des produits africains. Son implantation prend ainsi sa configuration actuelle. Les indépendances politiques modifient peu le cours des choses (sinon qu'elles les accélèrent quelquefois), sauf dans le cas de la Guinée, que les sociétés ont désertée pour y revenir aujourd'hui.

Ce qui a beaucoup changé en un demi-siècle, c'est surtout l'éventail des produits commercialisés et aussi leurs marques – le micro-ordinateur après la lampe-tempête, et toujours les automobiles, de plus en plus japonaises. Les commerçants nationaux ont fait surface entre les mailles du réseau étranger; crises et périodes de prospérité se sont succédé sur les différents marchés.

Et la C F A O est là depuis un siècle, égale à elle-même.

Certes, depuis une quinzaine d'années, elle a beaucoup investi en France, tant et si bien qu'elle compte notamment de nombreux supermarchés dans la région Rhône-Alpes (S O D I M) et qu'elle ne réalise plus en Afrique que la moitié de son chiffre d'affaires. Retour au bercail? Peut-être. Plutôt une façon de retrouver un espace abrité pour croître encore dans les turbulences multiples de la période.

Elsa Assidon

phie, l'amiral La Roncière le Nory déclare : « Messieurs, la providence... nous a dicté l'obligation de connaître la terre et d'en faire la conquête. Ce suprême commandement est l'un des devoirs impérieux inscrits dans notre intelligence et dans notre activité. La géographie... est devenue la philosophie de la terre. »

Cette période d'essor de la curiosité géographique coïncide avec une période d'intense activité missionnaire. Qu'elles soient protestantes ou catholiques, les sociétés de missions se multiplient dans la première moitié du XIXe siècle. Réprouvant les procédés des aventuriers et l'âpreté au gain des marchands, elles réclament l'appui des gouvernements pour protéger les populations qu'elles évangélisent. En 1871, Mgr Lavigerie, archevêque d'Alger, appelle les réfugiés d'Alsace-Lorraine à venir s'installer en Algérie : « Venez donc dans notre France nouvelle, plus riche encore que la première et qui ne demande que des bras pour développer une vie qui doublera celle de la mère patrie. Venez, en contribuant à établir sur ce sol encore infidèle, une population laborieuse, morale, chrétienne; vous en serez les vrais apôtres, devant Dieu et devant la patrie. »

L'idéologie coloniale est surtout propagée par des associations qui s'efforcent de convaincre l'opinion et de peser sur les gouvernements. Particulièrement nombreuses en Grande-Bretagne et en Allemagne, elles rassemblent des militaires, des intellectuels, des hommes politiques, des hommes d'affaires. Elles s'attachent surtout à tra-

vailler l'opinion publique en employant des journalistes et en organisant des manifestations populaires et des banquets.

La « grande dépression »

Autre groupe qui pousse à l'expansion, les milieux économiques liés au commerce international : armateurs et négociants des grands ports, industriels tournés vers l'exportation. A partir des années 1870 en effet, les grands pays industrialisés connaissent une période de difficultés qui va se prolonger jusqu'au milieu des années 1890. La compétition de plus en plus acharnée exige l'ouverture de nouveaux marchés. Les co-

tonniers du Lancashire réclament en 1879 « l'ouverture au négoce des nouveaux territoires ». « La politique coloniale est fille de la politique industrielle », déclare Jules Ferry en 1885!

Les colonies sont également un moyen de rentabiliser les capitaux accumulés en Europe occidentale. En 1875, le directeur du Crédit Lyonnais écrit : « Nous avons absolument besoin de trouver des placements, autrement, que faire de l'argent qui nous afflue? » Quand, à la fin de 1874, sont ouvertes de nouvelles agences à Alexandrie et Constantinople, il écrit : « Notre but en allant dans ces pays est de profiter de l'écart considérable qui existe entre le prix de l'argent qui s'y pratique et le rendement que nous pouvons tirer en France de nos ressources. »

La recherche de matières premières pousse également aux conquêtes coloniales. Après le désastre qui frappe la sériciculture française à partir de 1856, les industriels lyonnais cherchent en Indochine de nouvelles sources d'approvisionnement. Les industriels de Manchester veulent s'assurer le monopole du coton égyptien, Léopold II, celui des richesses minières du Congo. Même si les territoires occupés n'ont pas encore révélé leurs richesses, il s'agit de les prendre avant qu'un autre pays ne s'en empare.

Enfin, il existe aussi chez certains promoteurs de l'expansion l'idée qu'elle est un moyen de résoudre la question sociale. En 1858, Engels fait remarquer à Marx que « si le prolétariat anglais s'embourgeoise de plus en plus et devient moins combatif, c'est grâce aux profits des conquêtes coloniales ».

En 1895, Cecil Rhodes – le « père » de la Rhodésie – confie à un journaliste : « L'idée qui me tient le plus à cœur, c'est la solution du problème social, à savoir : pour sauver les quarante millions d'habitants du Royaume-Uni d'une guerre civile meurtrière, nous, les colonisateurs, devons conquérir des ter-

Dépolitiser l'histoire

On peut lire au chapitre « Impérialismes et nationalismes » des manuels de première en usage en France en 1987 : « La Première Guerre mondiale a provoqué une montée des nationalismes parmi les peuples colonisés. Les thèses du président Wilson sur le droit des peuples à disposer d'eux-mêmes y trouvent un écho dans les élites indigènes. » Ainsi, tout viendrait de l'Occident : colonisation et décolonisation. Pourtant la création de l'ANC (African National Congress) date bien de 1912 ! Les jeunes qui étudient l'histoire de la colonisation en essayant de comprendre les épisodes qui secouèrent l'existence de leurs aînés avouent avoir quelque peine à s'y retrouver. Pour eux qui n'ont pas vécu directement l'actualité, les arguments qui leur sont soumis apparaissent souvent complexes et contradictoires. Que leur répondre quand, en toute logique, ils vous demandent ce qui, du « jamais » de 1944 à Brazzaville aux discours émancipateurs gaulliens des années soixante, a déterminé un tel virage ? Après tant d'entrain mis à la conquête, il est fort peu probable que le colonisateur ait décidé un beau matin de se retirer parce que ça l'arrangeait tout à coup ! D'étranges silences s'installent dans les livres d'histoire.

En 1986, Mongo Beti titre la préface d'un essai sur le Bourkina : « L'Afrique à l'aube de sa véritable indépendance ». Dans le même temps un fonctionnaire international déclare : « La presque totalité des anciennes colonies d'Afrique noire n'est pas véritablement décolonisée, tant s'en faut. Mieux, nous vivons une ère de recolonisation. » Allons bon, colonisation, décolonisation, recolonisation ? On a du mal à suivre. A quelle étape en sommes-nous exactement ? On y voit plus clair dans le paléolithique ou les civilisations précolombiennes que dans l'histoire contemporaine ! De même n'assiste-t-on pas en France, entre spécialistes, à des débats contradictoires décourageants sur les événements de 1789 et leurs implications ?

Pourtant, l'urgente nécessité de décoloniser l'histoire s'est imposée dès les années cinquante et soixante. Elle appelait à une révision radicale des perspectives et de l'esprit dans lesquels les études avaient été menées jusqu'alors. Grâce à la générosité et aux scrupules de certains éditeurs, des ouvrages différents ont pu paraître, dont certains écrits par des hommes du tiers monde. Dans son étude sur l'Afrique au XXᵉ siècle, Elikia M'Bokolo constate : « Ce qui changea, ce furent deux choses fondamentales : d'une part la mise au point de techniques de recherche diversifiée qui ne privilégiaient plus les documents écrits et revalorisaient en particulier les traditions orales. D'autre

res nouvelles afin d'y installer l'excédent de notre population. »

La force du nationalisme

Toutes ces influences se retrouvent finalement au niveau de l'État. La colonisation coïncide aussi avec l'affirmation du nationalisme. En France, l'expansion coloniale est considérée comme un moyen d'effa-

part, l'insistance sur les peuples africains, alors qu'on avait eu tendance à les escamoter au profit des négociants, des explorateurs, des conquérants, des colonisateurs européens. »

Du côté du Sud, dans les pays où l'histoire s'écrit depuis peu, on constate qu'elle est souvent construite avec le même manichéisme : à l'inverse de celle imposée naguère.

Partout dans le monde, l'enseignement de l'histoire suit les fluctuations de la politique d'État du moment. Winnie Mandela dans *Une part de mon âme* raconte : « Nous avions bien sûr des manuels rédigés, il va sans dire, par des Blancs qui avaient leurs interprétations. Quand mon père m'a enseigné par exemple l'histoire des neuf guerres xhosas, j'ai commencé à comprendre. Maintenant, avec cette imbécillité d'instruction bantoue (instaurée au début des années cinquante), le niveau a encore baissé, l'horizon est devenu étroit et provincial. »

Marc Ferro, directeur d'études à l'École des hautes études en sciences sociales de Paris, a très pertinemment examiné comment, à travers le monde entier, on raconte l'histoire aux enfants et par conséquent aux futurs décideurs, politiciens, économistes. Son ouvrage, à partir de l'écoute, et de la confrontation des différentes versions, aboutit à une formidable mise en question de la conception traditionnelle de l' « histoire universelle ». Mais, à

côté de ces vérités restituées, combien de résistances niées, d'États escamotés, de peuples engloutis ?

Des groupes d'étude, animés par des historiens, se sont constitués ici et là, se donnant pour mission de décoloniser l'histoire. « Afrika Zamani » à Yaoundé, Cameroun, propose une nouvelle chronologie historique fondée sur la dynamique propre aux sociétés africaines. Autre initiative, celle du Centre culture africain de Paris qui organisait à la fin de 1985 un colloque sur la décolonisation de l'Afrique vue par les Africains. Puisque beaucoup des acteurs de cette histoire récente sont en mesure de témoigner, pourquoi ne pas faire appel à leur mémoire ? Ainsi le professeur I. B. Kaké a pu décrire les premiers mouvements africains de revendication de l'indépendance, à partir des années vingt : dès l'implantation coloniale. D'autres ont traité du rôle joué par la jeunesse, de celui des leaders, dans les luttes de libération du tiers monde.

A ces initiatives, il faut ajouter celles de certains artistes : Sembène Ousmane restituant par son film *Ceddo* la résistance des « hommes du refus » à l'islam au XVIIe siècle, Med Hondo relatant avec *Sarraounia* (reine des Aznas) la lutte de certaines chefferies traditionnelles contre la colonisation. Mais les systèmes de distribution n'ont permis qu'une diffusion très restreinte de ces œuvres.　　　Jeane Molia

cer l'humiliation de la défaite de 1871. C'est Jules Ferry qui écrit en 1882 : « Est-ce le moment pour la France de rester chez elle, de se confiner dans la politique sédentaire, la politique du coin du feu qui marquera dans le siècle prochain les peuples frappés d'infériorité ou menacés de décadence ? »

En Italie et en Allemagne, pays récemment unifiés, le sentiment national a besoin d'être consolidé par des succès coloniaux.

En outre, dans un monde bouleversé par l'urbanisation, les mutations industrielles, les migrations rurales, la colonisation fait renaître de nouvelles espérances, le goût de l'évasion, la possibilité de faire carrière, le moyen d'échapper à la vie routinière de la vieille Europe. Ce thème est exploité par les romans d'aventures et des journaux de voyage, comme le succès grandissant de Jules Verne en témoigne.

L'expansion coloniale correspond enfin à des préoccupations stratégiques. L'exemple le plus net est celui de la Grande-Bretagne qui achève dans les années 1850-1900 la conquête de « colonies de position », qui sont autant de bases nouvelles destinées à ravitailler les flottes en charbon.

Assimilation ou association ?

L'administration des colonies fut lente à se mettre en place. En France, il faudra attendre 1894 pour que soit créé un ministère des Colonies. Le recrutement des fonctionnaires coloniaux posait également problème. En

1880, le Colonial Office chargé d'administrer les colonies britanniques n'occupe à Londres que soixante personnes. En France, le ministère des Colonies ne compte en 1896 que 148 agents de tous grades. Dans les territoires coloniaux, le nombre de fonctionnaires métropolitains reste peu élevé.

L'administration des colonies est également l'objet d'un vaste débat. Faut-il mener une *politique d'assimilation,* c'est-à-dire transformer les colonies en départements métropolitains et amener les peuples coloniaux au niveau du pays colonisateur, ou une *politique d'association,* c'est-à-dire respecter les coutumes locales et laisser les indigènes se gouverner ?

Le gouvernement britannique mène plutôt une politique d'association. Les colonies à fort peuplement européen, le Canada, la Nouvelle-Zélande, celles du Cap et d'Australie ont leurs parlements et leurs gouvernements. On trouve aussi des *protectorats* administrés par des chefs indigènes assistés de conseillers britanniques, et des colonies administrées directement par des fonctionnaires métropolitains.

En France, même si la doctrine officielle est celle de l'assimilation, la variété des statuts est également ce qui domine. La Tunisie et le Cambodge sont des protectorats dépendant du ministère des Affaires étrangères; les Antilles, Madagascar, le Tonkin et le Sénégal sont des colonies administrées par le ministère des Colonies; l'Algérie dépend du ministère de l'Intérieur. A noter que de 1860 à 1962, date de l'indépendance de l'Algérie, il n'y aura jamais de ministère assumant la direction de l'empire tout entier.

La mise en valeur des empires exige tout d'abord le développement d'une infrastructure permettant les échanges. Ports et voies ferrées mobilisent la plus grande part des investissements qui assurent aux sociétés coloniales des taux de profit très élevés au moment où la croissance s'essouffle en Europe.

Le développement des voies de communication accélère les échanges entre les métropoles et leurs colonies. En 1939, l'empire représente près du tiers des échanges extérieurs de la France. Cette proportion est de 50 % pour la Grande-Bretagne.

La colonisation s'accompagne enfin, dans les colonies peuplées par les Européens, de la mainmise sur les meilleures terres. Dans les colonies d'exploitation comme en Afrique noire, on n'hésita pas à recourir au travail forcé sous prétexte que le travail est la forme de participation de l'indigène à l'œuvre de civilisation menée par la métropole!

Le choc de deux cultures

En transformant la vie économique des sociétés qu'elle colonisait, l'Europe a aussi bouleversé leur culture. Technicienne et triomphante, l'Europe considérait qu'elle remplissait une mission civilisatrice. En développant un réseau médical et des instituts d'hygiène, en luttant contre les maladies tropicales et les épidémies, elle se donnait bonne conscience, même si cette nouvelle démographie brisait l'équilibre traditionnel de certaines sociétés.

Mais surtout, en ignorant l'originalité des peuples dominés, en niant leur culture, en leur imposant de nouvelles valeurs, le travail, l'argent, l'État, la colonisation provoquait de profonds traumatismes. En développant la propriété foncière, elle mettait fin à des formes de vie communautaire. En introduisant la monnaie, elle faisait disparaître le troc dans de vastes régions où il était la seule forme d'échange depuis des siècles. Mais qui pouvait empêcher les Européens de penser qu'ils étaient porteurs de progrès?

La fin des empires coloniaux

C'est Jaurès qui en 1881 s'exclame : « Nous pouvons dire à ces peuple sans les tromper que là où la France est établie, on l'aime; que là où elle n'a fait que passer, on la regrette; que partout où sa lumière resplendit, elle est bienfaisante; que là où elle ne brille pas, elle a laissé derrière elle un long et doux crépuscule où les regards et les cœurs restent attachés. »

En 1925, Léon Blum, secrétaire de la SFIO, assume cet

André Gide
l'insoumis

« Qu'est-ce que vous allez chercher là-bas? », demande-t-on à André Gide sur le bateau qui le mène au Congo, durant l'été 1926. Il répond : « J'attends d'être là-bas pour le savoir. »

Dès les premières pages de ses carnets de route, il s'interroge sur les raisons de cette étrange aventure que représente un voyage sous l'équateur pour un écrivain célèbre, bien parisien et, qui plus est, à la cinquantaine. « Il ne me semble déjà plus que précisément je l'aie voulu (encore que depuis des mois ma volonté soit tendue vers lui); mais plutôt qu'il s'est imposé à moi par une sorte de fatalité inéluctable comme tous les événements importants de ma vie. » Sans doute, lecteur ardent de Joseph Conrad au temps de son adolescence, a-t-il en lui le vieux projet d'aller à son tour dans cette Afrique inquiétante. Mais pourquoi en prend-il la décision en 1924 et non vingt ans plus tôt? Il en est à une phase importante de sa vie : « Je ne sais où je vais mais j'avance », écrit-il précisément en 1924. Deux livres, enfin livrés au grand public, en portent témoignage : *Corydon* et *Si le grain ne meurt*. L'un et l'autre font pleine lumière sur l'homosexualité, soulevant l'indignation de maints critiques, mais cela « libère » grandement André Gide qui se sent comme revenu à ce temps de sa jeunesse où il découvrait le plaisir d'exister dans les paysages d'Al-

gérie ou de Tunisie. Il note dans son *Journal* le 6 septembre 1924 : « Comme je me sentirais jeune encore si je ne savais pas que je ne le suis plus! »

C'est donc un vieux jeune homme plein d'ardeur à vivre et à découvrir qui débarque à Brazzaville le 14 août 1925. Et il nous émerveille, en effet, par le regard aigu qu'il porte sur les plantes, les insectes, les paysages, par son endurance à parcourir en pleine forêt des vingtaines de kilomètres par jour. Mais, bien vite, ce qui frappe, c'est l'intérêt qu'il porte à tous ces Noirs qu'il rencontre : il soigne, il apprend à lire, il s'enquiert de leur nourriture, de leur hébergement. Mis en confiance par ce comportement tout à fait inhabituel de part d'un Blanc, les Congolais se mettent à parler. C'est le déclic pour André Gide. Ce qu'il découvre dépasse tout ce qu'il a pu apprendre en lisant le livre de René Maran, *Batouala*, publié en 1921, ou certains articles comme « La grande pitié des populations congolaises », d'A. Géraud, paru en 1924.

Toute la sinistre réalité coloniale lui saute au visage : le pays livré aux « grandes concessions », avec la complicité des administrateurs; le travail forcé des hommes, mais aussi des femmes; la réquisition pour aller récolter le caoutchouc en des lieux où sévit la mouche tsé-tsé; le paiement dérisoire de cette matière première; des ethnies déportées de leur terre natale pour constituer des villages au bord de la route du caoutchouc; une répression terrible à la moindre résistance : hommes ligotés, exécutés, femmes massacrées à la machette, en-

héritage colonial en proclamant : « Nous admettons le droit et même le devoir des races supérieures d'attirer à elles celles qui ne sont pas parvenues au

même degré de culture et de les appeler aux progrès réalisés grâce aux efforts de la science et de l'industrie. »

C'est pourtant à partir de

fants brûlés vifs dans les cases.

André Gide peut-il continuer à chasser les papillons ou à lire Bossuet devant de telles exactions? Son voyage prend une autre dimension, l'enquête commence. Il recueille des témoignages, se renseigne sur le prix des denrées, sur le comportement des Blancs. Surtout il adresse une lettre au gouverneur de l'Afrique équatoriale française (A E F) pour le mettre au courant de la situation et écrit également aux dirigeants de la Compagnie forestière. Revenu à Paris, il publie, dès 1927, *Voyage au Congo* et *Retour du Tchad,* ainsi qu'un long article très documenté : « La détresse de notre Afrique équatoriale ».

Certains journalistes prennent le relais de la dénonciation comme Léon Blum dans *Le Populaire.* Quant au directeur de la Forestière, il publie une lettre ouverte où il ironise lourdement sur l'imagination aventureuse, la vision romantique d'André Gide. Le remue-ménage politique est tel que le ministre des Colonies est obligé de déclarer que ce genre de situation doit cesser. L'auteur du *Voyage au Congo* n'est pas vraiment convaincu : « L'attention un instant émue par mon livre, se reposant sur des déclarations ministérielles, va-t-elle se rendormir ? »

Deux années plus tard, un grand reporter, Albert Londres, va se charger de réveiller de nouveau l'opinion publique, avec un témoignage accablant sur la construction du chemin de fer Congo-Océan. Son livre, *Terre d'ébène,* provoquera le même scandale que celui de Gide. D'une plume féroce d'ironie, Albert

Londres stigmatise à son tour le mépris total qu'ont les Blancs de la vie des autochtones : « J'ai vu contruire des chemins de fer : on rencontrait du matériel sur les chantiers. Ici, que du nègre ! Le nègre remplaçait la machine, le camion, la grue; pourquoi pas l'explosif aussi ? »

Il est à penser, pour en revenir à Gide, que ce qu'il a brutalement découvert de l'oppression des peuples lors de son périple au Congo et au Tchad va le conduire vers un engagement encore plus radical : « La cause de la vérité se confond dans mon esprit, écrit-il en 1930, avec celle de la révolution. » Et tant qu'il croira que la vérité-révolution brille à l'Est, il adhérera de tout son poids culturel à l'expérience de l'Union soviétique. Jusqu'au jour où, invité par le Kremlin à visiter le pays, il s'interrogera sur le rapport entre le discours théorique et la réalité soviétique. Alors il se fera un devoir de publier ses *Carnets de route,* et *Le Retour d'URSS,* en 1936.

Les désillusions politiques ne l'empêcheront pas de signer l'avant-propos n° 1 de *Présence africaine,* en 1947, aux côtés de Alioune Diop, Léopold S. Senghor, Georges Balandier, Emmanuel Mounier, Jean-Paul Sartre, etc. Il ne s'agit plus de dénoncer des exactions coloniales frôlant le génocide, mais de reconnaître l'existence de la culture africaine. « Nous comprenons aujourd'hui que ces méprisés d'hier ont peut-être eux aussi quelque chose à dire; qu'il n'y a pas seulement à chercher à les instruire, mais encore à les écouter. »

Paule Lejeune

cette date que se développent les premières forces de contestation. Le cinquième des quatorze points du président des États-Unis, Wilson, énoncé en 1918

préconisait « un règlement librement débattu dans un esprit large et impartial de toutes les revendications coloniales, basé sur la stricte observation du principe que dans un règlement des questions de souveraineté, les intérêts des populations envisagées pèseront d'un poids égal aux équitables revendications du gouvernement dont le titre serait à définir ». Formule prudente qui fut toutefois interprétée comme une affirmation du principe d'autodétermination.

La révolution russe offrait aussi aux peuples colonisés l'exemple d'une révolution réussie contre le capitalisme. Le Ier congrès de l'Internationale communiste appelle le 6 mars 1919 les « esclaves coloniaux » à lutter pour leur libération. En Inde, en Indochine, aux Indes néerlandaises, se fondent des partis communistes.

La Seconde Guerre mondiale élargit les fissures qui lézardaient les empires coloniaux. Le Royaume-Uni et la France sortent épuisés d'une guerre qui a été remportée par deux grandes puissances, les États-Unis et l'Union soviétique, qui se trouvent d'accord pour favoriser la liquidation de l'héritage colonial dans lequel elles voient un obstacle à leur influence.

Dans les métropoles se développent aussi des courants favorables à la décolonisation. Les Églises protestantes et catholique qui avaient jusque-là justifié la colonisation évangélisatrice, prêchent désormais l'émancipation sinon l'indépendance. C'est la même préoccupation qui anime les partis communistes occidentaux.

Mais il faut aussi souligner la volonté de certains milieux d'affaires de se débarrasser d'un « boulet » qui forçait les puissances publiques à « gaspiller » dans l'empire des capitaux considéra-bles. Le développement de la consommation de masse dans les métropoles, la pression de la concurrence internationale, l'ouverture des économies sur l'extérieur exigeaient des restructurations industrielles nécessitant le délestage des marchés coloniaux. Comme l'écrivait, en 1963, Jean-Marcel Jeanneney : « Dans la mesure où la protection de certains marchés, en assurant un écoulement aisé, permet de vendre des produits médiocres à des prix supérieurs à ceux que pourraient pratiquer d'éventuels concurrents, ces facilités contribuent à élargir les secteurs qui en bénéficient, les rendant moins aptes à la compétition sur d'autres marchés. Une crainte analogue est exprimée en Grande-Bretagne par ceux qui, partisans de son entrée dans le Marché commun européen, acceptent l'affaiblissement corrélatif de ses liens avec le Commonwealth. »

Bien avant d'être arrachée par les peuples dominés, la décolonisation était inscrite dans l'évolution économique des métropoles. C'est pour cette raison qu'elle n'a en rien affecté leur croissance. Il appartiendra à Charles de Gaulle d'exprimer cruellement cette évolution en déclarant dans une conférence de presse du 11 avril 1961 : « L'Algérie nous coûte – c'est le moins qu'on puisse dire – plus cher qu'elle ne nous apporte... Voici que notre grande ambition nationale est devenue *notre propre progrès*, source réelle de la puissance et de l'influence. C'est un fait, la décolonisation est notre intérêt et, par conséquent, notre politique. »

NON-ALIGNEMENT

L' « esprit de Bandung » a vécu. L'endettement domine désormais les débats du Mouvement des non-alignés.

par Macoudou Ndiaye

Étrange rassemblement que celui de Bandung, en Indonésie, ce 18 avril 1955. Qu'avaient-ils donc à se dire ces représentants de vingt-neuf pays d'Afrique et d'Asie? Ils portaient le fardeau, sinon l'espoir, d'un milliard cinq cents millions d'hommes et de femmes, et on pouvait croire que presque tout les séparait. D'abord l'histoire, et aussi la géographie : quelle unité pouvait-il y avoir entre des pays aussi distants que la Thaïlande et le Libéria, l'Égypte et la Chine? Quelle communauté de destin pouvait réunir des pays aux régimes politiques si différents, souvent englués dans des alliances militaires, des stratégies nationales antagonistes? De quel poids économique, politique et militaire, pouvaient-ils bien peser, dans un monde dominé par la rivalité Est-Ouest?

La plupart des pays présents à Bandung venaient d'accéder à l'indépendance et faisaient l'apprentissage de leur liberté toute neuve. En réalité, Bandung fut la rencontre de plusieurs nationalismes, issus d'un même réflexe anticolonial, et dont les prémices puisèrent leur source dans la volonté d'émancipation des peuples d'Asie et d'Afrique. Pourtant la plupart des pays d'Afrique, mis à part l'Égypte, le Libéria et l'Éthiopie, étaient encore sous domination coloniale. Quant à l'Amérique latine, dans sa quasi-totalité, elle était absente.

En Asie, il régnait depuis le début du siècle une effervescence culturelle et politique qui débouchera sur une volonté sans cesse affirmée de se débarrasser un jour de la tutelle des puissances européennes. L'exemple japonais en sera l'illustration. La victoire du Japon sur la Russie, en 1905 – la première d'une nation asiatique sur une puissance européenne –, eut un retentissement considérable en Asie. Le Japon fut alors la première nation d'Asie à brandir le drapeau du panasiatisme. « L'Asie aux Asiatiques », sera le mot d'ordre de l'Association du dragon d'or, créée en 1901, qui influencera même le parti du Congrès indien, né en 1885. Le Premier ministre indien Nehru écrira : « L'Asie est un vaste continent et pourtant, dans le contexte actuel, malgré les différences qui existent entre les pays qui la composent, il existe un sentiment asiatique. Ce sentiment est peut-être une réaction aux deux cents ou trois cents années de présence de l'Europe en Asie. »

Jusqu'en 1945, toutes les grandes conférences panasiatiques furent dominées par l'Empire du Soleil levant. La grande conférence convoquée par le Japon à Nagasaki en 1926 aboutira à la création de la Ligue des peuples asiatiques. La conférence de Tokyo en 1943 jeta les grandes lignes d'une indépendance future des Philippines, de la Birmanie, de l'Indonésie, de la Malaisie et de Singapour. La conférence s'était proposé comme objectifs l'élimination de l'influence occidentale en Asie et la lutte contre le communisme. Mais dans le contexte troublé de la Seconde Guerre mondiale, et face au spectre de la défaite imminente du Japon, la conférence tournera court. C'est l'Inde qui, à partir de 1947, prendra le relais et donnera à l'asiatisme une dimension nouvelle. D'abord, du fait de l'accès

à l'indépendance de la plupart des pays d'Asie, ensuite par la perte d'influence des pays possesseurs d'empires coloniaux comme la Grande-Bretagne, la France et la Hollande; mais aussi par la bipolarisation du monde, qui commence avec la guerre froide.

Le réveil des peuples africains

Au Maghreb et au Machrek, il existait une volonté d'émancipation, soutenue par un nationalisme virulent, dont le panarabisme et le panislamisme sont les supports idéologiques. Les dirigeants nationalistes du Maghreb étaient habités par le souvenir de la grandeur passée des empires musulmans et la conscience d'appartenir à une vaste aire culturelle s'étendant jusqu'à l'Orient, dont le poids économique et culturel préfigurait un grand dessein politique.

En Afrique noire, le panafricanisme a puisé sa source dans l'acuité du problème racial, compte tenu de la situation et des conditions séculaires injustes imposées aux Noirs dans les territoires du Nouveau Monde et des îles Caraïbes. Les Antillais furent les premiers précurseurs du panafricanisme. C'est le Ghanéen Nkrumah qui lui donnera une dimension continentale, dans son vœu constant de hâter l'unité du continent africain et de l'accrocher à un vaste ensemble politique rassemblant les « déshérités de la terre ». Sous la colonisation anglaise, portugaise ou française, les futurs dirigeants ont fré-

Bandung, 18 avril 1955

Les invitations à la conférence ont été lancées selon deux critères : l'indépendance et la géographie. Avec des exceptions : le Gouvernement provisoire de la République algérienne (GPRA) est présent – à titre d'observateur –, alors que l'Algérie n'est pas encore indépendante, mais le Nigéria est absent. La Chine populaire est invitée, mais pas Formose. Le Japon participe aussi à la conférence, mais pas l'Australie ni la Nouvelle-Zélande. L'Occident, perplexe devant l'initiative, hésitant entre le boycottage et l'observation curieuse, assiste à la rencontre des leaders charismatiques de ce qu'on va bientôt appeler le Sud : l'Indien Nehru, l'Égyptien Nasser, le Premier ministre chinois Chou En-lai, Unu le Birman, et l'hôte indonésien Sukarno.

Dans son discours d'ouverture, le président Sukarno dresse un violent réquisitoire contre le colonialisme : « Maintenant, nous sommes libres, souverains, indépendants, nous sommes les maîtres chez nous. » Mais il constate aussi que « le colonialisme n'est pas mort. Comment pourrions-nous dire qu'il est mort quand de vastes contrées d'Asie et d'Afrique ne sont pas encore libérées ? » L'Irakien Jamali renchérira : « Le colonialisme est notre ennemi puant. » Sur ce terrain, la France sera plusieurs fois dénoncée pour la guerre coloniale qu'elle mène encore en Algérie.

Autre leitmotiv de Bandung : le risque de guerre. « Nous ne sommes pas réunis, hélas, dans un monde de paix », souligne le président Sukarno. L'Asie se souvient d'Hiroshima et condamne énergiquement les expériences thermonucléaires pratiquées dans le Pacifique.

Mais si la condamnation du colonialisme et la nécessité d'une paix durable créent un consensus, des divergences vont s'exprimer quant aux moyens à mettre en œuvre et aux politiques à adopter. Nehru s'oppose à l'ouverture des discussions aux mouvements de libération et prendra position contre une aide militaire directe au GPRA. Par ailleurs, il se fait porte-parole du neutralisme : « Plus les peuples asiatiques s'aligneront sur les deux blocs, plus les risques de guerre seront grands. » Il répond ainsi aux Turcs et aux Irakiens favorables à des alliances avec l'OTAN.

L'une des conséquences les plus remarquables de la conférence de Bandung est l'émergence de la République populaire de Chine sur la scène politique internationale, en la personne de son Premier ministre Chou En-lai. La Chine s'impose comme le moteur de l'Asie, elle vient d'être reconnue par vingt-huit États et se rapproche du monde arabe, de l'Égypte en particulier. Autre constat : l'Europe ne commande plus aux destinées de l'Asie. Bandung consacre par ailleurs l'idée de neutralisme, et pose les fondements du Mouvement des non-alignés qui naîtra officiellement en 1961, à Belgrade. Enfin, c'est à Bandung que les « peuples de couleur » ont, selon les mots de Léopold Sédar Senghor, « pris conscience de leur éminente dignité », et proclamé « la mort du complexe d'infériorité ».

S. V.

quenté les mêmes universités, combattu dans les mêmes partis et syndicats, entretenu les mêmes rêves d'unité dans le cadre des grands ensembles fédéraux que constituaient par exemple l'AOF et l'AEF pour les colonies françaises. La relative libéralisation du régime colonial, dans le cadre de la participation des élites locales à la vie politique, les luttes syndicales, vont hâter le processus d'émancipation des peuples africains.

De l'asiatisme à l'afro-asiatisme

Quels liens pouvait-il y avoir entre les pays d'Afrique et d'Asie? Hormis de lointaines références historiques, les échanges économiques entre la plupart des pays étaient presque nuls. Souvent même, il existait une certaine méfiance due à des particularismes séculaires solidement ancrés dans leur inconscient collectif. Sans compter la situation des nouveaux États, imbriqués dans des positions de dépendance économique et politique qui se maintiendront après l'indépendance.

Malgré certaines interférences religieuses, une ligne de démarcation existait en Afrique même, entre l'Afrique blanche et l'Afrique noire. Due non seulement à la barrière géographique que constitue le Sahara, mais aussi à la méfiance qu'inspiraient en Afrique noire les pays du Maghreb, en souvenir du passé esclavagiste. En dépit de ces obstacles, on pouvait

noter cependant de nombreux points de convergence. D'abord, le sentiment d'avoir vécu une même domination coloniale, d'avoir subi les mêmes injustices, les mêmes humiliations; mais surtout, chez certains hommes politiques, la conscience aiguë qu'on vivait une époque de fracture historique, prélude d'un monde nouveau. Cette volonté d'émancipation, au-delà des simples rapprochements tactiques, fut peut-être le premier facteur d'unité. L'afro-asiatisme procède d'une catharsis : sentiment que le monde, qui s'était jusqu'alors bâti sans eux, était injuste, mais qu'il se préparait un monde nouveau dont il fallait identifier les germes. L'afro-asiatisme n'eut jamais un corps de doctrine solidement établi. Il fut la convergence de volontés, au milieu d'intérêts hétéroclites et de rivalités alimentées bien souvent par les grandes puissances aux aguets.

L'afro-asiatisme puisera dans le fonds culturel spécifique de chaque nationalisme. On peut distinguer ainsi cinq courants qui l'ont irrigué : le panasiatisme, le panafricanisme, le panarabisme, le panislamisme et le marxisme. Ainsi Bandung fut traversé par toutes sortes de courants et de forces centrifuges alimentés par des clivages idéologiques. D'un côté, les États partisans du bloc occidental et impliqués dans des alliances militaires fortement anticommunistes : les Philippines, le Japon, le Sud-Vietnam, le Laos, la Thaïlande, la Turquie, le Pakistan, l'Éthiopie, la Libye, le Libéria, l'Irak et L'Iran. De l'autre, les neutralistes, conduits par l'Inde, partisans du Pan

alors vers des positions qui préfigurent le futur Mouvement des non-alignés. Ce tournant s'amorcera à partir de 1957, lors des conférences du Caire, de Brioni et de Belgrade.

Le mouvement va alors réussir à arrêter quelques idées forces qui serviront de point d'ancrage et aboutiront à l'adoption de cinq critères pour définir le « non-alignement » :

1. Suivre une politique indépendante fondée sur la coexistence pacifique et le non-alignement, ou adopter une politique favorable à cette politique;
2. Soutenir toujours les mouvements de libération;
3. N'appartenir à aucune alliance militaire collective dans le cadre des conflits entre les grandes puissances;
4. Ne conclure aucune alliance bilatérale avec une grande puissance;
5. Ne pas accepter de plein gré l'établissement sur son territoire de bases militaires appartenant à une puissance militaire.

Shila, et comprenant : l'Indonésie, l'Égypte, la Syrie, l'Afghanistan. Enfin, les États communistes, comme la Chine et le Nord-Vietnam. La politique d'« endiguement » inaugurée par les États-Unis impliquant certaines nations afro-asiatiques, d'une part, et la tentation pour d'autres États de se rapprocher de l'Union soviétique pour contrer l'hégémonie des pays occidentaux, d'autre part, furent de sérieux obstacles à l'évolution du Mouvement afro-asiatique. Pourtant celui-ci, conscient de ces périls, va s'élargir par l'entrée en son sein des pays d'Amérique latine et de la Yougoslavie de Tito. Il évoluera

Les non-alignés et les grandes puissances

Anticolonialisme, volonté d'émancipation, neutralisme, tels furent les facteurs qui présidèrent à l'éclosion du Mouvement afro-asiatique, plus tard dit des « non-alignés ». Il trouvera un terreau fertile au lendemain de la Seconde Guerre mondiale. L'affaiblissement des puissances coloniales européennes, le réveil du sentiment nationaliste,

Le Bophutha-tswana « décolonisé »

A 400 kilomètres à l'est de Johannesburg, à la frontière du Botswana, Mmabatho, qui ne fut longtemps qu'un gros bourg rural, exhibe ses signes extérieurs de richesse et de pouvoir : en pleine campagne, on découvre là un palais du gouvernement aux allures de bunker, un centre commercial avec rues piétonnes et lampadaires, et un gigantesque stade de l'Indépendance. Cette capitale de carton-pâte, c'est la dot offerte au Bophuthatswana par l'Afrique du Sud lorsqu'elle lui accorda son « indépendance » en 1977. Il en fut de même pour le Transkei en 1976, le Venda en 1979 et le Ciskei en 1981, quatre territoires à qui le gouvernement sud-africain a accordé une « indépendance » théorique, largement subie par les populations concernées, et reconnue par aucun autre pays.

Depuis 1977, le Bophuthatswana – ou Bop –, tracé à partir des limites des anciennes réserves, est devenu le « pays des Tswanas ». Composé de sept petites enclaves sans communication entre elles – 40 000 km² dispersés en sept parcelles dans tout le nord de l'Afrique du Sud –, avec une population de 1,4 million d'habitants, le Bop est considéré comme le plus prospère des bantoustans « indépendants ». Pourtant, en 1985, le gouvernement sud-africain, son bailleur, s'inquiétait des proportions astronomiques que prenait la dette du bantoustan, et la principale banque créditrice sud-africaine, la Major Creditor Standart Bank, demandait au Bop de réduire son découvert de 300 millions de rands (1 rand = entre 3 et 4 francs). En fait, le Bop vit dans un rapport de totale dépendance avec l'Afrique du Sud. Ses quelques mines de nickel, de chrome et de platine et, surtout, Sun City – le Las Vegas sud-africain que la morale puritaine des Blancs ne pouvait laisser implanter en « zone blanche », mais qui attire chaque week-end des milliers de Sud-Africains en quête de plaisirs – ne suffisent pas à le rendre viable économiquement. L'agriculture est pauvre et les industries rares. La grande masse de la population active continue d'aller travailler en « zone blanche ». Les frontières du bantoustan ont été dessinées avec soin pour qu'elles frôlent les grands centres industriels tels que Zeerust, Rustenburg et Brits. Les industriels sud-africains puisent au Bop une main-d'œuvre surnuméraire et docile, peu syndiquée et dont la durée des contrats de travail ne dépasse généralement pas un an. Après avoir utilisé massivement les travailleurs noirs, l'économie sud-africaine recherche de plus en plus d'employés qualifiés. Conséquence : le Bop est avant tout une réserve de non-actifs, de chômeurs, de vieillards, de femmes et d'enfants en bas âge.

Mais si la création du bantoustan permet de faire tourner la machine économique sud-africaine, elle vise aussi d'autres objectifs, plus pernicieux. En premier lieu, en accordant leur « indépendance » aux Tswanas, dans le cas du Bop et d'une manière générale, en implantant 75 % de la population sur 13 % du territoire, le pouvoir blanc entend couper l'herbe sous le pied des Noirs sud-africains qui revendiquent leurs droits politiques, et leur répond d'aller les exercer « chez eux ». Tous les Noirs sont désormais citoyens d'un bantoustan, et déjà 8 millions d'entre eux ont perdu la nationalité sud-africaine, à la suite de l' « indépendance ». Devenus étrangers dans leur propre pays, ils n'ont plus à revendiquer *« one man, one vote »*. Au bout de cette logique folle, il n'y aurait plus de Noirs en Afrique du Sud, seulement des travailleurs immigrés.

Mais surtout, et c'est plus grave, cette stratégie vise à contrer le déséquilibre démographique de plus en plus accentué entre la population noire et la population blanche. En 1904, on comptait 1,1 million de Blancs et 3,5 millions de Noirs. En 1980, les Blancs étaient 4,7 millions et les Noirs 22,7 millions. La communauté blanche tend à devenir de plus en plus minoritaire. Pour maintenir sa suprématie politique et économique, elle mène donc une opération unique au monde, la partition de son territoire. Les bantoustans apparaissent comme la solution ultime au problème démographique. Cela apparaît déjà nettement : le taux de mortalité infantile est de 13 pour mille en « zone blanche » et varie entre 180 et 240 pour mille dans les bantoustans. Au Bop, on compte 1 médecin pour 17 000 habitants quand le rapport est de 1 pour 300 en « zone blanche ».

Ainsi, sous couvert d'indépendance, et de décolonisation, l'Afrique du Sud s'est engagée dans une logique de génocide, une politique volontariste de régression de la croissance démographique de la communauté noire, la forçant à vivre dans le plus grand dénuement, sur des territoires sans richesse, économiquement non viables.

Sylvaine Villeneuve

l'affrontement Est-Ouest, autant de facteurs qui vont contribuer à la recherche d'une troisième voie. La révolution bolchévique de 1917 avait fait naître un certain nombre d'espoirs dans les colonies. Lénine lui-même pensait que les territoires sous domination coloniale étaient un réservoir de potentialités révolutionnaires qui, conjuguées avec le dynamisme du mouvement communiste international, pouvaient ébranler l'édifice du capitalisme. Mais les tactiques erronées du Komintern qui ne comprenait la question coloniale et le fait national que dans une perspective internationaliste, la stratégie européocentriste des partis communistes occidentaux ruinèrent les espoirs placés dans le marxisme comme ferment de libération nationale. La révolte des peuples d'Indochine, conduite certes par des communistes, mais dans une stratégie nationale, suivie du désastre français de Diên Biên Phu, et plus tard de la guerre d'Algérie, eut davantage d'impact dans l'émergence du non-alignement et du tiers-mondisme.

Le mouvement fut d'abord considéré comme un mouvement anti-Blancs par les puissances occidentales, puis comme une émanation du communisme international. Si ses positions ne furent pas toujours claires à l'égard de l'Union soviétique, certains de ses membres la considérant comme leur « allié naturel », la volonté de tenir le mouvement à l'abri de la confrontation Est-Ouest apparaissait néanmoins chez certains dirigeants, comme l'Indien Nehru. Lors d'une réunion des non-alignés à Alger, une violente polémique éclatera même entre Fidel Castro, allié de Moscou, et le colonel Kadhafi, partisan d'une « troisième voie » puisant sa force dans les vertus de l'islam.

L'Union soviétique bénéficiait auprès des non-alignés d'un prestige certain, du fait d'abord qu'elle n'était pas une ancienne puissance coloniale, ensuite, aussi, parce qu'elle a su largement tirer parti de l'hostilité, sinon de l'incompréhension, des puissances occidentales à l'égard du non-alignement. La réaction d'un homme politique français comme Edgar Faure est significative de l'attitude des dirigeants occidentaux de l'époque : « Je considère, déclare-t-il, que les délégués de Bandung ont violé la charte des Nations unies en s'ingérant dans les affaires intérieures de notre pays. » En revanche, Moscou apporte un appui déterminant, alors que les États-Unis font défaut. Ainsi, l'assistance à l'Égypte au moment de la construction du barrage d'Assouan et l'aide militaire octroyée aux mouvements de libération ont fait que l'Union soviétique a pu être considérée comme une alliée et une puissance militaire pouvant faire contrepoids à l'hégémonie des pays occidentaux.

Entre l'apartheid et la dette

En fait, le neutralisme n'impliquait nullement un silence total sur tous les événements qui secouaient le monde. Ainsi, l'anti-impérialisme fait partie des thèmes constamment traités par le mouvement. Pourtant de la conférence d'Alger (1973) à celle de Harare (1986), en passant par celle de New Delhi (1983), ce thème s'émousse quelque peu. La lutte contre l'apartheid, d'une part, et la situation d'endettement, donc de dépendance – tant à l'égard des pays occidentaux qui fixent le cours des matières premières que des grandes institutions financières internationales –, d'autre part, vont peu à peu dominer les débats dans le Mouvement des non-alignés. Tout se passera désormais comme si ceux-ci prenaient conscience que les conditions d'une véritable indépendance passe par la maîtrise des systèmes économiques. La lutte pour le désarmement et pour la paix demeure certes une des préoccupations essentielles, mais l'ère des grandes conférences dominées par de violentes diatribes anti-impérialistes peu suivies d'effets pratiques a vécu. Les non-alignés savent aussi qu'avec la crise qui frappe les pays occidentaux, ceux-ci sont particulièrement sensibles à tout ce qui touche leurs intérêts à court terme et que, s'ils se préoccupent des pays en voie de développement, ce n'est que dans le cadre d'un clientélisme étroit et d'alliances frileuses.

Aussi se dessinent de nouvelles stratrégies qui prennent en compte la dimension économique des problèmes. Les non-alignés ont compris que c'est essentiellement dans cette voie que se préciseront des contours politiques nouveaux et une redistribution des cartes dans le monde.

COOPÉRATION

Les tentatives de rénovation se heurtent à la logique étatique de la France impériale à laquelle adhèrent de nombreux régimes.

par Guy Labertit

Avec la conférence de Bandung, réunissant en avril 1955 vingt-neuf pays d'Afrique et d'Asie, le monde entrait dans une ère nouvelle : la décolonisation. Ce monde alors régi par la guerre froide entre les États-Unis et l'Union soviétique, figé dans sa dimension Est-Ouest depuis les accords de Yalta, assistait à l'irruption des « nations prolétaires ». C'était l'émergence du conflit Nord-Sud. Les indépendances, accordées ou arrachées au long des années soixante et au début des années soixante-dix, rendaient le tiers monde majoritaire à l'ONU. « Nations prolétaires », « tiers monde », ces concepts sont aussi peu satisfaisants que ceux de « Nord » et de « Sud » car ils ne traduisent pas la diversité des pays inclus dans chaque ensemble ni l'extrême inégalité sociale à l'intérieur de chacun

des pays. Pourtant, ces réalités cachées expliquent sans doute que le fameux dialogue Nord-Sud se soit perdu dans les sables. Car la souveraineté politique ne mettait pas fin au pillage des matières premières, à la détérioration des termes de l'échange.

En 1963, 77 pays, qu'il est convenu d'appeler pays en voie de développement (PVD), signent une déclaration économique commune. Elle est la référence du groupe des 77 (le Sud) pour faire front aux pays industrialisés (le Nord) dans les conférences des Nations unies pour le commerce et le développement se tenant tous les quatre ans depuis la première organisée à Genève en 1964. Parallèlement, se constitue à Belgrade, en 1961, le mouvement politique des pays non alignés (PNA) dont l'action va converger avec celle du groupe des 77. Les acteurs du futur dialogue Nord-Sud s'organisent.

En 1973, à leur sommet d'Alger, les pays non alignés revendiquent l'instauration d'un nouvel ordre économique international. En effet, entre la conférence de Bandung et ce sommet d'Alger, en moins de vingt ans, le produit national brut (PNB) par habitant des pays en voie de développement a chuté de près de 50 % par rapport à celui des pays industrialisés et ne représente que 4 % de celui des États-Unis. La consécration du « droit au développement » par l'ONU et la recommandation faite aux pays industrialisés d'accorder 1 % de leur PNB à « l'aide au développement » sont restées lettre morte.

L'âge d'or du dialogue Nord-Sud

A l'automne 1973, le conflit israélo-arabe incite le Sud à passer à l'offensive, par le biais de l'Organisation des pays exportateurs de pétrole (OPEP), en transformant son potentiel énergétique en arme politique. Prix du brut quadruplé, embargo : le premier choc pétrolier conduit les pays dominants à un discours international plus solidaire tant leur dépendance est croissante en matière énergétique. C'est l'âge d'or du dialogue Nord-Sud et du nouvel ordre économique international dont l'établissement est reconnu comme une nécessité par l'ONU en 1974. Mais qu'on ne s'y trompe pas, ce dialogue est guidé par l'obsession du pétrole. En octobre 1974, le chef de l'État français Giscard d'Estaing propose l'organisation

d'une conférence trilatérale de l'énergie. Cette proposition aboutira à la convocation d'une conférence sur la coopération économique internationale dite conférence Nord-Sud. Ouverte en décembre 1975, elle se soldera par un échec en juin 1977.

Les petits pas en avant de la 4e Cnuced, à Nairobi en 1976, sur le programme intégré pour les produits de base se traduisent par un accord signé à Genève... quatre ans plus tard, et qui n'entrera pas en vigueur. La conférence sur le droit de la mer sera ajournée. Pourquoi ce reflux ?

En dépit de quelques dissonances, notamment avec la France qui se faisait le chantre du dialogue vu ses relations spécifiques avec l'Afrique et son ambition de « puissance qualifiée » à l'échelle mondiale, les pays industrialisés ont rapidement retrouvé leur cohésion sous la houlette des États-Unis (conférence sur l'énergie en février 1974 à Washington et mise en place de l'Agence internationale pour l'énergie en novembre). Les États pétroliers ont échoué dans leur tentative de diviser les pays du Nord en « amis » ou « ennemis » de la cause arabe. En revanche, les États-Unis, s'appuyant sur les émirats du Golfe, l'Iran et l'Arabie saoudite, ont brisé le front de l'OPEP en isolant les tenants d'un nouvel ordre économique (Algérie, Libye, Irak, Syrie). Washington a très vite obtenu l'essentiel à ses yeux : la levée de l'embargo. En effet, disposant d'importantes ressources pétrolières, les États-Unis pouvaient envisager grâce à la hausse du brut de rentabiliser les investissements néces-

saires à l'exploitation de leurs propres richesses. La CEE, le Japon et, plus tragiquement, les pays en voie de développement non producteurs de pétrole étaient les dindons de la farce.

Par ailleurs, l'OPEP ne cédant pas sur les prix, le flux des pétrodollars (20 milliards en 1974 pour la seule Arabie saoudite, soit l'équivalent de « l'aide totale aux pays en voie de développement » en 1972) allait être recyclé dans les pays du Sud, accélérant de façon foudroyante l'endettement des pays en développement non pétroliers. Ces liquidités ont permis aux classes dirigeantes des pays dominés d'importer des biens d'équipement fabriqués dans les pays industrialisés. Et, de fait, les pays en voie de développement furent un exutoire à la crise des pays dominants et les États pétroliers ont servi de relais aux pays du Nord dont les capacités financières étaient moindres en raison de cette crise. L'arme du pétrole, brandie par l'Algérie et les partisans du nouvel ordre, était reprise en main par les monarchies pétrolières. Le tiers monde dans son acception traditionnelle volait en éclats, les pays les plus déshérités foudroyés par la dette et les factu-

res de brut, leurs peuples encore plus écrasés par la misère. Le dialogue Nord-Sud s'étouffait en dérisoires chuchotements. En 1980, à l'ONU, les pays industrialisés rejetaient la notion de négociations globales, encore défendue par les pays en développement à la 5e Cnuced de Manille en 1979. Pour eux, les aménagements devaient être traités cas par cas, par les organismes spécialisés (GATT, Banque mondiale, FMI) dont l'autonomie ne pouvait être remise en cause.

« Trade, not aid »

Succédant à l'administration Carter selon laquelle chacun, Nord, Sud, Est, Ouest, devait accepter son fardeau, l'administration Reagan, coulée dans son moule dogmatique conservateur (*trade, but not aid* : « du commerce mais pas d'aide »), a dominé de son ombre la conférence Nord-Sud de Cancun en octobre 1981. L'illusion lyrique du « New Deal planétaire » et les conceptions keynésiennes « avancées » de la commission Brandt furent vouées aux gémonies.

A la 6e Cnuced de Belgrade, en 1983, les pays en développement ne se réfèrent plus explicitement au nouvel ordre économique. Étranglés par l'endettement, l'effondrement du cours des matières premières et du pétrole (les revenus de l'OPEP étaient passés de 279 à 135 milliards de dollars entre 1980 et 1985), ils se battent pour éviter la banqueroute et pour mieux avaler les potions amères du FMI par quelques « arrangements » conjoncturels (le rééche-

Le partenariat est le contraire du néo-colonialisme

par Edgard Pisani

L'historien dira sans doute que les indépendances des pays africains sont, sauf exception, trop vite venues et qu'elles ont été acquises sans que chacun des pays ait été doté des attributs de la souveraineté. L'histoire dira sans doute que, pour ce qui concerne l'Afrique noire francophone, il aurait mieux valu imaginer entre le statut colonial et l'indépendance totale une phase intermédiaire cogérée par des partenaires égaux, se liant l'un à l'autre par un libre contrat.

Car les indépendances improvisées ont été coûteuses : des territoires dont les frontières avaient été dessinées par le seul colonisateur, au gré de ses seuls intérêts, sans considération aucune pour les réalités ethniques, tribales, religieuses; des administrations, hier faites pour assurer le pouvoir du Blanc, sans aucun outil local d'analyse, de prévision, d'organisation; des administrations peuplées de Blancs et où, sauf exception encore, les Noirs, les Arabes n'étaient que chauffeurs ou huissiers; une vie politique inexistante, interdite même sans doute, car toute vie politique porte en elle les ferments de la contestation; pas d'État; des économies complètement extraverties et fondées sur un déséquilibre régalien entre importations et exportations; des sociétés ayant leur siège à Paris ou à Bruxelles et dont la fonction n'était pas de développer le territoire et son économie, mais de maintenir une domination. Le caractère bon enfant ou paternel de tout cela ne change rien à l'affaire, et l'éducation dispensée, pour généreuse qu'elle ait pu être, ne pouvait être que réductrice, car rigoureusement calquée sur un modèle importé.

lonnement des dettes ne faisant que repousser dans le temps l'asphyxie financière des États endettés).

La politique du FMI et de la Banque mondiale, où le poids de chaque État est fonction de sa mise de départ, a conduit les plus pauvres à financer les riches. Ainsi le service de la dette de l'Afrique subsaharienne est passé de 4 milliards de dollars en 1981 à 10 en 1984 et 12 en 1985, alors que les transferts de capitaux publics passaient de 11 milliards de dollars en 1980-1982 à 6 milliards en 1985-1987. Étrange coopération pour le développement! La création en 1985 par la Banque mondiale d'un fonds spécial pour l'Afrique des 1,5 milliard apparaît comme un cautère sur une jambe de bois.

Une bouée de sauvetage

C'est pourtant avec le continent africain et quelques pays de la Caraïbe et du Pacifique (pays ACP) que la Communauté économique européenne (CEE) a

Nées du refus d'accepter une certaine compatibilité entre une souveraineté acquise et un lien contractuel créé, les indépendances ne pouvaient être que difficiles. Il est même permis de dire que le sort des populations et le niveau des économies seraient meilleurs aujourd'hui si la colonisation avait pu durer en évoluant.

Mais aurait-elle évolué et pour ne pas arriver trop tôt, l'indépendance ne serait-elle pas venue trop tard? Et n'est-ce pas rêver que d'imaginer que du jour au lendemain, sans rupture, maître et sujet auraient pu devenir des égaux? La mutation aurait été aussi difficile pour l'un que pour l'autre.

Mais comme ils manquaient de tout et d'abord d'équilibre interne, les pays d'Afrique ont subi les formes subtiles du néo-colonialisme. L'administration est restée ce qu'elle était – plus peuplée qu'avant sans doute, africanisée, moins efficace, plus tatillonne, corrompue – mais organisée suivant les mêmes principes, maniant les mêmes concepts, respectant les mêmes hiérarchies. Le système éducatif est resté ce qu'il était, alors même que nous le récusions dans l'hexagone, nous le consacrions sur le continent voisin: déductif, sélectif, peu enclin à répondre aux besoins vrais de la société. L'armée a même eu la délicate pensée de garder les mêmes uniformes. Les entreprises ont gardé leur siège parisien; leur africanisation a augmenté les effectifs, elle n'a guère changé les détenteurs du pouvoir, elles restent orientées vers un marché extérieur sans grand souci de faire naître un tissu industriel autochtone.

L'Afrique a mis vingt-cinq ans pour se concevoir elle-même. Pour faire naître d'authentiques élites, pour apprendre la gestion, pour esquisser des modèles de développement, pour trouver ses vraies priorités, pour donner à l'économie l'importance qu'elle mérite, pour s'interroger enfin sur l'indispensable naissance de la société civile et de la démocratie, pour désacraliser l'État et le Parti. Sur ces voies, le chemin à parcourir est encore long et l'Afrique aura perdu vingt-cinq ou trente ans, elle aura manqué son rendez-vous avec la prospérité: alors que le monde se partageait, de 1960 à 1980, les dividendes d'une croissance insolente, l'Afrique se débattait dans les problèmes nés de ses indépendances mal préparées et plus souvent reçues que conquises.

▶

signé en 1975 la convention de Lomé, reconduite tous les cinq ans. Traitant des relations commerciales, des produits de base et de la solidarité financière, elle est présentée comme le plus beau fleuron du dialogue Nord-Sud. Elle fait suite aux conventions de Yaoundé (1964, 1969) et aux accords d'Arusha (1968) dont le but était de maintenir des relations privilégiées entre anciennes colonies et ex-métropoles européennes. On peut penser que l'Europe, menée à la baguette par Washington au moment du premier choc pétro-

lier, a vu là une façon d'assumer un destin politique original, en entretenant des relations spécifiques avec une partie du tiers monde. Le bilan est décevant.

En réalité, cette coopération a accru la dépendance des pays ACP dont les positions se sont dégradées en matière de production (baisse annuelle de 1 % de la production vivrière par habitant en Afrique subsaharienne), de commerce (la part des ACP sur le marché de la CEE est tombée de 8,3 % en 1970 à 5,6 % en 1980, alors que celle des autres pays en développement a

Le temps est-il venu qu'au néo-colonialisme, inavoué mais authentique héritier du statut colonial, succède un partenariat, c'est-à-dire un véritable contrat. Le temps est-il venu qu'en dépit de leur pauvreté les pays africains ne soient plus des clients, dans le sens romain du terme, mais des partenaires. Il faut se garder d'être catégorique. Il semble pourtant que soit amorcée une évolution allant dans ce sens.

Peut-être, vingt ans après, le partenariat est-il possible : parce que les indépendances ont façonné des nations, formé des élites, enseigné la responsabilité mais aussi la difficulté des choses, pour que depuis peu s'éveillent ici et là des ferments démocratiques et d'abord la conscience des femmes, la certitude que l'État n'est pas tout.

Et s'il est possible, le partenariat est souhaitable ; il est nécessaire. Sans une certaine forme de partenariat, en effet, l'Afrique mettra trop longtemps à démarrer, elle prendra du retard sur le monde qui avance, elle sera le terrain d'exercices de forces économiques avides d'exploiter un sous-sol, de développer des cultures de rente, de capter les faibles capacités d'un marché intérieur pauvre ou misérable, mais où l'inégalité des revenus facilite la spéculation. Sans partenariat, sans contrat donc, les États indépendants d'Afrique seront des mendiants.

Retenons l'alternative qui s'impose et à laquelle l'Afrique n'échappe-rait que dans la misère : ou bien attachés à leur indépendance formelle, les pays d'Afrique, en dépit de leurs efforts, vont d'un guichet à l'autre pour faire leurs fins de mois, pour importer ce dont ils ont besoin, pour entreprendre les actions et les ouvrages dont dépend leur avenir, et leur indépendance ne sera qu'illusion et leur situation déclinera. Ou bien chaque pays accepte de passer avec un partenaire, existant ou à créer, un véritable contrat définissant les droits et les devoirs réciproques et alors, chacun faisant ce qu'il doit, le pays pourra échapper à la fatalité qui semble peser sur lui.

Oui, mais qui et comment ? Aucun État, parce que sa dimension est le pouvoir, aucune société parce que sa dimension est le profit ne peut seul être le partenaire d'un pays d'Afrique : ce pays doit, dans le contrat, garder un véritable quant-à-soi, et tirer les avantages d'un accord fait pour l'aider sans négliger l'intérêt de l'autre. La Communauté euro-

augmenté) et d'endettement (multiplié par neuf de 1970 à 1984). Dans l'application de cette convention, la C E E a pris garde de ne pas remettre en cause ses positions dominantes dans la division internationale du travail : pas d'ouverture de son marché aux produits couverts par la politique européenne agricole commune, entraves techniques pour les produits industriels. En ce qui concerne les produits de base, les pays A C P restent tributaires des variations des cours mondiaux fixés à Londres ou Chicago. En dépit du système du Stabex, qui corrige pour les produits agrico-

les la détérioration des termes de l'échange, sans bien sûr y remé-dier, les pays A C P ont vu leur manque à gagner couvert à 52 % en 1980 et 42,8 % en 1981, années d'effondrement des cours. Ne modifiant ni le cours ni le flux des produits, ce systè-me, outre qu'il encourage à la spécialisation dans les cultures d'exportation, ne tient pas compte de l'inflation et permet d'assurer un minimum de liqui-dités à des pays qui con-naîtraient la banqueroute et ne pourraient même plus, de ce fait, constituer un débouché pour la C E E. 50 % des impor-tations A C P viennent de la

péenne est un partenaire possible : elle n'est ni État ni « Compagnie ». Elle a l'habitude, grâce à la convention de Lomé, des contrats pluriannuels. Elle a, si elle le veut, les moyens d'assumer une charge qui ne sera pas mince. Mais à une condition : que les États d'Europe transfèrent à la Communauté qu'ils ont créée ensemble, l'essentiel des crédits que, par coopération multilatérale ou bilatérale, ils consacrent au développement. La somme des aides européennes représente plus des deux tiers de l'aide que l'Afrique reçoit de l'extérieur. Mais elle les reçoit en désordre. Si tous ces crédits faisaient masse, si le statut des échanges qui est défini par la Communauté évoluait dans un sens positif, si la durée de l'accord pouvait atteindre dix ou quinze ans, alors pourrait être défini le contenu d'un véritable partenariat, alors les programmes nationaux de développement prendraient un sens, car ils s'appuieraient sur les engagements réciproques de deux partenaires égaux. Alors les investissements européens, si nécessaires, se multiplieraient, alors la formation des hommes aidant, l'africanisation, contractuellement définie, se ferait sans rupture pour les entreprises, sans aventures pour les capitaux.

Mais d'autres interlocuteurs sont possibles, dès lors que les partenaires des pays africains ont compris que ceux-ci ont besoin d'une masse d'investissements, d'une aide substantielle, d'une prévisibilité des engagements et de perspectives commerciales.

En dépit des apparences, le partenariat, est le contraire du néocolonialisme rampant qui connaît d'assez beaux jours.

Il faut avoir le courage de dire que sans le concours d'un partenaire plus riche que lui mais solidaire de lui, sans un contrat fixant ses engagements mais lui garantissant l'attribution d'un soutien dans le respect de sa souveraineté, sans un contrat de durée définie, chaque pays d'Afrique, ou presque, risque de proclamer son indépendance sur le champ dévasté de ses illusions.

Mais pour cela – et c'est l'essentiel – il faut une morale internationale.

E.P.

L'ÉTAT DU TIERS MONDE COOPÉRATION

209

CEE et le solde des échanges est largement positif pour l'Europe.

Aujourd'hui, la convention de Lomé joue le rôle d'une bouée de sauvetage percée pour des pays de plus en plus marginalisés dans les échanges mondiaux dominés par la logique libérale du GATT (Accord général sur les tarifs douaniers et le commerce).

L'Union soviétique et l'Europe de l'Est ont été écartées du dialogue Nord-Sud. Au sein de la Cnuced, elles ne proposent pas d'alternative. L'aide aux « pays socialistes en développement » (Cuba, Vietnam, Corée du Nord, Mongolie) absorbe les trois quarts de l'assistance totale, et le poids de Cuba s'est encore renforcé depuis 1972 pour des raisons stratégiques évidentes. Du reste, l'Union soviétique et l'Europe de l'Est ont bien du mal à consolider leurs relations économiques avec les pays « amis ». L'Angola et le Mozambique, d'abord observateurs au Comecon, viennent d'adhérer à la convention de Lomé! « L'aide » militaire reste le moyen commode de maintenir des liens privilégiés, mais l'Est doit rapidement céder le pas aux technologies occidentales.

L'Est pille aussi

La nature des échanges Est-Sud n'est guère alternative : matières premières contre biens d'équipement, sans conditions favorables, sauf pour Cuba. Le Sud, quels que soient les régimes, fournit surtout des produits agricoles (50 % des achats, céréales d'Argentine notamment) à l'Est qui recourt fréquemment aux mécanismes du négoce international. Depuis les années 1975-1976, l'Union soviétique, largement autosuffisante en minerais, a conclu au meilleur compte – remboursement d'équipements et d'assistance technique sous forme de produits – d'importants accords avec les pays en développement pour conserver ses capacités d'exportation dans la zone du Comecon (phosphates du Maroc, bauxite de Guinée et d'Indénosie). Elle n'hésite pas à user de méthodes de pillage en matière de pêche (Angola, Mozambique) ou de minerais (Mongolie). Enfin, même si elle joue un rôle assez secondaire dans les relations Nord-Sud, la coopération industrielle tripartite (accords entre firmes de l'Est et de l'Ouest pour vendre des ensembles industriels dans les pays en développement) s'est développée depuis 1973, les deux partenaires du Nord reproduisant alors les mêmes relations de dépendance.

La nature des rapports de coopération apparaît clairement avec l'exemple de la France qui a tenu un discours spécifique dans le cadre du dialogue Nord-Sud. De fait, le ministère de la Coopération est celui de l'Afrique subsaharienne. Le ministre socialiste Jean-Pierre Cot, dans sa vaine tentative de décoloniser les rapports franco-africains et de « désafricaniser » la coopération, l'avait rebaptisé ministère de la Coopération et du Développement. Plus qu'un symbole ! Son projet étouffé par une logique étatique impériale, il dut se démettre.

Les accords de coopération civile et militaire, les accords de défense signés avec les anciennes colonies au début des années soixante, un important arsenal administratif, les leviers financiers de la coopération (Trésor, Fonds d'aide et de coopération, Caisse centrale de coopération économique), la Banque française du commerce extérieur, la Compagnie française d'assurance pour le commerce extérieur (Coface), les rouages de la zone franc ont servi de base à l'action de l'État français en Afrique.

Après un quart de siècle, on ne peut que constater la stagnation ou la régression du niveau de vie des paysanneries africaines et des couches populaires urbaines, la marginalisation commerciale et économique de la zone d'influence française.

Pourtant, c'est au nom du credo « développementiste » que les dirigeants africains, civils et militaires, ont instauré des régimes autocratiques, le plus souvent à parti unique. L'édification des jeunes nations, en coopération avec la France, devait se faire au prix de la mise entre parenthèses de l'expression démocratique. Au bout de vingt-cinq ans, l'Afrique s'enfonce dans le sous-développement et l'arbitraire politique.

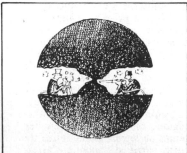

PLANTU

Le quadrillage militaire de l'Afrique

Cette coopération n'a pas permis de promouvoir dans chaque pays nouvellement indépendant une accumulation nationale, et la dépendance économique – y compris alimentaire – s'est accrue. En revanche, avec la complaisance des classes dirigeantes africaines, elle a favorisé le mercantilisme des entreprises françaises, commerciales et industrielles, publiques et privées, s'appuyant sur les financements publics et les rentes de situation. En 1981, la France, au plus fort de son déficit commercial

(100 milliards de FF), était excédentaire de plus de 23 milliards avec l'Afrique.

En 1987, la révision de certaines pratiques passées (dépenses somptuaires, gigantisme de projets industriels et agricoles inadaptés) ne modifie pas la logique globale de la coopération. Elle prend en compte l'influence croissante du F M I en Afrique qui réduit de façon draconienne les déséquilibres financiers en se fondant sur une analyse strictement interne de chaque pays, excluant la prise en compte des rapports de domination. Mais c'est avant tout une vision géopolitique de l'Afrique qui guide la politique française sur ce continent. Pour Paris, la coopération est le moyen de préserver sa zone d'influence en Afrique.

La dimension militaire et stratégique est primordiale en des temps où le rôle économique de cette partie du monde s'affaiblit. Le maintien d'un quadrillage militaire du continent traduit ce souci : bases en Afrique occidentale (Sénégal, Côte d'Ivoire), en Afrique centrale (République centrafricaine, Gabon), sur la côte orientale et dans l'océan Indien (Djibouti, avec appuis à La Réunion et Mayotte), 1 200 à 1 500 conseillers militaires présents dans dix-sept pays, formation en France de milliers d'officiers et sous-officiers africains. La constitution d'une Force d'action rapide de 47 000 hommes, dont 7 000 stationnent en permanence en Afrique, assure à Paris une capacité d'intervention (cf. encadré) au nom de deux objectifs : inviolabilité de la zone dans son ensemble, soutien aux régimes fidèles à Paris, même s'ils sont les plus dictatoriaux (Togo,

Les interventions françaises

Dans le « pré carré » des anciennes colonies

Sénégal, décembre 1962 : tentative de coup d'État contre le président Senghor. Les troupes françaises basées à Dakar le maintiennent au pouvoir.

Sahara (R A S D), novembre 1977 : bombardements des colonnes du Front Polisario par des avions Jaguar (opération Lamentin en Mauritanie de novembre 1977 à mai 1978).

Togo, septembre 1986 : envoi de 200 parachutistes et 4 Jaguar pour soutenir le général Éyadéma menacé par un commando d'opposants.

Gabon, février 1964 : le président Léon M'Ba, renversé par un comité révolutionnaire, est rétabli dans ses fonctions par l'intervention de troupes françaises venues de Dakar et de Brazzaville.

Tchad :
• 1968 : mission limitée des troupes françaises dans le Borkou-

Zaïre, Côte d'Ivoire, Gabon, Tchad...).

Cette perception militaro-stratégique de l'Afrique relègue au second plan la dimension culturelle, plus présente dans les discours au temps de Georges Pompidou et de Léopold S. Senghor, le président sénégalais postulant alors à l'Académie

Ennedi-Tibesti (BET) où opère la 2ᵉ armée du Frolinat.

• Avril 1969-juin 1971 : installation d'un corps expéditionnaire de 2 000 hommes de la Légion étrangère dans les zones de combat (centre-est du pays) où opère la Iʳᵉ armée du Frolinat contre la dictature de Tombalbaye.

• Maintien des forces françaises permanentes au Tchad jusqu'en septembre 1975 où le général Malloum demande l'évacuation des bases de N'Djaména et de Sarh.

• Février 1978-avril 1980, opération Tacaud : envoi d'un corps expéditionnaire de 2 000 hommes avec un fort appui aérien pour soutenir le général Malloum et contenir le Frolinat. Le Frolinat participe au pouvoir à partir de 1979, le général Malloum se retire.

• Août 1983-novembre 1984, opération Manta : 3 000 hommes, armement de pointe, Jaguar et Mirage pour conforter Hissène Habré menacé par l'offensive de l'opposition du GUNT appuyée par la Libye.

• Depuis février 1986, opération Épervier : elle a la même fonction que Manta. Dispositif déployé et très renforcé en février 1987 (plus de 2 000 hommes et fort appui aérien).

République centrafricaine, septembre 1979 : opération Barracuda : installation de David Dacko en remplacement de Bokassa Iᵉʳ dont la dictature sanglante et les amitiés avec Giscard d'Estaing deviennent trop compromettantes. Réactivation des bases de Bangui et de Bouar où les « barracudas » sont toujours présents en 1987 autour du général Kolingba.

Dans le « pré carré élargi »
(zone officiellement francophone)

Zaïre (ex-colonie belge), mars 1977 : occupation de la province du Shaba (ex-Katanga), riche en minerais, par le Front national de libération du Congo (FNLC) qui s'est infiltré par l'Angola. La France intervient et assure avec l'accord des États-Unis un pont aérien entre Rabat et Kinshasa pour transporter un contingent marocain au secours de Mobutu.

• Mai-juin 1978, opération Bonite : opération aéroportée sur Kolwezi dans le Shaba pour rétablir l'autorité de Mobutu encore menacée par le FNLC.

G. L.

française. Fondée en 1970, l'Agence de coopération culturelle et technique (ACCT), regroupant la plupart des pays officiellement francophones, mène une activité routinière. La création en mars 1986 du ministère de la Francophonie, aux attributions incertaines, relève plus du symbole (avec la nomi-

nation de Lucette Michaux-Chevry, originaire de la Guadeloupe) que d'une réelle volonté de mener une politique culturelle dynamique. La diminution du nombre des enseignants français qui constituent la majorité des coopérants en Afrique et surtout le rôle qui leur est dévolu (pratiquement pas de formation de formateurs), la stagnation des bourses des étudiants et stagiaires africains en France en raison d'économie reflètent l'absence d'un projet culturel cohérent. Souffrant des mêmes réductions budgétaires quelques organismes de coopération culturelle végètent. Tout cela se manifeste par une certaine remise en cause de l'hégémonie de l'ancienne métropole coloniale dans ce domaine.

La logique de la France impériale

Dans les tribunes internationales, la France, notamment sous la présidence de François Mitterrand, s'est souvent faite le défenseur de rapports plus égalitaires à l'échelle mondiale ; Valéry Giscard d'Estaing, au début de son mandat, avait joué un rôle dynamique dans la mise en place d'institutions de dialogue Nord-Sud. Pourtant, la coopération française reste un modèle d'archaïsme fleurant la colonie. En 1981, les tentatives de rénovation s'opposant au mercantilisme, au libéralisme économique sauvage, s'attachant à définir des politiques de développement autocentré, d'autonomie régionale, optant pour une nécessaire démocratisation des régimes en place, se sont heurtées à la logique étatique de la France impériale à laquelle adhère une bonne partie des classes au pouvoir en Afrique. Cette convergence d'intérêts entre les acteurs politiques du dialogue Nord-Sud, dans ce cas de figure, en montre les limites.

Certes, la reconnaissance de la revendication d'un nouvel ordre économique, imposée par les États pétroliers, a créé des divergences temporaires entre puissances dominantes inquiétées par ce rapport de force inédit. Une telle situation a abouti à des concessions provisoires, mais le front du Sud a été brisé par l'alliance et la coopération entre les monarchies pétrolières et les puissances occidentales. La nouvelle division internationale du travail qui a continué de s'organiser sur la base de cette coopération financière a accru la dépendance et l'asservissement des pays du Sud, et maintenu des relations de nature impérialiste, par le cycle infernal de l'endettement.

En Afrique subsaharienne, les plus faibles, tenus de rembourser leurs dettes – souvent des fonds publics d'aide au développement – sont contraints de réduire leurs activités économiques et se marginalisent sans espoir de redressement. La politique des classes dirigeantes de ces pays conjuguée aux méthodes du FMI accélère l'exode rural, frappe les couches salariées des villes et incite à l'émigration vers les pays dominants où sévissent pourtant crise et chômage.

En Amérique latine, particulièrement dans les pays que l'on a indûment appelés sous-impérialismes (Brésil par exemple), ou dans les États ateliers de l'Asie du Sud-Est (type Corée du Sud) se développent des sociétés duales où le nombre d'exclus croît de façon impressionnante. ∎

ÉCHANGES NORD-SUD

Les échanges avec le Nord conditionnent le développement économique du Sud et contribuent à l'accroissement des inégalités mondiales.

par Pascal Arnaud

L'idée du clivage Nord-Sud a commencé à se populariser au début des années soixante-dix. En avril 1974, les Nations unies ont conclu une session spéciale de l'Assemblée générale en proclamant « l'urgence d'un nouvel ordre économique international fondé sur l'équité, l'égalité entre les nations, l'intérêt commun et la coopération entre tous les États, afin de corriger les inégalités et les injustices existantes et éliminer le fossé entre pays développés et pays en développement ».

Depuis 1945, la communauté internationale s'était fixé comme objectif la reconstruction des pays détruits par la guerre (Europe et Japon) et le développement du tiers monde. La première fut réussie en vingt ans ; mais, vers 1970, le développement de l'Afrique, de l'Asie et de l'Amérique latine paraissait toujours très lointain. L'écart s'accentuait entre pays industrialisés et pays en développement ; les premiers bénéficiaient, entre 1960 et 1970, d'une croissance annuelle du produit par habitant de 4,2 % et les seconds, dont la population croît bien sûr plus vite, de 3,4 % pour les pays à revenu moyen et de 2,3 % pour les pays à faible revenu. Le tiers monde réalisait environ 30 % du commerce international en 1950, mais seulement 20 % en 1970. Il se marginalisait; le défi du développement pourrait-il jamais être relevé?

Les pays du Sud n'ont pas participé à l'organisation des relations économiques de l'après-guerre; le système monétaire et commercial international avait été conçu sans la plupart d'entre eux et les marchés internationaux de capitaux n'existaient plus. Vers 1970, leurs aspirations portaient sur tous les aspects de leurs relations avec les pays industrialisés : le commerce, la finance, la technologie, et même la monnaie.

Le déclin du tiers monde dans le commerce mondial a résulté de son rôle marginal dans les ventes de produits industriels (6,8 % des ventes mondiales en 1970) et de sa spécialisation dans les matières premières. Vieux problème de l'échange des produits de la campagne, du sol et du sous-sol, contre les produits de la ville, de la technique et de l'industrie. Les prix des matières premières n'ont pas suivi à long terme ceux des produits industriels. La raison en est simple. La demande de matières premières qui répond à des besoins « élémentaires » croît moins vite que le revenu; celle de produits industriels croît aussi vite, car elle suit les possibilités toujours nouvelles ouvertes par la technique, qui d'ailleurs permet d'économiser ou de remplacer les matières premières. Pour se développer, les pays du Sud doivent importer des produits industriels (biens de consommation et d'équipement) qu'ils achètent en vendant des matières premières : les termes

de l'échange ne leur sont pas favorables. Le commerce international ne deviendrait plus équitable pour les pays du Sud que s'ils participaient aux échanges de produits industriels et si les prix des matières premières étaient plus stables et plus rémunérateurs.

L'aide est souvent « liée »

Le financement du développement, organisé depuis 1950 par les gouvernements des pays industrialisés, conduisait logiquement à l'endettement extérieur. Les nouveaux prêts devenaient insuffisants pour maintenir l'apport net de ressources aux pays pauvres. En 1970, la dette extérieure absorbe 13,8 % des revenus d'exportation des pays à faible revenu et 9,9 % des revenus des pays à revenu moyen. Les autorités des pays donateurs (en particulier nord-américains et européens) qui décident des montants alloués à chaque pays en influencent aussi trop l'usage : l'aide est souvent « liée », c'est-à-dire prédestinée à financer certaines dépenses. Le financement international soutiendrait mieux le développement, s'il se libérait de la tutelle des gouvernements des pays industrialisés.

La technologie importée par les pays du Sud était considérée comme chère et inadaptée. Ce sont les grandes firmes multinationales qui l'introduisent à travers leurs investissements directs; en 1970, les remises de bénéfices à l'extérieur absorbent

en moyenne 10 % des revenus d'exportation des pays du tiers monde. La technologie répond aux besoins des pays riches et ne peut satisfaire les besoins spécifiques de populations pauvres, dont les conditions de vie sont très difficiles. Un meilleur contrôle de l'investissement et de la technologie est jugé nécessaire pour que l'industrialisation permette le développement.

Au début des années soixante-dix, la reconstruction européenne et japonaise débouche sur un bouleversement de la hiérarchie mondiale, dominée par les États-Unis; les fondements des relations internationales sont remis en cause. Le système monétaire créé en 1945 est abandonné, miné par des spéculations que les gouvernements ne parviennent plus à contrecarrer. Le Sud est un temps (bref) associé au sein du Comité des 20 aux négociations sur un nouveau système. Les pays industrialisés glissent doucement dans une crise économique au ralenti : la croissance s'amenuise, s'accompagnant d'une inflation accrue et d'un chômage inquiétant. Le nouvel ordre économique international devait permettre de renouveler les relations économiques entre tous les pays pour un développement économique mondial harmonieux, plus équitable et égalitaire.

Les échanges Nord-Sud se sont alors transformés. Entre 1970-1974 et 1978-1981, le prix des matières premières (en particulier du pétrole) augmente relativement à celui des produits industriels. Les termes de l'échange sont moins défavorables aux pays du Sud; ils augmentent de 5,6 % par an entre 1970 et 1980 – de 15 % pour les pays exportateurs de pétrole – et ne se détériorent pas plus pour les pays du Sud importateurs que pour les pays industrialisés. Les changements dans les échanges commerciaux ont des prolongements au niveau financier : les excédents des pays pétroliers, déposés en grande partie dans les banques européennes et américaines, sont reprêtés avec enthousiasme aux pays du Sud dont l'avenir semble prometteur, en comparaison de la léthargie dont souffraient les pays « saturés » du Nord. Entre 1970 et 1980, le financement bancaire international a augmenté de 20 % par an, l'aide publique au développement de 7,5 % et les investissements directs de 2,7 %. Le financement du développement repose désormais sur un marché international de capitaux libre de toute « tutelle publique arbitraire ». La dette des pays en développement est multipliée par 6,5 en dix ans.

Les pays du Sud ont cru mieux contrôler les ressources naturelles et financières sur lesquelles ils devaient asseoir leur développement. L'activité des firmes multinationales fut soumise à des réglementations plus strictes; le financement extérieur était obtenu sans difficulté par les pays à revenu moyen; des accords de produits, destinés à soutenir les cours des matières premières, furent mis en place. Les pays du Nord stagnaient alors que le Sud dynamique se modernisait. Les investissements des pays en développement ont augmenté de 7 % par an, contre 1,6 % seulement dans les pays industrialisés. En 1980, leur participation au commerce mondial est remontée à environ 30 %; ils exportent alors le sixième des ventes mondiales de produits industriels. Leur taux de croissance est élevé : entre 1970 et 1980, le produit par habitant a crû de 3,2 % dans les pays à revenu moyen et de 2,5 % dans les pays à faible revenu contre 2,1 % dans les pays industrialisés. L'inégalité internationale du revenu s'est réduite. Le nouvel ordre économique international se mettrait-il en place?

Quatre années de déclin

Dans les pays industrialisés, il était question de pénurie de matières premières, gaspillées par la société de consommation, de formation de cartels de pays producteurs du Sud, à l'image de l'OPEP, de concurrence déloyale de la part de producteurs du tiers monde aux bas salaires, de déficit extérieur envers des pays nouveaux riches (pays du golfe Persique). Les pays du Nord ont réagi. Des changements structurels se sont opérés lentement, économies d'énergie, recherche de substituts aux matières premières importées, mise en place de protection contre les produits étrangers, dont l'accord multifibre contre les ventes de textiles des pays du Sud; vers 1980, 20 % des exportations des pays en développement sont soumises à des barrières non tarifaires (seulement 10 % pour celles d'autres pays industrialisés). Une lente transition vers une nouvelle croissance est en cours : à partir de 1980, le secteur industriel ne croît plus que de 1,3 % depuis 1980, contre 3,4 % pendant les années soixante-dix. La demande de matières premières est contenue.

La lutte contre l'inflation mondiale n'a pas été concertée. Le Japon et la République fédérale d'Allemagne l'ont, les premiers, jugée dangereuse. Ils l'ont combattue chez eux et se sont adaptés au prix élevé du pétrole; ils ont retrouvé leur compétitivité et leurs excédents extérieurs. Les États-Unis ont réagi vers 1979-1980 : restriction de l'offre de crédit et montée des taux d'intérêt sur le dollar; ils amorçaient la désinflation mondiale.

En trois ans, de 1979 à 1982, le panorama mondial s'est retourné. Le nouvel ordre économique des années soixante-dix a disparu comme un mirage. La brusque montée des taux d'intérêt fut un choc terrible : les pays du Sud, à l'exception des sept pays pétroliers excédentaires du Moyen-Orient, ont consacré

LA DETTE DU TIERS MONDE
(en milliards de dollars)

	1970	1985		1970	1985
Brésil	5,1	91,1	Kénya	0,42	3,3
Mexique	6,0	89,0	Zambie	0,66	3,2
Argentine	5,2	40,2	Tanzanie	0,27	3,0
Corée du Sud	2,0	35,8	Sri Lanka	..	2,9
Indonésie	2,9	30,4	Birmanie	0,11	2,9
Inde	8,2	29,7	Jamaïque	0,98	2,9
Vénézuéla	1,0	21,8	Syrie	0,23	2,8
Israël	2,6	20,3	Uruguay	0,30	2,7
Égypte	2,1	18,5	Jordanie	0,12	2,7
Turquie	1,9	18,2	Rép. dominicaine	0,35	2,7
Chili	2,6	17,5	Cameroun	0,14	2,4
Philippines	1,5	16,6	Madagascar	0,09	2,3
Yougoslavie	2,1	16,3	Honduras	0,11	2,3
Grèce	1,3	14,1	Guatémala	0,12	2,3
Algérie	0,9	13,7	Papouasie-N.-Guinée	0,21	2,1
Nigéria	0,6	13,4	Sénégal	0,13	2,0
Thaïlande	0,7	13,3	Yémen du Nord	..	1,9
Pérou	2,7	11,9	Congo	0,14	1,8
Colombie	1,6	10,9	Éthiopie	0,17	1,7
Pakistan	3,1	10,7	Paraguay	..	1,6
Équateur	0,24	7,2	Zimbabwé	..	1,6
Côte d'Ivoire	0,27	7,1	Salvador	0,18	1,6
Bangladesh	1,6	6,0	Yémen du Sud	—	1,4
Soudan	0,31	5,1	Mauritanie	0,03	1,4
Nicaragua	0,15	4,8	Mali	0,24	1,3
Tunisie	..	4,7	Somalie	0,08	1,3
Costa Rica	0,25	4,0	Guinée	0,31	1,3
Bolivie	0,49	3,6	Niger	..	1,0
Panama	0,19	3,3	Bourkina	0,02	0,50

Source : Banque mondiale, 1986-1987.

8,7 % de leurs revenus d'exportation aux intérêts de leurs dettes en 1980 et 14,2 % en 1982 (autour de 13,5 % depuis). Le financement extérieur s'est réduit brutalement : entre 1981 et 1985, l'apport net de ressources aux pays en développement a baissé de 33 % en termes réels, quatre années de déclin qui ont interrompu une augmentation continue depuis 1950. La crise de la dette dure depuis 1982 : une cinquantaine de pays surendettés ne parviennent plus à payer les échéances de leurs dettes et renégocient chaque année avec leurs créanciers, banques et gouvernements des pays industrialisés. L'instabilité et les excès du financement international privé se révèlent plus préjudiciables au développement que l'insuffisance du financement public.

Aggravation des inégalités

La désinflation depuis 1980 a été fatale aux prix des matières premières : les prix en dollars ont chuté en moyenne de 40 %. Le taux de croissance des revenus d'exportation des pays endettés est depuis début 1981 inférieur au taux d'intérêt sur leurs dettes, ce qui explique leurs problèmes d'endettement. De 1981 à 1986, les termes de l'échange ont baissé de 7,5 % par an pour les pays du Sud exportateurs de pétrole, de 0,9 % pour les pays importateurs, alors qu'ils augmentaient de 1 % par an pour les pays industrialisés. La part des pays en développement dans le commerce international a diminué, sauf celle des pays asiatiques exportateurs de produits industriels ; elle est revenue autour de 25 %.

L'évolution économique des pays en développement dépend de leurs échanges avec les pays industrialisés. Les bouleversements de ces quinze dernières années l'ont bien confirmé. Devenus plus complexes, les échanges internationaux n'ont pas servi l'instauration d'un nouvel ordre économique international. Le problème Nord-Sud paraît pourtant oublié. Les change-

ments survenus dans les pays industrialisés reposent sur une nouvelle répartition du revenu, qui transforme les contours de la croissance mondiale et se caractérise par l'aggravation des inégalités. Les pays en développement se retrouvent dans leur grande majorité à l'écart. Entre 1981 et 1986, la croissance du produit par habitant est de 1,6 % par an dans les pays développés comme dans les pays en développement – seuls les pays d'Asie sont parvenus à une croissance de 4 % par an. Les pays d'Afrique, d'Amérique latine et du Moyen-Orient ont supporté une baisse du produit par habitant de 1,6 %, 1,4 % et 2,8 % par an depuis 1980.

Les perspectives de développement des pays du Sud ne sont pas bonnes dans l'ensemble. Pour que se réduise l'écart avec les pays du Nord, ils ont besoin d'une croissance très soutenue et d'une participation plus large aux échanges internationaux. Les pays industrialisés ont à leur égard des responsabilités qu'ils assument bien peu, et sans doute moins qu'il y a vingt ou trente ans. Les relations pays riches-pays pauvres depuis 1980 remettent en cause l'objectif que s'était fixé la communauté internationale il y a quarante ans. Le transfert net de ressources (financement extérieur net moins paiements d'intérêts et remises de dividendes) vers les pays riches effectué par des pays à revenu moyen en est le signe le plus flagrant ; il s'est élevé entre 1982 et 1986 à environ 15 % de leurs revenus d'exportation.

RELATIONS SUD-SUD

Longtemps contraints d'acheter et de vendre aux seuls pays riches, les pays du tiers monde tentent de développer les échanges commerciaux directs entre eux.

par Fatima Bensalem

La première rencontre Sud-Sud remonte à la conférence de Bandung en avril 1955. Elle marque la naissance du Mouvement des pays non alignés qui va tenter d'établir des liens de coopération entre certains pays qui viennent d'accéder à l'indépendance.

Mais il faudra attendre les années soixante-dix pour assister au début d'une véritable coopération Sud-Sud, essentiellement économique. Depuis cette date, on ne compte plus le nombre de conférences de chefs d'État et de réunions d'experts. C'est l'ère de la prise de conscience par le Sud de l'originalité de ses besoins. Créé en 1964 et comptant 127 pays le « Groupe des 77 » est désormais un partenaire que les pays développés ne peuvent plus ignorer.

Dans les années soixante-dix, on a assisté à l'émergence d'un groupe de pays du Sud qu'on a appelé les « nouveaux pays industrialisés » (NPI). Il s'agit de huit pays (Hong Kong, Corée du Sud, Taiwan, Singapour, Malaisie, Inde, Brésil et Mexique) qui assuraient à la fin de cette décennie plus de 80 % des exportations entre les pays du Sud.

Ces pays leaders deviennent des concurrents potentiels pour les pays du Nord sur le marché international pour la construction de logements, de voies ferrées, de routes, d'usines et de barrages pour l'exploration et le raffinage du pétrole.

Entre 1973 et 1980, la part des exportations du Sud dans les exportations mondiales de marchandises, en valeur, est passée de 19 à 28 % ; celle des importations de 18 à 23 %, atteignant 26 % en 1981, ce qui indique une étroite corrélation entre les recettes d'exportation plus élevées et une capacité d'importation plus grande. Dans la même période, la part du commerce Sud-Sud est passé de 6 à 12 % – voire 14 % en 1981 – pour retomber à 10 % en 1985. Les pays du Sud producteurs de pétrole ont joué un grand rôle dans ce commerce.

Au début des années quatre-vingt, le Sud se trouve confronté à une grave crise financière dans une conjoncture internationale défavorable. Certains pays voient leur dette s'accroître et les financiers internationaux leur fermer leurs guichets. Devant cette situation, certains proposent la création d'un cartel des pays les plus endettés. La proposition n'a pas été réalisée, mais elle a amené le Fonds monétaire international (FMI) à multiplier ses interventions. Début 1987, la dette des pays du Sud s'élève environ à mille milliards de dollars.

Ces difficultés financières ont eu pour conséquence une nette régression des échanges Sud-Sud, alors qu'on déplorait déjà la baisse des prix des matières premières, la protection d'industries naissantes dans certains pays du Sud, des politiques d'austérité et des restrictions aux importations.

La coopération régionale

Un premier cadre des rapports Sud-Sud est l'ensemble des organisations régionales et sous-régionales (voir encadré). On en compte un grand nombre par région. Les plus importantes sont à vocation économique, leur objectif est de créer à court et moyen terme une zone de libre échange et de réaliser à long terme un marché commun pour une intégration complète.

D'autres organisations régionales sont à vocation plutôt politique telles que l'Organisation de l'unité africaine (OUA) et la Ligue des États arabes (LEA).

Chacune des institutions économiques régionales dispose d'une expérience particulière, mais l'objectif commun demeure l'élimination des barrières douanières et des taxes à l'importation, l'exportation de marchandises entre États membres, la suppression des obstacles à la libre circulation des personnes, des services et des capitaux, enfin l'établissement d'une politique commerciale commune à l'égard des pays tiers. En effet, dans certains groupements régionaux, les droits de douane ont baissé relativement, mais l'objectif final n'est pas encore atteint. La part du commerce intrarégional représente environ 10 à 15 % des échanges globaux de chacune des régions du Sud, l'Afrique connaissant la part la plus insignifiante. La part du commerce intra-africain dans les importations et exportations totales a été

Les principales organisations de coopération régionale

Afrique

Communauté économique des États de l'Afrique de l'Ouest (CEEAO, 1975).

Communauté économique de l'Afrique de l'Ouest (CEAO, 1974).

Communauté économique des États de l'Afrique centrale (CEEAC, 1964).

Organisation de l'unité africaine (OUA, 1963).

Zone d'échanges préférentiels pour l'Afrique orientale et australe (ZEP ou EAPTA).

Conseil de l'entente (1959).

Amérique latine

Association latino-américaine d'intégration (ALADI, 1980).

Pacte andin (1969).

Marché commun d'Amérique centrale (MCAC, 1960).

Communauté et marché commun des Caraïbes (CARICOM, 1973).

Organisation des États des Caraïbes orientales (OECO).

Système économique latino-américain (SELA, 1975).

Asie et Pacifique

Association des nations de l'Asie du Sud-Est (ASEAN, 1967).

Accord de Bangkok.

Banque pour le développement asiatique (1966).

Organisation de coopération régionale de l'Asie méridionale (OCAM).

Association de l'Asie du Sud pour la coopération régionale (SAARC).

Bureau pour la coopération économique dans le Pacifique-Sud (SPEC, 1973).

Commission pour le Pacifique Sud (CCPS, 1947).

États arabes

Conseil de l'unité économique arabe (CUEA, 1964).

Marché commun arabe (MCA).

Conseil de coopération régionale des pays du Golfe (CCRPG, 1981).

Ligue arabe (1945).

Banque arabe pour le développement économique de l'Afrique (BADEA, 1973).

Comité permanent consultatif du Maghreb (CPCM, 1964).

Fonds arabe pour le développement économique et social (FADES, 1968).

en 1973 de 6 % et en 1985 de 4,5 %.

Ces organisations souffrent aussi soit d'une trop lourde bureaucratie soit d'une insuffisance structurelle. Cependant la transformation de l'Association latino-américaine de libre-échange (ALALE) en Association latino-américaine d'intégration (ALADI), en 1981, prouve que certaines organisations, après des bilans négatifs, tirent des leçons et mettent en place d'autres mécanismes pour remédier aux faiblesses et lacunes du passé.

D'autre part, les échecs enregistrés par ces tentatives d'intégration s'expliquent par le manque de complémentarité : certains pays sont en effet producteurs et exportateurs des mêmes matières premières et se font concurrence, d'autres manquent d'infrastructure industrielle et de moyens de communication; enfin, il faut aussi tenir compte des diversités linguistique et religieuse et des conflits frontaliers.

Cependant, les pays du Sud ne cessent de réaffirmer leur volonté politique de développer et d'encourager les échanges mutuels. L'intégration régionale et sous-régionale constitue pour eux le contexte pour un développement harmonieux et l'un des cadres les plus viables pour réaliser leurs objectifs communs.

Collaboration interrégionale

Le second cadre des rapports Sud-Sud, on le trouve dans les organisations interrégionales qui ont une vocation plus politique. Le Groupe des 77 et le Mouvement des non-alignés constituent les forums privilégiés pour les négociations Sud-Sud. C'est en leur sein que les pays du Sud adoptent des positions communes vis-à-vis des pays du Nord et tentent de trouver des solutions aux problèmes internes à leurs régions. Il existe deux autres organisations interrégionales,

mais plus spécialisées, qui ne regroupent qu'un certain nombre de pays, l'Organisation des pays exportateurs de pétrole (OPEP) et l'Organisation de la conférence islamique (OCI).

Plusieurs plans d'action pour renforcer la coopération Sud-Sud ont été approuvés par le Groupe des 77 et le Mouvement des non-alignés, où tous les pays du Sud sont représentés. Citons :
– le programme de Mexico sur la coopération technique entre pays du Sud en 1976, le programme d'Arusha pour l'autosuffisance collective en 1979 et le programme d'action de Caracas qui distingue huit domaines de coopération. En 1986, ces pays ont entrepris le premier cycle de négociations sur un système mondial de préférences commerciales (SMPC) Sud-Sud et se sont réunis pour la création d'une banque du Sud dont le projet remonte à 1976.

Ces plans d'action reflètent le désir du Sud de s'organiser et d'exploiter les compétences de chacun afin de se libérer de la dépendance du Nord. Entre 1975 et 1985, le Sud a accordé les préférences d'approvisionnement, d'achats de biens d'équipement et d'acquisitions de technologie à d'autres pays du Sud. Les nouveaux pays industriels sont devenus de véritables partenaires, en technologies diverses surtout pour les producteurs de pétrole. Ces technologies sont plus appropriées, l'assistance technique et les services d'ingénierie s'avèrent efficaces, la formation du personnel et son encadrement, performants. Les entreprises du Sud sont très compétitives sur le marché international de l'électronique,

L'OUA

L'Organisation de l'unité africaine (OUA) est née en 1963 à Addis-Abéba, Éthiopie, où son siège demeure depuis lors. En prônant le principe de l'intangibilité des frontières étatiques – ce qui ne manquera pas de lui poser problème en cours de route –, l'OUA assumera l'héritage colonial de la conférence de Berlin (1886). Les trente États signataires de la charte constitutive sont passés à cinquante en 1984.

Cette organisation continentale se réunit à huis clos au moins une fois par an. Des sessions extraordinaires peuvent avoir lieu, sous réserve de l'accord des deux tiers de ses membres. Chaque président est élu en début de session. Ainsi, de très célèbres chefs d'État se sont succédé à ce poste : Nasser, Nkrumah, Mobutu, Ahidjo, Hassan II, Amin Dada, etc.

Les objectifs de l'organisation sont les suivants : renforcer l'unité et la solidarité des États africains; coordonner et intensifier leur coopération et leurs efforts pour offrir de meilleures conditions d'existence aux peuples de l'Afrique; défendre leur souveraineté, leur intégrité territoriale et leur indépendance; éliminer le colonialisme sous toutes ses formes de l'Afrique; enfin, favoriser la coopération internationale en tenant compte de la Charte des Nations unies et de la Déclaration universelle des droits de l'homme.

Durant sa première décennie, l'OUA s'est d'abord préoccupée des aspects politiques de l'unification de l'Afrique : problèmes congolais, question biafraise, Ogaden, guerre civile angolaise. Ensuite les préoccupations d'ordre économique sont devenues déterminantes. Pourtant, les questions politiques ne sont pas éclipsées : la guerre du Sahara occidental est à l'origine du départ du Maroc, en 1984. Le panafricanisme n'est pas une mince affaire, et l'OUA est loin d'avoir atteint ses objectifs, en particulier en matière de défense et de culture, malgré une charte culturelle considérée comme une de ses meilleures réalisations.

J. M.

l'industrie légère, l'agro-alimentaire, la construction d'infrastructure de travaux publics.

En Irak, Braspetro (Brésil) a découvert les gigantesques champs pétrolifères de Majnoor et de Nahr Umr. Mendes Junior (Brésil) a construit une centrale hydro-électrique de 157,8 millions de dollars en Uruguay, une route en Mauritanie; en Irak elle est l'unique entrepreneur chargé de la construction d'une voix ferrée de 1 000 km de long entre Bagdad et Akashat. ECISA (Brésil) a construit deux routes en Tanzanie. Orient (Inde) a construit, au Kénya, la plus grande usine de pâte à papier d'Afrique. L'Inde a apporté ses connaissances techniques, le matériel et la formation nécessaires à la construction d'une usine pilote de fabrication de quinze médicaments essentiels à Cuba en 1985. Des sociétés indiennes construisent des barrages, des voies ferrées, des usines, apportent leur assistance technique et leur ingénierie en Algérie, en Libye, au Ghana, en Angola et dans d'autres pays de l'Asie et du Moyen-Orient. L'Argentine et la Corée du Sud participent également à ces échanges de technologies. On pourrait multiplier les exemples.

On observe par ailleurs la croissance des flux d'investissements Sud-Sud dont les acteurs sont des multinationales originaires du tiers monde. Elles se groupent pour remporter des marchés et participent au capital de leurs partenaires. Ces multinationales sont principalement brésiliennes, indiennes, coréennes, parfois de Hong Kong et d'Argentine.

Pour contourner les difficultés financières de nombreux gouvernements, les entreprises du Sud acceptent de conclure des accords de compensation. Longtemps utilisée entre les pays de l'Est et les pays développés, la compensation s'est étendue au Sud. « La compensation est une opération commerciale par laquelle le vendeur prend l'engagement de réaliser dans le pays de son client des achats, des transferts, des services ou toutes autres opérations en échange d'une vente qui n'est obtenue qu'à cette condition. » Une étude de l'OCDE publiée en 1986 montre que les pays du Sud traitent 10 % de leurs échanges mutuels sous forme de compensation. Elle montre une « corrélation temporelle » entre l'aggravation des crises de liquidités dans le Sud et l'apparition du commerce de compensation. Les pays du Sud pratiquent la compensation, en effet, pour des raisons conjoncturelles. Cela peut aider les pays endettés à améliorer leurs capacités exportatrices et à régler leurs dettes. Ils ont aussi le souci d'économiser les ressources nationales en devises.

Deux événements majeurs ont marqué l'année 1986 : la réunion sur le projet de création d'une banque du Sud et l'ouverture du premier cycle de négociations sur un système mondial de préférences commerciales (SMPC). Ils témoignent des efforts du Sud pour développer la coopération mutuelle.

Une banque du tiers monde

La banque du Sud faciliterait les règlements, transactions et arrangements régionaux. C'est un projet ambitieux que le Sud désire réaliser. Le SMPC vise à réduire les droits de douanes, à supprimer les barrières non douanières, à encourager le commerce mutuel par des contrats d'achat et de vente à long et moyen terme, les initiatives communes pour la commercialisation et la transformation des matières premières dans les pays mêmes. Les 48 pays qui ont signé la déclaration de Brasilia pour l'instauration du SMPC assurent plus des trois quarts du commerce entre les membres du Groupe des 77. Cette déclaration a une portée économique, mais aussi politique : en effet, elle s'inscrit dans une conjoncture particulière des rapports de force Sud-Nord. Le Sud a compris qu'il doit compter sur lui-même pour sa croissance, car les perspectives d'exportation vers le Nord se réduisent de plus en plus. Toutes les projections montrent que la croissance dans le Nord sera laborieuse et que, par conséquent, la solidarité Sud-Sud reste la seule perspective dans les dix prochaines années.

Initiatives
et solidarités

Souvenir d'Ethiopie

Ce n'est pas parce que nous avons le vaccin, qu'ils ont la vérole.

John K. Galbraith

L'aide d'urgence

AIDE
ALIMENTAIRE

Indispensable en situation d'urgence, l'aide alimentaire peut déstabiliser l'agriculture du pays receveur.

par Charles Condamines

« Comment pourrions-nous vendre notre mil, si les habitants de nos villes consomment votre blé? », demandent de nombreux paysans du Sahel. « Du lait en poudre, j'en ai tant que je veux et il est propre », a répondu le directeur d'un important complexe laitier du Bangladesh à des éleveurs en colère. « Il vient d'Europe et me coûte moins cher que le vôtre! »

En République centrafricaine, à Boyo, des groupements de paysans décident de produire du riz et non plus seulement du coton. « On ne se nourrit pas de coton », disaient-ils. C'était en 1980. « La première année, ça a marché », raconte V. Rouze

l'animateur rural, « la compagnie qui achète le coton, la Socada, est venue chercher les 15 tonnes de riz. » Tout allait pour le mieux : en 1981, l'excédent commercialisable atteignait 45 tonnes et il doublait encore l'année suivante. Mais c'était trop beau pour durer! Cette année-là, un pays riche, éloigné de l'Afrique, a offert 2 500 tonnes de riz. Or, 2 500 tonnes, c'est plus que la consommation annuelle centrafricaine. Et très logiquement, les commerçants de la ville ont refusé de venir chercher le riz des paysans de Boyo : « " Le riz-cadeau a envahi tout le marché. Si nous venons chercher le vôtre, à qui pourrons-nous le vendre? " Tout le travail fait par les groupements pendant trois ans pour permettre aux paysans d'écouler un nouveau produit est tombé à l'eau ! » conclut, amer, l'animateur.

Le cas du Sahel

Au Togo, en 1983, la récolte a été médiocre. Les pays riches ont alors envoyé une aide alimentaire importante. L'année suivante, survint une bonne moisson. Cela aurait pu être une bénédiction du ciel. Hélas, les montagnes de denrées offertes provoquèrent un effondrement des cours. En mai-juin 1984, au plus creux de la période de soudure, les paysans se voyaient offrir moins de 50 centimes pour un kilo de mil. Conséquence immédiate : l'année suivante, les paysans togolais ont réduit d'un tiers les superficies ensemencées.

Quatre cent dix-neuf jours ! Tel est le délai moyen qui sépare la décision d'octroyer une aide en céréales et l'arrivée des denrées correspondantes au port de débarquement, à en croire un récent rapport de la Cour des comptes de la CEE. Si elle coïncide avec une récolte satisfaisante, l'arrivée de blé ou de lait en poudre risque fort de déstructurer le marché local.

En 1984-1985, le Sahel a eu le triste privilège d'illustrer parfaitement cette logique. En effet, cette année-là, les pays du Sahel devaient recevoir 1 200 000 tonnes de céréales. Normalement l'aide aurait dû être distribuée et même consommée avant la récolte suivante. Mais elle arriva tardivement, pendant la récolte 1985-1986 qui était exceptionnelle. Et tandis que les paysans

remplissaient leurs greniers à mil, des centaines de milliers de tonnes de céréales continuaient leur voyage. La récolte 1985-1986 étant en train de battre tous les records, il aurait fallu interrompre ce flux devenu dangereux à force d'être aveugle. Les organismes locaux chargés de réguler le marché auraient dû intervenir. Mais ils ne disposaient pas de l'argent nécessaire. Pour en avoir, il leur aurait fallu vendre les stocks de blé ou de maïs offerts. Or, les prix, déjà en baisse, se seraient effondrés. A l'inverse, s'ils ne vendaient pas, les installations de stockage restaient de toute façon paralysées, remplies de denrées venues de l'extérieur.

Au début des années soixante, les huit États de la région sahélienne importaient environ 200 000 tonnes de céréales par an et ne recevaient aucune aide alimentaire. En 1984, les importations commerciales avaient quadruplé et l'aide alimentaire reçue se montait à près de 900 000 tonnes. Pour bondir à 1 200 000 tonnes l'année suivante : soit 40 kilos par habitant.

L'aide alimentaire est une aide en nature et, le plus souvent, d'État à État. Il s'agit de denrées destinées à la consommation humaine : généralement des céréales. Mais certains pays offrent aussi du lait en poudre, du Nescafé ou du minestrone.

Le lancement de ce genre de programme coïncide avec l'apparition d'excédents agricoles dans les pays riches. Dès 1953, la F A O désignait un comité chargé d'élaborer quelques normes en la matière. L'année suivante, les États-Unis adoptaient la fameuse loi 480 : il s'agissait explicitement « d'augmenter la consommation de produits agricoles américains dans les pays étrangers et d'améliorer les relations extérieures des États-Unis ». La CEE n'interviendra que plus tard et deviendra rapidement le deuxième donateur d'aide alimentaire, et même le premier pour les produits laitiers. Pour un peu plus de la moitié du total de l'aide européenne, c'est Bruxelles qui décide. Le reste étant sous la souveraineté directe de chacun des États membres dans le cadre de ses relations bilatérales. Ce sont les autorités de Bruxelles qui représentent les pays de la Communauté à la Convention d'aide alimentaire.

Celle-ci est une annexe à l'accord international sur le blé, et son siège est à Londres. Elle regroupe les pays donateurs et ne porte que sur les céréales. Pour l'essentiel, elle prend acte de l'engagement de chacun des signataires. Ce sont des engagements pluriannuels et exprimés en tonnes. Se présentant comme des minimums, ils peuvent être dépassés : ainsi en 1984-1985, près de 12 millions de tonnes de céréales ont été fournies contre moins de 4 millions en 1971-1972 (cf. tableau 1).

Tableau 1. Ce qu'ils ont donné :
QUANTITÉS DE CÉRÉALES FOURNIES PAR LES DONATEURS
DANS LE CADRE DE LA CONVENTION
(en milliers de tonnes équivalent blé)

Pays donateurs	Contribution minimale annuelle	1980-1981	1982-1983	1984-1985 Estimations	Pour mémoire 1971-1972
États-Unis	4 470	5 241	5 862	6 975	1 890
Argentine	35	52	32	50	23
Australie	400	402	325	578	225
Autriche	20	31	32	19	–
Canada	600	600	827	946	495
CEE	1 650	1 202	1 619	2 737	1 035
Finlande	20	29	20	20	14
Japon	300	249	309	362	225
Norvège	30	21	22	43	–
Espagne	20	14	15	20	–
Suède	40	52	37	40	35
Suisse	27	29	31	62	32
Total	7 612	7 926	9 137	11 857	3 974

Source : Secrétariat de la Convention d'aide alimentaire de Londres.

Pour ce qui est des bénéficiaires, l'Afrique a supplanté l'Asie et vient maintenant en tête. Deux fois sur trois, c'est un Africain qui bénéficie des céréales fournies au titre de l'aide alimentaire. Parmi eux, il y a bien sûr les Şahéliens. Mais il y a d'abord l'Égypte qui reste le pays le plus choyé au monde avec 1 790 000 tonnes. Soit une contribution par habitant bien supérieure à celle reçue par le Bangladesh ou l'Éthiopie pourtant nettement moins riches (cf. tableau 2).

Tableau 2. CE QU'ILS ONT REÇU : QUANTITÉS DE CÉRÉALES PAR RÉGIONS ET PRINCIPAUX PAYS BÉNÉFICIAIRES EN 1984-1985 (de juin à juin)

RÉGIONS	QUANTITÉS (en millions de tonnes)	POURCENTAGE DU TONNAGE MONDIAL	PRINCIPAUX PAYS RECEVEURS (quantités en milliers de tonnes)
Afrique	7,2	61 %	*Égypte* : 1 790 ; *Soudan* : 700 ; *Éthiopie* : 690 ; *Mozambique* : 390 ; *Kenya* : 300 ; *Mali* : 290 ; *Niger* : 215 ; *Madagascar* : 210 ; *Somalie* : 210, etc.
Asie	3,2	27 %	*Bangladesh* : 1 500 ; *Pakistan* : 400 ; *Inde* : 300 ; *Chine* : 270 ; *Sri Lanka* : 230 ; *Indonésie* : 200, etc.
Amérique latine	1,3	11 %	*Pérou* : 295.
Proche-Orient	0,114	1 %	

Source : A partir de chiffres fournis par le secrétariat de la Convention d'aide alimentaire. (Données au 1ᵉʳ juin 1985.)

Lors de catastrophes naturelles, il est indispensable que les secours appropriés soient acheminés avec toute l'urgence nécessaire. Notons en passant qu'un grand progrès serait accompli si des stocks de sécurité étaient organisés sur place et de préférence avec des produits locaux.

Mais l'aide d'urgence, distribuée gratuitement, ne représente qu'une très faible partie de ce qu'il est convenu d'appeler l'aide alimentaire : moins de 10 % selon certaines estimations. Une autre partie des vivres offerts sert à payer des salaires en nature pour la réalisation de programmes divers : canaux d'irrigation, petits barrages, routes, dispensaires, etc. En ce domaine, le Programme alimentaire mondial, PAM, a acquis une solide expérience.

Un bon slogan politique

Le plus souvent, cependant, il s'agit d'une aide chronique ou structurelle. Deux fois sur trois, les denrées reçues au titre de l'aide alimentaire sont vendues par l'État receveur. Les fonds ainsi recueillis, appelés fonds de contrepartie, devant servir à financer des programmes agricoles ou alimentaires. En réalité, les informations sur l'usage des sommes ainsi récupérées sont très rares. Mêmes vendus à bas prix, ces vivres coûtent de l'argent. L'État a donc intérêt à vendre à ceux qui peuvent payer. Ce ne sont donc pas les plus démunis qui en profitent. Les frais de transport étant souvent supérieurs au seul prix d'achat, cette forme d'aide est en effet très coûteuse. Surtout lorsque le prix d'achat est lui-même supérieur au prix mondial, comme c'est le cas de l'aide alimentaire européenne : les donateurs de cette région du monde sont tenus d'acheter à l'intérieur des frontières de la C E E. Cela permet à certains pays membres fortement excédentaires (et notamment à la France) d'écouler plusieurs centaines de milliers de tonnes de céréales. Mais, à certains moments, les mêmes sommes d'argent, si elles étaient dépensées sur le marché international, permettraient d'acheter des quantités bien plus grandes de nourriture.

Longueur des délais de livraison, découragement des producteurs locaux, encouragement à la corruption, au clientélisme politique et au trafic d'influence, moyen de pression dans les négociations internationales, développement d'une mentalité d'assisté, etc., elle est longue, et aujourd'hui mieux connue, la liste des méfaits engendrés par l'aide alimentaire structurelle, qui pourtant continue d'augmenter. Pour les pays du Sahel, elle représente le tiers de toute l'aide étrangère reçue et pour la Communauté économique euro-

péenne, la moitié de toute l'aide offerte. Pourquoi ? Pourquoi les gouvernements du Sud continuent-ils d'y avoir recours ? Bien sûr il y a des pénuries, parfois un peu surestimées. Jusqu'en 1985, la FAO par exemple n'incluait dans ses bilans nationaux que les données concernant les régions déficitaires sans les diminuer des surplus existant dans les régions excédentaires.

Mais il y a plus. Les États sahéliens ont des budgets chroniquement déficitaires : les recettes sont considérablement inférieures aux dépenses. Quant au commerce extérieur, la situation est tout aussi préoccupante : les rentrées de devises ont la vieille habitude de ne pas atteindre le niveau des sorties. Rien d'étonnant, dès lors, si chaque Sahélien doit à l'étranger la moitié de son revenu annuel. En ce domaine les Mauritaniens détiennent une sorte de record mondial : leur dette extérieure équivaut à 15 mois de leur revenu. Les besoins financiers sont urgents et immenses. S'ils demandent de l'argent, ces gouvernements ont peu de chances d'être entendus. C'est la crise. Les banques privées ont depuis longtemps rayé ces pays de leur liste.

Quant à l'aide publique au développement, elle reste sta-gnante. Alors, va pour l'aide alimentaire! Vendue même à bas prix, elle finira bien par rapporter quelques liquidités, se disent les gouvernements-receveurs et les habitants des villes pourront manger à bon marché. Tant que les paysans ne sont pas mieux organisés et restent loin

Le blé des autres

Il arrive que des catastrophes naturelles aggravent la situation alimentaire souvent précaire des pays du tiers monde. Les médias s'en font alors l'écho auprès du public, et les États des pays industrialisés semblent apporter un soutien alimentaire adapté à cette conjoncture particulière et à la demande reçue. Pourtant, la spontanéité apparente qui préside à ces réponses est toute relative, car elles interviennent dans le cadre de la « convention d'aide alimentaire » dont les pays donateurs sont signataires.

En 1949, un accord international sur le blé est conclu entre les pays producteurs. En 1967, cet accord est revu : rebaptisé « Arrangement international sur les céréales », il se compose désormais de deux conventions : la convention sur le commerce du blé et la convention relative à l'aide alimentaire. En 1971, tout en maintenant le principe des deux conventions, est conclu à nouveau un accord international sur le blé qui doit rester en vigueur jusqu'en 1974. En fait, faute d'aboutissement des renégociations, et grâce à un système de prorogation par protocole, il ne sera actualisé qu'en 1986.

En revanche, la convention relative à l'aide alimentaire (CAA) est revue et corrigée dès 1980. Les douze signataires (la CEE et les États membres comptent pour une voix) s'engagent alors à fournir, à titre d'aide alimentaire aux pays en développement, des céréales ou des produits céréaliers qui soient propres à la consommation humaine. L'engagement conjoint *minimal* de 1980 porte sur 7 612 000 tonnes. Aucun maximum n'est fixé. L'aide ainsi apportée doit l'être autant que possible sous forme de dons, mais les États-Unis et le Japon vendent également par ce biais leurs céréales à crédit, par annuités échelonnées sur vingt ans ou plus, moyennant un taux d'intérêt inférieur à ceux en vigueur sur les marchés mondiaux.

La CAA est administrée par le Conseil international du blé, mais les canaux opérationnels d'acheminement de l'aide sont laissés à la discrétion des pays membres. Un autre organe a été créé pour exercer la fonction législative, auprès duquel siègent tous les membres de la Convention : le « Comité de l'aide alimentaire ». L'aide en céréales effectivement fournie dans le cadre de la CAA a presque toujours dépassé les engagements. Ainsi, durant l'année céréalière 1984-1985, elle a atteint presque 12 millions de tonnes (en équivalent de blé), dépassant de 55 % le minimum obliga-

des palais présidentiels, il n'y a rien à craindre.

Pour les gouvernements des pays donateurs, les avantages de l'aide alimentaire chronique sont aussi considérables. Dès 1966, le secrétaire d'État à l'Agriculture des États-Unis avouait : « Le programme alimentaire pour la paix (PL 480) a été lancé en premier lieu pour écouler nos excédents. Nous lui avons donné ce nom parce que c'était un bon slogan politique dans ce pays. »

La plus belle fille du monde ne peut donner que ce qu'elle a. Mais il y a quelque abus à toire. L'aide fournie en huile, légumes secs, poissons séchés, poudre de lait, etc., n'est pas régie par les termes de la C A A, qui considère uniquement les céréales.

La convention de 1986 comporte quelques modifications par rapport à la précédente, qui permettent d'envisager une meilleure adéquation aux besoins réels des pays demandeurs. L'accent est mis sur la planification préalable des contributions des pays donneurs « afin que les pays bénéficiaires soient à même de tenir compte, dans leurs programmes de développement, du courant probable d'aide alimentaire qu'ils recevront chaque année ».

Les membres de la C A A qui fournissent leur aide F O B (*Free on Board,* c'est-à-dire « rendue sur le bateau ») sont encouragés à assumer les coûts de transport au-delà de ce stade, et même si possible jusqu'aux lieux de distribution. La convention de 1971, dont l'engagement total se situait à 4 millions de tonnes, ne faisait référence qu'à des transferts Nord-Sud et était de ce fait une réponse à l'écoulement des excédents des pays producteurs. A une exception près, l'Argentine (seul pays du tiers monde signataire de la convention), elle n'admettait pas implicitement l'achat de céréales dans les pays du Sud. La convention de 1980 acceptait le principe de dons en *espèces* à utiliser pour des achats vivriers au profit des pays bénéficiaires. La convention de 1986 renforce ce courant en précisant qu'en effectuant des achats, le but général sera de faire en sorte qu'il soit procédé à la majeure partie desdits achats auprès de « pays en développement », dont certains disposent d'excédents qu'il est de leur intérêt de commercialiser.

Ainsi, on peut considérer qu'une prise de conscience est en cours auprès même du Comité d'aide alimentaire, qui petit à petit a admis que l'aide alimentaire (même si elle est un bon moyen pour résoudre le problème aigu des surplus des pays industrialisés) a des retombées perverses sur les bénéficiaires, et tente, par des aménagements encore timides, d'y remédier quelque peu.

A noter enfin que la C E E a transféré, à partir de 1987, la mise en œuvre de son aide alimentaire de la Direction de l'agriculture à la Direction du développement. C'est peut-être l'amorce d'une franche distinction à venir entre deux problèmes préoccupants : les excédents pléthoriques de la Communauté, coûteux à gérer en termes financiers et politiques d'une part, et la réponse au déficit alimentaire du tiers monde, qui passe par l'augmentation de sa propre production, d'autre part.

Annie Simon

Pour une nouvelle génération de secouristes

par Bernard Kouchner

A la fin de l'année 1968, qui avait vu d'autres agitations, au Biafra, ce pays disparu sans avoir existé, nous étions une poignée dans la première équipe française du Comité international de la Croix-Rouge : six volontaires dont deux médecins. Les politiques politisaient, les intellectuels triaient les pépites de la pensée sans avoir encore trouvé le filon. L'époque n'était pas encore aux droits de l'homme. Tous considéraient ces médecins de l'aventure comme des scouts un peu attardés ou des soldats du malheur. Nous sortions d'une France dégagée des contraintes coloniales, en expansion économique, qui s'interrogeait sur elle-même. Un éclairage européen tendancieux déformait la réalité biafraise. Nous possédions peu d'informations sur ce peuple et sur ce combat. A ceux qui nous reprochaient déjà des agitations mercenaires et exotiques, nous répondions que, médecins, nous nous rendions simplement auprès de patients, même s'ils étaient loin, même s'ils étaient noirs. Cette réponse dérangeait.

Une morale de l'extrême urgence est née ainsi, qui ne questionnait les malades ni sur leur appartenance idéologique ni sur leur sentiment religieux, non plus que sur la couleur de leur peau ou leur conception du bien-être. Le mal-être et la plainte nous mettaient seuls en mouvement.

Nous ne savions pas encore que nous venions là – dans cet hôpital d'Awo Ommama dont on nous avait confié les neuf cents blessés et les milliers d'enfants malades du kwashiorkor –, parce que les souffrances découvertes au Biafra nous en rappelaient d'autres qui nous faisaient peur et honte pour l'homme. Nous ne l'avons découvert que plus tard, débordés de blessés. Nous ne nous en sommes rendu compte qu'en jugeant sur place de l'étendue du massacre. J'étais venu soigner au Biafra parce que je n'étais pas allé à Guernica, ni à Auschwitz, ni à Babi Yar, ni à Oradour-sur-Glane, ni à Sétif. Au Biafra nous allions exorciser les cauchemars des grandes boucheries de l'humanité, contre lesquelles on n'avait pas agi suffisamment.

Au retour de notre première mission au Biafra, au début de 1969, nous avons tenté d'alerter une opinion publique qui laissait mourir les Biafrais dans l'indifférence et dans la charité. Nous avons constitué un Comité international contre le génocide au Biafra, et un Groupe

financer la commercialisation des excédents agricoles sur le budget de l'aide au développement. Même si, comme le reconnaît le sénateur Mac Govern, c'est « presque comme si les pays mal nourris nous rendaient un service en nous permettant de donner ou de vendre à des prix spéciaux les surplus agricoles ˜dont nous ne savons que faire ».

Pour une Afrique verte

S'il s'agit de garantir la sécurité alimentaire des Africains, ce sont les paysans africains qu'il

d'intervention médico-chirurgical d'urgence. Pour les morts de faim et les blessés de cette terre d'Afrique, et pour tenter de protéger les survivants, malgré les interdits nous avons soigné et nous avons parlé. Comme sait maintenant le faire la nouvelle génération de combattants des droits de l'homme.

La route était tracée, l'essentiel était fait, qui conduirait les french doctors, ambassadeurs chaleureux et efficaces de notre pays, là où ils se trouvent, maintenant, de Mindanão à Beyrouth, de mer de Chine en Afrique du Sud, de l'Afghanistan à l'Éthiopie, du Salvador au Nicaragua, du Chili au Brésil, partout où le monde est malade. Parce que nous ne tolérons plus que la douleur, la misère et les souffrances soient acceptées comme une conséquence inévitable de la marche de la planète et du fonctionnement des nations.

Un homme au génie simple et prophétique a imaginé le geste de référence. Grâce à Henri Dunant et à ses successeurs, la Croix-Rouge doit et peut assister partout les prisonniers et les blessés. Elle le fait très efficacement, avec l'accord des États, dans un silence obligatoire qui fut parfois terriblement dommageable. Cette pratique elle-même marque d'ailleurs une évolution. On l'a vu au cours du conflit Iran-Irak et tristement et pour d'autres raisons, en Afrique du Sud.

Bien longtemps après Henri Dunant, la deuxième génération de secouristes, ce fut la nôtre. Nous avons affirmé que la parole protège. Nous avons mesuré le poids du témoignage, de la pression morale des uns, de l'agacement et de la honte des autres. Parler haut de Sakharov, comme le président François Mitterrand l'a fait au Kremlin, protège les dissidents et parfois les tire de l'exil.

Et puisque tout bouge plus vite, une troisième génération des droits de l'homme exige sa place au soleil, caméra en main. Notre témoignage était l'instrument d'une analyse, leur micro est le symbole d'une émotion. En été 1985, un double concert à Londres et à Philadelphie signe l'adhésion enthousiaste et romantique des jeunesses du monde et recueille 70 millions de dollars pour une aide humanitaire : un quart du montant de l'aide annuelle au développement allouée par l'O N U. Gloire au pionnier, malgré les polémiques souvent outrancières et les interrogations légitimes. Bob Geldoff symbolise la troisième génération de l'intervention humanitaire. Si le succès de ce rock mondial est un témoignage de la mobilisation occidentale en faveur des droits de l'homme, il rappelle aussi la nécessité, pour les organisations humanitaires confrontées à ce gigantisme et aux débordements qu'il peut entrainer, de se regrouper pour mettre au point, entre elles, un code de déontologie, un minimum de charte humanitaire.

Les médecins français, comme les volontaires des organisations humanitaires, ne traitent pas les malades contre leur gré, ils interviennent à la demande. Nous sommes à l'écoute, attendant le geste ou l'appel. A ce moment seulement, nous agissons, si l'on veut bien de nous, sans orgueil ni culpabilité, avec notre bagage thérapeutique et conceptuel▶

faut aider. Nul doute que l'argent des contribuables actuellement consacré aux programmes officiels d'aide alimentaire – près de 4 milliards de dollars U S – pourrait être mieux utilisé. L'Europe ne produit pas la totalité de la nourriture qu'elle consomme, et il s'en faut de beaucoup, notamment en ce qui concerne l'alimentation du bétail. Mais il est vrai que pour augmenter certaines productions, les instruments utilisés par l'Europe verte ont fait leurs preuves : des prix rémunérateurs et garantis, des débouchés assurés, un marché organisé et protégé, des groupements paysans assez indépendants et assez

‾d'Occidental. Nous ne soignons pas les gens contre leur volonté et nous n'attendons d'eux aucune reconnaissance particulière. Et pas de remerciements, car nous le faisons aussi pour nous-mêmes. Parfois le miracle se produit. Entre les soignés et les soignants – Cambodgiens, Afghans, Libanais, Tchadiens, Salvadoriens, Iraniens, Français, tous les autres –, il surgit quelquefois, à l'improviste, comme une connivence, un sourire qui ressemble à un espoir ténu de compréhension, par-delà les oppositions des cultures, des religions et des politiques et les dramatiques différences de niveau de vie. On se rend compte alors combien il est exaltant de rencontrer les autres.

Notre société, faite avec des hommes, de l'hormone mâle et du pouvoir, n'échappe pas à la loi de l'oppression, mais elle a engendré un contre-pouvoir, une agitation de substitution : la parole, le témoignage. Si l'Europe a produit Guernica, elle a engendré aussi Picasso, ce peintre d'information, et généré le droit d'intervention contre l'horreur. Nous n'appartenons pas à une civilisation nécessairement meilleure que les autres, mais nous osons manifester le malheur. Tout le monde est capable de tuer, seule notre société démocratique peut parler librement avant les massacres. Parce qu'elle a inventé le droit et les valeurs qui le fondent. Mais les valeurs évoluent plus vite que le droit.

En France il existe une catégorie particulière de citoyens, tour à tour flattée ou encensée : les intellectuels. Certains ont disparu : Jean-Paul Sartre, Raymond Aron, Michel Foucault et Simone Signoret. Très singulièrement réunis dans l'aventure du bateau pour le Vietnam et dans d'autres combats, militants européens des droits de l'homme et « faiseurs de droit », nous avons, ensemble, construit un espace de protestation et d'insurrection pour ceux qui refusent de considérer le malheur comme une excroissance irrépressible de l'histoire. Depuis Freud on sait que le début de la cure, outre la volonté, c'est la parole.

Dans les pays du tiers monde et sous les dictatures se jouent d'effroyables spectacles qu'un racisme ordinaire juge inévitables. Nous prétendons, au contraire, que ce qui est bon ici peut également être valable là-bas. Dans le tiers monde aussi, un jour, les femmes excisées, les enfants esclaves et les guerriers meurtris se mettront à parler. Ne leur imposons pas nos valeurs discutables, mais tendons-leur les micros. C'est le début de leur libération. Ce secourisme-là complète, sans l'exclure, celui d'Henri Dunant.

Pourtant le droit à la santé, appellation usuelle et non contrôlée, n'existe pas plus que le droit d'être grand ou blond, ou fort. On devrait évoquer, et singulièrement en Occident, le droit aux soins. Il en est de même pour les droits de l'homme, objet d'un grand tumulte de mode et, comme on dit, de communication. Jamais en vingt ans de pratique, nous ne nous sommes interrogés sur l'aspect oppressif, dévié ou manipulé de ces droits de l'homme. Nous avons inventé ainsi **la loi de l'oppression minimale**.

Que prescrit cette loi ? De préférer se trouver aux côtés de ceux qui

puissants pour promouvoir leurs intérêts sont autant de pièces majeures pour un dispositif global dont l'efficacité n'est plus à démontrer. Que manque-t-il donc ?

Tout d'abord une volonté politique mieux affirmée : la sécurité, sinon l'indépendance alimentaire de la population, doit être considérée comme centrale dans la revendication de souveraineté nationale d'un pays du tiers monde. Ici le renforcement et l'indépendance des organisations paysannes sont décisifs. Sans elles, les chefs d'État, qu'ils soient ou non corrompus, restent impuissants.

Mais cela coûte très cher.

reçoivent les bombes qu'aux côtés de ceux qui les lancent. Une seule règle donc, mais féroce : se tenir au chevet des minorités et des opprimés. Sans illusion pourtant, car ces minorités elles-mêmes peuvent devenir oppressives. C'est même une triste généralité.

Nous avons cessé de nous questionner sur la nature de l'homme, nous agissons, parce que nous en avons besoin, envie; parce que nous ne supportons pas ce qui se passe : Ma vie, c'est sa vie. Nous entendons défendre un droit minimal qu'il convient d'amplifier. Exige-t-on de nous, pour cela, une définition rigide de l'homme, ce porteur d'universel, ce judéo-chrétien, comme on dit, cet adepte de la Bible et de la morale, ce minoritaire dans le monde ?

Nous n'avons pas besoin de cette définition pour passer à l'acte et nous avons trop souvent eu honte de l'homme : celui, précisément, de Guernica et d'Auschwitz, des tortures d'Alger et de Buenos Aires, des massacres de My Lai, des exterminations khmères-rouges, des bombes chimiques en Afghanistan et des tueries particulières du Liban et de l'Iran... Pour avoir passé vingt ans à panser les traumatismes des civils et à maudire les hommes de guerre, nous nous sommes aussi rendu compte que, bien trop souvent, les hommes aiment le combat. Nous ne sommes pas des fanatiques de l'universel. Nous ne fondons pas notre action sur une idée positive de l'homme. La mienne serait d'ailleurs assez pessimiste. Nous bâtissons sur le négatif, sur le moindre mal, sur l'idée de l'insupportable. Et nous refusons la confrontation culturelle vécue de Paris.

239

L'injustice nous révolte. Nous sommes à l'écoute de ceux qui subissent les attentats à notre conception des droits de l'homme. Nous n'imposons rien, mais si on se plaint, nous accourons. Nous pensons que tout peut changer. Les opprimés ont le choix de se taire, de subir leurs maîtres et les contraintes nationales, ou de protester. Dans ce cas, ils acceptent notre thérapeutique et écopent de notre pression culturelle.

Nous prétendons que les droits de l'homme et leur corollaire nécessaire, l'intervention humanitaire, se construisent en creux. C'est le médicament contre la maladie politique, l'arme contre les armes, le remède contre les despotes, la tangente à prendre contre l'éternelle réalité des camps, des crimes et des tortures. Si l'idée d'un bon pouvoir nous laisse froid, la pensée d'un abus nous hérisse. La santé ne nous intéresse pas, la maladie nous hèle.

Les droits de l'homme disparaîtront de nos préoccupations lorsque les abus n'auront plus lieu. Nous n'apercevons d'ailleurs pas cette échéance, au contraire. Et nous sommes sceptiques quant à l'harmonie mondiale. Les temps se durcissent. Il se peut que des sociétés entières refusent bientôt nos secouristes, occidentaux, pour relever leurs ruines, séquestrent nos coopérants agricoles et violentent nos infirmières parce qu'elles ne portent pas de voile. Que les hommes de guerre alors se préparent aux chocs des sociétés opposées. Le conflit ouvert, c'est l'étape suivante du non-respect des droits de l'homme.

B. K.

D'importants moyens financiers doivent donc être rendus disponibles. Lors d'une récente assemblée générale, les ONG venues des divers pays de la CEE ont demandé que l'argent de l'aide alimentaire serve justement à la construction de ce que certains ont appelé une « Afrique verte » – campagne menée en France notamment par *Peuples solidaires, Frères des hommes, Terre des hommes, Solagral,* etc.

Le constat et le principe général sont relativement simples : même dans le Sahel la situation alimentaire peut varier beaucoup d'une région à l'autre. Au Sénégal, par exemple, début

1985, les greniers du Sine Saloun étaient encore pleins, alors qu'au nord, près du fleuve Sénégal, on mourait littéralement de faim. Pourquoi ne pas valoriser les ressources localement disponibles avant d'aller en chercher à l'extérieur? Ces opérations dites « triangulaires » présentent de nombreux avantages : délais d'acheminement raccourcis, encouragement à produire plus dans les régions excédentaires, disponibilité de nourriture dans les régions déficitaires et coûts amoindris. En mars 1985, 800 tonnes de mil ont ainsi été acheminées de l'est au nord du Sénégal pour un coût d'environ 2 millions de francs. Des « camions de l'espoir » d'un autre genre, conduits par des Sénégalais et chargés de mil sénégalais!

Petit à petit ces idées ont fait leur chemin. A Bruxelles, Edgard Pisani s'était fait l'avocat des stratégies alimentaires et, en 1986, le président français, François Mitterrand, et le directeur de la FAO ont publiquement vanté les bienfaits des opérations triangulaires.

La voie a été pour ainsi dire ouverte par les pays donateurs dépourvus d'excédents. Le cas du Japon est particulièrement significatif à ce propos : en quelques années ce pays est devenu le troisième fournisseur mondial d'aide alimentaire. En 1985, les États-Unis ont fourni du riz au Ghana qui, en contrepartie, a envoyé du maïs au Mali et au Burkina. L'année suivante, du blé nord-américain encore a été donné au Malawi qui, à son tour, a approvisionné le Mozambique en maïs.

En 1985, le Canada, la CEE, la Suisse et quelques autres ont effectué des transferts financiers pour un total de 35 000 tonnes. En France, ce genre de pratique date de 1984, mais les montants en jeu sont encore modestes. Suite notamment au lobbying exercé par les ONG, le Parlement et la Commission européenne ont finalement adopté des mesures du même type. La gestion de l'aide alimentaire a même échappé à la direction de l'Agriculture pour être placée sous le contrôle des responsables du développement.

La Convention d'aide alimentaire renegociée en 1986 réaffirme la légitimité des opérations triangulaires. Par rapport à la précédente, le montant des engagements est resté stationnaire. Les achats-distributions de denrées alimentaires dans un même pays ont fait l'objet de vraies discussions. Le texte final de la Convention ne les mentionne pas. Mais leur légitimité est affirmée dans le protocole, et les modalités de leur exécution sont définies dans le règlement intérieur.

Bien sûr, on peut encore améliorer les systèmes de prévision des récoltes, raccourcir les délais de livraison, renforcer les structures d'acheminement et de stockage, mieux contrôler l'usage des fonds de contrepartie. Il reste que pour garantir la sécurité alimentaire des populations du tiers monde, l'argent du beurre semble plus utile que le beurre. Ce n'est pas parce que nous produisons des excédents que nous devons les transférer vers les pays pauvres. Comme l'affirme Galbraith : « Ce n'est pas parce que nous avons le vaccin qu'ils ont la vérole. »

Colombie :
l'aide d'urgence est nécessaire mais insuffisante

Tout un chacun a dans la tête les images atroces d'une petite Colombienne mourant sous les yeux des téléspectateurs du monde entier en criant vers sa mère un pathétique : « Pourquoi m'as-tu abandonnée ? » On pourrait discuter longuement sur la nécessité de telles images-chocs pour susciter la solidarité. Est-il vraiment besoin de ce voyeurisme pour mobiliser les nantis lorsque le malheur frappe ? Reste qu'il s'agit bien du malheur au sens philosophique du terme. C'est-à-dire d'une catastrophe qui touche injustement des innocents, et qu'il faut coûte que coûte secourir par une action de type humanitaire.

Ainsi, chaque fois qu'une catastrophe naturelle se produit dans une région du tiers monde, les organisations non gouvernementales de développement se mobilisent en vue d'une aide d'urgence. Cette mobilisation se structure dans un collectif chargé de récolter les fonds nécessaires à l'action rapide et d'assurer l'information la plus précise possible de l'opinion publique sur l'ampleur des dégâts et les priorités qu'il importe de mettre en avant.

A la suite de la catastrophe du volcan du Nevado del Ruiz, en 1985, le collectif Espoir Colombie a vu le jour, à l'image de ceux qui ont été constitués après le tremblement de terre du Mexique ou lors de la famine en Éthiopie. Toutefois, les ONG qui sont à l'origine du collectif Espoir Colombie savent que l'aide d'urgence, si elle est nécessaire, n'est pas suffisante à elle seule pour pallier les difficultés structurelles du tiers monde. Si le malheur est pour partie imprévisible, il importe dans le même temps d'en prévenir les dégâts pour le cas où il se renouvellerait. Autrement dit, dans l'exemple de la catastrophe du volcan Nevado del Ruiz, l'ampleur des dégâts eût-elle été aussi importante si des habitations antisismiques avaient été construites, si la Colombie avait une économie plus solide et des structures démocratiques fiables ?

Certaines ONG, dont la Cimade (organisation de développement, mais aussi de solidarité avec les étrangers sur notre sol), ne le pensent pas. Dès lors il importe de lier aide d'urgence, projet de développement à long terme et dénonciations des structures de société inadaptées.

Pour cela, les organisations membres du collectif Espoir ont dépêché sur place une équipe chargée, comme chaque fois dans des cas similaires, de se mettre en quête de partenaires, c'est-à-dire d'organisations autochtones susceptibles d'être porteuses de projets de développement à long terme. Dans le cas de la Colombie, la Cimade a choisi de soutenir l'association baptisée *Fonderemos* (« Nous fonderons »), qui a des projets d'autoconstruction d'habitat. *Fonderemos* est composée de professionnels de différents domaines (architectes, ingénieurs, personnel médical, agronomes et avocats), qui se sont donné pour tâche d'apporter une aide solidaire et bénévole à des communautés populaires dans les secteurs de la santé, du logement et du conseil juridique. Cette association a son siège dans la ville de Manilazes, au pied du Nevado del Ruiz.

Le projet d'autoconstruction de logements concerne trente-cinq familles, pour l'essentiel des ouvriers agricoles du lieu dit Vereda Llanitos, non loin de la ville Manilazes. *Fonderemos* a déjà acheté un terrain permettant la construction de trente logements et la Cimade s'est engagée à acheter une seconde parcelle permettant la mise en œuvre des travaux pour les cinq logements manquants. La crédibilité du projet est apparue en pleine lumière à la Cimade, lorsqu'elle a pu constater qu'en six mois les trente premiers logements étaient sortis de terre. Dans le même temps, il fallait orienter le soutien vers des activités économiques. En effet, c'est bien toutes les structures sociales qu'il importe de recréer, et cinq femmes de la communauté se sont mobilisées autour de la construction d'un élevage de poulets et d'un jardin potager.

Les multiples aller et retour – la Cimade envoie ses chargés de projets sur place environ deux fois par an, et elle reçoit dans la mesure du possible, ici, les responsables autochtones des projets – permettent de suivre l'avancée des réalisations.

Dans le cas précis de la Colombie, le projet avance à grands pas. Sans doute le partenariat n'est-il pas la panacée en ce qui concerne l'urgence comme en ce qui concerne le développement, mais le cas colombien est éclairant à cet

égard. Ce projet avance vite, parce que les sinistrés se sont eux-mêmes pris en charge. Lorsqu'il s'agit de pallier une situation de détresse et de faire en sorte que, si le malheur frappe de nouveau, il puisse être maîtrisé le moins mal possible, la motivation des personnes concernées en est démultipliée. A cela il faut ajouter le facteur de la solidarité internationale et celui de l'autogestion, la cogestion du projet entre partenaires coresponsables de la réussite d'une réalisation. L'exemple de la construction de logements dans la région sinistrée de Colombie est significatif; la Cimade pourrait en aligner bien d'autres après des années de travail dans le tiers monde sous toutes les latitudes.

Ce lien indispensable entre nécessité d'agir lors des urgences et nécessité de chercher immédiatement en quoi la situation créée peut déboucher sur un projet de développement de la région touchée est un des points focaux de la « pédagogie développementaliste » que des organisations comme la Cimade mettent en œuvre. Cette pédagogie n'est pas sortie tout droit d'un génial cerveau d'intellectuel au grand cœur, mais elle est le fruit d'une pratique/confrontation solidaire avec les acteurs du tiers monde, le fruit du refus du paternalisme et du refus de n'en rester qu'à panser les plaies sans œuvrer pour la guérison.

Jean-François Fourel

Éthiopie : l'aide permet-elle de perpétuer la famine ?

L'Éthiopie et la famine ont une longue histoire commune et cela dès le Moyen Age. La grande famine de 1889-1892 provoqua la mort d'un tiers de la population. De 1973 à 1975, une nouvelle catastrophe a contribué largement à la chute du Négus, au profit d'une junte militaire qui a balayé le système féodal et mis en place un régime d'inspiration marxiste-léniniste.

La famine qui s'est manifestée à partir de 1983 n'est donc pas un phénomène nouveau. Ce qui en fait l'originalité, c'est qu'elle s'est développée dans un pays désormais étroitement lié à Moscou et qu'elle a en même temps braqué sur elle les projecteurs des médias occidentaux.

La prise de conscience à l'extérieur de l'Éthiopie de l'ampleur du drame ne s'est faite que lentement. Les missions d'information envoyées sur place par la CEE ou la FAO début 1984 faisaient état d'une situation alarmante, mais aussi de stocks encore importants. Les autorités éthiopiennes elles-mêmes semblent avoir hésité sur l'ampleur du sinistre. Leurs détracteurs les accusent d'avoir volontairement minimisé la catastrophe jusqu'à la célébration du dixième anniversaire du régime, en septembre 1984.

Quoi qu'il en soit, c'est un reportage de la BBC, diffusé le 23 octobre suivant et repris par toutes les télévisions occidentales, qui provoque une mobilisation sans précédent de l'opinion publique. Des centaines de journalistes accourent. Bob Geldof et son ami Midge Ure composent *Do they know it's Christmas?* (« Savent-ils que c'est Noël? »), un disque qui rapporte près de 100 millions de francs. C'est l'origine de Band Aid. Près de cinquante organisations non gouvernementales se précipitent sur place.

Les gouvernements sont obligés de suivre cet extraordinaire élan de solidarité. En 1985, l'Éthiopie reçoit plus d'un milliard de dollars d'aide bilatérale directe et 1 275 millions de dollars d'aide alimentaire d'urgence, soit 1 200 000 tonnes de produits alimentaires provenant essentiellement de la Communauté européenne (à laquelle l'Éthiopie est liée dans le cadre des accords de Lomé) et des États-Unis. Un afflux que ni les ports, ni les routes, ni les moyens de transport éthiopiens n'étaient prêts à recevoir. D'où d'innombrables problèmes de stockage et des pertes inévitables.

Les pluies ayant été bonnes, dans l'ensemble, en 1985, les prévisions d'aide d'urgence pour 1986 avaient été revues en baisse : 800 000 tonnes seulement. Et, une fois apaisées les clameurs du concert en mondovision de Wembley et Philadelphie (13 juillet 1985), 1986 aura été l'année de la controverse. Une controverse née de la nature même du régime éthiopien. Personne ne conteste que cette aide massive ait été et soit encore nécessaire. Personne non plus n'accuse les dirigeants éthiopiens de corruption. Ce qu'affirment certains, c'est que cette aide permet finalement à Addis-Abéba de poursuivre une politique néfaste et qui perpétue la famine.

A l'origine de ces accusations,

le projet de réinstallation de centaines de milliers de familles originaires des régions les plus touchées par la disette (Wollo et Tigré) et par la guérilla dans le sud-ouest du pays, fertile, arrosé et sous-peuplé. Un mouvement déjà amorcé spontanément du temps du Négus, mais dont le gouvernement décide, fin 1984, de faire une priorité. Ces transferts se feront dans des conditions contestables : villageois souvent enrôlés de force, envoyés sans aucune préparation dans des régions insalubres où, faute d'hygiène, beaucoup d'entre eux – plusieurs dizaines de milliers peut-être – mourront. Dès la fin de 1985, Médecins sans frontières (MSF) dénonce les conditions de ces transferts et son président, Rony Brauman, demande l'arrêt de l'aide européenne : l'organisation est expulsée du pays.

C'était compter sans la pugnacité de MSF qui va continuer en France, en 1986, le combat contre un régime accusé d'être directement responsable de la pénurie alimentaire par la politique qu'il poursuit : regroupement forcé des paysans dans de gros villages (politique de « villagisation ») dans l'ensemble du pays, sans même tenir compte des travaux en cours, exploitation forcenée des agriculteurs, qui n'ont donc plus intérêt à produire, collectivisation progressive par la constitution de fermes d'État peu rentables, etc. De sorte que certaines provinces traditionnellement excédentaires, comme le Harar, se trouvent aujourd'hui déficitaires.

L'aide alimentaire ne permet-elle pas aussi au gouvernement éthiopien de poursuivre la lutte

Le tiers monde en noir et blanc

contre les guérillas de l'Érythrée et du Tigré? Son montant en 1985 a été égal à celui des achats d'armes à l'Union soviétique...

La campagne de MSF a provoqué, en octobre 1986, un important débat dans la presse française. Le 29 octobre, un colloque organisé par un Comité de vigilance sur les droits de l'homme en Éthiopie, largement inspiré par Médecins sans frontières, se réunissait à Paris. Au cours de cette journée, Claude Malhuret, ancien vice-président de MSF devenu secrétaire d'État aux Droits de l'homme dans le gouvernement de Jacques Chirac en mars 1986, déclarait qu'il ferait tous ses efforts pour que la Communauté européenne interrompe son aide à l'Éthiopie. Une position qui n'était pas partagée par des personnalités aussi différentes que Laurent Fabius ou Simone Veil. Quant aux représentants des organisations non gouvernementales travaillant sur le terrain, comme AICF (Action internationale contre la faim) ou avec des partenaires locaux comme les membres du collectif Espoir-Éthiopie (CCFD, CFCF, etc.), elles ont réaffirmé leur vigilance, mais aucune n'a décidé d'interrompre son action, estimant que si l'on n'aidait les victimes que dans les pays respectant les droits de l'homme, on n'aiderait plus grand monde...

En réalité, l'exemple éthiopien montre à quel point l'aide alimentaire, fût-elle d'urgence, ne peut être isolée du contexte politique dans lequel elle intervient. Les donateurs doivent-ils pour autant la subordonner à leurs propres conceptions politiques?

Le combat mené par Médecins sans frontières à propos de l'Éthiopie – et plus largement, depuis janvier 1985, par la fondation Liberté sans frontières – fait du respect des libertés fondamentales, mais aussi du libéralisme économique, en particulier dans le domaine agricole, la condition *sine qua non* du maintien de l'aide. Il fait ainsi de cette aide une arme destinée à peser sur la politique des pays receveurs. Une conception qui risque d'être inefficace (l'arrêt de l'aide ferait-il changer de politique le gouvernement éthiopien?), mais surtout qui fait peu de cas des victimes de la famine qui, quelles que soient les causes de leurs souffrances, ne peuvent en être tenues pour responsables et gardent tous leurs droits à la solidarité.

Pierre Castel

Bangladesh : mieux vaut reconstruire des digues que distribuer de la nourriture

Le Bangladesh est un des pays les plus pauvres du monde. Peuplé de 105 millions d'habitants, il a pourtant un potentiel agricole considérable. Mais les campagnes sont paralysées par une structure agraire quasi féodale qui bloque le développement. Le moindre aléa climatique provoque un chômage terrible, les Bengalis souffrent alors de sous-alimentation, même si, à chaque fois, les réserves de céréales sont à peine touchées.

Le 24 mai 1985, le Bangladesh, pays oublié, fait l'actualité. Un cyclone a frappé le sud du pays, le long du golfe du Bengale. On craint le pire : quinze ans plus tôt, un raz de marée avait fait près d'un demi-million de victimes! La région est très vulnérable, au ras des flots. Beaucoup de terres sont inondées à chaque marée haute.

La nouvelle nous parvient, deux jours plus tard, par la BBC, car le gouvernement militaire censure l'information. Il craint la critique, et à juste titre. Du coup, seuls les bateaux de l'armée ont eu accès aux zones touchées, et les journalistes ont été empêchés de s'y rendre. Les chiffres les plus fantaisistes sont avancés : le nombre officiel des victimes est de quelques centaines. La Croix-Rouge avance carrément : 40 000 morts! Ce chiffre, sans aucun fondement, sera repris par toutes les agences de presse. La Croix-Rouge bengalaise est une des plus corrompues au monde, et elle a tout intérêt à gonfler l'importance du drame.

A Dacca, la capitale, les organisations non gouvernementales (ONG, telles que Frères des hommes, etc.) se concertent rapidement par téléphone. Elles se regroupent pour affréter un petit avion de tourisme, et reconnaître les lieux. Des milliers de huttes, de vastes étendues de cultures sont détruits. Les difficultés de communication sont énormes. La mer est mauvaise, les pêcheurs refusent d'acheminer les secours. Les bateaux de la marine restent à l'ancre et refusent d'aider les ONG. Les secours prennent ainsi une semaine de retard.

Toutes les ONG ne sont pas d'accord sur l'aide à donner. Les habituées de l'assistance se précipitent avec des couvertures et des vivres. Mais il y a suffisamment de riz sur les marchés, les réserves alimentaires sont intactes ! Si la majorité – les ouvriers agricoles, 70 % de la population – a faim, c'est tout simplement parce qu'il n'y a plus de travail aux champs. Sans travail, ils n'ont plus de salaire, et les usuriers se méfient de ceux qui n'ont pas de terre à donner en garantie.

D'autres organisations, plus engagées et certainement plus efficaces, cherchent donc à *créer des emplois*. L'urgence : réparer la route et les innombrables digues qui protègent les terres de l'eau salée. Mais, paradoxalement, on trouve peu de main-d'œuvre, car les distributions gratuites, privées et officielles, n'incitent pas les paysans à se mettre au travail ! Tous les matins, ils font la file pour leur ration de riz, alors que chaque marée apporte un peu plus de sel sur les champs, les stérilisant pour de nombreux mois. Les grands propriétaires se préoccupent plus de détourner l'aide alimentaire que de sauver leurs cultures.

Les ONG ont donc fort à faire : ni les fonctionnaires ni les notables ne souhaitent leur présence. Les paysans sont catégoriques : « Aidez-nous directement, sans intermédiaire ! » Un matin, Shah Miah, un des plus riches propriétaires de la région, vient accompagné d'une bande armée, pour empêcher les travaux : tant que les ONG seront là, il ne recevra pas « sa part ». Les ouvriers font bloc : il doit partir – hors de lui.

Tout en faisant reconstruire les digues – des dizaines de milliers de familles ont ainsi du travail –, les animateurs tiennent en effet des réunions pour organiser les ouvriers agricoles. Dans d'autres régions du pays, le « mouvement des sans-terre » compte déjà plusieurs dizaines de milliers de membres. Là où les paysans sont organisés, les dégâts du cyclone sont vite réparés, car ce sont les paysans eux-mêmes qui prennent les choses en main, avec le financement des ONG. Et là, pas de risque de détournement, ils suivent les opérations de près et connaissent précisément les besoins de chacun.

Le gouvernement a interdit toute aide privée dans un petit périmètre. Il y distribue quelques tôles ondulées et une douzaine de pompes à main, pour en faire grand étalage à la télévision. Le message est destiné aux pays occidentaux : il faut montrer que le gouvernement est efficace. En fait, les paysans se demandent toujours où ont bien pu passer les 20 millions de dollars accordés tout spécialement au gouvernement après le cyclone. Quelques pays – et surtout les Pays-Bas – refusent tout soutien au gouvernement bengalais et offrent des fonds aux ONG. La France décharge des caisses de biscuits – deux semaines après la catastrophe ! – du *Victor Schoelcher,* un aviso de la marine nationale. Heureusement, elle compense cette absurdité par une aide aux ONG, immédiate et très efficace, qui servira à la reconstruction des digues par les sans-terre.

Certaines organisations sont totalement stériles. L'une d'entre elles, après avoir touché une forte subvention à Bruxelles, se précipite au Bangladesh par le premier avion. Elle contacte l'administration – militaire – et offre ses services. Pendant plusieurs mois, ses volontaires, qui ne parlaient pas un mot de la langue locale, ont travaillé dans un hôpital contrôlé par des fonctionnaires et militaires corrompus. Pour pouvoir fonctionner, ils avaient besoin à leurs côtés de Bengalais expérimentés. Ces derniers auraient été plus utiles s'ils avaient pu s'occuper de la population, et non des volontaires !

Aussi, dégoûtées de tant de confusion, plusieurs associations bengalaises remarquables ne tardent pas à se retirer de la région, pour aller travailler ailleurs, tandis qu'à Dacca les ONG se réunissent encore pour éviter pareils gaspillages. Ces dernières, en effet, ne peuvent faire fi du contexte dans lequel elles opèrent. Vulnérable, le pays l'est à plus d'un titre. Ainsi, l'administration se moque de l'entretien de l'infrastructure : quelques mois après la catastrophe, les digues sont à nouveau crevées, et le prochain cyclone provoquera à nouveau un désastre considérable. De même la très mauvaise répartition des terres et un contexte social presque féodal bloquent tout effort de développement.

Au Bangladesh, « pays des catastrophes », la preuve est faite que la véritable urgence, c'est le développement et le soutien aux mouvements paysans, tellement plus efficaces que les commandos de volontaires.

Bernard Kervyn

Afghanistan :
un « génocide migratoire »

Les Soviétiques, pour imposer leur domination en Afghanistan, ont mis en œuvre une stratégie de la terreur et, aussi, une véritable guerre économique, qui conduisent à la déstabilisation des populations et à la désarticulation des rapports sociaux fondamentaux. En endommageant gravement les récoltes, les

habitations, et le système d'irrigation traditionnel soigneusement entretenu depuis des siècles ; en brisant ou désorganisant les réseaux économiques qui échappaient au contrôle de Kaboul, en perturbant aussi les régions épargnées par les combats, la stratégie soviétique a eu pour conséquence de rendre la

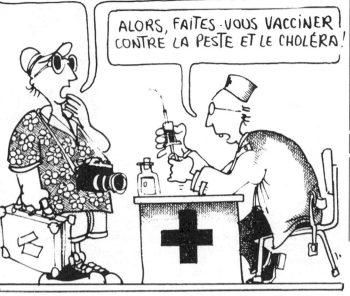

J'HÉSITE ENTRE KABOUL ET SANTIAGO DU CHILI

ALORS, FAITES-VOUS VACCINER CONTRE LA PESTE ET LE CHOLÉRA !

vie des populations rurales de plus en plus difficile, et de précipiter l'exode d'une partie d'entre elles. Il en résulte, avec la diminution spectaculaire des surfaces cultivées (moins 46 % dès 1983), le plus grand flux de réfugiés du monde.

Ils sont près de trois millions à avoir fui vers le Pakistan, et deux millions vers l'Iran. Ils représentent la moitié de la population mondiale réfugiée et le tiers de la population afghane totale, estimée à 15 millions à la veille de l'occupation soviétique. La composition ethnique de l'Afghanistan s'en est elle-même trouvée bouleversée : les Pasthounes – originaires des provinces afghanes proches du Pakistan – en émigrant en masse, ont cessé d'être le groupe dominant. Cet exil ne représente pas le tout du mouvement d'exode. Il faut compter aussi avec le déplacement massif de plus d'un million et demi de personnes à l'intérieur du pays. Dès 1983, les participants au Colloque international sur le problème des réfugiés afghans avaient parlé de « génocide migratoire ». Mais les Soviétiques cherchent aussi à composer avec la société traditionnelle, pour la neutraliser et rallier au régime de Kaboul un certain nombre de ses représentants.

Face à une telle situation, la solidarité avec les Afghans se situe à plusieurs niveaux et ses exigences évoluent avec le temps. L'aide internationale à ceux qui ont fui vers le Pakistan est gérée par un consortium dirigé par le HCR (Haut Commissariat aux réfugiés des Nations unies), qui travaille en collaboration avec les autorités pakistanaises, et qui a facilité l'installation et l'organisation de 380 camps. En Iran, où le gouvernement a assumé seul, durant les premières années, la charge de près de deux millions de réfugiés, l'aide internationale, avec l'intervention du HCR, a commencé en 1984.

Mais la continuation de la guerre a fait surgir de nouveaux problèmes. Si la survie matérielle des réfugiés afghans à l'extérieur du pays est pour l'essentiel assurée, beaucoup ont vu leur vie fondamentalement transformée en vie de dépendance. Au Pakistan, les femmes (on estime à 28 % la proportion des femmes et à 48 % celle des enfants pour l'ensemble de la population réfugiée dans ce pays) ont perdu ce qui, au pays, pouvait leur donner force, pouvoir et activité : leur foyer et la terre qu'elles cultivaient.

Les anciens agriculteurs, majoritaires parmi les réfugiés, ont perdu avec la terre qu'ils possédaient – aussi petite fût-elle – non seulement leurs moyens de subsistance, mais aussi un élément essentiel de leur identité.

Si la communauté de langue et de culture des réfugiés pash-

tounes avec la population locale de la principale province pakistanaise d'accueil (le Nord-Ouest), a apaisé ou du moins retardé les conflits, les données du problème se modifient avec la prolongation et l'intensification de la guerre : le nombre des réfugiés appartenant à d'autres ethnies, originaires de provinces situées au nord du massif montagneux de l'Indou Kouch, s'est sensiblement accru.

Des contradictions se manifestent, en relation avec la dégradation inévitable d'un environnement déjà pauvre (problèmes d'eau, de pâturages, de forêts) et la compétition au niveau de l'emploi (10 à 15 % des hommes des camps travaillent au-dehors pour compléter l'aide qu'ils reçoivent, tandis que certains, établis dans et autour des villes, ont fondé leur propre affaire).

L'aide des ONG

A l'intérieur de l'Afghanistan aussi, une aide d'urgence s'est rapidement mise en place, dès le début de la guerre. Il s'est agi surtout de l'aide médicale dispensée par des associations françaises (Aide médicale internationale, Médecins du monde, Médecins sans frontières) et par certains comités de soutien européens (Suède, Norvège...). D'autres organisations non gouvernementales européennes ont apporté des contributions diverses : aide alimentaire d'urgence, distributions de vivres, de vêtements, de fonds. Dès le début, cette présence a permis aussi de témoigner sur la guerre devant l'opinion internationale : contribution inestimable dans un conflit où la puissance occupante a essayé de verrouiller systématiquement l'information (cf. l'arrestation de Jacques Abouchard).

La poursuite de la guerre a accru les problèmes de santé, d'éducation, d'alimentation. La malnutrition et les risques de famine se sont aggravés – bien que de façon inégale selon les provinces. Et les déplacements de population n'ont fait que s'accentuer. Or, les « réfugiés de l'intérieur », dont certains finissent par choisir l'exil, du fait du refus de collaboration du gouvernement de Kaboul, ne bénéficient pas des activités d'assistance des Nations unies et de leurs agences, qui n'opèrent qu'à l'intérieur d'un cadre officiel intergouvernemental. Bien entendu, les secours apportés par certaines ONG, malgré les efforts entrepris, ne peuvent faire face à l'immensité des besoins.

Avec l'expérience acquise, les ONG ont cependant amélioré la qualité de leurs interventions. Les missions médicales, qui,

dans les premières années, se limitaient souvent à un mois, ont vu leur durée considérablement rallongée. Plus de 600 médecins ont ainsi été envoyés plusieurs mois, parfois un an et plus, pour des missions consacrées à des actions d'urgence, mais aussi à une aide générale de terrain. Le personnel soignant européen a commencé à réfléchir à la nécessité d'adapter l'aide aux conditions concrètes socio-culturelles. Les associations médicales ont commencé la formation d'infirmiers et de médecins autochtones. Sur le terrain, certains médecins voient aujourd'hui de plus en plus la nécessité de combiner médecine et développement, dès lors qu'il s'agit de s'attaquer au problème de la malnutrition.

L'expérience de plusieurs années et la réflexion menée ont mis en évidence pour les ONG la nécessité de promouvoir une aide au développement. Il s'agit d'aider au maintien et au développement de la production agricole et de l'élevage, afin de permettre aux populations locales de rester sur leurs terres plutôt que de grossir le flot des réfugiés. L'aide directe apportée (distribution de semences, traitements phytosanitaires, traitements vétérinaires, amélioration de la « gestion » des troupeaux...) sert à appuyer la formation sur place des paysans et des éleveurs à des techniques simples qui doivent leur permettre de tirer parti au mieux de leur propre expérience. Cette formation d'agents locaux de développement prépare aussi l'avenir : des Afghans devront être prêts à reconstruire l'économie de leur pays après sa libération.   Jean-Paul Gay

L'aide au développement

AIDE PUBLIQUE

Si elle ne résout pas tous les problèmes, l'aide publique au développement est indispensable.

L'ÉTAT DU TIERS MONDE
AIDE PUBLIQUE

253

par Gérard Viratelle

L'aide publique au développement (APD) représente, par définition, les ressources mises à la disposition des pays en développement (PVD) et des institutions multilatérales par les organismes publics des pays développés, sous la forme de dons ou de prêts à long terme et à bas taux d'intérêt, en vue de favoriser le développement économique et social et d'améliorer le niveau de vie des populations bénéficiaires. Plus de 80 % de cette aide sont fournis par les membres du Comité d'aide au développement (CAD) qui rassemble dix-sept pays dont les États-Unis, la République fédérale d'Allemagne, le Japon, la Grande-Bretagne, la France, etc.; le reste l'étant par les pays de l'OPEP (11 %) et les pays de l'Est (9 %).

L'APD croît en valeur, mais reste stable par rapport aux revenus des pays développés. L'ensemble de l'aide – bilatérale (77 %) et multilatérale (23 %) – s'élevait à 36 milliards de dollars en 1985 (prix et taux de change 1984) contre 30,9 milliards de dollars, en 1975 (y compris les activités de soutien économique et l'aide humanitaire, mais pas l'assistance militaire). Sa progression avait subi des fluctuations consécutives à la situation économique des pays donateurs; l'augmentation enregistrée en 1984 (34,6 milliards de dollars) était surtout due aux opérations d'urgence et aux mesures prises en faveur de l'Afrique subsaharienne.

Le CAD estimait, début 1987, que l'aide totale de ses membres – 29,6 milliards de dollars, en 1985 – devrait continuer à progresser à un rythme modéré (2 % par an) à la fin des années quatre-vingt. Mais ils n'étaient alors qu'à mi-chemin (0,35 %) de l'objectif de 0,7 % du produit national brut (PNB – voir encadré). Le rapport entre l'aide publique de ces pays et leur PNB ne s'était pas amélioré en dix ans (0,35 %, en 1975 ; 0,35 %, en 1985). Pendant la même période, les autres financements publics – ceux qui sont à des conditions moins favorables et ne sont pas considérés comme une aide – avaient presque doublé, pour atteindre 11,8 milliards de dollars, en 1985.

En revanche, les apports privés vers les pays en voie de développement étaient tombés la même année à leur niveau le plus bas depuis dix ans, 30,9 milliards de dollars. Ce qu'on a appelé la privatisation des flux financiers Nord-Sud connut son point haut en 1981. Les crédits à l'exportation et les transferts privés représentaient alors plus du double (88,1 milliards de dollars) de l'ensemble de l'aide publique (35,5 milliards de dollars).

45 % des apports de ressources

L'effondrement noté par la suite a été la conséquence des difficultés économiques et financières traversées par de nombreux pays en développement. Mais il faut souligner qu'alors que les ressources et les crédits privés se dirigent vers les pays à revenu intermédiaire, l'APD intéresse principalement les pays à faible revenu. L'un ne peut remplacer l'autre. Autrement dit, l'accroissement des flux privés, souhaité par l'administration

Objectif : 0,7 % du PNB

En principe, chaque pays économiquement avancé devrait transférer l'équivalent de 0,7 % de son PNB vers le tiers monde. Cet objectif continue de donner lieu à de vives discussions. Initialement, il avait été fixé à 1 % sous la pression du Conseil œcuménique des Églises (1958), puis il avait été entériné par l'Assemblée générale des Nations unies (1960) et la CNUCED (1964-1968), ainsi que – le plus important – par les membres du Comité d'aide au développement. Cependant, après de longs débats, la « Stratégie internationale du développement » pour la décennie 1970-1980, adoptée en 1970 par les Nations unies, invitait chaque pays économiquement avancé à transférer, en majeure partie sous forme de ressources publiques, un montant minimal en valeur nette de 0,7 % de son PNB au prix du marché, et de s'efforcer d'atteindre ce résultat « au milieu de la décennie au plus tard ». On en était généralement loin et les échéances furent repoussées. Aussi bien la « Stratégie du développement 1980-1990 », adoptée en 1980, stipule-t-elle que les pays développés qui n'auront pas atteint l'objectif devront le faire d'ici à 1985, et en tout état de cause avant la fin de la décennie. L'objectif de 1 % devant être atteint aussitôt que possible après cela...

Qu'en était-il « au milieu de la décennie » pour les membres du CAD ? Trois pays – Norvège (1,03 %), Pays-Bas (0,91 %), Suède (0,86 %) – avaient dépassé la barre du 0,7 % dès les années soixante-dix et la Norvège se situait même au-delà du 1 % en 1984-1985. Les Pays-Bas y étaient parvenus au début des années quatre-vingt, mais avaient réduit temporairement leur programme d'aide en 1985. Celui du Danemark avait, en revanche, une tendance ascendante (0,86 %). Cela souligne l'intérêt porté au développement (des pays du tiers monde) dans ces quatre pays – où la pression des opinions publiques, très sensibilisées à cette question, est particulièrement vive – et la volonté de leurs gouvernements d'entretenir un courant d'aide élevé par rapport au PNB, quelles que soient leurs difficultés internes. Ils devraient tous se situer à un niveau supérieur à 1 % du PNB à la fin de la décennie.

Vient ensuite la France, selon que l'on inclut ou non les crédits des DOM-TOM. Le Comité d'aide au développement retient les deux hypothèses. Dans le premier cas, la France se classe en position honorable : elle est le quatrième donateur mondial, en volume d'aide publique au développement (APD), et le cinquième, en pourcentage du PNB (0,78 %, en 1985, contre 0,6 %, en 1980-1981). Mais, dans la seconde hypothèse, elle ne se hisse alors qu'à 0,54 % – niveau de la Belgique – (contre 0,41 %, en 1980-1981). La progression de l'aide française, en volume, en pourcentage du PNB et en part de l'aide publique mondiale au développement (10,4 %, avec les DOM-TOM en 1985), n'en a pas moins été remarquable.

En queue de peloton, le plus gros donateur mondial, les États-Unis, qui, pas plus que l'Union soviétique et la Suisse, n'ont accepté l'engagement moral et politique que représente l'objectif de 0,7 % du PNB; avec 0,24 %, en 1985, pour une aide publique qui s'élève, il est vrai, à 8,6 milliards de dollars – le quart de l'aide publique mondiale au développement –, ils prennent rang entre l'Irlande (0,24 % également) et la Nouvelle-Zélande (0,25 %)! Le Japon (0,29 %), second donateur par le volume de son aide – 3,75 milliards de dollars –, met les bouchées doubles : il accroît particulièrement sa participation aux agences multilatérales mais, d'une façon générale, les modalités de son assistance ne sont pas toujours conformes à celles généralement admises. Au même niveau que celle de la Suisse (0,31 %), l'aide d'Italie est également en rapide expansion – 1,10 milliard de dollars. L'Italie a, à l'image de la Finlande (0,40 %), prévu de parvenir, en principe, à 0,7 % d'ici à 1990.

En revanche, la République fédérale d'Allemagne (0,47 % pour 2,9 milliards de dollars) a décidé de stabiliser la sienne à 0,50 % du PNB jusqu'à cette échéance. Tant en valeur – 1,53 milliard de dollars qu'en pourcentage du PNB (0,34 % contre 0,39 %, cinq ans auparavant), l'aide britannique a fléchi. En revanche, le Canada accroît la sienne en valeur réelle – 1,63 milliard de dollars – et en pourcentage de son PNB (0,49 %), niveau de l'Australie. L'Autriche a retenu l'objectif de 0,7 % sans fixer la date pour sa réalisation et se situait à 0,38 %, en 1985.

Ces fortes différences d'un pays à l'autre, surtout le retard pris par quelques pays économiquement puissants, le fait que, dans certains cas, la croissance du volume de l'aide ne suit pas celle de la richesse nationale, expliquaient que le rapport APD/PNB n'ait pas progressé en dix ans (0,35 %, en 1975; 0,35 % en 1985), bien qu'il ait été de 0,37 % en 1981-1982. Il pourrait même continuer à régresser sensiblement pour les pays du Comité d'aide au développement et plus encore pour ceux de l'OPEP, pendant quelques années.

G. V.

Reagan, en particulier, et encouragé par plusieurs organismes financiers, se faisait toujours attendre au milieu de la décennie. On a plutôt assisté, à partir de 1981, à une évolution inverse. De telle sorte qu'en 1985 l'aide publique comptait pour 45 % des apports de ressources aux pays en développement. L'ensemble de ces apports était inférieur en termes réels, en 1985 (78,7 milliards de dollars) à leur niveau de 1975 (83,3 milliards de dollars)!

Et l'on pouvait relever aussi que le volume des capitaux qui avaient quitté les pays en développement, en 1985, était estimé à 41 milliards de dollars (les trois quarts provenant de pays latino-américains), et était donc supérieur à l'ensemble des apports privés!

Un instrument d'influence

Jusqu'au milieu des années soixante-dix, les pays membres de l'OPEP ont fortement augmenté leur aide publique au point qu'elle représentait 27 % de l'APD mondiale, en 1975-1976 (moyenne sur les deux années) – dépassant 9 milliards de dollars en 1975. Devant leurs difficultés budgétaires et de paiement, après la chute des prix du pétrole, ils ont beaucoup réduit leurs programmes d'assistance, qui ne s'élevaient plus qu'à 3,25 milliards de dollars en 1985. L'Arabie saoudite, pour les trois quarts (2,6 milliards de dollars), et le Koweit (750 millions de dollars) restaient presque les deux seuls donateurs. Et l'aide publique moyenne au

Le cas de l'Inde

L'Inde a été pendant des années le premier bénéficiaire de l'aide internationale, ayant reçu jusqu'à 16,8 % de l'aide publique mondiale au développement au début des années soixante. La communauté internationale estimait alors que, face au défi de la Chine communiste, la « voie démocratique » indienne méritait d'être vivement soutenue. Aussi le développement de l'Inde s'est-il fait en s'appuyant sur ces apports de ressources extérieures.

Mais leur répartition a connu un changement notable. Jusqu'aux années soixante-dix, l'aide provenait principalement des pays membres de l'OCDE, les États-Unis comptant pour près de la moitié des versements. Par la suite, l'Association internationale du développement, filiale de la Banque mondiale accordant des prêts pratiquement sans intérêt et à très long terme, est devenue la principale source d'aide. En 1982-1983, elle avait encore attribué à New Delhi 939 millions de dollars sur les 2 milliards qui lui avaient été versés. Les sommes reçues des pays du CAEM (Conseil d'assistance économique mutuelle), et en particulier de l'Union soviétique, et comptabilisées en tant qu'aide publique, n'avaient repré-

développement par rapport au PNB, qui s'était élevée à 2,61 % en 1975-1976 (et même à 6,78 % alors, dans le cas exceptionnel de l'Arabie saoudite) était inférieure à 0,7 % dix ans plus tard (0,65 % en 1985). Ce rapport était tout de même de plus de 3 % pour le Koweit et 2,8 % pour

senté alors que 58 millions de dollars.

L'Inde a renoncé, certes, à l'assistance américaine – alimentaire et économique – parce qu'elle estimait pouvoir s'en passer. Mais aussi, et surtout, au moment du conflit indo-pakistanais de 1971 qui donna naissance au Bangladesh, Washington suspendit son assistance aux deux belligérants. L'aide bilatérale des États-Unis fut ainsi remplacée par celle, concessionnelle, de l'AID, et des autres oganismes multilatéraux. Les État-Unis sont cependant le principal bailleur de fonds de l'AID! Et l'Inde a reçu, tous comptes faits, depuis 1949, 19,5 milliards de dollars de la Banque mondiale, dont 12,5 milliards de dollars de l'AID.

Mais, du fait du niveau de développement de l'économie indienne – qui n'empêche pas une partie de la population de rester dans la pauvreté –, du fait du tassement des ressources de l'AID auxquelles, de plus, a accès aussi la Chine depuis son adhésion à la Banque mondiale, l'Inde n'est plus considérée comme un pays en voie de développement devant recevoir prioritairement une aide concessionnelle. Aussi bien les prêts de l'AID à l'Inde sont-ils tombés de 1,5 milliard de dollars, en 1980, à 650 millions de dollars, en 1985.

Néanmoins, l'Inde est toujours dépendante de l'aide étrangère.

Ainsi, pour l'année budgétaire 1985-1986, les pays industrialisés à économie de marché et les organismes multilatéraux, réunis au sein du consortium d'aide à l'Inde, s'étaient engagés à lui fournir 4,5 milliards de dollars (toutefois, les versements effectifs devaient n'être que de l'ordre de 2 milliards de dollars). Ce chiffre élevé représentait moins de 1 % du PNB indien, l'un des pourcentages le plus faible des pays à bas revenu.

Cependant, l'Inde doit de plus en plus compenser la forte diminution des prêts concessionnels par des emprunts commerciaux, de telle sorte que la charge et les intérêts de sa dette – jusqu'alors très maîtrisables – sont appelés à augmenter.

L'aide publique accordée à l'Inde a intéressé tous les secteurs du développement et lui a permis, en particulier, d'installer des instituts de recherche, de mettre au point des variétés céréalières à haut rendement, certains programmes de régulation des naissances, d'adduction d'eau, de rénovation de taudis, etc.

Enfin, l'Inde pays en voie de développement à faible revenu aide d'autres pays en voie de développement plus défavorisés encore, dans sa zone d'influence sud-asiatique (Bangladesh, Bhoutan, Maldives, Népal) ou au-delà.

G. V.

l'Arabie saoudite, l'un et l'autre en tête des donateurs mondiaux à ce titre.

Par leur aide, ces producteurs de pétrole confortent leurs positions économiques dominantes régionales et leur influence politique auprès de pays arabes (Syrie, Jordanie, Maroc, Yémen arabe) ou de pays d'Afrique et d'Asie possédant généralement une communauté musulmane. Cette aide bilatérale est principalement indépendante, mais les livraisons de pétrole, en forte augmentation, en représentaient le quart en 1985.

Les États arabes pétroliers

sont en outre les bailleurs de fonds de leurs propres organismes de financement du développement (Banque islamique de développement, Fonds de l'OPEP pour le développement...) et aussi de certaines institutions multilatérales (FMI, Banque mondiale, FIDA – à hauteur de 37 % –, PNUD...), et ils participent à de nombreuses opérations de cofinancement avec les pays ou organismes occidentaux. Entre 1983 et 1985, l'APD des pays arabes et de l'OPEP a diminué de plus de moitié ne s'élevant qu'à 132,6 millions de dollars en 1985.

Les pays développés n'accordent pas une aide publique bilatérale seulement par sentiment humanitaire, solidarité avec les peuples du tiers monde, ou parce qu'ils estiment que l'aide est nécessaire pour soutenir les efforts de développement, voire la stabilité politique de certains États. Dans les pays nordiques, traditionnellement, et quelques autres occasionnellement – Italie, Belgique –, les opinions publiques ou parlementaires exercent certes une pressions dans ce sens. Mais les pays occidentaux – ainsi que les pays de l'Est – intègrent généralement leur programme d'aide au développement à leur politique étrangère. Car, dans la majorité des cas prévalent aussi des considérations commerciales, politiques, voire stratégiques. Le CAD reconnaît dans son rapport 1985 que cela est vrai pour « certaines attributions d'aides bilatérales ».

L'aide publique au développement, a-t-il été démontré, a des effets positifs sur l'emploi en France et ses « taux de retour »

sont très élevés. La France récupérant sous la forme d'exportation de biens et services les deux tiers ou plus de l'APD qu'elle accorde! Bref, qu'il s'agisse d'aide-projets, technique, budgétaire, alimentaire, multilatérale... les pays donateurs y retrouvent toujours plus ou moins leur compte. Ils adressent de préférence leur aide à certains pays « privilégiés ». Celle des pays de l'Est est destinée à soutenir en priorité les régimes socialistes du tiers monde (voir encadré). La France oriente la sienne, c'est bien connu, vers les pays du « pré-carré » africain et l'Afrique du Nord, ainsi que vers quelques États plus lointains; pour des raisons historiques et géographiques, le Japon attribue une très grande partie de son aide bilatérale à des pays à revenu intermédiaire et à de grands pays à faible revenu (Chine, Inde...) situés en Asie, sa zone d'influence économique.

Les États-Unis concentrent leur assistance sur des pays amis situés dans des zones présentant un intérêt politique et stratégique prédominant : Israël (pour des raisons de politique intérieure américaine!), Égypte, Turquie, Philippines, Pakistan, Amérique centrale, Caraïbes. Dans un éditorial, cité par l'*International Herald Tribune* du 27-28 décembre 1986, le *Washington Post* soulignait que l'aide américaine est de plus en plus liée à des objectifs militaires et stratégiques – les deux tiers des allocations inscrites au budget de l'aide étrangère pour 1986-1987 ayant un caractère militaire ou relatif à la sécurité nationale –, tandis que celles pour le développement économi-

que pur ou au titre humanitaire étaient sévèrement réduites. Cela permet de comprendre pourquoi, entre autres, le gou- vernement Reagan avait appelé les entreprises privées à épauler l'effort public!

Somme toute, et à des degrés

divers, l'aide bilatérale, à l'exception de l'urgence, est un instrument d'influence pour les pays développés. Chacun l'utilisant à sa façon, selon ses intérêts ou priorités propres.

L'aide multilatérale est celle qui est accordée à des conditions libérales par les institutions financières (Association internationale de développement-AID, filiale de la Banque mondiale,

L'aide française : croissance et singularités

L'aide de la France a fortement augmenté à la fin des années soixante-dix et au début des années quatre-vingt. Le gouvernement de gauche avait décidé de poursuivre et même d'accroître cet effort. Le montant de l'aide a été proche de 4 milliards de dollars, en 1985.

La comptabilisation des crédits des DOM-TOM dans le décompte de l'aide publique au développement est discutable. Cependant l'aide aux pays indépendants s'est acrue plus rapidement pas ces crédits en 1985, s'élevant à 2,768 milliards de dollars. Et le gouvernement de Jacques Chirac a maintenu l'engagement de porter cette aide à 0,7 % du PNB (contre 0,54 %, en 1985) dès que possible, après 1988.

L'aide française n'est pas un domaine où règne une parfaite transparence ; on n'y intègre évidemment pas les prêts de la Caisse centrale de coopération économique (C C C E), les crédits et investissements privés. Elle est inséparable des relations que la France entretient avec ses anciennes colonies, les pays de la zone-franc, de la francophonie. En 1984, la plus grande partie a été octroyée aux pays de l'Afrique au sud du Sahara (52 %) et aux pays méditerranéens (17 %).

Les contributions aux organismes multilatéraux ont évidemment souffert de l'importance qu'occupent ces zones, en plus des DOM-TOM, dans les relations bilatérales. De fait, l'aide multilatérale de la France est proportionnellement inférieure à celle de ses partenaires des pays industrialisés. Si l'on considère que ses contributions intéressent pour moitié l'aide européenne, et pour un quart le groupe de la Banque mondiale, le système des Nations unies est traité en parent pauvre. Un redressement a été cependant amorcé en 1985 ; on note du moins une forte augmentation des versements aux institutions financières internationales.

L'aide française aux pays les moins avancés, bien qu'elle dépasse 0,15 % du PNB, devait être également accrue. La France était, en 1985, le seul pays du Comité d'aide au développement à ne pas atteindre l'objectif fixé pour l'élément de libéralité aux pays les moins avancés. Autre singularité, la part très importante occupée dans la composition de l'aide française, par l'aide technique (57 % de l'A P D bilatérale et 41 % de l'aide totale en 1984). Malgré la forte diminution du nombre de ses coopérants, la France restait le principal fournisseur mondial d'assistance techique.

G. V.

banques régionales de développement, FIDA) et les organismes de développement des Nations unies (Programme des Nations unies pour le développement, Haut Commissariat aux réfugiés, etc.), au sein desquelles les opérations sont décidées conjointement par les donateurs et les bénéficiaires. Ce n'est pas le cas pour le Fonds européen de développement (FED) ni les Fonds de l'OPEP, mais l'on admet leurs versements dans la ventilation de l'aide multilatérale. Outre cette aide publique, certains organismes (Banque mondiale, sa filiale, la SFI, les banques régionales de développement) accordent également des prêts à des conditions non libérales. A l'origine, et en particulier dans les années soixante-dix, les organismes multilatéraux enregistrèrent une forte progression de leurs activités parce qu'il était considéré qu'ils pouvaient apporter des solutions aux problèmes de la pauvreté dans le tiers monde.

L'aide multilatérale

En 1985, 8,3 milliards de dollars d'APD avaient transité par les agences multilatérales (contre 5,5 milliards de dollars, en 1975 et 7,5 milliards de dollars, en 1981). Les autres financements publics multilatéraux atteignaient 7,8 milliards de dollars.

Les neuf dixièmes de leurs ressources sont fournis par les pays membres du Comité d'aide au développement, mais ceux-ci préfèrent généralement l'aide

bilatérale à travers laquelle ils peuvent mieux exercer leur influence. Parce qu'ils n'ont pas les mêmes préoccupations ou qu'ils ne disposent pas d'importantes administrations de l'aide extérieure, les pays nordiques apportent plus volontiers leur soutien aux agences multilatérales, notamment celles des Nations unies. C'est ainsi qu'en 1983-1984, la Norvège leur consacrait 43,6 % de son APD; la France avec 9,2 % de la sienne, non comprise sa participation au FED, était le pays du CAD le plus mal placé à ce sujet.

En revanche, les pays en voie de développement, et singulièrement ceux qui sont encore aux premiers stades du développement, apprécient généralement l'aide multilatérale parce qu'elle n'est pas assortie des contraintes caractérisant l'aide bilatérale; qu'elle permet de mettre en concurrence les fournisseurs de services et d'équipements de différents pays; qu'elle n'entraîne pas, en principe, la formation de liens de dépendance. L'on remarque aussi que l'assistance multilatérale est la mieux apte à répondre aux cas d'urgence et bénéficie plus aux infrastructures et aux secteurs de production que l'aide bilatérale.

En fonction de leur rôle et de leur expérience, les institutions multilatérales n'en ont pas moins des conceptions propres du développement, souvent inspirées d'ailleurs par des Occidentaux. Près du tiers des versements multilatéraux sont faits par l'AID, filiale de la Banque mondiale. Le poids des grands donateurs du CAD pèse de façon déterminante sur les institutions financières; il est moins lourd sur la structure des organismes des Nations unies qui distribuent 36 % de l'APD multilatérale. Le FED (16 %) assure, de son côté, aux États associés à la CEE un flux continu et sensiblement croissant de ressources concessionnelles.

Plusieurs institutions financières, AID, FIDA, en particulier, mais aussi, quoique dans une mesure moindre, celles du système des Nations unies (PNUD, FNUAP, HCR...) éprouvent des difficultés à renouveler leurs ressources. Devant la diminution de celles-ci, certains organismes ont même dû plus ou moins fortement réduire leurs opérations depuis 1982-1983. Justifiant la baisse de leurs contributions, plusieurs pays développés ont instruit alors le procès de l'efficacité et de la rentabilité économique de ces institutions – ce fut le cas singulièrement de l'AID aux États-Unis. Ce faisant, ils ont aussi, et peut-être surtout, marqué leur volonté d'affecter l'aide publique en premier lieu à des opérations bilatérales. Mais les pays les plus attachés au système financier et commercial dominant ne peuvent par trop se désintéresser de ces institutions sans risquer de perdre des marchés, lorsqu'elles présentent des appels d'offres!

Les pays bénéficiaires

L'aide publique au développement est, par définition, destinée aux pays à faible revenu. La répartition géographique de ses bénéficiaires dépend cependant des considérations propres à chaque donateur (État ou organisme). Le Comité d'aide au développement estime qu'il est impossible de déterminer objectivement les « besoins » en matière d'APD. Celle-ci se concentre, constate-t-on, sur les zones de misère : Afrique subsaharienne (30 %), Moyen-Orient (20 %), sous-continent sud-asiatique (16 %). En 1984-1985, les pays en développement qui avaient reçu le plus d'aide (en pourcentage de l'APD totale) étaient : l'Égypte (6,5 %) ; l'Inde (5,6 %) ; le Bangladesh (5,3 %) ; le groupe des pays du Sahel (5 %) ; et... Israël (6 %).

Plus significative encore est la place qu'occupe l'APD dans le PNB des bénéficiaires (moyenne 1983-1984) : pays du Sahel (21,9 %) ; Réunion (24,4 %) ; Somalie (23,8 %) ; Jordanie (20,2 %) ; Lésotho (15,7 %) ; Tanzanie (14,7 %) ; Soudan (11,6 %) ; Bangladesh (10 %) et Inde (1,2 %) ; Rwanda, Madagascar, Zambie, Mozambique (entre 10 et 11 %).

Évolution intéressante mais compréhensible : la très forte diminution (en pourcentage de l'APD totale) des versements aux pays asiatiques et, parallèlement, le fort accroissement des versements à l'Afrique au sud du Sahara. Des pays qui étaient dépendants de l'aide publique (Corée, Taiwan, Brésil, Chili, Algérie...) ne le sont plus ou le sont très peu. Dans l'ensemble du tiers monde, 27 % des pays qui recevaient initialement l'aide de l'AID n'en bénéficiaient plus en 1986! En revanche, le taux de dépendance s'est accru, de 1975 à 1984, dans de nombreux cas, en particulier pour les pays du Sahel, la Somalie, la Jordanie, la Tanzanie, la République centrafricaine, le Togo, le Libéria, le Soudan, le Zaïre, le Kénya, l'Éthiopie, mais il a diminué, sensiblement, dans le cas de l'Égypte, du Rwanda, du Congo, du Cameroun, de Djibouti, de la Papouasie-Nouvelle-Guinée, du Botswana, des Seychelles, etc., et de l'Inde (voir encadré). Toutefois, compte tenu de leur situation économique et de leur niveau d'endettement, certains pays en développement semblent devoir rester pendant des années de gros « consommateurs » d'aide, leurs capacités d'emprunter sur le marché des capitaux étant extrêmement limitées.

Les pays les moins avancés : « résultats décevants »

La communauté internationale a estimé que les pays développés avaient des responsabilités particulières à l'égard des pays les moins avancés (PMA) selon les critères des Nations unies. Une conférence s'est tenue à Paris, en 1981, sous l'égide de la CNUCED, pour mobiliser l'aide en leur faveur. Non sans difficultés, les pays donateurs se sont alors engagés à octroyer aux pays les moins avancés une part de plus en plus importante des courants d'aide publique au développement, « soit en leur consacrant 0,15 % de leur PNB, soit en doublant leur aide au cours des années à venir ». Ces pays devaient « globalement recevoir d'ici à 1985 une APD repésentant le double

des ressources qu'ils ont reçues au cours des cinq dernières années ». (Les États-Unis, l'Australie et la Nouvelle-Zélande n'avaient pas accepté cet objectif.) L'APD aux pays les moins avancés provient à 80 % des pays du Comité d'aide au développement.

Dans un premier bilan, en 1985, la CNUCED constatait que, durant la période 1980-1983, l'aide publique au développement avait plafonné entre 6,9 et 6,5 milliards de dollars (loin de l'objectif de 9,7 milliards de dollars pour 1985!). En tenant compte des prêts bancaires, les apports totaux en ressources extérieures aux pays les moins avancés ont en réalité diminué de 1981 à 1983, affirmait cette organisation.

Quant à l'objectif de 0,15 %, il ne pouvait guère être atteint dans ces conditions. L'APD par rapport au PNB était passée de 0,09 % en 1980 à 0,07 %, en 1983. Seuls quatre pays – Danemark, Pays-Bas, Suède, Belgique – étaient parvenus à 0,15 %, ainsi que l'ensemble des membres de l'OPEP.

Or, l'aide publique représente jusqu'à 90 % des ressources extérieures pour certains pays les moins avancés. « Résultats décevants », ne pouvait que conclure la CNUCED.

Certes, la plus grande priorité a été donnée à l'Afrique subsaharienne depuis 1983, et l'aide publique à cette région a nettement augmenté, atteignant 8,9 milliards de dollars, en 1985 (non compris celle des pays de l'Est). Mais, inversement, conséquence de la situation de ces pays, les apports de fonds à des conditions moins libérales ont beaucoup baissé!

Le paysage économique et politique du tiers monde serait-il le même sans l'aide publique au développement?

Sans doute n'est-elle pas une panacée permettant de résoudre tous les problèmes du sous-développement. Elle contribue à leur apporter des solutions qui peuvent ne pas être pleinement satisfaisantes. Il n'en reste pas moins que, du Tchad au Bangladesh, des dizaines de pays – et aussi des régimes politiques – sont encore soutenus à bout de bras par l'aide extérieure. Pourront-ils, comme d'autres pays en voie de développement beaucoup mieux nantis en ressources internes, s'en dispenser un jour? Les régions de grande pauvreté ne le pourront pas avant longtemps! Et il paraît généralement admis qu'il n'y aura pas de développement au Sud sans apports de ressources extérieures publiques ou privées, selon les cas. Aussi bien y a-t-il lieu non seulement de maintenir mais bien d'accroître le courant net d'aide publique au développement.

Dans ce débat les organisations non gouvernementales (ONG) jouent un rôle essentiel en sensibilisant les opinions publiques sur :
– *le volume de l'aide*. Pour atteindre les objectifs fixés, les pays développés – et en particulier les plus importants d'entre eux – devraient beaucoup augmenter leur effort, celui des pays nordiques ne pouvant suffire. Dans la conjoncture de la fin des années quatre-vingt il y a toutefois peu de chances que ces objectifs soient atteints à courte échéance ;
– *la répartition de l'aide*. Il est évident aussi que les régions et

Est-Sud : on reste entre amis

Relativement faible par rapport à celle des pays industrialisés à économie de marché, mais en forte augmentation, l'aide publique des pays de l'Est était estimée par le Comité d'aide au développement, à 3,5 milliards de dollars, pour 1985, soit environ 0,23 % du PNB de l'ensemble des pays membres du Conseil d'assistance économique mutuelle (CAEM) qui comprend toutefois trois pays en voie de développement : Cuba, Mongolie et Vietnam. Cela explique sans doute que les chiffres avancés par les pays de l'Est soient beaucoup plus élevés : 1,3 % du PNB, en 1981, par exemple pour l'Union soviétique ; les estimations du CAD sont établies à partir de ses propres critères s'appuyant, en particulier, sur les montants des accords de coopération rendus publics.

Quoi qu'il en soit, l'aide des pays de l'Est (dont l'Union soviétique assure 85 %) a une importance économique et politique vitale pour plusieurs pays et présente, d'autre part, un intérêt stratégique et politique évident pour l'Union soviétique en particulier. Elle est concentrée sur quelques États socialistes ou amis : Vietnam (1,18 milliard de dollars, en 1985), Cuba (680 millions de dollars) – ces deux pays en recevant plus de la moitié –, Mongolie (570 millions de dollars), Afghanistan (240 millions de dollars), Éthiopie, Nicaragua, Kampuchéa, Laos, Corée du Nord, Yémen démocratique.

L'aide au Vietnam, à Cuba et à la Mongolie devrait s'accroître jusqu'à la fin de la décennie.

L'Inde est le pays non socialiste à recevoir (depuis plus de trente ans) l'aide la plus importante des pays de l'Est, plus principalement de l'Union soviétique. L'aide a permis à ce pays d'asseoir ses bases industrielles dans le secteur public. Les Indiens estiment qu'elle présente des avantages même s'ils jugent que les technologies soviétiques ne sont pas toujours les plus avancées. Depuis leur indépendance, le Bangladesh et l'Algérie ont bénéficié également de crédits soviétiques pour l'achat d'équipements à Moscou.

85 000 étudiants

A côté de l'Union soviétique, la République démocratique allemande, la Tchécoslovaquie et la Bulgarie assurent le complément de l'aide des pays de l'Est au tiers monde. Une aide au caractère essentiellement bilatéral et qui concerne principalement les industries lourdes et les infrastructures (centrales électriques, sidérurgie, charbonnages, prospection et extraction de pétrole et de gaz, industries sucrières), aussi depuis peu l'agriculture (irrigation, production d'agrumes) et l'élevage; elle vient renforcer le secteur public des pays bénéficiaires.

L'assistance des pays de l'Est est généralement une aide-projet, sous la forme de prêts à long terme à très faible taux d'intérêt, avec différé d'amortissement. Elle peut être, dans certains cas, remboursée en monnaie locale ou par la livraison de marchandises facturées au-dessous des cours mondiaux. L'Union soviétique livre du pétrole – il s'agit de prêts ou de dons – à la plupart de ses partenaires du tiers monde. Elle a permis au Vietnam et à Cuba de financer leurs déficits commerciaux avec les pays du CAEM, et à Cuba de revendre sur le marché international une partie du pétrole soviétique qu'il importe. Cette revente aurait rapporté à La Havane, en 1984, presque autant que le montant de l'aide soviétique! Moscou offre ainsi à certains pays les moins avancés des crédits pour l'achat de produits soviétiques, qu'ils peuvent commercialiser sur leur marché pour obtenir des fonds de contrepartie.

Enfin, les pays socialistes fournissent aux pays en voie de développement – ainsi qu'à quelques organismes des Nations unies ou dans le cadre de contrats commerciaux – un assez grand contingent d'experts, et ils attachent de l'importance à la formation de techniciens des pays qu'ils aident, sur place ou en Europe. Ainsi le Comité d'aide au développement estimait à 85 000 le nombre d'étudiants et de stagiaires ayant fréquenté, en 1984, des établissements des pays de l'Est (dont les deux tiers en Union soviétique); cet organisme relève aussi un « durcissement notable » des conditions de prêts, Moscou accordant ses dons, par préférence, à un petit nombre de pays socialistes et les autres pays de l'Est ayant recours à des termes plus sévères et de plus en plus à des crédits commerciaux.

Les contributions des pays de l'Est aux institutions multilatérales sont marginales. L'Union soviétique n'est membre ni du FMI, ni de la Banque mondiale, ni de la FAO, et commence seulement à montrer de l'intérêt pour le GATT.

G.V.

les populations les plus défavorisées devraient avoir la priorité des priorités. Les programmes spéciaux pour l'Afrique en réponse à des crises aiguës ne soulignent-ils pas, *a posteriori*, de graves échecs? Ces régions, et celles où, d'une façon générale, règne une grande pauvreté, intéressent peu les investisseurs privés. Ce sont celles où, comme le souligne le CAD, les éléments d'incertitude, donc de risques, sont les plus grands, où les appareils administratifs et de planification sont les plus faibles. Aussi bien les ressources publiques correspondent-elles mieux à leurs besoins.

L'aide publique étant de plus en plus comptée, tant par les pays industrialisés que par les pays pétroliers, elle doit être utilisée avec rigueur. Les pays donateurs occidentaux se montrent plus exigeants sur le chapitre de l'utilisation, de l'efficacité et du « suivi » de l'aide, bref de son impact.

La nature, la qualité, les conditions et la répartition (secteurs, régions, couches sociales bénéficiaires...) de l'aide sont au moins aussi importantes que son volume. Se pose là le problème des rapports entre pays ou organismes donateurs et pays bénéficiaires, de la coordination de l'aide par les équipes dirigeantes dans le tiers monde. Les ressources transférées au titre de l'aide sont-elles utilisées de façon judicieuse, et servent-elles à la fois le développement et les plus défavorisés?

■

MODÈLES

Y a-t-il des modèles de développement? Pas vraiment. Seuls quelques impératifs semblent s'imposer.

par Christian Comeliau

Le contexte est surprenant : il y a quarante ans, le terme de développement était pratiquement inconnu dans la théorie des sciences sociales, comme dans la pratique de la politique économique; aujourd'hui son usage est celui d'un lieu commun, et toutes les classifications internationales admettent la division entre pays développés et pays en développement. Il n'y a cependant guère de consensus sur la définition, ou même simplement sur le contenu, de la notion; et l'économie du développement est sans doute l'une des branches les plus pauvres de la science économique. Dans ce contexte marqué par une incertitude considérable des approches théoriques et pratiques, on peut difficilement proposer un inventaire systématique des principales stratégies de développement qui ont été conçues et mises en œuvre dans les pays du tiers monde depuis trois ou quatre

décennies. Et il est encore plus malaisé de dégager des « modèles » qui puissent servir d'instruments de référence pour la compréhension du passé et du présent, et surtout pour la préparation des stratégies de l'avenir.

Les repères proposés ci-dessous sont plus modestes, mais peut-être plus utiles dans l'état actuel de nos connaissances et de nos expériences. Ce que l'on peut identifier, c'est un certain nombre de *thèmes,* ou si l'on veut de préoccupations, qui constituent l'architecture de la plupart des stratégies nationales de développement observables depuis trente ou quarante ans. L'émergence de ces thèmes s'explique, on le verra, parce qu'ils correspondent à des problèmes réels et concrets qui s'imposent à l'attention des responsables, mais aussi, parfois, parce qu'ils peuvent faire l'objet de modes changeantes dans les doctrines politiques ou intellectuelles. La présence de ces préoccupations est permanente durant la période récente (ce qui suggère la réalité des problèmes soulevés), mais elle s'accompagne, selon les époques, de propositions de solutions en sens diamétralement opposés (ce qui résulte, au mieux, de l'analyse de l'expérience passée et, au pis, du conformisme à l'égard d'une mode).

Quatre impératifs

Les quatre thèmes proposés ici comme les plus courants sont ceux de la croissance et du rôle du capital, de l'industrialisation, des fonctions respectives de l'État et des forces du marché, et enfin de l'extraversion ou de l'intraversion.

1. La croissance : thème central de toutes les stratégies s'il en est. Et avec de bonnes raisons : lorsque tant de besoins demeurent insatisfaits – ce qui est la définition de départ du sous-développement –, toute amélioration passe nécessairement par l'augmentation des quantités produites et l'accroissement correspondant des revenus. L'exigence est encore plus évidente si l'on tient compte du rythme exceptionnellement rapide de croissance de la population dans la plupart des pays du tiers monde : pour éviter la dégradation supplémentaire d'un niveau de vie moyen déjà insupportablement bas, la croissance du revenu doit déjà atteindre 2 ou 3 % l'an...

Mais ce « choix » – ou ce prétendu choix, car on peut se demander s'il est prononcé en tenant compte des leviers dont dispose réellement le planificateur – va se révéler doublement

limité. D'abord, parce qu'il prétend résumer tous les objectifs de développement : le taux de croissance est censé synthétiser la satisfaction de tous les besoins, puisque c'est le revenu moyen qui s'accroît, que tout est supposé s'acheter, et que cette croissance finit par produire des « retombées » pour l'ensemble de la population. On s'apercevra bientôt que de nombreux besoins y échappent, ne serait-ce que parce que le revenu est inégalement réparti.

La seconde limitation est un peu plus complexe : elle concerne la nature des moyens nécessaires pour obtenir cette croissance. On distingue bien sûr différents facteurs de croissance (ressources naturelles, ressources humaines, équipements, etc.), mais l'un d'eux paraît résumer toutes les exigences puisqu'il permet de tout acheter : c'est le capital financier. On élabore ainsi des « modèles de croissance » où l'augmentation de la production est fonction du capital investi : la seule véritable contrainte à desserrer paraît donc financière, et l'on bâtit sur cette base des plans ambitieux de mobilisation de l'épargne interne ou de transferts internationaux de ressources. Il faudra longtemps, cette fois, pour que l'on comprenne l'insuffisance de cette approche ; et, même après l'aventure des deux premiers chocs pétroliers – au cours desquels les pays de l'OPEP ont accumulé des surplus financiers gigantesques sans parvenir, pour la plupart, à les investir productivement –, le problème central des pays du tiers monde demeure, aux yeux de beaucoup d'observateurs ou de responsables, un problème financier. On as-

rapport avec la croissance : l'industrialisation n'est pas autre chose qu'un moyen extraordinairement puissant d'accroître la productivité de l'effort humain, donc d'augmenter les quantités produites, mais aussi leur diversité et leur qualité. Les pays dits développés ne se distinguent-ils pas des autres précisément parce qu'ils sont industrialisés?

L'industrialisation apparaît ainsi comme la clé du développement, et les premières stratégies de grande envergure vont être axées sur cette exigence : l'Inde oriente ses premiers plans vers la construction d'une industrie lourde; la CEPAL (Commission économique des Nations unies pour l'Amérique latine) se fait le prophète de l'industrialisation latino-américaine; l'Algérie lance un plan d'industrialisation intégrée à partir de la notion d' « industries industrialisantes »; les pays les plus pauvres eux-mêmes donnent la priorité au rassemblement de projets industriels. Et les succès de certains pays sont remarquables, au point que l'on s'inquiète aujourd'hui de la concurrence de « nouveaux pays industriels » : le Brésil exporte des avions et des armes, la Corée du Sud s'impose dans des secteurs comme le textile, l'habillement ou l'électronique grand public, mais aussi la sidérurgie et la construction navale...

Mais ces succès ne sont pas donnés à tout le monde, pour de multiples raisons qui vont des soucis excessifs de prestige ou de grandeur, aux protections douanières démesurées et à l'insuffisante dimension des marchés intérieurs. Plus important : on n'a pas vu que la révolution

siste même parfois à une déviation supplémentaire, qui s'explique par des intérêts évidents : le problème du tiers monde se ramène tout simplement, pour certains, au paiement de sa dette.

2. L'industrialisation est un second exemple de ces préoccupations dominantes des stratégies de développement, avec ce même mélange d'exigences réelles et de limitations mal perçues.

Au départ, une évidence en

industrielle n'avait jamais pu réussir qu'en s'appuyant sur une révolution agricole, ou tout au moins sur une solution satisfaisante du problème alimentaire et sur une amélioration du niveau de vie rural. Des échecs industriels retentissants – industries non compétitives ou non rentables, projets gigantesques mort-nés, multiplication des capacités industrielles installées mais sous-utilisées ou même désaffectées – vont provoquer un retour d'attention vers l'agriculture. D'où notamment l'effort de la révolution verte – introduction de nouvelles variétés et de nouvelles méthodes de culture –, comme en Inde à partir du milieu des années soixante. Mais la pression des grandes puissances et des organisations internationales qu'elles dominent (Banque mondiale) a été déterminante dans le lancement de cette révolution verte, comme elle le sera plus tard dans la recommandation faite à l'Afrique de développer en priorité ses cultures d'exportation (Rapport Berg, 1981). Les implications et le contenu de cette stratégie, qui apparaît comme anti-industrielle, sont trop ambigus et trop incertains pour qu'elle ne soulève pas, à son tour, de fortes réticences chez ceux à qui on veut l'imposer et qui y voient une pression pour maintenir leur économie dans la spécialisation primaire traditionnelle.

Au total, ni l'industrialisation ni la croissance agricole n'apparaissent plus maintenant, à elles seules, comme des conditions suffisantes du développement. Il faut en étudier davantage les interrelations, et surtout les critères plus précis de spécialisation.

3. Le rôle respectif des pouvoirs publics et des forces du marché constitue un troisième domaine d'options des stratégies de développement.

Là encore les pays en développement vont partir d'une position, très affirmée, en faveur d'un rôle central à donner à l'État. Le contexte de cette option est celui des accessions à l'indépendance, c'est-à-dire d'une affirmation de la souveraineté des États nouveaux et de leur émancipation par rapport à la tutelle coloniale : ce qui entraîne aussi émancipation par rapport à l'ensemble des forces capitalistes qui appuyaient et bénéficiaient de cette colonisation. A cette ambition s'ajoute, au moins pour certaines régions (l'Afrique noire plus que l'Amérique latine et l'Asie), l'absence ou l'insuffisance d'une classe d'entrepreneurs autochtones. L'État se voit donc normalement investi d'une responsabilité globale du développement : non seulement les fonctions traditionnelles de l'État libéral (que les pouvoirs coloniaux eux-mêmes avaient largement outrepassées), mais aussi des pouvoirs de conception, d'impulsion et de réglementation très larges, la prise en charge d'un secteur public productif considérablement étendu par les nationalisations d'entreprises étrangères, et enfin les prétentions démesurées d'une planification centralisée, autoritaire et détaillée du développement.

Les illusions de l'étatisme vont cependant se heurter à deux séries d'obstacles. L'une est politique : c'est la découverte progressive mais douloureuse de ce qu'un État n'incarne pas nécessairement l'intérêt général ou celui de la majorité, que certains autoritarismes peuvent être d'autant plus inacceptables qu'ils ne visent qu'au maintien de privilèges illégitimes, qu'enfin l'État peut être le Léviathan qui s'oppose à l'épanouissement et au développement de la société civile. Cette objection politique, dont le sérieux ne fait pas de doute, va malheureusement permettre la résurgence de tous les particularismes avec les appuis économiques dont ils bénéficient.

Car la seconde série d'obstacles, elle, est économique : que l'on admette ou non les objectifs qu'elles poursuivent, les stratégies de développement étatiques se révèlent profondément inefficaces : lourdeur bureaucratique, irresponsabilité, absence d'incitation à la productivité, étranglement de la liberté d'initiative « entrepreneuriale », distorsions irrationnelles ou arbitraires dans les rapports de prix, protections excessives, et ainsi de suite. D'où un retour en force, à nouveau sous l'impulsion des économies capitalistes dominantes et des organisations multilatérales qu'elles contrôlent, des pressions en faveur du libéralisme, c'est-à-dire du libre jeu du marché, de la vérité des prix, de la liberté d'entreprendre, mais aussi de la privatisation, de la déréglementation, d'un rôle aussi large que possible à l'entreprise et aux capitaux privés, y compris étrangers, ainsi qu'une référence déterminante au critère de la compétitivité sur les marchés mondiaux. C'est bien cet ensemble qui domine aujourd'hui les politiques et stratégies des acteurs dominants sur la scène internationale. Mais ce qu'on va gagner en efficacité, on risque de le perdre, bien sûr, sur le terrain des autres objectifs que pouvait poursuivre une stratégie nationale : emploi, autonomie, équilibre régional, etc. Les recettes simplistes ont fait long feu, l'équilibre reste à trouver, et une nouvelle synthèse à construire.

4. Les relations extérieures, ou plus exactement le degré et le mode d'ouverture des économies vers l'extérieur, constituent une quatrième préoccupation centrale des stratégies de développement. De ce point de vue, on peut distinguer schématiquement deux modèles de relations ; bien entendu les expériences concrètes ne sont jamais entièrement conformes à l'un de ces modèles et reposent toujours sur des combinaisons d'éléments empruntés à chacun d'entre eux.

Le premier modèle est celui de l'ouverture et de l'intégration dans l'économie mondiale, fût-ce en position dominée. Il est associé à la confiance dans les forces du marché : pas seulement le marché national, souvent de dimensions trop restreintes (parce que le pays est lui-même de faible dimension, ou parce que le pouvoir d'achat y est encore bas), mais aussi et surtout les marchés internationaux, dont on attend l'impulsion qui permettra la croissance interne. L'objectif sera de vendre à l'extérieur des produits agricoles, des produits miniers, voire des produits manufacturés ou de la force de travail émigrée ; on pourra ainsi importer les équipements, les technologies, le savoir-faire, les capitaux nécessaires à l'expansion interne. Ce schéma de croissance

fondée sur l'exportation est largement adopté par les pays les moins avancés, en Afrique notamment, parce qu'ils pensent ne pas avoir d'autre choix ; mais c'est aussi la voie suivie, avec les succès que l'on sait, par les nouveaux pays industriels en Asie du Sud-Est ; pour des raisons évidentes, la plupart des pays pétroliers se sont également rapprochés de ce schéma.

Les traits dominants de ce type de stratégie sont la référence à la demande mondiale plutôt qu'aux besoins internes pour choisir ce que l'on va produire, et donc aussi la référence au critère de la compétitivité internationale indispensable pour pouvoir répondre à cette demande : si elle n'est pas rentable sur les marchés internationaux, une production doit être abandonnée, quelle que soit son utilité interne.

La contrepartie de cette orientation vers l'exportation, c'est l'accès aux ressources extérieures, mais aussi la dépendance à leur égard : rôle dominant des firmes multinationales, des capitaux extérieurs (investissements ou crédits), des techniciens étrangers, et aussi influence critique de la conjoncture sur les marchés mondiaux, principalement dans les pays industrialisés.

Plus largement, ce modèle d'ouverture conduit les pays en développement qui le choisissent sans discrimination vers un type d'économie, mais aussi vers un type de société et de culture, qui se rapprochent du modèle de développement des pays dominants. Parmi les caractéristiques de ce modèle, on verra s'imposer en particulier le rôle du profit, et la tendance à l'expansion, pour ceux qui peuvent se le permettre, de la « société de consommation » à l'occidentale.

C'est en réaction contre cette dépendance et cette aliénation qu'un schéma aux caractéristiques opposées va être préconisé par certains, insistant sur la priorité de la satisfaction des besoins internes et sur l'ambition légitime des pays en développement à sauvegarder leur souveraineté, leur autonomie économique, leur spécificité culturelle. Réaction qui peut être, au départ, le produit des circonstances : ainsi, les pays latino-américains découvrent la possibilité d'une industrialisation moins dépendante de l'extérieur, lorsque la grande crise et la guerre réduisent leurs échanges avec les pays industrialisés.

Mais c'est aussi une option naturelle de développement pour des économies de très grandes dimensions telles que celle du Brésil, ou plus encore de l'Inde et de la Chine, dont les populations constituent de gigantesques marchés intérieurs potentiels. Au-delà de ces expériences bien réelles, sinon entièrement réussies, de développement « vers l'intérieur », on verra aussi émerger de multiples formes de protestation contre la tyrannie économique et culturelle de l'extérieur, et naître l'ambition correspondante d'un développement « autocentré «, ou « endogène » ; celui-ci est souvent associé à diverses formes de « déconnexion » (*delinking*) par rapport à l'ensemble des réseaux d'échanges internationaux. Ces ambitions légitimes rencontrent cependant des obstacles tellement considérables qu'elles ne parviennent pas à déboucher sur de véritables succès : ainsi la Tanzanie de Nyerere dont la revendication de *self-reliance* forçait le respect, mais qui est actuellement l'un des pays les plus aidés du monde.

Des choix bien politiques

Les quatre thèmes évoqués ci-dessus ne sont que des exemples particulièrement significatifs, ils ne constituent pas une liste exhaustive. Il faudrait y ajouter un ensemble de choix qui est, lui, le plus souvent négligé dans la formulation explicite des stratégies de développement : c'est celui qui concerne le partage des avantages et des coûts de ces stratégies entre les divers acteurs et groupes sociaux en présence ou, si l'on veut, l'arbitrage entre les divers intérêts en jeu (ruraux et urbains, fonctionnaires et paysans, salariés et non salariés, hauts et bas revenus, groupes ethniques ou régionaux, etc.) : on a beaucoup trop tendance à raisonner comme si le développement profitait toujours à l'ensemble de la population.

Les exemples cités suffisent, cependant, à évoquer la nécessité des *options* qu'implique toute stratégie de développement, et donc l'impossibilité pour celle-ci de se référer à un modèle unique qu'il suffirait d'imiter pour la seule raison qu'il aurait éventuellement réussi ailleurs. Chacune des options alternatives que l'on vient de passer en revue peut s'appuyer, on l'a constaté, sur des arguments défendables : en définitive, il n'est certainement pas légitime d'invoquer de prétendues normes universelles de rationalité et d'organisation, et donc le passage obligatoire par des « stades » de développement ou des règles imitées d'expériences antérieures. La raison de cette impossibilité doit être bien comprise : elle provient essentiellement de ce que le développement admet lui-même *divers objectifs*, entre lesquels on ne peut choisir qu'en fonction de jugements de valeurs, c'est-à-dire de *choix politiques*. Aucun argument économique ne permet d'affirmer, par exemple, qu'une stratégie privilégiant la croissance au détriment de l'équité ou de l'autonomie, soit intrinsèquement préférable à une stratégie fondée sur les options inverses. C'est sans doute le reproche central qui peut être fait à l'encontre des principes de conditionnalité édictés par des organisations internationales, telles que la Banque mondiale ou le Fonds monétaire international, dans les interventions qu'elles imposent aux pays du tiers monde.

On peut donc conclure ce trop rapide examen des choix de stratégies de développement par trois propositions :
– il faut admettre le *pluralisme* des objectifs du développement, et donc respecter et sauvegarder la liberté de choix des responsables nationaux du développement ; cette liberté concerne aussi bien le choix des objectifs que la réponse aux contraintes ;
– si cette liberté de choisir a un sens, il faut abandonner l'idée de se référer à un *modèle* de développement qu'il s'agirait de respecter ou d'imiter ; ni le mimétisme ni l'imposition de normes universelles ne paraissent défendables en la matière ;
– cependant, pour que ces choix se traduisent concrètement en stratégies réalistes et opérationnelles, il faut les *détailler* progressivement et confronter systématiquement les objectifs et les contraintes à chaque niveau de décision : c'est la fonction essentielle de la planification du développement et des relations qu'elle doit garder avec le jeu du marché.

■

ONU

Ce forum mondial très politique et très critiqué ne peut que refléter les rapports de force mondiaux.

par Gérard Viratelle

De par sa charte, l'ONU a reçu pour mission de favoriser le progrès économique et social de tous les peuples en s'appuyant sur les institutions internationales. Ce rôle n'a fait que se renforcer à la suite de l'accession à la souveraineté de dizaines de pays du tiers monde. Sous la pression de ces jeunes nations l'Assemblée générale de l'ONU – organe hautement politique – est peu à peu devenue le forum mondial exprimant la volonté de certains hommes de lutter contre les injustices, la pauvreté et la faim, de réduire les disparités dans la distribution des ressources et des richesses, ainsi que les dépenses d'armement.

D'où les deux champs complémentaires d'intervention des Nations unies : l'un vertical, c'est celui de la coopération internationale pour le développement et de la restructuration des relations Nord-Sud, dans un sens bien entendu plus favorable aux pays en développement; l'autre, horizontal, c'est celui du développement de ces pays.

L'un ne peut aller sans l'autre. L'ONU (Assemblée générale et Secrétariat, à New York) est le reflet des rapports de force mondiaux. Les demandes des pays du tiers monde – élaborées auparavant par les pays non alignés et/ou les « 77 » – aboutissent à l'Assemblée générale; elles y sont confrontées aux positions des États développés. Ce débat universel ne peut avoir lieu, au niveau politique, dans aucune autre enceinte. Il se prolonge dans les agences spécialisées, formant le système des Nations unies. Ainsi sont adoptés politiques cadres, « stratégies », plans d'action répondant aux préoccupations prioritaires de la communauté internationale.

Des conférences thématiques (alimentation, réforme agraire et développement rural, eau potable et assainissement, habitat, population, environnement, droit de la femme, énergies nouvelles et renouvelables, sciences techniques, santé pour tous, etc.) permettent de confronter les points de vue de dirigeants, de hauts fonctionnaires, de spécialistes et de « mettre à plat » des dossiers auxquels certains responsables ne porteraient peut-être pas la même attention; de définir quelques normes de travail, lignes d'action, programmes de recherche et de coopération technique. Elles encouragent la prise de conscience des opinions publiques – avivée, en particulier, par les organisations non gouvernementales, qui jouent un rôle contestataire stimulant en coulisse lors de ces réunions officielles et par la suite.

Ces conférences font ressortir les clivages entre les pays et aboutissent parfois à l'adoption collective d'un plan spécifique plaçant les hommes d'État devant leurs responsabilités. Malheureusement, l'ONU et ses organisations spécialisées n'ont ni le mandat ni les moyens d'imposer des décisions. Elles formulent, d'une façon générale, des recommandations. Et il n'existe pas à l'échelle mondiale une autorité qui ait pouvoir de conduire une réforme des relations économiques Nord-Sud et des politiques de coopération et de développement répondant à l'intérêt des populations défavorisées. L'ONU fait de son mieux, avec réalisme. Aussi sa démarche, avant tout pragmatique, est-elle marquée d'avancées et de revers, du fait qu'elle ne repose que sur des compromis, des consensus entre nations.

L'œuvre – vaste – de réformes de l'ONU et de son système ne peut s'apprécier que sur une longue période. Certes, la Stratégie internationale du développement adoptée au début de chaque décennie est un document plus académique que directif qui n'impressionne guère les forces économiques dominantes. Mais il définit les objectifs de la communauté internationale en matière d'aide au développement (0,7 % du PNB), d'interdépendance et de solidarité, et les moyens que les États devraient utiliser pour les atteindre. La Stratégie intègre les positions de tous les groupes de pays et place les problèmes de la coopération internationale dans une perspective économique à long terme. Exercice futile ou esquisse de planification indicative mondiale?

Les limites de la Cnuced

Créée, en 1964, parce que les pays en développement jugeaient le GATT (Accord général sur les tarifs douaniers et le commerce) trop exclusivement préoccupé par les positions des pays industrialisés, la Cnuced (Conférence des Nations unies pour le commerce et le développement) est une organisation d'importance modeste qui a fait progresser l'analyse et le débat Nord-Sud. Mais en soulignant le rôle dominant des sociétés multinationales dans le commerce et les transferts de technologie, ainsi que la dimension financière du développement, elle ne s'est pas attirée les bonnes grâces des pays développés. Elle a pourtant obtenu plusieurs résultats notables : en entretenant la pression en vue de réaliser l'objectif de 0,7 %; en prenant l'initiative du Programme d'action en faveur des pays les moins avancés – invitant la plupart des pays développés à accroître leur aide publique à ces pays; en adoptant

Les « 77 »

Le groupe des 77 fut constitué par les pays en développement qui étaient alors soixante-dix-sept à la fin de la 1ʳᵉ Cnuced, en 1964. Il adopta lors de sa première réunion ministérielle, avant la 2ᵉ Cnuced, la charte d'Alger. Il réunit tous les pays en voie de développement (121 en 1986), contrairement au Mouvement des pays non alignés, qui compte un peu plus d'une centaine de membres.

des dispositions pour lutter contre les pratiques commerciales restrictives constituant des obstacles aux échanges; en encourageant vivement la coopération technique et commerciale Sud-Sud. L'adoption par la 4ᵉ Cnuced, à Nairobi, en 1976, du Programme intégré pour les produits de base est apparue, à l'époque, comme un grand pas en avant vers la stabilisation des cours des matières premières et des recettes qu'elles procurent à un grand nombre de pays en développement. Cependant, dix ans plus tard, le Fonds commun pour le financement d'accords de produits a bien été signé, mais il lui manque l'appui des États-Unis et de l'Union soviétique, en particulier, pour pouvoir remplir son rôle. Et trois accords de produits seulement – concernant le caoutchouc naturel, le jute et les articles de jute, et les bois tropicaux – sur dix-huit prévus ont été mis au point. La Cnuced continue cependant à négocier ou renégocier des accords concernant d'autres produits. Un « geste » de l'un ou l'autre grand – que l'on ne pourrait attendre de l'administration Reagan – permettrait l'entrée en application du Programme intégré.

Rien mieux que cet exemple souligne les difficultés auxquelles est confrontée la Cnuced, considérée par les pays industrialisés comme trop proche des « 77 ».

Dans un autre domaine, l'ONU s'est également heurtée aux forces économiques dominantes. Elle est parvenue à élaborer une Convention sur le droit de la mer (adoptée en 1982) sauvegardant les intérêts des pays en développement dans l'exploitation des ressources de leurs eaux territoriales (360 km du littoral) et sous-marines (minérales et halieutiques). En 1966, les pays en développement ont montré qu'ils comptaient s'appuyer sur ce traité.

Le système des Nations unies possède depuis 1978 une institution, le Fonds international de développement agricole (FIDA), dont le siège est à Rome, qui a la singularité d'avoir pour bailleurs de fonds à la fois – à l'origine pratiquement pour parts égales – les pays développés (en l'occurrence ceux de l'OCDE) et les pays de l'OPEP. Créé alors que ces derniers disposaient de liquidités après les fortes hausses pétrolières et la conférence mondiale de l'alimentation de 1974, le FIDA devait mobiliser les ressources disponibles pour lutter contre la faim en prêtant de petites sommes à des conditions de faveur aux populations les plus pauvres – donc dépourvues de garanties – du tiers monde.

Or, si bénéficiaires et bailleurs de fonds ont salué l'utilité et l'efficacité de ce nouvel organisme, ils n'ont pu empêcher que ses ressources diminuent de moitié : de 1 milliard de dollars (sur trois ans), initialement, à près de 500 millions de dollars pour la période de 1985-1987. Et cette diminution n'a pas été compensée par la création d'un fonds spécial du FIDA pour l'Afrique, celui-ci ayant lui-même des difficultés à réunir 300 millions de dollars.

D'autre part, les principales parties au financement du Fonds se sont livrées pendant plusieurs années à de pénibles discussions sur le partage des charges entre elles. Les pays pétroliers, invoquant leurs pertes de revenus, ont demandé que leur charge soit sensiblement diminuée. Finalement celle-ci n'était plus que de 37 % (celle des pays industrialisés ayant été légèrement relevée à 56 %). Il est probable que la contribution des autres pays en développement, jusqu'alors faibles, sera augmentée, pour ceux qui le peuvent, comme le Brésil et la Corée du Sud.

L'échec des discussions en vue du lancement, dans le cadre des Nations unies, de négociations globales sur tous les aspects du développement et de la coopération internationale (notamment l'aide publique, le commerce, les questions monétaires et financières, l'énergie, etc.) a cependant montré les limites du dialogue Nord-Sud, en même temps que des capacités réformatrices de l'ONU. Les « 77 » espéraient que des négociations conduiraient à des réajustements susceptibles d'améliorer leur situation économique. Or leur position négociatrice n'a fait que s'affaiblir au cours des pourparlers (aggravation du problème de la dette,

Profession : fonctionnaire international

– Papa, je veux devenir fonctionnaire international! Quel père de famille a jamais entendu son rejeton formuler une pareille ambition, une aussi saugrenue vocation? « La vocation, dit Ibsen, est un torrent qu'on ne peut refouler, ni barrer, ni contraindre. Il s'ouvrira toujours un passage vers l'océan. »

Pedro R., quarante-cinq ans, de nationalité péruvienne, est aujourd'hui fonctionnaire international. Il n'a guère eu de torrent à refouler ni de passage à ouvrir vers l'océan. Il travaille, à l'Unesco, dans le secteur de la « communication », dont les programmes sont aussi importants que ceux consacrés à l'éducation, à la science ou à la culture. Il pourrait être à l'Unicef, à la FAO ou à l'ONU. Il est fonctionnaire international, mais il pourrait être professeur, journaliste ou écrivain. Les hasards de la vie, plus que la vocation, ont fait de lui cet apatride de luxe, ce fonctionnaire international dont le statut lui donne quelques droits mais aussi quelques devoirs que, sans doute, de nombreux camarades de promotion de l'université de Lima lui envient.

Fils d'architecte et d'enseignante, Pedro R. voulait être écrivain. Il a d'ailleurs été couronné, à l'âge de dix-huit ans, par un prix

diminution des prix du pétrole, divergences d'intérêts économiques entre pays en développement, etc.). De leur côté, les principaux pays développés, en

de poésie. Mais après des études de droit et de psychologie sociale, c'est vers le journalisme qu'il se tourne. A vingt ans, il est rédacteur en chef d'un influent hebdomadaire péruvien. Il découvre la politique et milite dans une petite organisation d'intellectuels de gauche, le Mouvement social progressiste. Au début des années soixante-dix, sous la présidence de Velasco Alvarado, il devient conseiller pour les affaires politiques du ministre des Affaires étrangères. Mais en 1975, sa carrière politique est brutalement interrompue : un coup d'État militaire chasse le président réformiste. Pour sa sécurité, Pedro R. doit quitter le Pérou. Le gouvernement français lui accorde une bourse d'études : il part pour Paris où il s'inscrit, à l'École des hautes études, au cours de sociologie politique des relations internationales. Il obtient son doctorat en 1980.

Que faire ? Au Pérou, quelques années auparavant, il avait eu des contacts avec l'Unesco. Les Presses de l'Unesco avaient édité un de ses livres sur la culture et la communication. Il avait participé à quelques réunions d'experts organisées par l'Unesco en Amérique latine. C'est donc tout naturellement, étant à Paris, fraîchement diplômé, qu'il se tourne vers l'Unesco. On lui fait savoir qu'un poste est libre mais que le quota de fonctionnaires accordé au Pérou (à l'époque, 5) est dépassé. Pendant un an, il sera donc consultant auprès de l'organisation, avec des contrats renouvelés tous les deux mois. Jusqu'à son entrée, en 1981, à un poste élevé dans la hiérarchie de la fonction publique internationale et des responsabilités à sa mesure.

« Ici, dit-il aujourd'hui, je me plais. L'ambiance entre collègues de langues, de cultures, de religions, de systèmes politiques différents, est très stimulante et aussi très amicale. Je suis arrivé alors que l'Unesco traversait une période difficile, à la suite du retrait des États-Unis et de la Grande-Bretagne, et cela était passionnant. Dans l'œil du cyclone où se trouve l'Unesco, nous avons pu mesurer les effets de la révolution conservatrice américaine et le durcissement des relations Est-Ouest. »

Pedro R. est marié (son épouse, latino-américaine, n'a pas de carte de travail en France et ne peut donc exercer une activité professionnelle), il a deux enfants, un appartement sur la rive gauche à Paris. Une fois tous les deux ans, il a droit, pour lui et sa famille, à un billet d'avion pour Lima. Il est payé en dollars (3 000 par mois), n'acquitte pas d'impôts et, pour remplir le réservoir de sa voiture achetée hors taxe, il a droit à de l'essence elle aussi détaxée. Mais il constate que son niveau de vie ne progresse pas, son salaire n'étant pas ajusté sur l'inflation, que dans le système des Nations unies en crise des postes sont supprimés par centaines et que, s'il était resté au Pérou, il gagnerait certes deux fois moins d'argent mais il vivrait trois fois mieux... *Fonctionnaire international* ? Pour Pedro R., ce n'était sûrement pas une vocation. Au fil des ans, c'est devenu... un sacerdoce !

Christian Biau

particulier les États-Unis, mais aussi la Grande-Bretagne et la République fédérale d'Allemagne, acceptaient mal le principe de négociations aussi vastes et complexes et, surtout, qu'elles puissent être envisagées dans le cadre politique et universel de l'ONU, et non dans celui d'institutions spécialisées (GATT,

FMI et Banque mondiale) dont c'est, à leur avis, la vocation propre, et où les pays riches sont traditionnellement en position de force...

Les négociations globales devaient marquer l'apothéose des efforts du tiers monde, en vue d'instaurer un nouvel ordre économique international, réclamé solennellement par l'Assemblée générale en 1974, lorsqu'elle a adopté la charte des droits et des devoirs économiques des États. Le projet est toujours à l'agenda de l'organisation, mais la conjoncture, autrement dit les rapports de force entre pays développés et « 77 », ne se prêtait pas du tout à sa relance à la fin de 1986. Ce fut pourtant la seule initiative qui aurait pu permettre de rapprocher des domaines « interactifs » et vitaux pour les pays en développement et d'apporter certains des aménagements qu'ils souhaitaient. Cette tentative de restructuration des relations économiques internationales peut-elle se faire dans un autre cadre que l'ONU? De cet échec, les pays du tiers monde ont tiré au moins la conclusion qu'ils ne disposaient pas d'une structure formelle de concertation aussi efficace que celle dont disposaient les pays industrialisés avec l'OCDE.

En attendant, une trentaine d'organisations spécialisées formant le système polycentrique des Nations unies couvrent pratiquement tous les champs du développement. Encore doit-on distinguer les institutions appartenant au système des Nations unies qui sont autonomes (FAO, Unesco, FIDA, OMS, OIT, Onudi, etc., ainsi que le FMI, le groupe de la Banque mondiale – BIRD, AID, SFI) et, d'autre part, les organes proprement dits des Nations unies (PNUD, Cnuced, FISE, HCR, PAM, Unitar, Fnuap, etc.). Du fait de leurs caractère et influence propres, le FMI et la Banque mondiale ont acquis une grande indépendance...

Une trentaine d'agences spécialisées

On ne peut juger du rôle d'une organisation au seul montant des crédits qu'elle distribue. L'on remarque néanmoins que, en 1985, les versements de l'AID au titre de l'aide publique ont été près de dix fois plus importants (2,5 milliards de dollars) que ceux du FIDA (270 millions de dollars) – prix et taux de change 1984. La même année, 45 % des versements multilatéraux totaux (dons et prêts concessionnels – 8,3 milliards de dollars) avaient été faits par les institutions dites financières (y compris les banques latino-américaine, asiatique et africaine de développement) et 36 % par les organes des Nations unies (3 milliards de dollars), qui n'accordent pas de prêts commerciaux. En revanche, l'ensemble de l'aide bilatérale, tous donateurs confondus, s'était élevé à 27,7 milliards.

Ces chiffres tendent évidemment à relativiser l'assistance des Nations unies, surtout si l'on ajoute que la Banque mondiale a également versé, en 1985, pour plus de 5 milliards de crédits à des conditions non libérales. Il est clair cependant que l'aide des Nations unies répartie entre tant d'organismes, programmes, unités de recherche, etc., est beaucoup plus diversifiée, et d'un montant sensiblement supérieur à celle de l'AID. Ne prenant en compte que les activités pour le développement, dites opérationnelles, du système des Nations unies, (PNUD, FISE, Fnuap, PAM, coopération technique, notamment) et en laissant de côté celles des institutions financières et des opérations de secours, d'urgence et humanitaires (HCR, UNWRA), un rapport du secrétaire général de l'ONU, Javier Perez de Cuellar, au Conseil économique et social – supervisant les activités des organisations spécialisées – relevait, en 1983, qu'elles concernaient, pour les deux tiers, des pays à revenu inférieur à 500 dollars par habitant et, pour moitié, l'agriculture, la santé et la démographie. 10 % de l'aide totale adressée aux pays les moins avancés provenaient alors des Nations unies, qui ont depuis encore plus mis l'accent sur ces pays. Elle était accordée presque essentiellement à l'Afrique et à la région Asie-Pacifique. Pour beaucoup des pays pauvres, les Nations unies sont la première, ou la seconde source d'aide.

Il est bien difficile de porter un jugement de valeur sur des activités aussi vastes, diversifiées et complexes, mais beaucoup de pays se flattent de l'appui que leur a apporté telle ou telle organisation du système. En termes sibyllins, le rapport notait : « Les programmes et projets connaissent souvent des succès raisonnables et répondent relativement bien aux besoins des pays bénéficiaires. » Au titre

des lacunes, notons en effet que de nombreux pays en développement acceptent des projets sans avoir pleinement les capacités de faire face aux dépenses locales; certaines organisations ne sont pas à l'abri des pressions de donateurs cherchant à imposer leurs services ou équipements; enfin, les experts – ils étaient 15 000 en 1983 à travailler pour le compte des agences du système – voient leur compétence, leur choix, leurs salaires et modes de vie parfois controversés.

De son côté, au terme de son Étude rétrospective sur deux décennies d'action, l'AID concluait en 1982 – on ne saurait en être surpris – qu'elle est une institution « efficace »; mais qu'il est difficile de déterminer avec précision cette efficacité. Elle a comparé les résultats qu'elle a obtenus dans deux parties du tiers monde où les problèmes ne se posent cependant pas dans les mêmes termes : l'Asie du Sud – principale bénéficiaire de ses prêts pendant longtemps – et l'Afrique subsaharienne. Elle estime que ses projets ont beaucoup mieux réussi en Asie du Sud – où subsiste cependant une très grande pauvreté. Aussi la situation en Afrique n'a-t-elle fait qu'encourager l'évolution amorcée depuis « l'ère McNamara ». L'AID met moins l'accent sur le financement d'infrastructures, comme à l'origine, et plus sur les activités agro-alimentaires, le développement rural et urbain, et ce qu'il est convenu d'appeler les projets susceptibles d'améliorer les ressources humaines (éducation, santé, femme...). Répondre aux besoins socio-économiques des couches de popu-

LE SYSTÈME DES

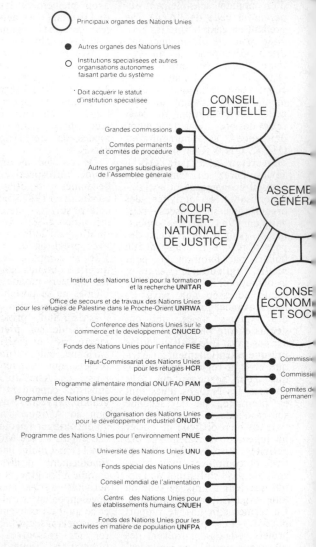

○ Principaux organes des Nations Unies

● Autres organes des Nations Unies

○ Institutions specialisees et autres
organisations autonomes
faisant partie du système

˙ Doit acquerir le statut
d'institution specialisee

CONSEIL
DE TUTELLE

Grandes commissions ●

Comites permanents
et comités de procedure ●

Autres organes subsidiaires
de l'Assemblée generale ●

ASSEME
GÉNÉRA

COUR
INTER-
NATIONALE
DE JUSTICE

Institut des Nations Unies pour la formation
et la recherche **UNITAR** ●

Office de secours et de travaux des Nations Unies
pour les refugiés de Palestine dans le Proche-Orient **UNRWA** ●

Conference des Nations Unies sur le
commerce et le developpement **CNUCED** ●

Fonds des Nations Unies pour l'enfance **FISE** ●

Haut-Commissariat des Nations Unies
pour les réfugiés **HCR** ●

Programme alimentaire mondial ONU/FAO **PAM** ●

Programme des Nations Unies pour le developpement **PNUD** ●

Organisation des Nations Unies
pour le developpement industriel **ONUDI**˙ ●

Programme des Nations Unies pour l'environnement **PNUE** ●

Université des Nations Unies **UNU** ●

Fonds special des Nations Unies ●

Conseil mondial de l'alimentation ●

Centre des Nations Unies pour
les etablissements humains **CNUEH** ●

Fonds des Nations Unies pour les
activites en matière de population **UNFPA** ●

CONSE
ÉCONOM
ET SOC

Commissi ●

Commissi ●

Comités de
permanen ●

NATIONS UNIES

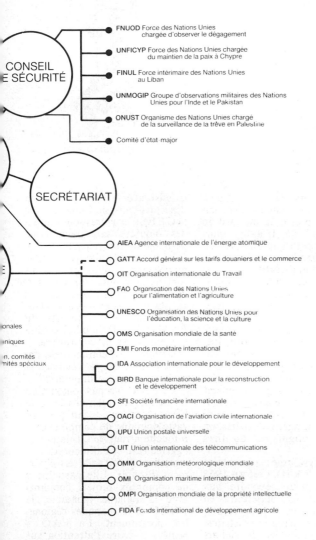

CONSEIL
DE SÉCURITÉ

- FNUOD Force des Nations Unies chargée d'observer le dégagement
- UNFICYP Force des Nations Unies chargée du maintien de la paix à Chypre
- FINUL Force intérimaire des Nations Unies au Liban
- UNMOGIP Groupe d'observations militaires des Nations Unies pour l'Inde et le Pakistan
- ONUST Organisme des Nations Unies chargé de la surveillance de la trêve en Palestine
- Comité d'état-major

SECRÉTARIAT

ionales

niques

n, comités
mités spéciaux

- AIEA Agence internationale de l'énergie atomique
- GATT Accord général sur les tarifs douaniers et le commerce
- OIT Organisation internationale du Travail
- FAO Organisation des Nations Unies pour l'alimentation et l'agriculture
- UNESCO Organisation des Nations Unies pour l'éducation, la science et la culture
- OMS Organisation mondiale de la santé
- FMI Fonds monétaire international
- IDA Association internationale pour le développement
- BIRD Banque internationale pour la reconstruction et le développement
- SFI Société financière internationale
- OACI Organisation de l'aviation civile internationale
- UPU Union postale universelle
- UIT Union internationale des télécommunications
- OMM Organisation météorologique mondiale
- OMI Organisation maritime internationale
- OMPI Organisation mondiale de la propriété intellectuelle
- FIDA Fonds international de développement agricole

lations les plus défavorisées peut aussi favoriser le progrès, se dit-on.

Le PAM

L'omniprésence, le rayonnement idéologique et la puissance financière de l'AID portent évidemment ombrage aux activités de certains organes opérationnels des Nations unies. L'émulation, par exemple, entre le PNUD et la « Banque » s'est avivée encore depuis que celle-ci a étendu ses activités à l'assistance technique, vocation propre du PNUD. Créé en 1965, le Programme des Nations unies pour le développement est le principal organe d'assistance technique du système avec un budget de près d'un milliard de dollars en 1986. Il aide – sans restriction politique – les pays en développement à se doter de services administratifs et techniques de base, forme des cadres, cherche à répondre à certains besoins essentiels des populations, prend l'initiative de programmes de coopération régionale, et coordonne, en principe, les activités sur place de l'ensemble des programmes opérationnels des Nations unies. Le PNUD s'appuie généralement sur un savoir-faire et des techniques occidentales, mais, parmi son fort contingent d'experts, un tiers sont originaires du tiers monde.

Le Programme alimentaire mondiale (PAM), créé en 1963 à la fois pour répondre aux besoins des pays déficitaires en produits vivriers et pour écouler les surplus céréaliers, a distribué pour 780 millions de dollars

d'assistance en 1985 (provenant des États-Unis, du Canada, et de la CEE). Ces vivres sont remis à des ouvriers sans occupation permanente contre participation à des travaux publics (irrigation, reboisement), mais parfois ils sont aussi vendus sur les marchés locaux pour alimenter... les caisses d'États exsangues. Dans quelle mesure les projets du PAM – dont la fiabilité suscite souvent aussi la controverse – contribuent-ils, comme cela devrait être le cas, à valoriser la production agro-alimentaire ?

Le PAM n'a pas toujours eu les meilleures relations avec la FAO, organe technique au vaste domaine de compétence – il touche à tout ce qui intéresse l'agriculture et l'alimentation –, mais dont l'efficacité est également discutée. Elle participe à de nombreux projets conjoints avec la Banque mondiale, le PNUD et les banques régionales, notamment. La FAO a beaucoup attiré l'attention sur

les drames de la faim, allant jusqu'à l'alarmisme pour mobiliser les donateurs. Dans ses efforts pour assurer la sécurité alimentaire mondiale, elle a paru rivaliser avec le Conseil mondial de l'alimentation (CMA), organe ministériel essentiellement politique chargé d'observer la situation alimentaire mondiale et d'harmoniser l'action des agences de l'ONU en ce domaine. Le Fonds des Nations unies pour l'enfance (FISE)., souvent plus connu sous son sigle anglais Unicef, ne limite pas ses activités aux enfants de 0 à 15 ans, il s'intéresse à tout ce qui a trait à leurs besoins (nutrition, alimentation, santé, éducation, approvisionnement en eau potable, etc.). Cela l'a amené à avoir pendant des années une approche voisine de celle des « médecins aux pieds nus », intégrant en tout cas la dimension socio-économique du développement. Il a aussi contribué à populariser les soins pri-

maires et certaines méthodes simples qui peuvent sauver la vie, comme l'allaitement maternel ou la thérapeutique de réhydratation par voie orale, et participe depuis quelques années à des campagnes de vaccination intensives. Mais son image a évolué et – est-ce la nécessité de convaincre les donateurs à laquelle sont condamnées toutes les organisations procédant à des appels de fonds? – le FISE marquait singulièrement, en 1986, sa volonté d'afficher des résultats quantitatifs.

C'est un écueil que s'efforce d'éviter l'OMS qui a la responsabilité, entre autres, de la lutte contre les maladies tropicales (où elle a enregistré des résultats), des campagnes de vaccination, et qui a popularisé des idées simples en matière d'éducation pour la santé et établi une liste de plus de 200 médicaments essentiels. Le concept de « santé pour tous » (dans le tiers monde) en l'an 2000 était sans doute un objectif difficile! Ses critiques reprochent à l'OMS d'être une organisation trop conciliante à l'égard des multinationales, et conventionnelle. Elle tente d'associer progrès technique et impératifs médicaux de populations extrêmement pauvres.

L'Organisation des Nations unies pour le développement industriel (Onudi) a été constituée, en 1967, à Vienne, pour favoriser le développement d'activités industrielles dans le tiers monde répondant aux besoins fondamentaux des populations en même temps qu'à ceux de l'agriculture. Malgré des ressources limitées, elle apporte une assistance technique appréciée à plus d'un millier de projets, ne pouvant rien, cependant, contre le fait que la production industrielle du tiers monde – qui devrait atteindre 25 % de la production mondiale en l'an 2000 – n'était qu'à 11 % en 1985! En 1984, la conférence de l'Onudi n'a pu dégager un accord susceptible de conduire à la mobilisation des ressources financières en vue de l'industrialisation et au redéploiement des industries en faveur du tiers monde.

Ces initiatives, comme celles pouvant concerner les transferts de technologies, ont été jugées de nature à limiter l'influence des sociétés multinationales et le libre jeu des forces du marché. En fait, l'ONU devait mettre une sourdine à ses travaux sur les sociétés multinationales et les transferts de technologies, sur la création d'un fonds pour la mise en valeur de ressources énergétiques de façon à éviter d'indisposer de grands pays industrialisés et d'abord les États-Unis. Fait symptomatique, l'ONU a adopté, fin 1986, une résolution soulignant le bien-fondé de l'initiative privée!

La crise de l'Unesco a montré jusqu'où Washington pouvait aller avec une organisation onusienne. Certes, l'Unesco n'est pas à proprement parler une agence de développement, mais certains de ses programmes ont une évidente incidence sur le développement au sens le plus large : lorsque l'Unesco contribue à la lutte contre l'analphabétisme, à la modernisation de méthodes pédagogiques, à la diffusion des connaissances scientifiques et techniques, à la sauvegarde des valeurs culturelles, ainsi qu'au rééquilibrage de l'information Nord-Sud, et même

Le poids des riches

En subordonnant le versement de leur contribution à l'ONU (Secrétariat) à l'adoption de mesures d'économie et d'une large réforme de son fonctionnement, les États-Unis ont montré crûment, en 1986, qu'ils voulaient que l'ONU et ses agences spécialisées servent mieux leurs intérêts.

Ainsi ont-ils exercé de singulières pressions financières sur les agences du système. Le Congrès a réduit la participation américaine au Fonds des Nations unies en matière de populations (Fnuap) – qui a la charge en ce domaine « sensible » des programmes d'information, d'éducation et de contrôle des naissances –, accusé d'avoir soutenu l'usage de méthodes d'avortement en Chine. De même, les États-Unis ont suspendu en 1986 leur pourtant relativement modeste contribution à la FAO, avec l'intention d'obtenir des changements dans ses opérations, son fonctionnement et sans doute à sa tête. Le FISE, dirigé comme le PNUD, par une personnalité américaine, n'est pas non plus à l'abri de pressions financières et politiques menaçant ses perspectives de croissance...

Assiste-t-on à une reprise en main, ce faisant, d'une partie des Nations unies par les pays industrialisés et, simultanément à un reflux de l'influence des « 77 »?

Les institutions sont toutes tributaires de la politique suivie par les plus gros donateurs sur les

lorsqu'elle porte intérêt au désarmement et dénonce le racisme, thème faisant partie de sa

quels les autres pays développés ont tendance à aligner leur position. D'où les difficultés que connaissent, depuis le début des années quatre-vingt, les principales institutions (et l'ONU) à reconstituer leurs ressources. Tour à tour l'AID, le FIDA, le PNU et le Secrétariat de l'ONU ont traversé des passes pénibles parce que certains États – mais d'abord les États-Unis – n'acceptaient pas de renouveler automatiquement, comme stipulé dans des accords, leurs contributions, et remettaient même en cause la répartition des charges budgétaires entre États membres. A l'origine, après la guerre, les États-Unis finançaient plus de 40 % du système multilatéral ; leur participation, limitée à 25 %, est en diminution ; et ils ne veulent plus porter la part prédominante du « fardeau », que partage une trentaine d'autres pays riches.

En fait, il y a deux types de financement des institutions. Pour les organisations (AID, FAO, FIDA, Onudi, OMS, Unesco, etc.), la quote-part des pays membres est calculée sur la base du revenu de chacun. En revanche, les organes opérationnels (PNUD, PAM, Fnuap, FISE, Unitar, sauf la Cnuced, qui dépend pour l'essentiel du budget de l'Assemblée générale, ce qui accentue son caractère politique) font appel à des contributions volontaires des gouvernements ou privées et reçoivent quelques dotations du budget général de l'ONU. C'est ce qui amène certaines organisations à recourir aux grands moyens publicitaires pour recueillir des fonds.

Dans tous les cas, les opérations de renouvellement de ressources donnent lieu à des négociations au cours desquelles les donateurs s'efforcent bien sûr de peser sur l'orientation des programmes. La diminution de ressources, qui a conduit plusieurs organisations à pratiquer des coupes claires dans leurs plans d'investissement, n'a été que partiellement compensée par la création de fonds spéciaux pour l'Afrique (AID, FIDA). En 1986, l'AID a retrouvé un volume de financement de 12,4 milliards de dollars (pour quatre ans). D'une part, le gouvernement Reagan a finalement assoupli son attitude à l'égard de la Banque mondiale sous la pression de milieux économiques et financiers, et, d'autre part, le Japon a accru sa participation. Celle-ci est devenue presque aussi importante que la contribution américaine, ramenée à 20 %, En clair, cela signifie que l'influence du Japon sur la plus grande organisation d'aide aux pays pauvres va être plus sensible. Elle a d'ailleurs tendance à se faire sentir de plus en plus sur l'ensemble du système multilatéral – à commencer par la Banque de développement asiatique et l'université des Nations unies –, qui vient aider Tokyo à diriger son surplus commercial vers l'investissement dans le tiers monde.

Traditionnellement les pays les plus riches préfèrent orienter leur contribution vers les institutions financières, soutenant ainsi les activités visant l'intégration à l'économie dominante – les pays nordiques orientant la leur vers les organes de l'ONU, et notamment vers des programmes aux préoccupations réformistes et sociales.

G.V.

mission. Certes, la personnalité et la gestion de son directeur général pouvaient prêter à réserves, mais, en quittant provisoirement l'institution, les États-Unis et la Grande-Bretagne ont surtout cherché à obtenir un infléchissement des programmes et la désignation à sa tête d'une personnalité – même du tiers monde – plus conciliante, comme celles qui ont reçu depuis la responsabilité de l'Onudi et de la Cnuced.

Tout cela éclaire mieux le procès en efficacité fait à certains organismes multilatéraux par plusieurs donateurs qui, par ailleurs, privilégient l'aide bilatérale et font l'apologie du libéralisme (aux États-Unis la campagne contre l'ONU a été menée par la fondation Héritage – extrême droite, nationaliste). Certains responsables américains sont cependant convenus que ces organismes faisaient « du bon travail », mais qu'ils devaient donner plus de place à l'entreprise privée.

Coordination, mot magique

Quoi qu'il en soit, un effort est entrepris pour répondre aux difficultés du multilatéralisme. Face à la dispersion des activités du système des Nations unies, « coordination » apparaît comme un mot clef. Encore faut-il que le coordinateur ait la possibilité d'exercer sa fonction.

Le besoin d'harmoniser les opérations sur le terrain, où les domaines d'intervention de certaines agences donnent lieu à des conflits de compétence, se fait sentir. La tutelle du PNUD n'est pas toujours acceptée par tous.

Il est également malaisé de coordonner « au sommet » les politiques des diverses institutions. Aux rivalités idéologiques entre elles, qui ressortent d'analyses différentes, s'ajoute la « concurrence » qu'elles se font auprès des donateurs pour obtenir des financements. Quelques fortes personnalités – aux préoccupations parfois électoralistes – à la tête de certaines institutions ne supportent aucune coordination. Du moins pourrait-il y avoir une réflexion commune sur les politiques de développement! Difficile dans ces conditions de dégager une vision d'ensemble. L'éclatement de centres de décision entre New York, Genève, Vienne et Nairobi, ne facilite évidemment pas les choses. Et le système des Nations unies favorise, d'autre part, la pesanteur des appareils administratifs.

Une décentralisation du pouvoir au niveau régional éviterait-elle le manque de cohérence actuel? Une plus étroite concertation au niveau des programmes de développement entre agences mais aussi avec les opérateurs bilatéraux devrait être la règle, dans l'intérêt des pays pauvres.

A QUOI SERT LE FMI?

Conçu comme mécanisme d'ajustement monétaire, il est devenu un « gendarme économique ».

par E. R. Braundi

Le FMI (Fonds monétaire international) et la Banque mondiale, de son vrai nom la BIRD (Banque internationale pour la reconstruction et le développement) sont des enfants jumeaux. Ils sont nés l'un et l'autre de la conférence de Bretton Woods, aux États-Unis, en juillet 1944, quelques mois avant la fin de la Seconde Guerre mondiale.

Il s'agissait alors d'un accord entre les grandes puissances pour mettre sur pied les mécanismes de coordination à l'échelle mondiale qui compléteraient, sur le plan économique et financier, ce qu'allaient être les Nations unies sur le plan politique. La plupart des pays du tiers monde, alors colonies des grandes puissances, n'étaient pas présents à Bretton Woods. Ils ont ensuite adhéré au FMI et à la BIRD, mais ces institutions sont restées dominées par les grands. Contrairement à la règle des Nations unies (un pays = une voix), le pouvoir y est proportionnel au poids économique. Au FMI, les États-Unis, la Grande-Bretagne, la République fédérale d'Allemagne, la France et le Japon détiennent près de la moitié des voix; et, à la BIRD, les États-Unis détiennent seuls, avec 20 % des parts, la « minorité de blocage ».

A l'origine, le FMI avait essentiellement pour objet d'empêcher que le manque de « liquidités internationales » ne bloque le commerce mondial, comme il l'avait fait entre les deux guerres. Constitué par les versements des pays membres, le Fonds ouvrait à ses adhérents un « droit de tirage », proportionnel à leur quote-part, qui leur permettait de couvrir les déficits à court terme de leur balance des paiements, les plus gros contributeurs étant aussi, par construction, les principaux utilisateurs du système.

Mais des problèmes nouveaux se sont posés avec l'entrée des pays en développement dans le FMI et surtout avec l'effondrement du système monétaire adopté à Bretton Woods, le *gold exchange standard,* fondé sur la convertibilité du dollar américain en or. L'inflation monétaire et le déficit de la balance des paiements ayant conduit les États-Unis à supprimer cette convertibilité, les pays pétroliers se sont alors protégés en relevant le prix de leurs exportations. D'autres produits ont suivi et l'économie mondiale est entrée, à partir de 1974 environ, dans une crise de plus en plus aiguë. La hausse des cours s'est traduite par une augmentation des disponibilités financières que les banques ont cherché à placer à tout prix dans les pays en développement, augmentant ainsi d'une façon colossale l'endettement de ces pays, qui est passé en quelques années de quelques centaines à plus de mille milliards de dollars.

Dans une deuxième phase, les mesures d'économie adoptées par les pays industrialisés importateurs de matières premières ont diminué massivement les ressources extérieures des pays en développement, alors que leurs charges financières augmentaient sans cesse. Les mécanismes ordinaires du FMI, fondés sur une péréquation entre les déficits momentanés des balances de paiement, n'étaient plus suffisants, face à des déficits énormes et durables. Aux tranches de tirage « inconditionnelles », liées aux quotes-parts, vinrent alors s'ajouter des tranches dites « supérieures », accordées par le FMI à la condition que le pays demandeur accepte de s'engager dans un programme de restructuration économique, élaboré par les experts du Fonds et supposé permettre aux États de rétablir l'équilibre de leurs échanges.

Tous les chemins mènent au FMI

Les pays les plus riches n'ont guère subi le poids de ces nouvelles conditionnalités. Ils en étaient dispensés par l'importance de leur quote-part, mais aussi par le fait qu'ils étaient eux-mêmes créanciers d'autres pays et que leurs propres devises faisaient l'objet d'une demande de tirage par leurs débiteurs. Les pays les plus pauvres ne disposaient au contraire que de très faibles quotes-parts, et leurs monnaies n'étaient demandées par personne. Le recours aux tranches supérieures des droits de tirage du FMI devenait alors pour eux le seul moyen de se procurer les devises nécessaires au paiement de leurs importations et au remboursement de leurs dettes, sans lequel aucun nouveau crédit ne pouvait leur être accordé.

Quelques-uns, comme la Tanzanie, ont tenté de rétablir leur équilibre financier par des mesures d'austérité intérieure, en dehors de toute contrainte étrangère. Peut-être y seraient-ils parvenus, par une action concertée dans un cadre multinational et si leurs gouvernements avaient pu s'appuyer sur un réel consentement populaire. Aucune de ces conditions n'étant réalisée, leur tentative était vouée à l'échec, d'autant plus qu'elle ne pouvait leur apporter aucune devise extérieure pour couvrir les besoins immédiats de leur approvisionnement en matières premières, en pièces de rechange et en produits de consommation, que le délabrement de leur appareil productif ne permettait plus de satisfaire.

Quelques-uns ont cherché l'appui de pays alliés, notamment de la France et de l'Union soviétique, mais ces pays eux-mêmes n'ont pas pu ou n'ont pas voulu leur apporter une réponse, pour des raisons diverses, aussi bien techniques et financières que politiques. Tous ont dû prendre finalement le chemin de la négociation avec le FMI.

Les étapes à parcourir ont alors été pratiquement les mêmes pour tous les pays : envoi d'une mission qui dresse le diagnostic de l'économie nationale et propose les mesures d'assainissement financier jugées nécessaires; signature par le gouvernement d'une « lettre d'intention » dans laquelle il s'engage à prendre les mesures demandées; signature de l'accord dit, en français, « de confirmation » et, en anglais, de « *stand-by* », c'est-à-dire de soutien. Cet accord permet l'octroi de nouveaux droits de tirages spéciaux (DTS) qui sont débloqués par tranches sucessives, chaque nouvelle tranche étant subordonnée au résultat d'une mission de supervision qui vérifie que le pays a bien respecté scs engagements de réforme.

Il s'agit, comme on le voit, d'une véritable mise en tutelle de l'économie nationale. Quant au contenu du programme, il ne varie guère d'un pays à l'autre et s'articule autour de quatre objectifs macro-économiques : diminution du déficit extérieur par la dévaluation monétaire et la libéralisation des échanges; réduction du déficit budgétaire, par diminution des dépenses publiques, notamment des subventions, et augmentation de la fiscalité; encadrement du crédit; blocage des salaires et augmentation des prix. Cette politique tend à réduire la consommation intérieure pour l'adapter au niveau des ressources financières. Elle vise à rétablir l'équilibre comptable en utilisant comme « variable d'ajustement » le volume des importations, c'est-à-dire par la réduction des approvisionnements. Elle implique enfin le démantèlement des entreprises publiques et préconise une large privatisation.

Le gendarme économique

Le rôle du FMI est ainsi passé d'un simple mécanisme d'ajustement monétaire à celui d'un gendarme économique; ce rôle est sans rapport avec sa place dans la couverture des besoins de financement. Les concours du FMI représentent en moyenne moins de 15 % des concours extérieurs fournis par les pays membres du CAD (Comité d'aide au développement), c'est-à-dire par tous les pays occidentaux, excepté les fonds arabes. La disproportion entre le poids politique du FMI et sa contribution financière s'explique par le fait que les grandes puissances, les banques privées et les institutions financières internationales considèrent la validité d'un accord *stand-by* comme une condition préalable à tout rééchelonnement de la dette et à tout nouveau crédit. La politique du FMI n'exprime donc pas seulement la volonté d'une bureaucratie superétatique spécialisée, mais aussi, par-delà leurs désaccords, le point de vue convergent des principaux créanciers publics et privés sur les grands principes d'une gestion capitaliste libérale.

Les résultats de cette politique sont appréciés différemment par les responsables du FMI et par les populations du tiers monde. Les premiers soulignent les succès obtenus sur le plan financier : baisse de l'inflation, du déficit budgétaire, du déséquilibre de la balance des paiements. Les secondes en connaissent plutôt les effets économiques et sociaux : extension du chômage, baisse du pouvoir d'achat, aggravation des inégalités sociales, détérioration de la santé publique, augmentation de la mortalité infantile. Dans de nombreux pays, les victimes de cette politique ont obligé les gouvernements et le FMI lui-même à reculer devant la manifestation de leur mécontentement.

Paradoxalement, ces avis ne

Le prix de la dette

Le montant global de l'endettement des pays du tiers monde ne cesse de s'alourdir. En 1987, il dépasse les mille milliards de dollars ! De programmes d'ajustement en accords de rééchelonnement, on a l'impression que créanciers et débiteurs jouent toujours au même jeu du chat et de la souris : chantage de non-remboursement contre chantage de blocus commercial, la même scène se répète avec une intensité dramatique variable, à chaque fois que tombe le couperet d'une échéance de remboursement.

Arrivée feutrée des experts du FMI, négociations en cascade sur fond de manifestations de rue contre les mesures prises ou proposées, mais qui de toute façon se ressemblent tristement : limitation des importations, augmentation des exportations grâce à une dévaluation monétaire et une « réorientation » des politiques industrielles et commerciales, réduction du déficit budgétaire (et donc, entre autres, suppression des subventions aux biens de première nécessité, et forte baisse des montants alloués aux politiques sociales : éducation, santé, logement, etc.), mise en veilleuse des augmentations de salaire (voire même réduction). Une politique de remise en ordre des équilibres monétaires et financiers qui se fait toujours au prix d'un frein brutal à la croissance et d'une forte réduction du niveau de vie de la population.

Quelle que soit la « mauvaise volonté » (relative) des gouvernements des pays endettés à appliquer l'intégralité des mesures d'austérité recommandées par le

FMI, ils doivent tous instaurer des politiques de rigueur financière. Depuis 1984, les pays du tiers monde sont exportateurs nets de capitaux : le montant de leurs remboursements excède largement les sommes reçues au titre de l'aide alimentaire et des nouveaux prêts accordés (sans compter la fuite des capitaux). Et l'écart se creuse : en 1984, les pays du tiers monde ont transféré 11 milliards de dollars vers les pays du Nord (en net); en 1986, 29 milliards. Comment s'étonner de la colère des populations? Fin 1983 et début 1984, manifestations, émeutes et révoltes se propagent comme une traînée de poudre : République dominicaine, Tunisie, Maroc, Brésil... partout le FMI est dénoncé comme un affameur et un suppôt de l'impérialisme américain.

Pourtant, le Fonds n'était parfois qu'indirectement responsable des mesures qui déclenchèrent les émeutes. En Tunisie par exemple, le FMI avait recommandé un retour progressif à la « vérité des prix ». Mohamed Mzali, alors Premier ministre, trancha pour un doublement du prix du pain : violente réaction populaire. Bourguiba annula la décision quelques jours après. Erreur politique? De toute évidence, la mesure (comme son retrait) a été prise dans la précipitation, pour donner très vite des « gages » au FMI, pour alléger rapidement un déficit budgétaire qui paralysait l'État et surtout pour mettre fin autoritairement (et sous couvert du FMI) à un conflit politique qui opposait, au sein du gouvernement, « monétaristes » et « nationalistes ». Plus subtil, le président péruvien Alan García n'a pas vu d'un mauvais œil des manifestations anti-FMI qui ont constitué un atout non négligeable dans ses discussions orageuses avec le Fonds.

Panama, Soudan, Zambie,

Équateur, Mexique... : de 1985 à 1987, les révoltes contre les mesures proposées ou imposées par le FMI n'ont pas cessé, mais elles ont diminué en fréquence et en intensité. Non pas que les populations se soient « habituées » aux politiques récessionnistes, mais l'absence d'issue claire au problème de la dette semble avoir provisoirement figé les ardeurs revendicatrices.

Du côté des négociateurs, le scepticisme et l'inquiétude dominent. Les experts du FMI eux-mêmes paraissent un peu moins convaincus du bien-fondé de leurs remèdes astringents. Ainsi, au début 1987, c'est le Fonds qui se bat pour convaincre les banques privées d'augmenter les crédits alloués au Mexique.

Les gouvernements (comme celui du Brésil par exemple) qui se sont lancés dans les politiques « hétérodoxes », conciliant rigueur financière et croissance économique se heurtent à l'impossibilité de financer le développement sans inflation quand l'essentiel de l'excédent commercial part pour le remboursement des emprunts. Et sans développement, comment maintenir un équilibre social et politique fragile? Comment continuer à convaincre les pays du tiers monde de mener des politiques libérales alors que les États-Unis donnent l'exemple d'un déficit budgétaire monstrueux, d'une politique économique protectionniste et d'une politique monétaire incohérente?

Peu à peu, l'idée que les pays endettés ne pourront pas rembourser l'intégralité de leur dette fait son chemin. Reste à savoir si les pays occidentaux et le FMI auront le courage et l'intelligence de le reconnaître autrement qu'officieusement et d'en tirer toutes les conséquences.

Élisabeth Paquot

sont pas contradictoires. Les plans de restructuration imposés par le FMI ont bien eu des résultats comptables positifs dans l'immédiat, au prix d'une stagnation économique et d'un recul social. Mais l'arrêt du développement condamne à plus long terme ces résultats, puisque la situation financière sera plus grave encore, faute d'un accroissement de la production, quand il faudra rembourser le FMI et reprendre les versements sur les dettes rééchelonnées.

Conscients du danger, le FMI et les grandes puissances créancières se sont tournés vers la Banque mondiale pour financer une aide au développement, qui serait à la fois un complément et un correctif à sa propre politique d'ajustement.

La Banque mondiale (avec sa filiale l'IDA – International Development Association) a consenti en 1986 environ 16,3 milliards de dollars de prêts, dont 7,2 en Asie et dans le Pacifique, 4,8 en Amérique latine et 2 en Afrique. Après avoir financé la reconstruction de l'Europe dans les années cinquante, elle s'était consacrée au financement de « projets » dans les pays en développement. Dans les années quatre-vingt, son rôle a connu, comme pour le FMI, une nouvelle orientation. Au financement des investissements se sont ajoutés les « prêts d'ajustement structurel », qui financent la « restructuration » des économies nationales. Ces interventions financières à long terme obéissent à des règles différentes des concours monétaires à court terme du FMI, ce qui peut donner l'impression d'une divergence entre les deux institutions, mais le modèle soutenu par la Banque est en réalité le même que celui du FMI. Il repose sur la privatisation de l'économie, le profit comme moteur du développement, l'exportation et la diminution du marché intérieur comme condition de l'équilibre.

Comme le FMI, la Banque pèse désormais d'un poids supérieur à son apport financier. Elle s'est vue donner par le FMI et par les États membres un rôle de contrôle des programmes nationaux d'investissement et de coordination des aides apportées par les autres bailleurs de fonds.

Cette nouvelle internationalisation de l'aide, sous l'hégémonie du FMI et de la BIRD, et finalement des grandes puissances, a certes permis d'assurer tant bien que mal, au jour le jour, la survie des économies en crise dans les pays sous-développés, mais en renforçant leur dépendance vis-à-vis du marché mondial, c'est-à-dire en se détournant chaque jour un peu plus des objectifs d'indépendance et de développement autonome pour ces pays.

LES EXPERTS

Servent-ils à quelque chose? Il s'agit d'un mal nécessaire. Leur efficacité est limitée, mais réelle.

par Jacques Giri

Les experts qui exercent leurs talents dans le tiers monde forment dans le genre humain une espèce très particulière et très diversifiée que l'on peut subdiviser en deux classes. La première est formée par les « coopérants » qui travaillent pendant plusieurs années, et parfois de nombreuses années, dans un pays en développement. On peut à l'intérieur de cette classe distinguer plusieurs familles. Celle des coopérants, intégrés dans une structure publique ou parapublique et qui occupent un poste qui devrait revenir à un national : le gouvernement local, faute de personnel national qualifié ou parfois parce qu'il ne souhaite pas attribuer le poste à un national, le confie à un assistant technique étranger. Vient ensuite la famille des « conseillers » qui, en principe, sont là pour conseiller les nationaux sans se substituer à eux. Enfin la famille, nombreuse, des enseignants qui essaient de transmettre leur savoir.

Une seconde classe est celle des experts qui viennent pour quelques mois, quelques semaines, voire quelques jours ou quelques heures, demandés par un gouvernement pour accomplir une tâche en principe bien définie, ou envoyés par une agence d'aide pour identifier, préparer, évaluer, superviser, etc., un projet dit de développement ou contribuer à sa réalisation.

Une espèce critiquée

Au début des années soixante, au lendemain des indépendances de nombreux pays en développement, on avait pu penser que l'assistance technique étrangère était un phénomène transitoire et que l'espèce des experts allait dépérir au fur et à mesure du développement du tiers monde. Étant alors coopérant au Gabon, je me souviens d'avoir participé à une réunion de gens très sérieux qui décida que le dernier coopérant devrait avoir quitté ce pays au début des années soixante-dix. Ce n'est pas tout à fait ce qui se produisit. Pendant près de deux décennies, le nombre des coopérants de longue durée a augmenté dans les pays africains et il n'a commencé à refluer que depuis quelques années. Quant aux experts venus pour une courte durée, la marée en est toujours montante et nombre de fonctionnaires de pays en développement se plaignent de passer le plus clair de leur temps à accueillir les envoyés des agences d'aide, bilatérales ou multilatérales, privées ou publiques, et leurs experts.

On notera que le phénomène « experts » ne se produit pas seulement dans le sens Nord-Sud mais qu'il est aussi, et de plus en plus, Sud-Sud : à titre d'exemples, Indiens et Pakistanais apportent leur concours à de nombreux pays anglophones africains, Égyptiens et Tunisiens apportent le leur aux pays pétroliers du Moyen-Orient et à des pays d'Afrique noire, etc. Les organisations du système des Nations unies, par le jeu des quotas réservés à chaque État membre, sont de plus en plus peuplées d'experts du tiers monde.

L'espèce des experts n'est donc pas en voie de disparition, mais elle est fréquemment critiquée. Si, parfois, on trouve un hommage rendu à quelqu'un qui a bien mérité du développement, on rencontre plus fréquemment des critiques sévères sur les experts grassement payés à des tarifs « internationaux », pas toujours compétents et souvent peu efficaces. Il n'est sans doute pas impossible de trouver des situations scandaleuses dans le monde des experts, scandaleuses par le rapport qualification/revenus. Mais, disons que la plupart, qu'ils soient employés par une agence bilatérale ou multilatérale, sont simplement payés aux conditions du marché des pays industrialisés, c'est-à-dire que leurs salaires sont parfois dix fois plus élevés que les salaires (officiels) des nationaux qu'ils côtoient. On comprend ainsi l'empressement dont font preuve les fonctionnaires des pays en développement pour entrer dans les organisations internationales, où ils bénéficient en outre d'une sécurité d'emploi que les coups d'État ne leur garantissent pas toujours chez eux.

Le problème de l'efficacité de tous ces experts, ceux du Nord comme ceux du Sud, n'est pas celui de leur qualification, très souvent largement dimensionnée pour les questions qu'ils ont à traiter. Ce problème de l'efficacité va bien au-delà de la simple compétence technique.

Et la connaissance du milieu?

Les experts, quels qu'ils soient, sont censés apporter un savoir ou un savoir-faire ou les deux à un pays qui en manque. Les pays industrialisés faisant eux-mêmes parfois appel à des experts étrangers pour résoudre un problème technique très pointu pour lequel ils n'ont pas le spécialiste requis, on comprend que, à plus forte raison, il en soit ainsi pour les pays en développement. De fait, un certain nombre d'experts apportent à ces pays les techniques qu'ils maîtrisent, viennent calculer un ouvrage d'art ou identifier une nouvelle maladie qui frappe une

autre culture. Connaître les techniques est certes indispensable, connaître le milieu (le milieu physique, mais aussi le milieu humain, la culture, les conditions socio-économiques), qui doit recevoir cette technique est souvent non moins indispensable. Et l'oubli de cette vérité est à l'origine de nombreux déboires que les contemporains de l'assistance étrangère détaillent complaisamment. Les experts, écoutés religieusement pendant leur séjour dans le pays et dont les conseils ont été oubliés dès qu'ils ont eu tourné le dos, ne se comptent plus.

Au fond, pour être un bon expert, il vous suffit de maîtriser une technique, de bien connaître le milieu physique et humain dans lequel vous allez intervenir, d'avoir l'esprit suffisamment ouvert pour bien saisir ce que vos partenaires attendent de vous, d'avoir suffisamment de patience pour faire faire, sans paraître imposer, alors qu'il serait si simple de faire vous-même. Souvent, malgré la compétence, le doigté et la persévérance dont vous aurez fait preuve, vous échouerez parce que, de toute façon, les conditions n'étaient pas réunies pour que votre message eût une chance de passer et il ne faudra pas vous décourager pour autant. Au cas où votre mission réussit, il vous faut alors assez d'abnégation pour en laisser le mérite à vos partenaires. Aussi, selon une formule de René Dumont, « seuls de rares apôtres pourraient prétendre exercer ce métier ».

Comme les apôtres sont rares et les apôtres compétents rarissimes, peut-être ne faut-il pas s'étonner du peu d'efficacité de l'assistance technique étrangère,

espèce végétale. Ils sont, en général, compétents et leur intervention, purement technique, est utile et ne pose pas de problèmes particuliers.

Il n'en est pas toujours ainsi. Il ne suffit pas de connaître les secrets de l'agronomie pour amener les paysans à changer leurs façons de cultiver et à accroître leur productivité, ni de connaître les techniques de gestion enseignées à Harvard pour redresser la situation d'une entreprise publique, ni même de maîtriser la pédagogie pour faire passer un savoir-faire à quelqu'un qui a été élevé dans une

et des critiques qui lui sont faites.

Si imparfaits que soient les experts, beaucoup allient une grande bonne volonté à une réelle compétence. Mais leur action est, dans certains pays au moins, si peu efficace que l'on peut se demander s'il n'y a pas des raisons plus fondamentales à leur échec.

Pourquoi des experts?

On peut se demander aussi pourquoi, la médiocre efficacité d'une bonne partie de l'assistance étrangère étant admise, les pays en développement continuent à en demander et en demandent souvent de plus en plus, pourquoi les agences d'aide répondent à cette demande, suscitent elles-mêmes des demandes nouvelles et parfois imposent des experts supplémentaires.

Après tout nos pays se sont développés en recourant à fort peu d'experts étrangers. François Ier a certes engagé des experts italiens pour développer la soierie lyonnaise ou, au siècle dernier, les compagnies de chemin de fer nouvellement créées en France embauchèrent quelques experts anglais. Mais cette assistance extérieure fut très limitée et de courte durée. Le phénomène dans le tiers monde actuel atteint de tout autres dimensions et on peut se demander s'il n'est pas d'une tout autre nature, s'il n'est pas en fin de compte lié à la conception même du développement.

Le développement des socié-

L'ORSTOM fait peau neuve

Créé à la fin de la Seconde Guerre mondiale, l'Orstom n'a pas cessé d'évoluer, en opérant, au fur et à mesure du temps, de considérables modifications de structures et d'objectifs. A l'origine, établissement d'ordre administratif, il obtient en 1984 le statut d'établissement public national à caractère scientifique et technologique. Tout en conservant son sigle : Orstom, l'ancien Office de recherche scientifique et technique outre-mer devient l'Institut français de recherche scientifique pour le développement en coopération. Il poursuit la diversification de son champ de coopération qui, depuis les années soixante-dix, ne se limite plus aux anciennes colonies françaises d'Afrique noire et aux DOM-TOM, mais s'ouvre progressivement à l'Amérique latine et s'étend aujourd'hui aux pays d'Asie. Ainsi, il devient le plus important organisme français de recherche à coopérer avec les pays du tiers monde. Son champ d'investigation s'étend à l'ensemble des domaines des sciences touchant au développement.

L'Orstom mène ses recherches fondamentales et leur expérimentation principalement dans les régions tropicales, avec plusieurs points d'appui en France. Sa mission principale est de promouvoir et réaliser des travaux susceptibles de contribuer aux progrès des pays concernés. Cela de deux façons : d'abord par l'étude des milieux physique, biologique et humain de ces pays; ensuite par des recherches expérimentales tendant à donner à ces pays la maîtrise de leur développement.

L'Orstom est présent dans une quarantaine de pays et territoires, sur tous les continents. En 1985, il a fait l'acquisition, rue Lafayette à Paris, d'un grand immeuble pour y installer son siège. On trouve sur place un important centre informatisé de documentation en sciences économiques et sociales ouvert à tous. On peut aussi y consulter et acquérir, ainsi que dans un certain nombre de points de vente dans le monde, les ouvrages édités par cet institut. Les activités éditoriales de l'Orstom sont considérables : une quarantaine de livres publiés chaque année, traitant des sciences sociales, des sciences de la vie, de la terre, de la santé ; des ouvrages cartographiques, diverses revues d'actualités et d'informations scientifiques, des disques de musique traditionnelle et des films.

Ces dernières années, l'Orstom

a fait le choix de privilégier l'insertion de ses spécialistes au sein des institutions et des équipes des pays partenaires, sur la base d'un programme négocié et par la mise en place de réseaux et d'équipes scientifiques multinationales, avec valorisation conjointe des résultats. Si un des buts de l'Orstom est la connaissance et la mise en valeur des milieux naturels et humains, sa vocation est, de ce fait, une contribution à long terme à la solution des grands problèmes du tiers monde, y compris les plus aigus : Sahel, Nord-Est brésilien, épidémies, malnutrition...

Pour réaliser un si ambitieux programme : 700 chercheurs, 700 ingénieurs, des techniciens, des administratifs, soit un effectif budgétaire de 1 526 postes. Toute une gamme de géophysiciens, anthropologues, biologistes, géographes, économistes, etc.

Sous la double tutelle des ministères de la Coopération et de la Recherche, l'Orstom n'est pas à l'abri des fluctuations de la politique. On peut les mesurer aux variations spectaculaires de son budget cette dernière décennie. De 1980 à 1986 il passe de 330 à 709,2 millions, pour stagner depuis lors comme c'est le cas pour l'ensemble de la recherche française. Conséquence : la dynamique s'inverse, des restrictions deviennent nécessaires, et, à long terme, les programmes de recherche pourraient s'en trouver pénalisés. Contrecoup des changements politiques et de la conjoncture gouvernementale française ?

L'Orstom a toujours vécu dans l'ambiguïté, pris entre sa mission scientifique qui suggère l'indépendance, et son caractère d'instrument de la politique extérieure qui fragilise parfois cette nécessaire autonomie de programmation. Témoin, la permanente querelle d'autorité à son sujet, entre le ministère de la Recherche et celui de la Coopération, l'un et l'autre soucieux de piloter l'Institut à leur guise. Pourtant l'édifice des « orstomiens » demeure solide sur ses bases. Il a acquis avec le temps une bonne santé scientifique et une reconnaissance internationale incontestable.

Jeane Molia

tés industrialisées, même s'il s'est souvent inspiré d'exemples extérieurs (de l'exemple américain notamment), s'est largement fait de l'intérieur. Le développement de beaucoup de pays du tiers monde est entièrement induit par l'exemple des sociétés occidentales. Les élites de ces pays essaient de créer une société industrielle qui est largement plaquée sur une société qui n'est pas nécessairement prête à l'accueillir. Le savoir, les techniques, les savoir-faire, les méthodes de gestion n'ont pas été sécrétés par la société locale, mais sont importés. Est-il vraiment étonnant que, dans ces conditions, il soit nécessaire d'importer une grande partie des hommes qui les mettront en œuvre plus ou moins efficacement et que le relais par des nationaux soit si difficile à prendre?

Il est frappant du reste de voir que, lorsqu'un développement jaillit de l'intérieur même d'une société, il n'est pas nécessaire de mobiliser de nombreux experts pour l'accompagner. Le secteur informel qui se développe dans les villes africaines, par exemple, ne fait appel qu'à très peu d'experts, non pas par manque de moyens, mais parce que ses promoteurs n'en éprouvent pas la nécessité.

Le déclin de l'expert sera sans doute le signe que le tiers monde aura enfin trouvé sa propre voie de développement, que ce développement viendra de l'intérieur même de la société, qu'on aura abandonné l'idée de le susciter, ou plutôt de susciter la simple apparence du développement, plus ou moins adroitement. En attendant, l'expert est probablement un mal nécessaire. Par la nature même de la prestation qu'il apporte, son efficacité est limitée, limitée par les conditions socio-économiques, politiques, culturelles dans lesquelles il se trouve placé et qui ne sont pas toutes favorables.

L'existence de ces limites n'est certainement pas une raison pour ne pas rechercher la qualité des experts, qualité professionnelle, connaissance du milieu, qualité humaine. Le moins qu'on puisse dire est que les organismes d'aide, quels qu'ils soient, privés ou publics, ont des progrès substantiels à faire dans ce domaine. Les pays en développement ont aussi à montrer moins de complaisance envers une assistance technique qui sert facilement d'alibi pour ne pas agir soi-même, et à faire des progrès dans le mode d'emploi des experts.

■

ONG

Au seuil de l'an 2000, les organisations non gouvernementales savent que ce qui reste à accomplir est immense. Et que c'est l'affaire de tous.

par Menotti Bottazzi et Gabriel Arnaud.

Les puits du Sahel ont rendu à la fois un bon et – surtout – un mauvais service aux organisations non gouvernementales (ONG) de développement. Dès le début des années soixante, dans des milliers de villages, ils ont permis aux paysans africains de boire de l'eau potable, de se soigner, d'abreuver leurs bêtes et même de cultiver quelques légumes verts. Résultat non négligeable pour des gens dont la principale préoccupation est la survie. En même temps, les puits du Sahel ont montré à l'opinion des pays riches qu'il était possible, même avec peu de moyens, de venir en aide « à nos frères d'Afrique ».

Les puits creusés dans la terre aride du Sahel ont mis ainsi beaucoup de militants sur la route du développement. Ils ont donné naissance à un fleuve puissant de solidarité entre des groupes de « partenaires » mobi-

lisés « ici » et « là-bas » en vue d'une œuvre de longue haleine dont l'ampleur déborde de partout la margelle des puits villageois. C'est le côté positif de la médaille.

L'ONG de papa a vécu

Mais cette médaille a un revers. Depuis vingt-cinq ans, pour une grande part de l'opinion, l'action des ONG reste figée, comme la femme de Loth, dans l'image du puits. C'est une image gratifiante en effet : quoi de plus noble et généreux que de donner de l'eau, source de vie. Heureusement les Africains, capables de creuser un puits, grâce à un modeste soutien matériel, sont aussi nombreux que les baobabs, mais nous avons tous un ardent besoin de nous découvrir généreux par volontaire interposé.

Lors du lancement des premières « campagnes contre la faim » et de la création des grandes organisations non gouvernementales de développement, ces images routinières n'étaient pas fausses. Mais elles sont restées quasi immuables, tandis que les militants du développement allaient de l'avant. Cette avancée, qui décrit le rôle et la place des ONG, balise de nombreux terrains.

• *Sur la nature de l'aide*

Ce qu'on appelle l'aide d'urgence, en cas de catastrophe (aide alimentaire, médicaments, vêtements, logements de secours...), tend à accaparer tout le champ parce qu'elle est spectaculaire, que les médias la mettent donc considérablement en valeur et qu'elle est, par définition, ponctuelle. L'aide au développement retient beaucoup moins l'attention parce qu'elle est peu spectaculaire, que ses résultats ne se mesurent, et encore, qu'à long terme, et qu'elle est donc risquée.

Pourtant, quand on a apporté aux victimes des catastrophes de quoi se nourrir et se soigner, il faut encore les aider à retrouver les circuits de la vie normale, celui de la production, de l'éducation et de la formation professionnelle, de l'aménagement de l'habitat et de l'espace, de l'organisation collective... Les ONG de développement sont favorables à l'aide d'urgence quand celle-ci est la « première » urgence (par exemple, l'aide à l'Éthiopie dès l'automne 1984), mais elles visent à fournir une aide qui s'imbrique le plus rapidement possible dans une acti-

vité de développement (par exemple : accompagner l'aide alimentaire de semence, de bétail, de petit outillage agricole, voire d'une réforme agraire pour relancer une production vivrière).

• *Sur la nature des projets*

Pour l'homme de la rue, peut-être s'agit-il que de « petits projets » à l'échelle d'une modeste communauté villageoise (puits, école, dispensaire, outillage agricole...), alors que depuis longtemps les ambitions des ONG visent tous les secteurs du développement : artisanat lié à l'agriculture, coopératives, banques de céréales et caisses de crédit, mise sur pied d'un service d'hygiène ou d'un service social de bidonville, réappropriation de la terre et services juridiques du foncier, aménagement de l'habitat, programmes de formation professionnelle, sociale, syndicale, enracinée dans les traditions culturelles, programme national d'éducation pour la santé, lancement de petites et moyennes entreprises répondant à des besoins essentiels (conserveries, outillage, textiles, chaussures, meubles, habitat...)

Alors que l'attention des donateurs est d'abord retenue par les éléments concrets, matériels, des projets (« on fait des choses »), les ONG visent les niveaux où une société construit son autonomie avec ses moyens de production, d'éducation et de formation, son organisation, sa vie sociale et culturelle.

• *Sur les acteurs du développement*

L'opinion publique et les médias ont longtemps privilégié les volontaires étrangers. Pourtant, la plus grande partie des projets

Les paysans de Chumbirilcas

Ces 60 000 paysans habitent la province de Chumbirilcas (département de Cuzco), au sud du Pérou. Avant le démarrage du projet, pas d'eau potable, pas d'électricité, pas de médecin : quelques cultures traditionnelles (pommes de terre et maïs) à faible rendement, et quelques troupeaux décimés par les parasites.

Une équipe de douze techniciens péruviens et d'un agronome français, tous membres du Cicda (Centre international de coopération pour le développement agricole), commence à travailler à Chumbirilcas en 1978. Huit ans après, cette organisation non gouvernementale, membre du C F C F, intervient sur l'ensemble de la région et dans les domaines les plus cruciaux du développement agricole, donc économique. La finalité du projet, c'est en fait l'organisation des paysans, l'accès de chacun, individuellement et collectivement, à la capacité de se prendre en main. Il se fera en quatre étapes :
– 1978 : phase préparatoire, enquête, création d'une structure de coordination ;
– 1980 : démarrage des actions dans quelques villages – nutrition, santé, formation agricole, agriculture, élevage, commercialisation des produits ;
– 1981-1983 : extension des activités à d'autres villages et lancement d'activités intercommunales par l'ouverture de la Centrale des communautés paysannes de Santo Tomas (ville principale de la province) ;
– 1984-1987 : extension à l'ensemble de la province au travers de quatre programmes – santé, agriculture et élevage, reboisement, Centrale des communautés paysannes de Santo Tomas (développement du rôle administratif et comptable de cet organisme constitué de 22 communautés).

M.B., G.A.

est prise en charge par des partenaires locaux. Depuis une dizaine d'années, le *partenariat* est ainsi devenu le mot clé des militants du développement et un public plus large commence aussi à se rendre compte qu'au Mali ou au Brésil, ce sont des Maliens et des Brésiliens qui sont le mieux placés pour gérer leurs projets.

• Enfin, *l'importance et la place relatives de l'aide privée et de l'aide publique* doivent être passées au crible. A la suite des difficultés et parfois des échecs de l'aide publique, de la baisse des crédits, il est de bon ton de charger le bateau des ONG de tous les espoirs. Rien n'est plus dangereux, d'abord parce que l'aide privée représente moins de 10 % de l'aide publique (en France, les O N G mettent en œuvre chaque année, dans leur ensemble, environ 1,5 milliard de francs en faveur du tiers monde, dont plus d'un milliard de fonds propres, le reste provenant des pouvoirs publics français ou de la C E E ; les fonds propres constituent 4 à 5 % de l'aide publique française au développement). Mais aussi pour des raisons plus fondamentales : le développement est l'affaire des peuples eux-mêmes. Il est lié à leur capacité de s'orga-

Pas de développement sans démocratie

par Rony Brauman

« Ici mieux se nourrir, là-bas vaincre la faim », « si rien ne change ici, rien ne changera là-bas », « la terre des pauvres nourrit le bétail des riches », « notre prospérité repose sur un système qui plonge les trois quarts de l'humanité dans la détresse et la pénurie »...

Tibor Mende remarquait un jour que « l'amour mis à part, le développement est sans doute le sujet qui a suscité la littérature la plus abondante ». En cette matière pourtant, foisonnement ne signifie pas diversité : l'essentiel de cette réflexion se fonde en effet sur l'idée que c'est au Nord – dans le monde industrialisé – que résiderait la cause majeure des malheurs du Sud, le sous-développement des uns étant considéré comme une conséquence du développement des autres. L'idée qu'une grande partie de la guerre menée à la misère et à la pauvreté se gagnera dans les pays développés domine toute la réflexion sur le développement.

Cette démarche se retrouve en filigrane dans les discours prononcés sur les tribunes internationales comme dans les chartes des organisations non gouvernementales. Elle constitue l'ossature de ce qu'il est désormais convenu d'appeler le tiers-mondisme, définissant les deux aspects indissociables d'un même combat mené contre le « mal-développement » : ici lutter pour un nouvel ordre économique international, là-bas promouvoir un développement communautaire, indépendant.

C'est sur le concept même de développement que se fonde le malentendu qui obère toute la réflexion sur ce problème. Le même terme recouvre en effet deux notions différentes : d'une part, le développement des pays dits industrialisés, qui détiennent les richesses, profitent des bienfaits sociaux, et jouissent de la démocratie. D'autre part, un développement à venir, à inventer, qui se réfère à une évolution vers un état idéal de la société d'où l'égoïsme, les volontés de pouvoir et de richesse auraient été éliminés, dans laquelle les conflits et les inégalités seraient donc abolis. Cette société, faisant l'économie des inégalités, tensions, violences de toutes sortes qui ont marqué en particulier l'histoire du monde développé, permettrait à l'ensemble des individus d'évoluer d'un même pas vers la satisfac-

niser et de créer des rapports plus égalitaires avec les autres peuples. L'apport des organisations non gouvernementales se mesure avant tout à leur capacité de favoriser une orientation politique du développement, c'est-à-dire la prise en main de chaque peuple par lui-même. En ce sens, les ONG montrent que la coopération, orientée par l'État, doit aussi exister de peuple à peuple.

Mais les organisations non gouvernementales n'ont pas la naïveté de croire qu'elles doi-

tion des besoins essentiels, au sein de communautés vivant en harmonie avec leur milieu et leur culture.

Et l'on invoque alors des formes originales d'organisation sociale où le pouvoir politique se confondrait avec la souveraineté populaire, en serait une incarnation intemporelle échappant aux devoirs imposés à d'autres de vérifier périodiquement l'adhésion qu'il recueille auprès de la population. Dans cette conception du développement, les intentions affichées par les responsables politiques sont naturellement plus importantes que les réalités. C'est l'avenir qui est en jeu.

La démocratie, ramenée à un statut de simple réglementation formelle, surviendrait à l'âge de l'abondance comme un couronnement. Un gouvernement révocable ne représente pas plus il est vrai, dans cette nouvelle Utopie, que la cerise sur le gâteau : une décoration superflue mais plaisante, un attrait supplémentaire n'ayant aucun rapport au fond avec l'objet fini sur lequel il est posé.

C'est sur la responsabilité du Nord dans la situation humainement inacceptable des pays pauvres d'une part, et sur cette conception du développement d'autre part qu'a rebondi le débat sur le tiers-mondisme au cours de ces dernières années. L'enjeu est d'importance, car c'est d'une meilleure compréhension des problèmes complexes du développement économique et social, des rapports entre développement et pouvoir politique, que dépendent l'évolution des rapports Nord-Sud et la mise en œuvre de politiques plus réalistes, plus pragmatiques.

La critique – justifiée – du « développement mimétique » et de ses échecs a mené, au nom du respect des valeurs de civilisation, à promouvoir un type de développement alternatif, qualifié d'« endogène », d'« indépendant », d'« autocentré ». Mais la pureté des intentions de départ est trop souvent utilisée comme paravent masquant les faillites humaines et économiques qu'il a engendrées.

Il n'existe pas de modèle, qu'il soit d'inspiration libérale ou socialiste, capable d'apporter la solution clé en main aux gigantesques problèmes qui se posent aux pays pauvres. Mais nous disposons en revanche des leçons apportées par les expériences des uns et des autres au cours de ces trente dernières années. L'unité du tiers monde a volé en éclats. Sur les trois continents, des pays ont progressé, certains même à un rythme jamais connu dans le monde industriel. D'autres ont stagné ou régressé. Cette diversité dans l'évolution montre que les jeunes nations du tiers monde n'entrent pas, comme on le dit, dans le combat pour le développement avec un bras lié dans le dos.

▶

vent remplacer les États, de bien faire « en petit » ce que les États font mal « en grand ». Les O N G se veulent des ferments. Mais, pour que toute la pâte monte, c'est aux États, aux organisations internationales d'utiliser tous les moyens publics pour mobiliser les ressources humaines et naturelles. D'encourager les changements, les réformes de structures, d'orienter ou de dominer les rapports de force, afin d'agir au niveau où les problèmes et les défis sont posés.

L'action des organisations non

Il existe des pays inconnus au « hit parade » des catastrophes : sait-on que le Kénya a dû traverser une période de sécheresse aussi dramatique que celle qu'a connue l'Éthiopie de 1983 à 1985? Malgré des caractéristiques physiques et climatiques très semblables, le premier a parfaitement surmonté l'épreuve, tandis que l'on relevait des centaines de milliers de morts dans le second. Se rappelle-t-on que la dernière famine en Inde date de plus de vingt-cinq ans et que le pays regorge de surplus céréaliers, alors qu'il a connu des aléas climatiques aussi graves que l'Afrique sahélienne? Si les problèmes de disette sont loin d'avoir disparu dans le sous-continent indien, du moins existe-t-il aujourd'hui les possibilités de les régler : on ne peut distribuer que lorsque l'on a produit.

L'histoire contemporaine montre que les pays qui progressent sont ceux qui ont su s'ouvrir au monde, aux cultures extérieures, faire évoluer par le brassage des hommes et des idées leurs propres valeurs de civilisation. L'Afrique ne paie-t-elle pas encore maintenant la solitude dans laquelle elle a vécu la plus grande partie de son histoire? L'ouverture ne garantit certes pas à elle seule le succès, mais la fermeture offre une certitude d'échec.

Imputer au passé colonial, au système économique mondial la responsabilité de l'essentiel des problèmes du tiers monde, c'est se condamner à ne pas comprendre ce qu'est le développement, et donc à ne pouvoir agir sur lui. Le développement est avant tout un mouvement de la société, repérable par les innovations culturelles et techniques qu'il engendre, stimulé par la pression démographique, entraîné par le bénéfice matériel qu'en retire une partie limitée, mais croissante, de la population. Ce processus de longue durée ne peut être décrété. Il peut en revanche être favorisé, ou étouffé : c'est pourquoi il n'apparaît que lorsque la société civile se voit reconnaître un espace propre. L'agrandissement progressif, toujours conflictuel, de cet espace de la société, jusqu'à la possibilité de sanction contre son propre gouvernement par le biais du suffrage populaire, n'est autre que la construction de la démocratie. Elle est intimement liée au développement.

La morale, dit Octavio Paz, ne peut se substituer à la compréhension historique des choses, sous peine de se voir réduite à un conformisme stérile. C'est au prix de cette révision que pourra être relevé le fantastique défi qui s'offre aujourd'hui à l'humanité : celui de la réduction des inégalités à l'échelle planétaire.

R.B.

gouvernementales depuis leur création ne s'identifie pas à l'histoire des « réussites » ou des « échecs » rencontrés dans la mise en œuvre des projets de développement. La fine pointe de cette histoire pleine d'enseignements, c'est la lente émergence de la démocratie dans la démarche du développement. Le développement en effet dépend étroitement du rôle joué par l'État. En Afrique, par exemple, l'État est presque partout de constitution trop récente pour inspirer un réflexe d'appar-

tenance nationale chez des populations rurales à forte composante ethnique. État qui, cependant, a tendance à jouer d'autant plus de ses moyens de puissance qu'il n'a pas de forces organisées en face de lui (le parti unique ne pouvant constituer un véritable interlocuteur autonome). D'où l'importance des corps intermédiaires que sont les coopératives, les syndicats, les groupes et associations de toutes sortes, qui constituent des relais indispensables dans l'organisation et l'irrigation de la vie sociale et du dialogue entre le pouvoir et le peuple. Les « communautés de base » en Amérique latine, le foisonnement des associations populaires de défense et de promotion des Noirs en Afrique du Sud, montrent mieux que des discours la portée pratique de ces relais.

Le développement est en route quand toutes les couches d'une population peuvent ainsi s'exprimer et donner libre cours à leur créativité. La société civile n'est pas l'ennemie de l'État, mais son complément indispensable.

La place de la démocratie

Dans les pays industrialisés, qui ont une histoire plus ancienne de la vie démocratique et des corps intermédiaires, les ONG exercent une fonction similaire : celle d'inscrire le développement de nos pays dans le contexte global d'une solidarité en quelque sorte inévitable avec le tiers monde.

La coopération de peuple à peuple que pratiquent les organisations non gouvernementales a vite débordé le cadre étroit des organisations privées et des frontières nationales, pour se développer au niveau institutionnel international. Les exemples de la collaboration des ONG avec la CEE et la Cnuced (Conférence des Nations unies sur le commerce et le développement), représentent bien les orientations de cette forme de coopération qui touche plusieurs autres organismes multilatéraux (FAO, OMS...).

450 organisations non gouver-

Quand un enfant meurt de faim

C'est arrivé il n'y a pas très longtemps dans l'île de Negros (Philippines), dans une famille de travailleurs du sucre privée de sa ration de riz par le propriétaire. Cas malheureusement classique avec son cortège de revendications ouvrières, répression et assassinats, affrontements avec les polices privées, et finalement condamnation et emprisonnement des ouvriers coupables d'avoir faim.

En 1986, ce sont 300 000 personnes qui sont réduites au dénuement total par les licenciements consécutifs à une chute brutale des cours du sucre. Le centre d'action sociale (CAS) du diocèse de Bacolod, qui se trouve au cœur de la catastrophe, obtient

nementales (quatre sur cinq) sont représentées auprès de la Commission des Communautés européennes par une « Assemblée générale des ONG européennes de développement », sorte de mini-parlement d'une centaine de représentants élus qui se réunissent une fois par an pour débattre de leurs rapports avec la Commission et plus généralement de la politique européenne de développement. Entre les assemblées annuelles, la présence des organisations non gouvernementales est assurée par un « Comité de liaison des ONG européennes », où chaque membre est représenté

une aide financière de son partenaire habituel, le C C F D, et de la C E E, pour acheter et distribuer 2 200 tonnes de riz philippin (de manière à ne pas léser les producteurs du pays).

La parfaite organisation mise en place pour nourrir 60 000 familles pendant plusieurs mois s'attaque alors aux problèmes de la terre, abondante et fertile, mais habituellement consacrée à la canne. Sans attendre une hypothétique réforme agraire, le Syndicat des travailleurs du sucre, aidé par la C A S, entreprend la mise en valeur des 4 000 hectares de terres mis à disposition par quelques propriétaires éclairés. Ils se procurent buffles, charrues, semences, formation et appuis techniques... Car si les coupeurs de canne n'ont jamais eu le droit de cultiver la terre, ils veulent montrer, qu'ils sont, eux aussi, capables de nourrir leurs enfants sur une île riche réservée à une production qui ne se vend plus.

M.B., G.A.

par un ou deux membres élus. Par l'intermédiaire de ces deux structures et de plusieurs commissions spécialisées, les ONG européennes intègrent dans la vie de leurs peuples les débats sur les politiques de développement de la Communauté comme sur les modalités pratiques de l'aide et de l'action auprès de l'opinion publique.

D'autre part, depuis une quinzaine d'années, plus d'une centaine d'organisations non gouvernementales des pays industrialisés (en fait occidentaux) progressivement accompagnées d'ONG du tiers monde, participent aux conférences de la Cnu-

ced pour y marquer, là aussi, la présence effective des peuples au côté de celle des gouvernements. Outre une sensibilisation nécessaire de leurs publics aux aspects techniques et aux rapports de force qui affectent l'économie mondiale, les ONG développent dans cette enceinte une action multiforme dont le résultat est précisément qu'elles sont devenues des interlocuteurs crédibles dans le dialogue international : publication tous les deux ou trois jours d'un journal imprimé de la Conférence donnant des informations, points de vue, prises de position, état des questions, etc., impossibles à trouver dans les documents officiels ; contacts organisés chaque jour avec des membres des délégations, du secrétariat de la Cnuced, ou avec des personnalités indépendantes ; rencontres avec la presse ; nombreux contacts informels avec les délégations et, à l'occasion, pressions exercées sur les délégations pour faire avancer un point...

Une tâche pour tous les citoyens

Au seuil de l'an 2000, les ONG de développement ont conscience de l'immensité de la tâche à accomplir pour inscrire la solidarité dans la vie quotidienne des Français. Le travail est à peine commencé et il se heurte déjà à de formidables pesanteurs sociologiques. Pourtant, comme le suggère André Fontaine, nous n'avons pas le choix. Prenons un exemple dans un secteur restreint et cependant décisif de notre vie quotidienne, sur le pourtour du Bassin méditerranéen. La simple comparaison du poids respectif des populations au nord et au sud montre que l'équilibre précaire des dernières décennies est en train de se rompre au profit du Sud. La population du Maghreb-Machrek, qui a doublé en vingt-cinq ans, va encore considérablement s'accroître d'ici le début du troisième millénaire. Bien évidemment ce n'est pas en nous barricadant derrière des barrières douanières, des réglementations sur l'emploi et autres codes de la nationalité, que nous pourrons vivre en paix avec ces peuples et développer une coopération indispensable autour d'un petit lac intérieur réduit aux dimensions d'une baignoire de HLM.

Le repli sur l'hexagone va devenir suicidaire. Pourtant, les organisations non gouvernementales ne veulent pas jouer de la peur, qui serait mauvaise conseillère, mais faire apparaître la portée positive à terme de l'ouverture. Deux convictions les guident. D'une part, l'expérience de nombreuses populations du tiers monde qui montrent la voie en se lançant dans le développement à partir d'une extrême pauvreté. D'autre part, en France même, les 50 000 militants des ONG de développement ne sont qu'un modeste ferment dans une pâte militante qu'il faut faire lever. Ce travail est l'affaire de tous les citoyens.

■

Droits de l'homme
et information

DROITS DE L'HOMME

Jamais les informations sur les violations des droits de l'homme n'ont été aussi nombreuses et précises. Mais beaucoup reste à faire.

par Sylvaine Villeneuve

De l'affaire Dreyfus à la lutte pour la libération de Nelson Mandela, les organisations qui se sont créées pour faire respecter les droits de l'homme ont une histoire récente, quatre-vingts ans à peine. Une histoire qui, avant de devenir mondiale, plonge ses racines en Europe.

C'est seulement au début du siècle en effet que se crée en France, avec l'affaire Dreyfus, la première association ayant pour objet de faire respecter les droits de l'homme : la Ligue des droits de l'homme. En 1922, les premières ligues éprouvent le besoin de se fédérer et forment la Fédération internationale des droits de l'homme qui, en 1987, compte trente-six ligues affiliées.

C'est encore pour intervenir sur un terrain exclusivement européen que se constitue la Cimade (Comité intermouvement auprès des évacués) en 1939. Un groupe de jeunes cadres des mouvements protestants décide alors de venir en aide aux évacués d'Alsace-Lorraine. Mais très vite, ce problème devient secondaire et la Cimade élargit son champ d'action à tous les persécutés des dictatures hitlérienne, mussolinienne et française : les juifs, les tziganes, les opposants allemands, les républicains espagnols, etc. Sa mission est triple : cacher les gens, aider les déportés dans les camps et organiser des filières clandestines d'évasion.

Après la guerre, l'action en faveur des droits de l'homme reste longtemps motivée par les monstruosités du fascisme, de l'antisémitisme, des camps et du génocide juif. Le MRAP (mouvement contre le racisme et l'antisémitisme et pour l'amitié entre les peuples) se crée en 1949. Mais l'activité des associations reste encore prioritairement tournée vers l'Europe. La Cimade accueille les réfugiés des pays de l'Est. La Fédération internationale des droits de l'homme envoie ses premières missions d'observation judiciaire en Pologne, en 1956, lors des procès de Poznan, après les grandes grèves ouvrières, et en Grèce pour le procès de Manolis Glezos, figure symbolique de la résistance grecque, jugé pour ses liens avec le parti communiste grec clandestin.

Le droit des peuples

Il faut attendre les années soixante et la décolonisation pour assister à la « mondialisation » de la lutte pour les droits de l'homme, et à la prise en compte du tiers monde. En 1955, la déclaration finale de la conférence de Bandung affirme l'adhésion pleine et entière des participants à la charte des Nations unies et à la Déclaration universelle des droits de l'homme. En même temps, se crée la première organisation de masse d'envergure mondiale, Amnesty International, dont le mandat est de faire libérer tous les prisonniers d'opinion. L'avocat britannique Sean Mac Bride fonde

Amnesty International en 1961. Dès 1969, dans son premier rapport (qui ne compte alors que vingt pages), l'organisation témoigne des difficultés qu'elle rencontre pour aider les prisonniers politiques en Chine populaire, en Corée du Nord ou en Afrique du Sud. De nouveaux pays apparaissent sur la scène internationale, leurs prisons aussi.

Avec la décolonisation, une nouvelle notion accompagne, voire remplace les droits de l'homme : le droit des peuples. La Cimade, qui a déjà pris position en faveur du peuple palestinien et pour l'indépendance de l'Algérie, se préoccupe de plus en plus de développement. La notion même de droits de l'homme s'élargit, intégrant le droit au développement, à la santé, à la scolarité, etc. Pour la Cimade, comme pour le CCFD (Comité catholique contre la faim et pour le développement), la lutte pour les droits de l'homme ne peut plus se dissocier d'une action concrète menée dans les pays du tiers monde pour que les populations aient du travail et connaissent une amélioration de leur niveau de vie.

Depuis quinze ans, un nouveau phénomène, les vagues massives de réfugiés, a amené le « vieux monde » à appréhender d'une nouvelle manière la question des droits de l'homme dans le tiers monde. France-Terre d'asile (FTA) qui est chargée d'accueillir les réfugiés, n'a pas trois ans lorsque les opposants chiliens au régime de Pinochet arrivent par centaines en France en 1973. A partir de 1975, ce sont les réfugiés du Sud-Est asiatique qui demandent massivement aux pays européens, aux États-Unis et au Canada de les accueillir. Plus récemment, une nouvelle vague originaire d'Afri-

que a frappé aux portes des pays riches. Les réfugiés étaient 2,5 millions en 1951. On en comptait 12 millions en 1985, origi-

Profession : militant d'Amnesty International

Ce soir, le « groupe 63 » d'Amnesty International se réunit chez Paule. Elle a dans son garage une table assez longue pour accueillir la vingtaine de membres que compte le groupe de Pantin, en région parisienne. Mais en réalité, seule une douzaine de personnes assiste à chaque réunion mensuelle et participe activement aux travaux. Sur les murs, les affiches que le dessinateur Folon a réalisées pour l'organisation humanitaire. Isabelle, la trésorière, profite du délai accordé aux retardataires pour récupérer les cotisations et inciter les militants à récolter de l'argent sur les marchés.

Le groupe 63 s'est constitué en 1983. Deux générations s'y retrouvent. D'abord les « fondateurs », qui frôlent la cinquantaine : parmi eux, Robert l'architecte dont les talents graphiques sont souvent sollicités pour réaliser les tracts et les affiches ; Monique la chimiste qui est à Amnesty International depuis 1979 ; qui a fondé plusieurs groupes et qui représente désormais le secteur au niveau national ; Jacqueline, la documentaliste, Paule qui ne travaille pas... Ils ont été rejoints très tôt par Marc, le cuisinier, et Pierre, un prêtre de cinquante-neuf ans : « L'idée d'adhérer à AI me trottait dans la tête depuis un

certain temps, lorsque j'ai rencontré le groupe à la Fête des Associations. Parce qu'elle se définit comme apolitique, AI me permet d'avoir un engagement laïque sans engager pour autant les personnes de ma paroisse. »

Plus récemment, des jeunes sont arrivés. Isabelle y songeait depuis longtemps : « La violence exercée sur certains prisonniers m'est insupportable. Je voulais agir concrètement contre cela. Amnesty International me permet aussi de réfléchir sur des sujets auxquels je n'étais pas sensible avant. »

Hétéroclite dans sa composition, le groupe rassemble finalement des hommes et des femmes de bonne volonté, tout sauf des professionnels du militantisme. Ce recrutement très large est approprié aux types d'action que l'organisation entend mener : interpeller les gouvernements sur les conditions de détention des personnes incarcérées et obtenir la libération des prisonniers d'opinion, ceux qu'on persécute du fait de leurs convictions, de leur couleur, de leur origine ethnique, de leur religion, etc.

Comme tous les groupes d'Amnesty International, celui de Pantin a en charge deux prisonniers, un Sud-Africain et un Bulgare, selon la règle de l'organisation qui veut que ses membres agissent de la même façon à l'Est et à l'Ouest. Les deux dossiers lui ont été confiés après enquête du service de la recherche d'Amnesty, qui est basé à Londres. Daniel est chargé de suivre particulièrement le cas bulgare : « Après leur enquête, les services de Londres n'ont pu nous communiquer que le nom du prisonnier, la date de

naires dans leur majorité des pays du tiers monde. Le droit d'asile qui avait longtemps concerné prioritairement des Européens (Polonais, Espagnols, Grecs, etc.) s'appliquait à de nouvelles nationalités. Par ailleurs, les causes de ces mouve-

son arrestation, celle de son jugement et le lieu de détention. Notre première tâche consiste donc à rassembler d'autres informations, les motifs de son emprisonnement, et à savoir s'il a commis des délits. » Pour cela, l'organisation leur demande d'écrire au gouvernement du pays concerné, en « termes courtois », en respectant toujours la légalité. C'est seulement lorsque l'on connaîtra exactement les conditions de son arrestation que la personne sera adoptée comme « prisonnier d'opinion ». « Nous le garderons? » demande Michèle, provoquant des sourires. « Oui, nous nous en occuperons jusqu'au bout, jusqu'à sa libération. »

L'adoption individuelle d'un prisonnier par le groupe et la vigilance qu'assurent les membres d'Amnesty pendant des mois, voire des années, sont souvent le seul lien entretenu avec le détenu. Le plus souvent, ils ne le connaissent pas et n'ont aucune nouvelle de lui. « Nous avons envoyé une quarantaine de lettres au gouvernement bulgare, mais nous n'avons reçu aucune réponse. Même chose pour les cartes que nous avons adressées à la prison pour Noël. Nous ne savons même pas s'il est encore dans cette prison! » explique Daniel. « On n'a pas de retour direct, poursuit Monique. C'est très stressant pour le groupe, on ne peut pas évaluer concrètement notre action. Mais nous savons pourtant que notre aide est précieuse, que nos lettres empêchent les gouvernements de faire n'importe quoi, que notre vigilance aide le prisonnier. »

Les gouvernements sont leurs interlocuteurs. Les groupes d'Amnesty n'entretiennent de relations directes ni avec les organismes humanitaires ni avec les mouvements d'opposition des pays concernés. C'est ce qui fait la force d'Amnesty International. Elle est inattaquable politiquement, même si ce travail de fourmi, ces milliers de lettres envoyées aux gouvernements prennent des mois, voire des années avant d'apporter des résultats tangibles. Et c'est peut-être sa limite. Les informations sont délivrées au compte-gouttes, les pouvoirs réticents à répondre. « Alors nous dépouillons la presse, pour y trouver des nouvelles de nos prisonniers », reconnaît Daniel.

Par ailleurs, certains États connaissent parfaitement les principes d'Amnesty et les utilisent pour la contrer. « Ainsi, raconte Monique, nous venons de recevoir une réponse de l'ambassade de Grande-Bretagne que nous avions interrogée sur les conditions d'expulsion d'un Sri-Lankais. Les services de l'ambassade nous répondent point par point en nous montrant que la procédure légale a été respectée. Ils nous connaissent bien... »

Mais le groupe ne désespère pas. Jacqueline présente la prochaine campagne nationale sur la peine de mort aux États-Unis. Là encore, il faudra écrire, au gouverneur, à l'attorney général de Caroline du Sud. Il faudra aussi organiser une réunion publique... On continue. Et chacun de rêver voir un jour le nom de ses deux prisonniers publiés dans la Chronique d'Amnesty International, avec le tampon imprimé dessus : LIBÉRÉ, NE PLUS INTERVENIR.

S.V.

ments de population, les crises politiques ou les difficultés économiques du tiers monde, tendaient à modifier la notion de « réfugié ». Fallait-il distinguer le réfugié « politique » du réfugié « économique »? Fallait-il distinguer le réfugié « authentique », celui qui « craint avec raison d'être persécuté dans son pays pour ses idées, sa religion », etc., selon la définition de la convention de Genève, et le migrant qui fuit une dictature, sans pour autant être menacé personnellement?

Une charte africaine

La question ne s'est pas seulement posée aux organisations humanitaires et aux pays d'accueil. En 1979, à la demande de plusieurs États africains, la Charte africaine des droits de l'homme voyait le jour, au Libéria. En réaction aux dictatures sanglantes d'Amin Dada en Ouganda, de Macias Nguéma en Guinée équatoriale et de Jean-Bedel Bokassa en République centrafricaine, le besoin s'est fait sentir de proclamer d'urgence en Afrique certains droits imprescriptibles de l'être humain.

Parallèlement à cette prise de conscience par les États eux-mêmes, les organisations internationales qui luttent pour les droits de l'homme ont commencé de s'implanter dans le tiers monde. Amnesty International compte aujourd'hui des groupes au Ghana, en Côte d'Ivoire, au Nigéria, au Sénégal, en Inde, à Hong Kong, au Sri Lanka, au Bangladesh, au Chili,

au Mexique, en Équateur, au Brésil. Des Ligues des droits de l'homme se sont constituées en Algérie, en Mauritanie, en République dominicaine.

Cette implantation dans le tiers monde ne s'est pas faite de manière uniforme. En Amérique latine, et malgré l'existence de régimes répressifs, on compte des dizaines d'associations de défense des droits de l'homme. Amnesty International y est représentée dans douze pays. Et pour la seule Amérique centrale, il existe trente-cinq organisations nationales regroupant les familles de victimes et œuvrant pour les droits de l'homme. En revanche, à l'exception de l'Afrique du Sud où, paradoxalement, le régime d'*apartheid* autorise l'existence de nombreuses associations humanitaires qui fournissent une abondante information sur la situation des droits de l'homme dans le pays, dans le reste de l'Afrique, de telles structures sont très peu nombreuses.

Cependant, les associations ont su créer sur chaque continent des réseaux d'information sur les droits de l'homme. Jamais les informations sur les libertés, les conditions de détention, les procès, la torture, etc., ne furent aussi nombreuses et précises. Les organisations internationales relaient les associations locales, les syndicats, les Églises, les corporations de juristes ou de médecins, etc. Chacune travaille selon ses propres règles, en fonction de son mandat. Pour Amnesty International par exemple, il n'est pas question de travailler clandestinement dans un pays. Les groupes n'existent que s'ils sont officiels. Les missions d'enquête (il y en

La déclaration universelle
des droits de l'homme
(extrait)

Art. 1 – Tous les êtres humains naissent libres et égaux en dignité et en droits. Ils sont doués de raison et de conscience et doivent agir les uns envers les autres dans un esprit de fraternité.

Art. 2 – Chacun peut se prévaloir de tous les droits et de toutes les libertés proclamés dans la présente Déclaration, sans distinction aucune, notamment de race, de couleur, de sexe, de langue, de religion, d'opinion politique ou de toute autre opinion, d'origine nationale ou sociale, de fortune, de naissance ou de toute autre situation.

De plus, il ne sera fait aucune distinction fondée sur le statut politique, juridique ou international du pays ou du territoire dont une personne est ressortissante, que ce pays ou territoire soit indépendant, sous tutelle, non autonome ou soumis à une limitation quelconque de souveraineté.

Art. 3 – Tout individu a droit à la vie, à la liberté et à la sûreté de sa personne.

Art. 4 – Nul ne sera tenu en esclavage, ni en servitude : l'esclavage et la traite des esclaves sont interdits sous toutes leurs formes.

Art. 5 – Nul ne sera soumis à la torture, ni a des peines ou traitements cruels, inhumains ou dégradants.

Art. 6 – Chacun a le droit à la reconnaissance en tous lieux de sa personne juridique.

Art. 7 – Tous sont égaux devant la loi et ont droit sans distinction à une égale protection de la loi. Tous ont droit à une protection égale contre toute discrimination qui violerait la présente Déclaration et contre toute provocation à une telle discrimination.

Art. 8 – Toute personne a droit à un recours effectif devant les juridictions nationales compétentes contre les actes violant les droits fondamentaux qui lui sont reconnus par la constitution ou par la loi.

Art. 9 – Nul ne peut être arbitrairement arrêté, détenu ou exilé.

Art. 10 – Toute personne a droit, en pleine égalité, à ce que sa cause soit entendue équitablement et publiquement, par un tribunal indépendant et impartial, qui décidera, soit de ses droits et obligations, soit du bien-fondé de toute accusation en matière pénale dirigée contre elle (...).

(ONU, 10 décembre 1948.)

eut 500 en 1985) ne se rendent dans un pays que si le gouvernement de celui-ci est d'accord. « Bien sûr, il y a des pays dans lesquels nous ne pourrons pas aller avant longtemps, reconnaît Carole Bat, de la section française, mais cette légalité est aussi notre force; notre crédibilité repose sur elle. Nos interlo-

« Résistances » :
une émission à hauts risques

par Bernard Langlois

Lorsque j'acceptai, en novembre 1982, de diriger et d'animer, sur Antenne 2, une émission mensuelle sur les droits de l'homme dans le monde, je me doutais bien que l'entreprise n'allait pas de soi. Ce ne sont certes pas les sujets qui manquent ni les canaux d'information : par le biais des associations, des organisations non gouvernementales, des circuits militants, des réseaux que constituent, en France même, les immigrés et réfugiés de toute provenance, il est relativement facile – pour qui veut savoir – d'obtenir des nouvelles, même des pays les plus fermés.

Mais c'est de télévision qu'il s'agissait – et non de presse écrite. Et il nous fallait non seulement dire, mais montrer ; et c'est une autre paire de manches. Si tous les États accueillent plus ou moins volontiers des journalistes et des équipes de tournage prêts à vanter leurs charmes (notamment touristiques), il n'en est aucun qui accepte de bonne grâce d'entrouvrir les placards où s'entasse son linge sale...

C'est ainsi que sur quelque 150 reportages diffusés dans Résistances entre janvier 1983 et juin 1986, une bonne moitié furent tournés de façon plus ou moins clandestine. Soit que nous ayons profité du passage très officiel d'une équipe dans un pays donné pour lui faire tourner, dans les marges, d'autres sujets que ceux pour lesquels elle était autorisée à travailler. Soit que, plus carrément, nous ayons purement et simplement omis de signaler notre présence, nous transformant alors en simples touristes munis d'innocentes caméras d'amateur : la qualité des films ainsi tournés laissait parfois à désirer, mais c'est leur valeur de témoignage qui importait. Nombreux sont les exemples des reportages ainsi « volés » – de l'Union soviétique à l'Afrique du Sud, en passant par la Pologne ou la Turquie – par des journalistes mêlés aux paisibles cohortes de clients des tour operators, et qui prenaient le temps, entre deux visites de monastères ou de musées, d'aller s'intéresser à des sujets plus brûlants.

La réussite de telles opérations nécessite, bien sûr, une préparation solide avant le reportage lui-même, et des complicités internes : pas le temps, dans ces cas-là, de musarder ni de « repérer ». Il faut pouvoir frapper aux bonnes portes et rencontrer des « contacts » dûment avertis de votre venue. Le rôle des réseaux est essentiel, et le journaliste s'en remet à eux. C'est aussi grâce à eux que les documents filmés pourront sortir discrètement du pays, si l'on veut éviter le risque d'une saisie aux frontières.

Tout est ici affaire de confiance réciproque. Le risque existe, bien sûr, pour les équipes de tournage. Souvent limité à quelques moments désagréables, suivis d'un retour anticipé. Quelquefois plus considérable : Abouchar, retour d'Afghanistan et Philippe Rochot, retour du Liban, sont là pour en témoigner.

Mais ce sont nos sources, nos complices de l'intérieur, qui risquent le

cuteurs sont les gouvernements à qui nos 500 000 adhérents demandent de respecter les textes qu'ils ont signés. Ce ne peut pas être une action souterraine. » De même, l'ACAT (Action des chrétiens pour l'abolition de la torture) dont le mode

plus, d'où les nécessaires précautions que nous devons prendre et qui ne relèvent qu'en apparence de la paranoïa : mieux vaut, dans les régimes policiers, voir des policiers partout. Ceux qui acceptent de témoigner ont droit à cette élémentaire prudence. Eux savent les risques qu'ils prennent et il faut, parfois, renoncer à un « scoop », qui peut être cher payé... par autrui. Il est, dans une profession où la déontologie n'est pas toujours la chose la mieux partagée, des succès journalistiques douteux.

Au demeurant, beaucoup de ces hommes ou de ces femmes qui résistent à des situations d'oppression souhaitent s'exprimer. Je les ai souvent entendus dire que c'était pour eux une question de dignité : nous recevoir et nous parler était la marque de leur volonté de rester debout. Certains le faisaient à visage découvert, d'autres demandaient qu'on noircisse leurs traits ou qu'on déforme leur voix : là encore question de confiance, ils n'auront aucun moyen de vérifier.

Voilà pour les difficultés, je dirais « techniques », de ce type de reportage. Il en est d'autres, politiques celles-ci. Elles ressortissent à la nature même de l'instrument – la télévision – souvent assimilée à un organe d'expression du pouvoir, et le plus tonitruant.

On sait ce qu'était, il n'y a pas si longtemps, le statut de l'information télévisée en France, et la conception qu'on s'en faisait en haut lieu : « Les journalistes de télévision ne sont pas, disait le président Pompidou, des journalistes comme les autres. La télévision, c'est la voix de la France. » L'exercice de notre métier n'est que la longue histoire des affrontements, ouverts ou feutrés, pour casser cette conception d'une télévision annexe du Quai d'Orsay, et de journalistes assimilés à des diplomates : ce n'est pas un hasard si, sur les chaînes de radio et de télévision, le service étranger s'est longtemps appelé : « service diplomatique ». Ce combat n'est jamais définitivement gagné, et la conception d'une télévision « voix de la France » fait même, au gré des changements politiques récents, un inquiétant retour en force.

Il s'agit de comprendre pourquoi. Et on le comprend aisément, à considérer le statut des télévisions dans la quasi-totalité des pays du tiers monde (sans même parler des pays franchement totalitaires). La télévision est encore, là-bas, un instrument essentiel du pouvoir, son bras séculier, son naturel porte-voix. Il est du coup inconcevable, pour tel chef d'État africain (je prends l'exemple de l'Afrique à dessein, car c'est là, en raison des liens particuliers qui lient la France à ses anciennes colonies, que le problème se pose avec le plus d'acuité), qu'il en soit, chez nous, autrement. Tels ou tels reportages ou interviews critiques, diffusés sur une chaîne française, ne peuvent donc l'être, à ses yeux, qu'avec la bénédiction, voire à l'incitation, du gouvernement français. C'est donc à lui qu'on viendra se plaindre, et celui-ci aura toutes les peines du monde à convaincre son interlocuteur qu'il n'est en rien responsable.

On ne compte plus les grosses colères diplomatiques provoquées par Résistances, pendant les quatre années où j'en ai eu la charge. Et pas seulement en provenance des pays africains : l'Espagne socialiste s'est, par exemple, vigoureusement employée à faire interdire la diffusion d'une émission sur les Basques, d'ailleurs sans succès. C'est à l'honneur du gouvernement de Pierre Mauroy, malgré les embarras que nous lui avons causés, de n'avoir jamais cédé à la tentation de nous mettre au pas.

A l'heure où j'écris ces lignes, Résistances existe toujours. J'ignore si elle tiendra encore l'affiche lorsque paraîtra cet ouvrage. Je doute, en tout cas, qu'elle jouisse de la même liberté...

de militantisme s'apparente à celui d'Amnesty (envoi de lettres aux gouvernements, etc.) agit toujours au grand jour.

Au contraire, la Fédération internationale des droits de l'homme enverra, elle, si nécessaire, une mission clandestine en

Afghanistan pour enquêter sur les conséquences de la guerre. Parce que le but premier est de récolter des informations et d'alerter l'opinion.

La peur du rapport d'Amnesty

Depuis une quinzaine d'années, la lutte pour les droits de l'homme s'est intensifiée. Comme le constatait Amnesty International dans son *Rapport 1986*, « dans le monde entier, la force et l'influence des organisations de défense des droits de l'homme ne cessent de croître. La législation sur les droits de l'homme se renforce. Le développement rapide du mouvement en faveur des droits de l'homme est à l'origine d'un véritable foisonnement d'activités à travers le monde. La planète compte aujourd'hui plus d'un millier d'organisations... En conséquence, l'activité au niveau intergouvernemental s'est accélérée et a débouché sur de nouveaux traités ». Autosatisfaction excessive? Crise d'optimisme béat? Pas si sûr. Car malgré les quatre cents pages du rapport d'Amnesty et la comptabilité monstrueuse qui y est dressée de tous les lieux où les droits de l'homme sont menacés, l'existence même de ce rapport montre qu'il est de plus en plus difficile de réprimer dans le secret. Même pour une dictature, il est infamant de figurer dans le rapport.

C'est pour cela que certains États, conscients de cette limite imposée à leur « liberté », faute de pouvoir démentir les accusations, tentent de saper la confiance dont les organisations bénéficient dans l'opinion, et contestent leur intégrité. Ainsi, le gouvernement salvadorien accusera les associations de défense des droits de l'homme de ne pas faire état des exactions des guérilleros qui le combattent, en clair de « choisir leur camp ». On reprochera aussi à Amnesty International, sous prétexte d'impartialité, de mettre sur le même plan l'emprisonnement d'un objecteur de conscience dans un État de droit, et des exécutions sommaires en Ouganda et en Éthiopie.

Surtout, les droits de l'homme dans le tiers monde sont devenus depuis peu l'objet d'un débat dont l'enjeu n'a pas grand-chose à voir avec le bonheur des hommes du tiers monde. En 1983, Pascal Bruckner publiait *Le Sanglot de l'homme blanc*. Constatant avec raison que les indépendances des anciennes colonies n'avaient pas souvent porté au pouvoir des dirigeants préoccupés par les droits de l'homme, il en concluait que l'Europe devait cesser de battre sa coulpe pour avoir colonisé et pillé le tiers monde. La question des libertés fondamentales permettait à l'Europe de se tailler sur mesure une bonne conscience pour pas cher. Plus récemment, André Gluckmann et Thierry Wolton allaient plus loin en publiant *Silence, on tue*. Prenant le cas de l'Éthiopie, les auteurs considèrent qu'en apportant une aide massive à Mengistu, les pays riches se font complices des violations des droits de l'homme dans ce pays et participent au développement de l'influence soviétique dans le tiers monde. Autant de débats franco-français qui ne parviennent pas à couvrir les sanglots de l'homme noir. ■

ÉCOLE

Pour les manuels scolaires, le tiers monde est un espace passif et défavorisé par la nature. Pourquoi?

par Paul Noirot

Quelle image du tiers monde, du développement économique et culturel est véhiculée par les manuels scolaires? Que disent, sur ce thème, les objectifs, les programmes et les instructions officielles de l'Éducation nationale?

Les objectifs généraux sont très ouverts sur les questions de développement et de rencontre entre les cultures. Citons, par exemple, quelques objectifs tirés d'un *Bulletin officiel* de l'Éducation nationale du 9 juin 1983, concernant l'éducation au développement. Il s'agit : « ... de montrer que la civilisation occidentale n'est pas unique, que peuvent exister d'autres formes de civilisation et de développement; d'analyser les causes et manifestations des grands déséquilibres mondiaux; de provoquer la prise de conscience de l'interdépendance... et de la solidarité nécessaire ».

Principes bien généraux. Au regard de ceux-ci, force est de reconnaître que les programmes en histoire et en géographie sont moins ouverts.

Ainsi pour le niveau primaire, ces derniers ont avant tout une dimension nationale. L'approche de quelques grands problèmes mondiaux – comme la faim ou l'énergie –, présente dans les instructions de 1980, n'apparaît plus dans celles de 1984. Par ailleurs, les démarches d'éveil, moments privilégiés pour une éducation au développement et à la différence, voient leur importance réduite.

Les programmes d'éducation civique, en revanche, offrent de nombreuses occasions de parler des droits de l'homme, de l'enfant, du droit à la différence ou de la lutte contre le racisme. Pour les collèges, les nouveaux programmes restent ouverts aux problèmes mondiaux, aux questions des droits de l'homme. Toutefois, un reproche majeur peut être fait : la disparition du thème du développement en classe de troisième alors que l'élève atteint la maturité nécessaire pour appréhender la complexité d'un tel phénomène. La présentation de ce thème dans le programme actuel se fait en cinquième, elle sera donc plus partielle et plus sommaire. Au lycée, les questions de développement sont, explicitement ou non, présentes dans les programmes.

Cela dit, comment les auteurs de manuels interprètent-ils les programmes? S'en tiennent-ils à la lettre ou à l'esprit? Quelle image du tiers monde, du développement, est de fait véhiculée par les manuels scolaires?

En 1978, un groupe d'enseignants et de parents d'élèves fondateurs de l'association *École et tiers monde* (14, rue de Nanteuil, 75015 Paris) se la posait déjà et fit porter un regard critique sur les nouveaux manuels des collèges issus de la réforme de 1976. Certains sont d'ailleurs encore en usage.

Trois clichés

Trois images du tiers monde ont pu être alors repérées. La première est celle d'un ensemble de pays défavorisés par la nature, qui manquent de machines, d'usines, d'industries, de capitaux, de cadres, où les freins au développement sont quasi exclusivement locaux. Les peuples du tiers monde sont vus comme passifs. Le développement, c'est se spécialiser, produire pour l'exportation, c'est une simple question de temps et d'intégration dans le système économique mondial.

La seconde image est celle d'un ensemble de pays dominés

Le tiers monde au collège

Éduquer au développement, ce n'est pas seulement instruire : c'est aussi choisir certaines méthodes éducatives pour susciter des *comportements* moins individualistes, plus solidaires et responsables. Les P A E (projet d'action éducative) ont été pour beaucoup d'enseignants un bon moyen pour pratiquer l'éducation au développement. Voici, parmi tant d'autres établissements scolaires, quelle a été la démarche d'un CES du centre Parisien depuis 1983.

Dans un premier temps, bien réaliser avec les élèves que le tiers monde est parmi nous par les produits que nous consommons, mais aussi par la *présence d'immigrés*, que nous côtoyons dans l'indifférence, voire le mépris et la haine. Pour mieux connaître les problèmes du tiers monde et lutter contre la montée du racisme en apprenant le respect de la différence, on a cherché parmi les nombreux Africains vivant à Paris deux sortes de contacts : des animateurs culturels et/ou une association d'immigrés soutenant un projet de développement dans leur pays d'origine.

L' E R A C « Inter-Culturel » du rectorat de Paris et ISM facilitaient beaucoup la connaissance des *cultures du tiers monde* en donnant la possibilité de faire venir en milieu scolaire des animateurs qualifiés. C'est ainsi que les enfants du collège ont pu découvrir des contes du Sahel avec Hamed Bouzzine en 1984 et dire des textes de la poésie noire d'expression française avec Lydia Ewandé en 1985. La présence de ces intervenants extérieurs fut aussi l'occasion d'une concertation entre les professeurs de plusieurs disciplines, concertation qui ne va pas de soi dans le système scolaire. La découverte de l'Afrique et du développement s'est faite aussi par l'intermédiaire de l'ADO (Association pour le développement d'Ourosogui) qui regroupe des originaires d'un village du Nord-Sénégal, qu'ils soient restés au pays ou qu'ils aient émigré à travers l'Afrique ou en France.

Au départ, les responsables de l'association ont tenu à bien préciser la demande du collège : l'ADO ne venait en aucun cas quémander l'aide du collège, mais était d'accord pour expliquer la dynamique de son projet, parler des conditions de vie à Ourosogui et apporter son témoignage sur la vie des Sénégalais à Paris. Des représentants de l'association sont venus dans le cadre des cours ou des activités du club Tiers-Monde

A l'intérieur même des cours, il existe en effet des outils pédagogiques pour faire connaître la zone du Sahel, par des diapos, mais aussi en proposant un *travail autonome* des élèves. Pour attein-

dre ces objectifs, École et tiers monde, notamment, diffuse « Initiatives paysannes dans la vallée du fleuve Sénégal », dossier qui permet aussi de soulever le problème des relations entre les projets étatiques de grande hydraulique et les paysanneries locales. Les élèves de cinquième ainsi préparés ont pu profiter de l'intervention des représentants de l'ADO. Une exposition photo explique comment l'ADO a été fondée et montre les réalisations en cours : cultures irriguées, école, banque de céréales. Des jeunes du club sont allés faire une interview auprès d'originaires d'Ourosogui habitant à Mantes.

Pour « éduquer au développement », il a paru aussi intéressant de *matérialiser la solidarité* et de responsabiliser les jeunes en soutenant financièrement les projets de l'ADO. C'est une des raisons d'être du club Tiers-Monde qui organise depuis 1984 pour les sixièmes et cinquièmes des journées tiers monde ; celles-ci proposent aux enfants plusieurs jeux d'initiation économique, payants ; le produit de la journée, même modeste, contribue au développement d'Ourosogui. Le *jeu d'initiation économique* est une approche intéressante. Mais il n'est pas facile à couler dans la structure émiettée des collèges : une heure de cours n'est généralement pas suffisante pour jouer et évaluer les apports du jeu ; et il se pose souvent un problème de meneur de jeu : un professeur ne suffit pas à la trentaine d'élèves d'une classe, et on ne trouve pas toujours, parmi les parents et les aînés, les animateurs qu'on espère. Les ONG souhaitant intervenir en milieu scolaire pourraient peut-être explorer cette voie, en relation avec les enseignants des collèges.

Claire Papy

par un système économique qui continue à les déposséder de la maîtrise de leur propre développement. Les causes du sous-développement sont autant humaines que naturelles, autant internationales que locales, autant à rechercher dans le passé que dans le présent. L'idée d'un changement global, d'une transformation des rapports Nord-Sud est esquissée.

Un manuel de troisième définit d'ailleurs ainsi le développement : « Le développement est un ensemble de changements dans les mentalités et les structures sociales qui rend une population apte à faire croître de façon durable sa richesse. Il passe par une nouvelle répartition des pouvoirs politiques et économiques et par plus de justice dans le partage des biens matériels comme de la culture » (Hatier, p. 292).

La troisième et dernière image du tiers monde et du développement est la plus confuse. Elle se retrouve dans les manuels de deux maisons d'édition. Elle emprunte, en fait, des éléments à chacune des deux premières sans toutefois faire une présentation contradictoire de celles-ci, ces manuels se cantonnant dans une neutralité teintée d'européocentrisme.

Dans les années quatre-vingt, d'autres manuels ont paru qui offrent aux lecteurs des analyses moins caricaturales. Ainsi, la faim est moins souvent confondue avec la famine. Le climat et/ou la démographie sont vus de moins en moins comme facteurs uniques de sous-développement. Les mécanismes d'échanges et de dépendance entre nations sont plus explicitement décrits. Différentes voies au développement sont présentées. Le manuel invite plus fréquemment l'élève à prendre conscience de l'interdépendance des économies nationales, ainsi que des inégalités au niveau planétaire. La présentation du tiers monde, comme de la population immigrée en France du reste, est moins souvent teintée de paternalisme.

Si certains manuels présentent des actions de solidarité venant des pays du Nord, en distinguant bien aide d'urgence et aide au développement, très peu, cependant, traitent d'initiatives venant des pays du Sud, par exemple : d'initiatives de paysans se regroupant pour améliorer leurs conditions de vie et défendre leur dignité. Rares sont les ouvrages qui évoquent le rôle des opinions publiques, qui incitent l'élève à s'informer, à participer à son niveau à des actions de solidarité, celles-ci pouvant se traduire par le soutien d'un projet de développement dans une région d'Afrique ou d'ailleurs, par la création d'un journal dans le collège, le lycée ou le quartier, consacré aux questions de développement et/ou à la connaissance d'autres cultures et modes de vie.

Ces remarques critiques formulées par le groupe École et tiers monde ont provoqué des réactions quelquefois très vives d'auteurs. Celles-ci pouvant aller jusqu'à des menaces de procès. Néanmoins ces critiques ont permis des rencontres entre les uns et les autres et une meilleure compréhension.

ENGAGEMENT

Les néo-tiers-mondistes sont exigeants; ils souhaitent une information approfondie.

par Ezzedine Mestiri et Didier Williame

Les artistes chantent, les sportifs courent, vendent leur maillot ou leur vélo aux enchères pour venir en aide au tiers monde. Le spectacle s'est marié avec la solidarité et jamais les famines et les drames du sous-développement n'ont été autant portés sur la place publique.

L'opinion en France, en Europe et en Amérique du Nord prend de plus en plus en compte les réalités du tiers monde. On a assisté ces derniers mois au déploiement d'un fabuleux potentiel de générosité, et cela malgré la montée des racismes et des corporatismes. La charité et la solidarité semblent de retour, notamment du côté des jeunes qui, dans ces temps de crise et d'individualisme, s'engagent plus que les autres à distribuer la soupe dans les « restaurants du cœur » en France et à soutenir des actions d'urgence ou de développement dans des pays lointains. Ces jeunes dé-

mentent, par l'action, les affirmations de quelques organisateurs de colloques et auteurs d'écrits selon lesquels le tiers-mondisme est démodé et ses pionniers ne sont que des naïfs et des rêveurs.

Ce tiers-mondisme prédominé par le cœur n'a cessé de mobiliser et de gagner vite du terrain. Les questions de développement et de défense des droits de l'homme dans le tiers monde ne laissent pas les Français indifférents. Qu'on en juge.

En 1983, un sondage demandé par le CCFD (Comité catholique contre la faim et pour le développement) révèle que 88 % des Français sont préoccupés par la solidarité entre pays riches et pays pauvres. La faim dans le monde est considérée par 67 % comme une question urgente de notre monde actuel, avant le chômage (65 %) ou la montée du terrorisme (33 %). Les Français sont majoritairement d'accord pour favoriser une assistance technique et une formation de cadres dans les pays concernés. 61 % de la population, contre 46 % en 1976, souhaitent que les nations du Sud fassent mieux entendre leur voix. Ce même sondage confirme aussi que les Français (70 %) croient aux actions de solidarité conduites par les organisations non gouvernementales.

Une exigence morale

En décembre 1983, une étude réalisée par le CFCF (Comité français contre la faim) dans une dizaine de pays de la Communauté européenne nous a appris, par ailleurs, que les Européens ont une vision assez pessimiste de l'évolution du tiers monde au cours des dix années à venir. Ce regard désabusé n'empêche pas que plus de la moitié d'entre eux sont conscients du fait que la détresse du tiers monde ne manquera pas d'avoir une incidence sur leur propre vie.

Les Européens se prononcent très nettement en faveur d'une aide aux pays en développement. Motivations dictées en premier lieu par une exigence morale, mais aussi par la conscience d'un intérêt réciproque. Plus de la moitié déclarent avoir, durant les deux dernières années, aidé une organisation travaillant sur le terrain du développement, et une personne sur deux se dit prête à accepter un prélèvement de 1 % sur ses revenus afin d'aider ces pays.

En France, depuis 1982, la journée « Tiers monde à l'éco-

le », rencontre l'adhésion massive des enseignants qui dirigent leurs efforts ce jour-là vers la sensibilisation des jeunes aux problèmes du développement. Interrogés en 1986, 72 % des Français se disent favorables à cette journée. 87 % des parents sont prêts à laisser leurs enfants

Josué de Castro : un précurseur

Né le 5 septembre 1908 à Recife, dans le Nordeste brésilien, où la faim sévit encore aujourd'hui, ce médecin philosophe et géographe mènera plusieurs carrières et une vie trop brève puisqu'il décédera à Paris en 1973. Professeur d'anthropologie à Rio de 1933 à 1938, il enseignera ensuite la géographie humaine et dressera la première carte mondiale de la faim. Ses ouvrages publiés au Brésil avant la guerre, *Géopolitique de la faim* et *Géographie de la faim*, le rendront célèbre. Le premier sera traduit en neuf langues et le second en vingt-cinq... c'est dire l'extraordinaire audience de ses analyses.

« Ce n'est pas la surpopulation qui croît et maintient la faim, mais la faim qui est à l'origine de la surpopulation », explique-t-il. Aussi jouera-t-il un rôle important à la présidence de la FAO, qu'il accepte en 1952. En 1963, il est ambassadeur de son pays à l'ONU et s'en prend violemment au colonialisme et à ses séquelles. Il s'élève avec vigueur contre le scandale des dépenses militaires dans un monde où la famine fait de nombreuses victimes et où la sous-alimentation commet de

prendre un engagement au service des pays pauvres et se consacrer à des tâches d'aide au développement.

C'est un mouvement qui évolue rapidement et concerne aujourd'hui des militants de plus en plus jeunes. Un sondage réalisé en juillet 1985 par Frères

nombreux dégâts tant physiques que mentaux sur les enfants en particulier.

La junte militaire qui prend le pouvoir en 1964 expulse Josué de Castro et le prive de ses droits civiques. Réfugié en France, il poursuivra son action contre toutes les formes d'oppression et pour l'édification d'un nouvel ordre reposant sur la justice et le droit des peuples, d'abord au Centre international pour le développement (CID) qu'il fonde, puis dans les actions des Citoyens du monde, dont il partage les idéaux mondialistes : « Il est devenu impossible d'être l'homme à un seul point de vue, d'appartenir à une seule langue, à une seule confession. [...] On appartient à tout. » Il enseigne ensuite à l'université de Vincennes, qui l'accueille en 1971.

Incontestablement, sa *Géopolitique de la faim* est devenue un ouvrage de référence – même si le constat établi à l'époque serait à actualiser et à corriger çà et là. L'étude des relations entre la faim, la démographie, le climat, la structure foncière, les politiques d'État, le marché mondial, etc., demeure, dans sa complexité même, la clé et de la compréhension de la situation et des moyens à mettre en œuvre pour la modifier. Josué de Castro aimait à dire : « Le chemin du salut est encore à la portée des hommes. Nous y accéderons par la confiance que nous devons mettre en nos propres forces. »

Thierry Paquot

des hommes, Terre des hommes et le CCFD confirme que la faim dans le monde est bien la préoccupation numéro 1 des jeunes Français âgés de 15 à 20 ans. Pour aider les pays du tiers monde, 92 % de ces jeunes sont prêts à partir travailler là-bas au titre de la coopération. Ils se disent aussi informés des problèmes du tiers monde grâce à la télévision (90 %), les journaux (64 %), les manuels scolaires et les cours de leurs enseignants (27 %). Ils aspirent à une solidarité planétaire contre l'individualisme forcené entre États.

La même année, lors d'une enquête, vingt mots clefs sur le tiers monde ont été soumis à 5 000 élèves suisses de 13 à 14 ans. Parmi ces mots, « faim », « pauvreté » et « sécheresse » ont été retenus et cités le plus souvent. Ces jeunes Suisses comme l'ensemble des jeunes Européens ont une image négative du tiers monde. Comment leur en faire grief quand on sait que la plupart du temps ils n'ont accès qu'à des bribes d'information et à des bouts d'événements-chocs ? Ces jeunes savent-ils par exemple que dans le tiers monde des hommes et des femmes se battent et parviennent à changer leur destin et celui de leurs concitoyens ? Il y a souvent un grand décalage entre les réalités vécues dans ces pays et la façon dont le tiers monde est perçu en Europe.

Le bazar de la charité

L'opinion publique est sollicitée par des campagnes publicitaires faisant appel à la généro-

sité au service de grandes causes. Quelques organisations humanitaires utilisent des moyens et des techniques de marketing pour animer « le bazar de la charité ». Le sens du partage et de la solidarité est-il réellement compatible avec l'usage de ces méthodes ? On peut se demander si, dans le contenu des formules et dans l'impact des images, la propagande n'a pas pris le pas sur l'information.

Le côté spectaculaire et exhibé de certaines aides pour des régions sinistrées de notre planète pourrait faire craindre qu'une partie non négligeable de l'opinion ne puisse plus concevoir l'aide au tiers monde qu'à travers les distributions de vivres ou de soins médicaux. Sans perspective de solution. Les chiffres que nous venons de donner montrent que la perception de ces réalités par l'opinion publique, et en particulier les plus jeunes, n'est pas si tranchée.

Les images de catastrophe, de sécheresse et de guerre ont imposé une forme de rapprochement avec le tiers monde. En dépit des campagnes anti-tiers-mondistes et de leurs lieux communs qui voudraient faire des solidaires des pays en voie de développement des naïfs manipulés par les maîtres du gou-

lag, un néo-tiers-mondisme naît. C'est un mélange de morale et d'efficacité, où se conjuguent, sans s'opposer, le sentiment de l'urgence et la nécessité du développement.

Dans ce mouvement, l'information joue un rôle considérable. Les néo-tiers-mondistes sont exigeants. De nombreuses ONG ont compris que leurs nouveaux donateurs leur demanderaient, plus que par le passé, des comptes. Elles ont créé des secteurs « information » qu'elles confondent encore trop souvent avec « relations publiques ».

Les néo-tiers-mondistes souhaitent une information approfondie et pluraliste, indépendante de toute organisation. Il faut mentionner à ce sujet le rôle joué par un certain nombre de revues et de magazines spécialisés et, en particulier – puisqu'il s'agit d'une expérience unique en France –, du mensuel *Croissance des jeunes nations*. Depuis vingt-cinq ans, ce magazine, par ses reportages, enquêtes et dossiers, joue un rôle pédagogique incontestable auprès de 80 000 lecteurs, qui sont en majorité des militants d'associations de solidarité avec le tiers monde ou de défense des droits de l'homme. Ils ont compris que l'information complète et concrète sur les pays en développement empêche que la charité ne soit utilisée comme palliatif des déséquilibres Nord-Sud ou comme solution-miracle aux problèmes de fond d'un monde inégalitaire. L'information est en revanche l'outil indispensable pour la construction d'un monde solidaire où la vie soit possible pour les laissés-pour-compte et les opprimés.

■

MÉDIAS

Faut-il professionnaliser et médiatiser l'aide? Les ONG ne risquent-elles pas d'y perdre leur âme?

par Jeff Tremblay

Des organisations à but humanitaire ou, qui plus est, confessonnelles peuvent-elles s'engager sur les voies, souvent jugées dévoyées, utilisées par les moyens de communication les plus avancées? Ne risquent-elles pas d'y perdre leur âme? Les valeurs du don, du partage, de la solidarité entre les peuples, sont-elles compatibles avec l'usage et le style des *mailings*, très largement employés par les vendeurs les plus performants? Les bénévoles d'un réseau associatif militant peuvent-ils faire bon ménage avec les professionnels de l'image-choc ou du vidéo-clip? N'y a-t-il pas contradiction entre l'appel à la générosité au service de grandes causes et le recours à des méthodes de marketing réputées « pourries par l'argent »? N'est-ce pas une suprême traîtrise que de reléguer au rang des pâtées pour chats les plus grandes détresses humaines? En acceptant même de se salir les mains, ces moyens sont-ils bien rentables, en définitive, face aux immenses défis de développement à relever sur notre planète?

« On ne fait plus rien sans le faire savoir »

Beaucoup d'organisations à caractère humanitaire utilisent déjà les moyens et les techniques de marketing. Qui n'a pas reçu à son domicile des prospectus pour la lutte contre le cancer, pour aider les orphelins, les aveugles ou les handicapés? Médecins sans frontières, Médecins du monde, Amnesty International, l'ACIF et d'autres ont déjà composé avec les affichages de rue, les pages publicitaires, les spots cinéma ou télévision, les publipostages, etc.

Leurs efforts et leurs idées sont commentés dans les revues spécialisées. Gilles Hervé, de la revue *Stratégie* (juin 1986), en parlait en termes professionnels : « Face aux fléaux, peu de chose. Quelques organisations qui trouvent, dans les médias, les trésors qu'elles n'ont pas dans leurs caisses. Et la capacité de communiquer, le talent de se faire connaître se hissent au premier rang des qualités professionnelles, voire des nécessités déontologiques. On ne fait plus rien sans le faire savoir. Fini le temps de la sébile maladroitement brandie. Aujourd'hui, on comprend que trop de larmes peuvent gripper les rouages d'une communication et annuler les efforts véritables... Le processus n'est pas pervers. Il procède simplement d'une exigence, la prise de conscience doit être débusquée. L'enjeu est trop important pour le nier. »

Brillante apologie dans laquelle le bon Samaritain aurait évidemment du mal à se reconnaître. Mais les temps ont changé. Les bons Samaritains modernes se font de la concurrence pour secourir les malheureux.

Charles Condamines écrivait dans *Le Monde diplomatique* : « La collecte de fonds se professionnalise et impose sa logique à toutes les autres activités. La propagande prend le pas sur l'information. Et, au niveau du fonctionnement, le modèle entreprise étouffe la vie proprement associative... Emportera les plus grosses parts du marché celui qui fera davantage parler de lui, sera mieux connu et aura su se construire la meilleure image de marque... La preuve de sa supériorité étant avant tout constituée par le nombre de ses passages à la télévision. »

Cette vision pessimiste souligne des dangers réels qui méritent attention. Mais cette vision

peut être reçue aussi comme une suite de justifications à une pratique associative vieillissante. A ce titre, Bernard Kouchner dans la conclusion de son livre *Charité-Business* ne donne pas dans la demi-mesure : « Cette période des bénévoles touche à sa fin. Le temps des professionnels de la charité-business et des ordinateurs est venu. L'industrie de la solidarité démarre. Les employés y seront nombreux et les donateurs les surveilleront un peu plus. Il naît une nouvelle manière de démocratie du don. C'est dommage pour le romantisme et sans doute meilleur pour l'efficacité. Ainsi vont les choses. »

L'ouverture au grand public entraîne l'adoption de moyens et de méthodes capables de le joindre. La survie des idées et de l'expérience de ces organisations en dépend. Leur survie financière aussi. Ces organisations assurent principalement leur effort de solidarité à l'aide de dons. Les donateurs orientent leur geste vers ceux qui leur parlent le langage le plus crédible et le plus gratifiant pour leur conscience. Chaque syndicat, chaque association, chaque organisation humanitaire utilise ses slogans éculés et son langage stéréotypé. Un dépoussiérage est nécessaire pour améliorer la communication grand public. Tout le monde est maintenant prêt à en convenir. Y compris parmi les militants eux-mêmes. Mais de nombreuses réticences et peurs demeurent. Faciles à comprendre. Plus difficiles à écarter.

Le champ de
la communication

La première peur vient souvent de l'assimilation qui est généralement faite entre communication et publicité.

Il y aurait en effet danger à considérer que le recours à la publicité réglerait à lui seul les problèmes de communication. La propagande prendrait alors le pas sur l'information.

Le champ de la communication est beaucoup plus large. Il implique l'étude des publics. Il s'amplifie par la relation avec les médias. Il trouve son efficacité dans les techniques de marketing.

L'étude des publics.. L'effort de communication ne s'entreprend pas à l'aveuglette. Il doit toucher juste. Pour cela, il est nécessaire de s'appuyer sur de bons instruments de navigation. L'étude des publics en est un, indispensable. Il permet de pressentir la réaction de ceux à qui la communication s'adresse. Il rend possible, dans le temps, un contrôle d'impact.

La production d'informations. La matière à communi-

quer doit aussi faire l'objet d'une conception adaptée aux différents publics visés. Elle doit contribuer à donner une image cohérente et captivante.

Les relations publiques. L'art de la communication consiste à trouver des médiations. L'étape de médiatisation consiste à inventorier et à prospecter les médias les mieux adaptés (presse écrite, radio, télé...). La publicité n'est qu'un de ces moyens.

L'ensemble de ces moyens doivent concourir, de manière renouvelée, à la communication tournée vers le grand public. L'objectif premier n'est-il pas en définitive de rapprocher les peuples, de faire vivre et comprendre chez nous les efforts de développement entrepris sur d'autres continents.

Une deuxième peur, bien compréhensible, est fréquemment exprimée parmi les militants. L'investissement sur des moyens de communication plus puissants et professionnels ne remet-il pas en cause le réseau, instrument de communication, privilégié jusqu'alors, de toute organisation qui dispose d'une assise importante ? Une professionnalisation des moyens de communication pourrait effectivement constituer un danger si cela se traduisait par une dévalorisation des activités militantes. Le recours aux espaces publicitaires dans les rues, dans les journaux ou ailleurs est certes précieux. Mais il ne peut pas remplacer l'énorme capacité de communication que représentent des milliers de bénévoles qui collent *leurs* affiches, distribuent *leurs* journaux ou *leur* matériel d'animation, organisent

Médias et action humanitaire : des rapports ambigus

par Christine Ockrent

Réfléchir à la déontologie et à la pratique des médias par rapport aux droits de l'homme est un exercice qui, pour un journaliste, confine au masochisme tant il expose les limites et les failles de l'information.

C'est aussi une réflexion qui nous réunit dans une fierté commune puisque l'information et l'action humanitaire affirment quotidiennement la vigueur de la démocratie.

Si l'information se doit d'affirmer, d'exiger, et de servir les droits de l'homme, les rapports entre les médias et l'action humanitaire sont des rapports ambigus. C'est cette ambiguïté que je voudrais rapidement explorer ici, quitte à commencer par un raccourci provocateur.

L'événement déclenche l'action humanitaire, en tout cas l'action d'urgence. Ses héros, si l'on admet qu'il ne s'agit pas seulement des secouristes, ce sont ceux à qui les médias auront donné la parole – dissidents, prisonniers, rebelles –, dont le message sera amplifié, répété, martelé jusqu'à imprimer l'opinion publique.

Sakharov, Walesa, Chtaransky, Tutu, Mandela et, à travers eux, la cause qu'ils incarnent n'existent dans l'opinion qu'en fonction de leur médiatisation. Au point que les médias eux-mêmes créent parfois l'événement. La famine en Éthiopie est un phénomène endémique qui sévit tout autant dans d'autres pays de la région. Les caméras de la BBC en ont fait un événement d'actualité. Le traitement que la panoplie médiatique accorde à l'événement ou au personnage conditionne son impact. Avant d'en faire un grief, reconnaissons d'abord l'utilité vitale de la fonction.

L'action humanitaire est à son tour matériau médiatique. Matière à information quand les organisations humanitaires

des spectacles, des formations, des colloques.

Ce genre de danger peut être non seulement contourné, mais transformé. Deux conditions à cela :
– associer le réseau aux moyens de communication;
– harmoniser les prestations de type professionnel aux capacités des bénévoles, de façon qu'ils s'en servent de tremplin

dans leurs propres animations. Cela nécessite, bien évidemment, une période de rodage. Mais, en définitive, la vie associative pourrait s'en trouver renforcée.

Plus largement, certains estiment que l'activation d'une dynamique de réseau est primordiale pour la communication originale des associations. Dans le domaine tiers-mondiste, les An-

sont victimes des risques de leur mission, comme en Somalie, lorsqu'elles vont sur des terrains peu ou pas arpentés par les journalistes. Matière à médiatisation quand les organisations elles-mêmes, ceux qui les animent deviennent à leur tour des relais d'opinion, des témoins engagés, sinon professionnels, de toutes sortes de conflits, et pas toujours les plus lointains.

Mais les médias déçoivent l'action humanitaire, sinon les droits de l'homme.

Premier reproche : les médias sont capricieux et versatiles. Les mêmes événements, parfois les mêmes personnages aujourd'hui célébrés seront négligés demain... Pourquoi passer de six colonnes à la une à un entrefilet, des ouvertures des journaux télévisés au silence radio – pourquoi ce silence après ce tintamarre? On peut s'en indigner, on peut le regretter, on peut aussi l'expliquer. Le journal télévisé de 20 heures, qui dure trente minutes et dont le texte écrit ne remplit pas une page entière du Monde, n'est pas, ne peut pas être l'Encyclopédie universelle. L'information, à la télévision comme en presse écrite, est prisonnière d'horaires, de volumes, de modules qui doivent être complémentaires, dans leur contenu comme dans leur périodicité et leur clientèle.

Le deuxième grief qui oppose médias et organisations humanitaires tient précisément à la forme de concurrence qui s'établit entre eux. Parce que l'information coûte de plus en plus cher, parce qu'elle se centralise à la source entre quelques agences de presse et d'images, parce que le métier se bureaucratise et ne vibre plus au risque et à l'aventure, les terrains se multiplient, où vont les médecins, et guère les journalistes.

Une troisième raison creuse la défiance entre médias et action humanitaire. Les médias sont, dans certains cas, devenus dangereux pour les droits de l'homme. Cette évolution tient à la fois à la technologie de l'information, et à sa toute-puissance.

A chaque prise d'otages, c'est l'information qui est prise en otage avec sa puissance d'impact et de démultiplication. Au Liban, en Somalie, en France, en Allemagne, en Italie, la manipulation des médias est un exercice qui n'appartient plus seulement aux pouvoirs traditionnels. Il est plus difficile encore de trouver la parade – car là il faut parfois se taire, et non plus témoigner.

glo-Saxons font preuve d'efficacité par leur technique de lobbying. Mais ce modèle ne s'est guère implanté dans l'espace culturel francophone. Au cours du colloque Lebret sur « Les nouveaux modes de développement solidaire », l'atelier Communication et Développement a mis l'accent sur cet aspect : « Un réseau utile accepte de ne pas tourner sur ses seuls utilisateurs, se branche sur les réseaux institutionnels et sur des relais d'opinion... »

Parmi les autres peurs suscitées par l'adoption de moyens modernes et grand public de communication, citons aussi cette sorte de gêne de voir la solidarité devenir une matière à marché. Peut-il y avoir un traitement éthique de moyens qui ne sont pas au-dessus de tout soupçon?

« Pourquoi ne se mettent-ils pas tous ensemble au lieu de se faire de la concurrence? L'important c'est d'être efficace devant la faim et la souffrance. » Cette réflexion, fréquente, part de l'idée que toutes les organisations humanitaires font la même chose. Or, tous ceux qui s'adressent au public pour venir en aide au tiers monde ne se ressemblent pas. Des spécialisations sont parfois perceptibles entre l'aide médicale et l'aide alimentaire, entre l'aide d'urgence et l'aide au développement.

Une image réflexe?

Pour faire tomber ce flou, le professionnel qui est chargé de promouvoir une organisation va d'abord s'attacher à lui définir une image précise qui la distinguera des autres. Il cherchera ensuite à créer un réflexe autour de cette image.

Cette idée de créer un réflexe de Pavlov serait en parfaite contradiction avec la démarche de développement solidaire patiemment pratiquée avec des partenaires directement affrontés aux dures réalités du tiers monde.

N'est-il pas possible de traiter le public autrement dès lors qu'il s'agit de médias? En faisant appel à son sens de l'humain, à sa réaction de solidarité, à son souci du bon, à son goût du beau, à sa recherche de la fraternité, à sa perception du monde, à sa recherche de Dieu...?

Si! Le souci d'éthique à faire valoir dans les méthodes et les

Journaliste dans le tiers monde

Le débat sur le nouvel ordre mondial de l'information (NOMIC) a quelque peu éclipsé celui sur les conditions d'exercice du métier de journaliste dans les pays du tiers monde. En évoquant la situation de ces pays en matière d'information, on met souvent en avant le dénuement médiatique, source de dépendance et de déséquilibre dans le domaine de la circulation de l'information.

Ici comme ailleurs, le journaliste se heurte à un arsenal juridique, à des pressions de toutes sortes qui restreignent sa liberté d'expression et font peser une lourde hypothèque sur la valeur de l'information qu'il fait circuler. Le sens de l'ostentation, l'argent facile, la course aux privilèges font que la vénalité est un mal qui gangrène le métier de journaliste dans les pays du tiers monde. D'Abidjan à Pékin, de Caracas à Séoul, les pressions politiques ne peuvent être tenues pour seule pesanteur s'exerçant sur le travail du journaliste. D'autres facteurs peuvent le pousser à la compromission, à une certaine entente avec les détenteurs du pouvoir politique et économique.

La vénalité n'a pas le même caractère selon le contexte politique considéré. Tout comme au plan économique, on note une réelle diversité dans les conditions d'exercice du métier de journaliste dans les pays du tiers monde. Dans les pays relevant de la sphère d'influence de l'Est ou d'option marxiste, les journalistes, « fonctionnaires de la vérité » pour reprendre l'expression de Paul Lendvai, ont pour mission de porter la bonne parole au peuple. Leur rôle est un rôle d'« agitation politique ». Les moyens d'information relèvent du monopole d'État, les journalistes sont alors des agents de la fonction publique. Dans un tel contexte, « le secteur de l'information est un des secteurs de souveraineté nationale », lit-on à l'article 1er du Code de la presse de l'Algérie. Les nominations ou autres formes de promotion restent la prérogative exclusive de l'État. Dans un contexte de parti unique, cette prérogative permet aux responsables de l'État, responsables également du parti, de sanctionner l'engagement politique des journalistes.

Précisons cependant que cette situation transcende l'appartenance idéologique des différents pays. Des pays comme la Côte d'Ivoire ou la Corée du Sud, dotés d'un système politique à orientation plutôt libérale, ont un système médiatique soumis à une forte influence étatique. Le résultat est le même : le journaliste n'a d'autre choix que de se soumettre au diktat de l'État et du parti unique pour prétendre à la moindre promotion.

Le pluralisme politique engendre souvent un paysage médiatique relativement étoffé, surtout dans le domaine de la presse écrite. L'Inde, le Sénégal ou l'île Maurice, pour ne citer qu'eux, se singularisent par ces deux caractéristiques. Dans ce contexte précis, les mœurs journalistiques s'apparentent à celles qu'on rencontre en Occident. Mais il reste évident que, plus qu'en Occident, le niveau économique de ces pays est un facteur de la vénalité. En effet, le coût de la vie et les bas niveaux de rémunération aidant, les journalistes de ces pays ont tendance à rechercher des avantages matériels. Que ne ferait-on pas pour avoir un billet d'avion ou de banque, ou d'autres largesses en échange d'un article élogieux ?

Ces pratiques s'intègrent de plus en plus dans la vie du journaliste. Toutefois, si la vénalité suscite indignation et condamnation en Occident, elle apparaît quasi normale dans un tiers monde caractérisé par un certain penchant à la corruption, et le domaine de l'information n'échappe pas à cette généralité. Le journaliste du tiers monde jouit de ces avantages sans trop se gêner – tout comme son collègue occidental jouit des abattements fiscaux qui lui sont gracieusement accordés par l'État.

Mais s'agissant de la valeur de l'information produite, le pluralisme – et son corollaire la concurrence – reste un facteur important d'objectivité et de sérieux. Et cela explique une atmosphère médiatique plus saine et des moyens d'information plus crédibles, dans les pays connaissant un certain niveau de démocratie.

Les différentes stratégies élaborées ou en cours d'élaboration gagneraient à tenir compte largement du statut réel des journalistes pour mettre en place un système d'information crédible.

Abdelkader Dansoko

moyens de communication n'est nullement incompatible avec une image de sérieux et d'efficacité.

A priori, les organisations qui ont orienté leur image publicitaire sur l'urgence ont conquis une part importante d'un public qui réagit encore massivement de manière émotionnelle.

En 1983, un sondage réalisé par le CCFD (Comité catholique contre la faim et pour le développement) confirmait cette réaction bien connue. 58 % des personnes interrogées réagissent ainsi devant des images de gens qui meurent de faim : « Je ne comprends pas comment il est possible que, dans le monde actuel, des situations comme celles-là existent encore. » En réponse, 28 % déclarent que cela leur donne « envie de faire quelque chose ».

Le pourcentage peut paraître faible, mais c'est déjà un large vivier de bonnes volontés. C'est la cible convoitée par toutes les organisations humanitaires. Pour l'atteindre, le recours au professionnalisme et à la médiatisation est nécessaire. Tout en sauvegardant la dignité et l'éthique indispensables à toute entreprise à but humanitaire. L'enjeu fondamental reste en effet celui de répondre aux besoins de survie d'une grande partie de l'humanité. Par l'urgence et par le développement, selon la vocation de chaque organisation.

■

Pour en savoir plus

Le colon fait l'histoire et il sait qu'il la fait parce qu'il est ici le prolongement de la métropole; l'histoire qu'il écrit n'est donc pas l'histoire du pays dépouillé, mais l'histoire de sa nation, en ce qu'elle écume, viole, affame.

Franz Fanon

Année	Monde – Tiers monde	Amérique latine
1944	**États-Unis :** conférence de Bretton Woods (création du F M I, 22/7).	
1945	**URSS :** conférence de Yalta (Crimée, 4-11/2) entre Roosevelt, Churchill et Staline. **États-Unis :** naissance de l'O N U à San Francisco (26/6). **Grande-Bretagne :** création de l'Unesco à Londres (16/11).	**Brésil :** Getúlio Vargas renversé par les militaires (29/10).
1946	**États-Unis :** création du premier ordinateur.	**Argentine :** le général Juan Perón, président (26/2).
1947	**États-Unis :** plan Marshall d'aide à l'Europe (5/6). **URSS :** constitue le Kominform (1947-1956). **États-Unis :** premier vol supersonique.	**Brésil :** signature du traité de défense interaméricain de Rio de Janeiro (2/9).
1948	**États-Unis :** invention du transistor (mars). **URSS-Yougoslavie :** Rupture entre Tito et Staline (4/7). **France :** à Paris, l'O N U, en assemblée générale adopte la Déclaration universelle des droits de l'homme (10/12).	**Colombie :** signature de la charte de Bogota – création de l'Organisation des États américains (2/6).
1949	**États-Unis :** traité de Washington – fondation de l'Alliance atlantique, O T A N (4/4).	

de 1944 à 1986

AFRIQUE NOIRE	MONDE ARABE	ASIE - OCÉANIE
Congo : la France organise la conférence de Brazzaville (30/1 au 8/2).		
Cameroun : grèves et émeutes à Douala (septembre). **Afrique** : Congrès panafricain à Manchester (GB).	**Égypte** : signature au Caire du pacte de la Ligue arabe (22/3). **Algérie** : émeutes antifrançaises à Sétif, plus de 15 000 morts (mai). **Syrie** : émeutes antifrançaises, intervention britannique (juin). **Iran** : insurrection prosoviétique en Azerbaïdjan (16/11).	**Corée** : Kim Il sung proclame la république de Corée dans le Nord (12/8). **Indonésie** : Achmed Sukarno proclame l'indépendance (17/8). **Vietnam** : Hô Chi Minh proclame l'indépendance de la république du Vietnam (2/9). Débarquement des troupes françaises à Saigon (septembre).
Mali : création à Bamako du RDA, Rassemblement démocratique africain (octobre).	**Syrie/Liban** : accord franco-britannique sur l'évacuation (10/3). **Égypte** : évacuation par les troupes britanniques, (octobre) après des émeutes antianglaises.	**Vietnam** : début de la première guerre d'Indochine (1946/1954). **Philippines** : indépendance (4/7).
Madagascar : insurrection et répression, plus de 89 000 morts (mars).	**Algérie** : Abd el-Krim crée un Comité de libération du Magreb.	**Inde/Pakistan** : indépendance ; la « partition » du pays entraîne la mort de 500 000 personnes et l'exode de 12 millions d'autres (15/8). Guerre indo-pakistanaise au sujet du Cachemire (du 2/11 jusqu'à avril 1948).
Afrique du Sud : victoire aux élections du Parti national – doct. Malan (mai) – et mise en place de la politique d'*apartheid* (séparation systématique des races). **Soudan** : victoire du parti Oumma aux élections. **Cameroun** : création de l'UPC, Union des populations du Cameroun (10/4).	**Israël** : proclamation de l'État d'Israël par David Ben Gourion (14/5). Première guerre israélo-arabe (jusqu'en 1949).	**Birmanie** : indépendance (4/1). **Inde** : assassinat de Gandhi (30/1). **Sri Lanka** (ex-Ceylan) : indépendance (4/2). **Corée** : reconnaissance par l'ONU du gouvernement de Singman Rhee (Corée du Sud) comme seul légitime (12/12).
		Chine : Prise de Pékin par les forces communistes de Mao Zedong (22/1).

Année	Monde - Tiers monde	Amérique latine
1949	**ONU** : adoption d'un programme d'assistance technique aux pays sous-développés (16/11).	
1950	**États-Unis** : l'Act For International development autorise le président à signer des accords bilatéraux avec les pays en voie de développement (5/6).	
1951	**États-Unis** : San Francisco, signature du pacte de sécurité du Pacifique, Anzus – États-Unis, Australie et Nouvelle-Zélande (1/9). **États-Unis/Grande-Bretagne** : premières centrales nucléaires.	
1952	**France** : le mot tiers monde est utilisé pour la première fois par Alfred Sauvy, dans l'hebdomadaire *France Observateur*. **États-Unis** : début de la pilule contraceptive.	**Cuba** : coup d'État de Fulgencio Batista (10/3). **Bolivie** : Paz Estenssoro prend le pouvoir (15/4).
1953		
1954	**Conférence** des pays d'Asie à Colombo (Sri Lanka) – Birmanie, Ceylan, Inde, Indonésie et Pakistan (28/4). Décision de convoquer une conférence l'année suivante à Bandung (Indonésie). **Suisse** : ouverture de la conférence	**Paraguay** : le général Alfredo Stroessner prend le pouvoir (5/5). **Guatémala** : le président Arbenz Guzmán est chassé par des opposants en exil soutenus par les États-Unis (19-27/6). **Brésil** : démission et suicide du

AFRIQUE NOIRE	MONDE ARABE	ASIE – OCÉANIE
		Chine : proclamation de la république populaire de Chine (21/9) par Mao Zedong.
Namibie : l'Afrique du Sud refuse de rendre la Namibie à l'O N U.		**Sri Lanka :** adoption du plan de Colombo, pour le développement de l'Asie du Sud-Est, par la Grande-Bretagne, l'Australie, l'Inde, le Pakistan, le Sri Lanka (14/1). Plus tard, adhésion d'autres pays.
		Corée : début de la guerre de Corée (2,5 millions de morts).
Ghana : Kwame Nkrumah, chef du gouvernement (12/2).	**Libye :** indépendance (24/12).	**Chine :** décret sur la suppression des contre-révolutionnaires, suivi de l'exécution de plus d'un million de personnes (22/2).
		Iran : le docteur Muhammad Mossadegh devient Premier ministre et nationalise la production du pétrole (28/4).
Kénya : début insurrection mau-mau (août).	**Tunisie :** émeutes antifrançaises (janvier).	
Éthiopie/Érythrée : institution de la Fédération (15/9).	**Égypte :** émeutes antianglaises (janvier). La révolution des « officiers libres » dirigée par Gamal Abdel Nasser, soutenu par le général Muhammad Neguib, chasse le roi Farouk (23/7).	
	Égypte : proclamation de la république (18/6).	**Corée :** signature de l'armistice à Pan Mun Jom (27/7).
	Maroc : déposition du sultan Mohammed V (20/8).	**Iran :** coup d'État, le Premier ministre Muhammad Mossadegh est renversé – le shah fuit à l'étranger (16-19/8).
	Jordanie : le roi Talal est remplacé par son fils Hussein (2/5).	
	Irak : pacte de Bagdad – CENTO – entre États-Unis, Grande-Bretagne, Irak, Iran, Pakistan et Turquie (sept. – dissous formellement en 1979).	**Chine/Inde :** traité sur le Tibet (29/4).
		Indochine : indépendance des Vietnam, Laos et Cambodge – conférence de Genève (21/7).
	Algérie : début de la guerre (1/11).	**Philippines :** traité de Manille créant l'OTASE

ANNÉE	MONDE - TIERS MONDE	AMÉRIQUE LATINE
1954	de Genève sur les problèmes asiatiques – Indochine, Corée (26/4). Accords de Genève – fin de la première guerre d'Indochine (21/7). Le Vietnam est partagé par le 17e parallèle.	président Getúlio Vargas (24/8).
1955	**Conférence :** de Bandung (Indonésie), affirmation du non-alignement en présence de 29 États (18-24/4). **Pacte de Varsovie :** signature entre l'URSS et les 7 pays de l'Est (15/5).	**Argentine :** Juan Perón est renversé par un coup d'État militaire (19/9).
1956	**France :** promulgation de la loi Defferre accordant l'autonomie interne aux territoires français d'outre-mer (23/6). **Yougoslavie :** à Brioni, rencontre de Tito, Nehru et Nasser, qui jettent les bases du non-alignement (17-21/7).	**Cuba :** attaque de la Moncada, début de la guérilla castriste (26/7).
1957	**Italie :** le traité de Rome consacre la formation de la Communauté économique européenne, CEE (25/3). **URSS :** lancement du premier satellite spatial – Spoutnik (4/10).	**Haïti :** François Duvalier devient président de la République (22/9).
1958	**Grande-Bretagne :** tentative pour fédérer les Antilles britanniques. **France :** mise en place de la Constitution de la Ve République. Les pays africains deviennent États membres de la Communauté (voir Guinée-Conakry – 28/9). **Conférence :** Ire conférence afro-asiatique et lancement de l'Organisation de solidarité des peuples d'Afrique et d'Asie au Caire, OSPAA (26/12).	**Chili :** Jorge Alessandri bat de justesse Salvador Allende aux élections présidentielles (4/9).

AFRIQUE NOIRE	MONDE ARABE	ASIE - OCÉANIE
	Égypte : Gamal Abdel Nasser élimine le général Muhammad Néguib (17/11).	qui, en Asie du Sud-Est, réunit États-Unis, France, Grande-Bretagne, Pakistan, Philippines, Thaïlande, Australie et Nouvelle-Zélande (8/9 - dissous en 1975).
Cameroun : émeutes anti-coloniales (mai), interdiction de l'UPC (juillet), début de la lutte armée de l'UPC (décembre).		**Vietnam :** Ngô Dinh Diem instaure la République du Vietnam du Sud (26/10).
Soudan : indépendance (1/1). **France :** Ier Congrès des écrivains et artistes noirs à Paris.	**Maroc :** indépendance (2/3). **Tunisie :** indépendance (2/3). **Égypte :** crise de Suez, nationalisation du canal par Gamal Abdel Nasser, intervention armée franco-anglo-israélienne contre l'Égypte (juil.-nov.). **Israël :** deuxième guerre israélo-arabe (29/10).	
Ghana : indépendance (6/3), Kwame Nkrumah, président. **Rwanda :** troubles sanglants entre Hutus et Tutsis. **Nigéria :** autonomie interne (30/8).	**Tunisie :** Habib Bourguiba, président (25/7).	**Indonésie :** soulèvement des Célèbes, de Sumatra et de Bornéo contre le pouvoir central (mars). **Malaisie :** indépendance (31/8). **Chine :** campagne des « Cent Fleurs » (avril).
Ghana : Accra – Conférence des États africains indépendants à l'initiative de Kwame Nkrumah (15-22/4). Tournée africaine du général de Gaulle (20-28/8). **Guinée-Conakry :** elle répond non au référendum de De Gaulle (28/9). Indépendance (2/10). **Cameroun :** Ahmadou Ahidjo remplace André Mbida (20/2). **Soudan :** putsch du général Abboud.	**Égypte/Syrie :** union au sein de la République arabe unie (1/2). **Irak :** le général Abdal-Karim Kassem, hostile à l'alliance anglo-saxonne, fait assassiner le roi Fayçal et proclame la république (14/7).	**Chine :** début du conflit sino-soviétique. « Grand bond en avant ». Instauration des « communes populaires » (29/8).

L'ÉTAT DU TIERS MONDE
CHRONOLOGIE DE 1944 À 1986

343

Année	Monde – Tiers monde	Amérique latine
1959		**Cuba :** victoire de la révolution cubaine, Fidel Castro entre à La Havane (8/1).
1960	**URSS :** rupture avec la Chine (5/3).	**Cuba :** début de l'aide économique soviétique (15/2). **Brésil :** inauguration de Brasilia (21/4).
1961	**États-Unis :** engagement au Vietnam. **Grande-Bretagne :** identification de la structure de la molécule d'A D N. **URSS :** le premier homme dans l'espace, Gagarine (12/4). **Yougoslavie :** 1er sommet des Pays non alignés à Belgrade – 25 États, 3 observateurs (1-6/9). **Édition :** *Les damnés de la terre* de Frantz Fanon. *Géopolitique de la faim*, de Josué de Castro.	**Cuba :** échec du débarquement d'exilés cubains dans la baie des Cochons (16/4). **République dominicaine :** assassinat du président Rafael Trujillo (30/5). **Mexique :** lancement, à Punta del Este, de l'« Alliance pour le progrès » en Amérique latine par John F. Kennedy (17/8). **Brésil :** démission du président Jânio Quadros. Le vice-président João Goulart lui succède (25/8).
1962	**Vatican :** deuxième concile.	**Cuba :** crise des missiles Nikita Khrouchtchev retire ses fusées (18-28/10).

AFRIQUE NOIRE	MONDE ARABE	ASIE - OCÉANIE
Sénégal et **ex-Soudan** français s'unissent au sein d'une Fédération du Mali (4/4).		**Tibet :** intervention militaire chinoise. Le dalaï-lama s'enfuit en Inde (mars).
Centrafrique : mort (attentat ?) de Barthélemy Boganda (mars).		**Chine/Inde :** conflit frontalier dans le Cachemire et le Hsin-chiang (octobre).
Zaïre : indépendance, président Kasawubu, Premier ministre Patrice Lumumba (30/6). Coup d'État de Sese Seko Mobutu (14/9). Assassinat de Patrice Lumumba (1961) et guerre civile.	**Irak :** création de le l'O P E P à Bagdad (14/11).	**Chine :** rupture avec l'URSS (16/7). Récoltes catastrophiques (août) annonçant la grande famine de 1961-1962 (20 à 30 millions de morts).
Afrique du Sud : proclamation de la république (après référendum) et sortie du Commonwealth. Massacre de Noirs à Sharpeville (21-30/3).		
Indépendance : au cours de cette année 17 États africains accèdent à l'indépendance.		
Angola : début de la lutte armée du MPLA (4/2).	**Maroc :** conférence des pays progressistes africains à Casablanca (Algérie, Ghana, Guinée, Mali, Maroc, Égypte) (7/1).	**Corée :** coup d'État en Corée du Sud, le général Park Chung Hee prend le pouvoir (juillet).
Libéria : conférence des pays modérés africains à Monrovia (Libéria) regroupant 21 États (mai).	**Algérie :** en France, référendum sur l'autodétermination de l'Algérie (8/1). Tentative de putsch militaire à Alger. Début du terrorisme de l'OAS (21-26/4).	**ASEA(N) :** création de l'Association du Sud-Est asiatique (ASEA), Philippines, Malaisie, Thaïlande ; devenue ASEAN avec l'adhésion de Singapour et de l'Indonésie en 1967 (31 juillet).
Madagascar : création, à Tananarive, de l'Union africaine et malgache (11/9).		
Zaïre : Mort accidentelle de Dag Hammarskjöld, secrétaire général de l'ONU (18/9).	**Maroc :** mort de Mohammed V, qui est remplacé par Hassan II (26/2).	
Afrique du Sud : Albert Luthuli, prix Nobel de la paix (novembre).	**Syrie :** à Damas, un coup d'État militaire met fin à l'union avec l'Égypte (26/9).	
Ouganda : Milton Obote devient Premier ministre.	**Algérie :** cessez-le-feu (19/3). Indépendance (5/7).	**Chine/Inde :** conflit frontalier (20/10 au 19/11).
	Yémen du Nord : révolution de palais.	

Année	Monde – Tiers monde	Amérique latine
1963	**États-Unis :** assassinat du président John F. Kennedy (22/11). **OUA :** création de l'Organisation de l'unité africaine à Addis-Abéba (25/5). **CEE :** convention de Yaoundé (Cameroun), association de 18 pays africains et malgache à la CEE (20/7).	**République dominicaine :** putsch contre le président J. Bosch (25/9).
1964	**Suisse :** Ire conférence des Nations unies pour le commerce et le développement (Cnuced) à Genève. Création du « Groupe des 77 » (23/3 au 16/6). **Non-alignement :** IIe Sommet des pays non alignés au Caire – 47 États, 10 observateurs (5-10/10). **Nobel :** le prix Nobel de la paix est attribué à Martin Luther King (10/12).	**Brésil :** les militaires renversent le président João Goulart et prennent le pouvoir pour vingt ans (mars). **Chili :** le démocrate-chrétien Eduardo Frei Montalva élu président (4/9).
1965		**République dominicaine :** intervention américaine armée pour soutenir la junte pro-américaine (avril/mai). **Cuba :** Che Guevara quitte Cuba pour propager la révolution en Amérique du Sud (avril).
1966	**États-Unis :** troubles raciaux et naissance du pouvoir noir *(black power)*.	**Cuba :** conférence de La Havane créant l'Organisation de solidarité des peuples d'Asie, Afrique et Amérique latine, OSPAAL-Tricontinentale (3-15/1). **Argentine :** le président Illia est remplacé par le général Ongania (28/6).

AFRIQUE NOIRE	MONDE ARABE	ASIE - OCÉANIE
Zaïre : la force internationale de l'O N U met fin à la sécession katangaise (15/1). **Togo :** assassinat du président S. Olympio par des sous-officiers (16/1). **Congo :** Fulbert Youlou démissionne et cède la place à Massemba-Debat (15/8).	**Irak :** Abd al-Karim Kassem renversé par Abd al-Salam Aref. Épuration anticommuniste (8/2). **Syrie :** coup d'État, gouvernement baasiste (8/3). **Algérie/Maroc :** début d'un conflit frontalier de quatre mois (8/10).	**Vietnam du Sud :** Ngô Dinh Diem renversé par un coup d'État militaire (1/11).
Kénya/Tanganyika : mouvements populaires. Les présidents Jomo Kenyatta et Julius Nyerere font intervenir les forces britanniques (janvier). **Gabon :** coup d'État contre Léon M'Ba, intervention des parachutistes français (18-20/2). **Tanzanie :** fusion du Tanganyika et de Zanzibar. **Égypte :** au Caire, le II sommet de l'O U A dote celle-ci d'une structure permanente (17-21/7).	**OLP :** Ier Congrès national palestinien, création de l'O L P (28/5-2/6).	**Chine :** *Pensées du président Mao.* **Inde :** mort de Nehru (27/5) remplacé par Lal Bahadur Shatri. **Chine :** première explosion atomique chinoise (16/10). **Vietnam :** Tonkin. Débuts de l'intervention massive des États-Unis dans la seconde guerre du Vietnam (12/8).
OCAM : l'Union africaine et malgache se transforme en Organisation commune africaine et malgache, O C A M (10-12/2). **Zimbabwé :** Ian Smith proclame unilatéralement l'indépendance de la Rhodésie (11/11). **Congo :** coup d'État du général Sese Seko Mobutu au Congo-Léopoldville renversant Kasawubu (24/11).	**Algérie :** coup d'État de Houari Boumediene qui remplace Mohammed Ben Bella (19/6). **Maroc :** enlèvement à Paris du leader de la gauche marocaine Mehdi Ben Barka (29/10).	**Vietnam :** début des bombardements massifs américains sur le Vietnam du Nord (7/2). **Inde/Pakistan :** conflit au Cachemire (août 1965-janvier 1966). **Indonésie :** coup d'État militaire pro-occidental de Suharto contre Sukarno (1/10). 500 000 communistes exécutés. **Philippines :** Ferdinand Marcos élu président (novembre).
Haute-Volta : le général Sangoulé Lamizana chasse le président Maurice Yaméogo (3/1). **Nigéria :** le général Yakubi Gowon prend le pouvoir (11/1). **Ghana :** Kwame Nkrumah est renversé par l'armée (24/1).	**Syrie :** le général El-Afez est renversé (23/2).	**Inde/Pakistan :** accord à Tachkent, sur le Cachemire (10/1). **Inde :** Indira Gandhi devient Premier ministre (19/1). **Chine :** déclenchement de la « révolution culturelle » (18/4).

Année	Monde – Tiers monde	Amérique latine
1967	**États-Unis** : le Black Power demande la reconnaissance d'une nation noire (23/7). **Nord-Sud** : élaboration à Alger de la Charte des droits économiques des États lors de la conférence économique des « 77 » (10-24/10).	**Bolivie :** assassinat de Che Guevara (9/10). **Mexique :** conférence des chefs d'État américains à Punta del Este (12/4).
1968	**Inde :** IIᵉ Cnuced à New Delhi (1/2 au 25/3). **États-Unis :** Martin Luther King est assassiné à Memphis (4/4). Richard Nixon est président. **Éducation :** mouvement mondial de contestation estudiantine. **Tchécoslovaquie :** intervention de 5 armées du pacte de Varsovie pour mettre un terme au « printemps de Prague » (20-21/8).	**Pérou :** l'armée prend le pouvoir et décide d'opérer elle-même la révolution (3/10).
1969	**France :** démission du général de Gaulle (28/4). **États-Unis :** le premier homme sur la Lune, Neil Armstrong (21/7).	**Brésil :** coup d'État militaire. **Honduras/Salvador :** incidents frontaliers qui dégénèrent.
1970		**Chili :** Salvador Allende est élu président de la République (4/9).
1971	**États-Unis :** politique Nixon-Kissinger de détente avec la Chine et l'URSS. **Zambie :** IIIᵉ sommet des Pays non alignés à Lusaka – 52 États, 11 observateurs (8-/10).	**Pérou :** Conférence des « 77 » à Lima (18/12).
1972	**URSS :** visite du président Nixon et signature du traité de contrôle de la course aux armements, Salt 1, entre États-Unis et URSS (18-21/2).	**Chili :** IIIᵉ Cnuced à Santiago du Chili (4/5).

AFRIQUE NOIRE	MONDE ARABE	ASIE - OCÉANIE
Nigéria : guerre civile, sécession du Biafra (1967-mai 1970). **Gabon :** décès de Léon M'Ba. Omar Bongo lui succède (28/11).	**Israël :** blocus du port d'Elath par l'Égypte (22/3). Guerre israélo-arabe dite « des Six Jours » (5-10/6). Israël décide l'annexion de Jérusalem (27/6).	**Indonésie :** destitution officielle de Achmed Sukarno (12/3).
Île Maurice : indépendance (12/3). **Tchad :** première intervention française (août). **Congo :** Marien Ngouabi, président (4/9). **Nigéria :** début de l'agonie du Biafra (septembre). **Mali :** Modibo Keita renversé par Moussa Traoré (19/11).	**Yémen :** Harold Wilson décide la fermeture des bases britanniques à l'est d'Aden (16/1). **Irak :** coup d'État, le général Hasan al-Bakr devient président (17/7).	**Chine :** explosion de la première bombe H.
Somalie : Syad Barre prend le pouvoir (21/10). **Soudan :** le général Gaafar Nemeiry prend le pouvoir (25/4).	**Libye :** le colonel Mouamar Khadafi renverse le roi Idris (1/9). **Tunisie :** élimination du leader socialiste Ben Salah (novembre). **Maroc :** Sommet arabe à Rabat (décembre).	**Chine/URSS :** graves incidents frontaliers sur l'Oussouri (mars). **Chine :** le IXe congrès du PC marque la fin de la première « révolution culturelle » et consacre le rôle de l'armée (1-24/4).
Algérie : Ier Festival panafricain à Alger.		**Vietnam :** mort d'Hô Chi Minh (3/9).
Nigéria : fin de la sécession biafraise (12/1).	**Jordanie :** « Septembre noir » (1-25/9). **Égypte :** mort de Nasser. Anouar el-Sadate lui succède (28/9). **Syrie :** Hafez El-Assad prend le pouvoir (13/11).	**Cambodge :** le général Lon Nol renverse Sihanuk (18/3). **Tonga :** indépendance (4/6). **Fidji :** indépendance (10/10).
Ouganda : Milton Obote renversé par Idi Amin Dada (23/1).		**Pakistan :** sécession du Bangladesh (17/4). **Inde :** guerre indo-pakistanaise (mars). **Chine :** admission de la Chine populaire à l'ONU et expulsion de Formose (25/10).
Ghana : mort de Kwame Nkrumah (27/4). **Tchad :** assassinat à Paris d'Outel Bono (août).	**Maroc :** le sommet de Rabat de l'OUA préconise la lutte armée pour la libération des territoires africains encore colonisés (juin).	**Chine :** visite de Richard Nixon (21-28/2). **Cambodge :** coup d'État de Lon Nol (10/3).

Année	Monde – Tiers monde	Amérique latine
1972		
1973	**Europe :** entrée de la Grande-Bretagne, de l'Irlande et du Danemark dans la CEE. **Algérie :** IVe sommet des Pays non alignés à Alger – 75 États, 24 observateurs – « nouvel ordre économique international » (5/9).	**Chili :** coup d'État du général Augusto Pinochet et assassinat du président Salvador Allende (11/9). **Argentine :** retour au pouvoir du général Juan Perón (23/9).
1974	**Portugal :** chute de la dictature portugaise (25/4). **États-Unis :** démission de Nixon (8/8). **ONU :** l'Assemblée générale de l'ONU adopte la déclaration sur l'instauration du nouvel ordre économique international (10/4). Charte des droits et devoirs économiques des États (12/9).	**Argentine :** mort de Perón. La vice-présidente Isabel Perón lui succède. Développement du terrorisme urbain des *Monteneros* (1/7).
1975	**Finlande :** acte final de la conférence d'Helsinki sur la sécurité et la coopération en Europe (1/8). **ONU :** réunion extraordinaire de l'Assemblée générale des Nations Unies sur le développement : projet de conférence Nord-Sud (1-6/9). **France :** conférence Nord-Sud à Paris (16-19/12).	**Pérou :** coup d'État au Pérou : le général Valesco Alvarado est remplacé par le général Morales Bermudez (29/8). **Surinam :** indépendance (25/11).

AFRIQUE NOIRE	MONDE ARABE	ASIE - OCÉANIE
Bénin : coup d'État, le général Kérékou est président (nov.). **Madagascar :** Philibert Tsiranana quitte le pouvoir (nov.). **Burundi :** affrontements ethniques. **Ouganda :** Idi Amin Dada expulse les Asiatiques. **Soudan :** autonomie pour le Sud.	**Égypte :** Anouar el-Sadate renvoie 18 000 conseillers soviétiques (18/7).	
Sahel : début de la famine en Éthiopie, Mali, Mauritanie, Niger (mai-août). **Guinée-Bissao :** assassinat d'Amilcar Cabral (janvier). **Rwanda :** Juvénal Habyarimana prend le pouvoir (juillet). **Côte d'Ivoire :** 12 officiers arrêtés.	**Afghanistan :** coup d'État à Kaboul, le Premier ministre Daoud proclame la République (17/7). **Israël :** quatrième guerre israélo-arabe, guerre du Kippour (6/10 au 11/11). **Pétrole :** l'O P A E P décide d'utiliser l'arme du pétrole (16/10).	**Vietnam :** signature à Paris de l'accord de paix entre les États-Unis et le Vietnam du Nord (27/1). Les derniers militaires américains quittent le Vietnam (29/3).
Niger : coup d'État contre Hamani Diori, le lieutenant-colonel Seyni Kountché prend le pouvoir (15/4). **Guinée-Bissao :** indépendance (10/9). **Éthiopie :** l'armée dépose Hailé Sélassié Ier (12/9).	**Maroc :** Sommet arabe de Rabat : l'O L P reconnue comme seule et légitime représentante du peuple palestinien (29/10).	**Inde :** première bombe atomique indienne (18/5).
Togo : signature de l'accord de Lomé entre les pays de la C E E et les A C P (28/2). **Tchad :** coup d'État, François Tombalbaye est tué. Félix Malloum lui succède (11/4). **Madagascar :** Didier Ratsiraka devient président (15/6). **Indépendance** des ex-colonies portugaises : Mozambique (25/6), Cap-Vert (juillet), Sao Tomé (12/7), Angola (11/11).	**Irak/Iran :** accord irako-iranien sur le Chatt al-Arab. Le shah renonce à aider les Kurdes d'Irak (6/3). **Liban :** début de la guerre civile (avril). **Égypte :** mort de la chanteuse Oum Kalsoum (3/2). **Israël :** accord israélo-égyptien sur l'évacuation du Sinaï (1/9). **Maroc :** « marche verte » sur le Sahara espagnol (6-9/11).	**Cambodge :** entrée des Khmers rouges à Phnom Penh (30/4). **Vietnam du Sud :** entrée du F L N vietnamien à Saigon (30/4). **Inde :** Indira Gandhi proclame l'état d'urgence (26/6). **Timor :** départ des Portugais (26/8) et intervion militaire indonésienne (5/12). **Nouvelle-Guinée-Papouasie :** indépendance (16/9).

ANNÉE	MONDE – TIERS MONDE	AMÉRIQUE LATINE
1975		
1976	**Jamaïque :** conférence monétaire de Kingston (7-9/1). **Kénya :** IVᵉ Cnuced à Nairobi (5-28/5). **Sri Lanka :** Vᵉ sommet des Pays non alignés à Colombo – 81 États, 17 observateurs (16-19/8). **États-Unis :** Jimmy Carter, président (2/12).	**Argentine :** coup d'État du général Videla (24/3).
1977	**Suède :** le gouvernement renonce à exiger le remboursement de la dette des pays pauvres (12/10).	**Panama :** accord entre Panama et les États-Unis sur la souveraineté dans la zone du canal (10/8). **Équateur :** massacre de grévistes à Guayaquil (18/10).
1978	**Grande-Bretagne :** premier bébé éprouvette. **Monnaies :** le dollar à 3,90 FF (août). **Vatican :** élection de Jean-Paul II, premier pape polonais (22/10).	**Nicaragua :** le Front sandiniste attaque le palais présidentiel à Managua (20/7).
1979	**Pétrole :** le prix du baril passe de 13,3 dollars en janvier à 24 ou 30 dollars en décembre. **Cuba :** VIᵉ sommet des Pays non alignés à La Havane – 94 États, 21 observateurs (3-9/9).	**Nicaragua :** les États-Unis retirent leur assistance militaire à Anastasio Somoza (10/2). Chute du dictateur, triomphe des sandinistes (17/7). **Salvador :** début de la guerre civile (mai).

AFRIQUE NOIRE	MONDE ARABE	ASIE - OCÉANIE
Comores : proclamation unilatérale de l'indépendance (6/7). **Nigéria :** le général Yakubi Gowon est destitué (29/7).		**Laos :** abolition de la monarchie. Le pays devient république populaire (3/12).
Nigéria : O. Obasanjo succède au général M. R. Mohammed (13/2). **Seychelles :** indépendance (26/6). **Afrique du Sud :** émeutes noires de Soweto (juin). **Burundi :** M. Micombero destitué par Jean-Baptiste Bagaza (1/11).	**Sahara occidental :** proclamation de la république saharaouie, RASD (27/2). **Liban :** intervention des troupes syriennes (10-31/5).	**Chine :** mort de Zhou En-lai (81). Mort de Mao Zedong (9/9). Arrestation de la « bande des Quatre », dont la veuve de Mao (oct.).
Éthiopie : le lieutenant-colonel Mengistu Haïlé-Mariam devient chef de l'État (11/2). **Zaïre :** première guerre du Shaba (avril). **Djibouti :** indépendance (27/6). **Somalie :** les conseillers soviétiques sont expulsés (13/11).	**Israël :** Menahem Begin, Premier ministre (17/5). Le président égyptien Anouar Al-Sadate se rend à Jérusalem (19/11). **Pays arabes :** création d'un « front du refus » par les pays arabes hostiles au rapprochement égypto-israélien (5/12).	**Inde :** Morarji Desai devient Premier ministre (20/3). **Pakistan :** le général Zia Ul-Haq renverse Ali Bhutto (5/7). **Chine :** réhabilitation de Deng Xiao-ping (23/7).
Somalie/Éthiopie : guerre d'Ogaden (fév.-mars). **Sahara :** les Jaguars français attaquent le Polisario en Mauritanie (4/5). **Zaïre :** intervention des parachutistes français à Kolwesi contre les « ex-gendarmes katangais » venus d'Angola (19/5). **Tchad :** Hissène Habré, Premier ministre (29/8).	**Yémen du Sud :** Ali Nasser Mohamed au pouvoir (26/6). **Proche-Orient :** rencontre Carter-Sadate-Beguin à Camp David (5-17/9). **Iran :** « Vendredi noir » à Téhéran, le shah proclame la loi martiale (8/9). **Israël :** mort de Golda Meir (8/12). **Algérie :** mort de Houari Boumediene (27/12), Chadli Bendjedid lui succède.	**Afghanistan :** le président Muhammad Daoud est tué et remplacé par Nur Muhammad Taraki (27/4). **Vietnam :** adhésion au Comecon (29/6). **Îles Salomon :** indépendance (7/7). **Îles Tuvalu :** indépendance (1/10). **Vietnam :** les *boat people* quittent le Vietnam et le Cambodge.
Tchad : début de la guerre civile (fév.). **Guinée équatoriale :** chute de Macías Nguema (février). **Ouganda :** Idi Amin Dada chassé du pays (11/4).	**Iran :** le shah quitte le pays (16/1). Retour de l'iman Khomeyni. Début de la révolution islamique (4/11). Prise en otages du personnel de l'ambassade américaine (4/11).	**Cambodge :** l'armée vietnamienne intervient massivement (1/1). **Vietnam :** contre-attaque chinoise contre le Vietnam en réplique à l'invasion du Cambodge (17/2 au 16/3).

Année	Monde – Tiers monde	Amérique latine
1979		
1980	**Or :** cours record (99 010 FF le lingot). **Pétrole :** le prix du pétrole est majoré de 30 % en cinq étapes sur l'ensemble de l'année (mai). **Yougoslavie :** mort de Tito (4/5). **ONU :** adoption d'une stratégie pour la troisième décennie du développement (25/8 au 15/9). **Unesco :** adoption d'une résolution tendant à un « nouvel ordre de l'information » (25/10). **États-Unis :** Reagan, président (4/11).	**Salvador :** assassinat de Mgr Romero (30/3). **Cuba :** ouverture des frontières à l'émigration, 125 000 personnes fuient le pays (22/4). **Pérou :** l'élection de Belaunde Terry à la présidence met fin à douze ans de régime militaire (18/5).
1981	**Grande-Bretagne :** affrontements entre Noirs et policiers à Londres, 200 blessés (11-13/4). **France :** François Mitterrand est élu président de la République (10/5). **ONU :** conférence des Nations unies à Paris sur les pays les moins avancés (1-14/9). **Mexique :** conférence Nord-Sud de Cancun (22-23/9).	**Salvador :** échec de l' « offensive générale ». Renforcement de l'aide militaire des États-Unis (10-17/1). **Nicaragua :** suspension de l'aide américaine au Nicaragua (23/1).
1982	**Monnaies :** le dollar dépasse 7 FF (9/8). **URSS :** mort de Leonid Brejnev (10/11), Iouri Andropov lui succède.	**Guatémala :** Efraïm Rios Mont, président (3/3). **Argentine/Grande-Bretagne :** début de la guerre des Malouines (2/4). La marine britannique reconquiert les Malouines (1/5 au 14/6). **Costa Rica :** Alberto Monge, président (2/7). **Colombie :** Belisario Betancour, président (août).

AFRIQUE NOIRE	MONDE ARABE	ASIE - OCÉANIE
Ghana : le capitaine Jerry Rawlings prend le pouvoir (4/6). **Centrafrique :** l'empereur Jean-Bedel Bokassa chassé du pouvoir par une intervention française (21/9); David Dacko, président. **Nigéria :** les militaires abandonnent le pouvoir (1/10).	**Égypte/Israël :** signature à Washington du traité de paix (26/3). **Sahara occidental :** accord de paix entre la R A S D et la Mauritanie (5/8).	**Vietnam :** amplification de l'exode des *boat people.* **Corée du Sud :** le président Park Chung-Hee est assassiné (26/10). **Afghanistan :** intervention militaire soviétique (27/12).
Zimbabwé : indépendance (18/4). **Tchad :** Goukouni Oueddeï, aidé par les Libyens, chasse Hissène Habré (15/12). **Sénégal :** le président Léopold Sédar Senghor quitte volontairement le pouvoir (31/12); Abdou Diouf, président.	**Égypte/Israël :** rétablissement de relations diplomatiques (26/1). **Tunisie :** Révolte de Gafsa (27/1). **Irak/Iran :** début de la guerre (22/9). **Turquie :** l'armée prend le pouvoir (septembre). **Syrie :** traité d'amitié et de coopération signé pour vingt ans avec l'U R S S (8/10).	**Inde :** retour au pouvoir d'Indira Gandhi (6/1). **Corée du Sud :** plus de 300 étudiants tués par la police (13-26/6). **Chine :** Pékin annonce le lancement réussi d'un missile intercontinental (18/5). Hua Guofeng évincé du pouvoir. Triomphe complet des partisans de Deng Xiaoping (6/9). **Vanuatu** (ex-Nouvelles-Hébrides) : indépendance (30/7).
Centrafrique : le général André Kolingba remplace le président David Dacko (1/9). **Tchad :** retrait des troupes libyennes (3/11).	**Iran :** les otages de l'ambassade américaine sont libérés le jour de l'investiture du président Reagan (20/1). **Égypte :** assassinat du président Anouar al-Sadate. Hosni Moubarak lui succède (6/10). **Israël :** annexion du Golan (14/12).	**Chine :** Hu Yaobang, président du PC chinois (29/6).
OUA : le sommet de l'O U A est boycotté par 19 pays hostiles à l'admission de la République saharaouie (5/8). **Tchad :** Hissene Habré reprend N'Djamena (7/6). **Cameroun :** le président Ahmadou Ahidjo abandonne le pouvoir à son Premier ministre, Paul Biya (6/11).	**Sahara occidental :** l'admission de la République saharaouie provoque une crise au sein de l'O U A (22/2). **Syrie :** fermeture de l'oléoduc qui permettait l'évacuation du pétrole irakien (10/4). **Irak :** graves revers de l'Irak. Le territoire iranien est évacué par ses troupes (mars-juin).	**Bangladesh :** le général Hussein Mohammad Ershad chef de l'État après avoir destitué Abdus Sattar (24/3). **Chine :** reprise des entretiens avec l'URSS (4/10).

L'ÉTAT DU TIERS MONDE
CHRONOLOGIE DE 1944 À 1986

355

Année	Monde - Tiers monde	Amérique latine
1982		**Mexique :** Incapacité à faire face aux échéances de la dette extérieure (août). **Brésil :** les échéances de sa dette extérieure ne sont pas honorées (sept.). **Bolivie :** Siles Suazo, président (10/10).
1983	**Pétrole :** l'O P E P ramène le prix du baril de 34 à 29 dollars et décide de plafonner la production (14/3). **Inde :** VIIe Sommet des pays non alignés à New Delhi (7-12/3). **URSS :** un Boeing 747 sud-coréen abattu par la chasse soviétique (31/8).	**Argentine :** Raúl Alfonsin élu président (31/10). **Saint Kittis et Nevis :** indépendance (19/9). **Grenade :** intervention militaire américaine (25/10).
1984	**Nobel :** prix Nobel de la paix à monseigneur Desmond Tutu (10/12). **États-Unis :** retrait de l'Unesco (31/12). **CEE/ACP :** signature à Lomé de la IIIe Convention (8/12).	**Brésil :** manifestations pour le rétablissement de l'élection du président au suffrage universel direct (avril). **Colombie :** à Carthagène, onze pays latino-américains demandent une baisse des taux d'intérêt (21/6). **Amérique centrale :** plan de paix du groupe de Contadora (7/9). **Uruguay :** élection de Julio Sanguinetti à la présidence mettant fin à onze ans de régime militaire (25/11).
1985	**URSS :** Mikhaël Gorbatchev, secrétaire général du PC. **Monnaies :** le dollar culmine à 10,61 FF (23/2). **Grande-Bretagne :** émeutes raciales (juillet). Décision de quitter l'Unesco (5/12).	**Brésil :** l'élection de Tancredo Neves marque la fin de vingt ans de pouvoir militaire (15/1). Mort de Tancredo Neves. Le vice-président José Sarney lui succède (22/4). **Pérou :** Alan Garcia élu président (14/4).

AFRIQUE NOIRE	MONDE ARABE	ASIE - OCÉANIE
	Liban : l'armée israélienne occupe le Sud-Liban (6/6). Siège de l'OLP dans Beyrouth-Ouest (13/6). Massacre de Sabra et Chatila (16/9).	
Nigéria : expulsion des travailleurs étrangers (17/1). **Tchad :** invasion du nord par les forces libyennes. La France envoie 3 000 hommes au Tchad (24/6). **Bourkina :** le capitaine Thomas Sankara prend le pouvoir en Haute-Volta qui devient le Bourkina (4/8).	**Syrie :** rupture entre la Syrie et l'OLP (24/6). **Liban :** attentats meurtriers contre les éléments français et américains de la force multinationale (23/10). L'OLP assiégée par les Syriens et les Libyens à Tripoli qu'elle quittera par mer le 20/12 (nov.). **Chypre :** création d'une république turque (15/11).	**Inde :** massacre en Assam (févr.). **Sri Lanka :** émeutes tamoules (juin). **Philippines :** assassinat du leader de l'opposition Benigno Aquino (21/8).
Angola/Afrique du Sud : accord de Lusaka – l'Afrique du Sud évacuera l'Angola qui s'engage à contrôler les activités de la SWAPO sur son territoire (16/2). **Mozambique/Afrique du Sud :** accord de Nkomati entre l'Afrique du Sud et le Mozambique : les deux États renoncent réciproquement à aider leurs adversaires respectifs (16/3). **Guinée :** mort de Sékou Touré (26/3), suivie par un coup d'État pro-occidental (3/4). **Éthiopie :** début de l'aide occidentale aux victimes de la famine (octobre).	**Tunisie/Maroc :** émeutes sanglantes en Tunisie et au Maroc contre les hausses de prix (janvier). **Irak/Iran :** début des attaques de pétroliers par l'Irak et l'Iran dans le Golfe (26/4). **Maroc/Libye :** traité d'union (13/8). **Libye :** accord franco-libyen sur l'évacuation du Tchad (non exécuté par la Lybie) (17/9).	**Inde :** révolte sikh réprimée par le gouvernement indien (mars). Indira Gandhi assassinée. Son fils Rajiv lui succède (31/10). Catastrophe chimique de Bophal (3/12). **Hong Kong :** accord sino-britannique. Le territoire reviendra à la Chine en 1997 (26/9). **Chine :** le congrès du PC chinois met fin aux communes populaires et restaure la fixation des prix par la loi de l'offre et de la demande (octobre).
Soudan : Gaafar Nemeyri renversé (7/4). **Afrique du Sud :** le Conseil de sécurité décide des sanctions économiques contre l'Afrique du Sud où les émeutes anti-*apartheid* s'aggravent (27/7).	**Liban :** l'armée israélienne évacue le Liban où les chi'ites massacrent les Palestiniens (mai/juin). **Tunisie :** un raid israélien détruit le siège de l'OLP à Tunis (1/10).	**Nouvelle-Calédonie :** Éloi Machoro est tué par les forces de l'ordre (11/1).

357

Année	Monde – Tiers monde	Amérique latine
1985	**Matières premières :** effondrement du marché de l'étain (octobre).	**Nicaragua :** Washington décrète l'embargo commercial total (1/5). **Bolivie :** Victor Paz Estenssoro, président (5/8). **Colombie :** coup de main du M-19 contre le palais de justice de Bogota (6/11).
1986	**URSS :** explosion chimique et fuite de gaz radioactifs à la centrale nucléaire de Tchernobyl (25/4). **Zimbabwé :** VIIIᵉ sommet des Pays non alignés (1-7/9). **URSS :** émeutes nationalistes au Kazakhstan (17-19/12). **Nobel :** le prix Nobel de littérature est décerné à l'écrivain nigérian Wole Soyinka (16/10).	**Costa-Rica :** Oscar Arias, président (2/2). **Haïti :** Jean-Claude Duvalier part en exil (7/2). **République dominicaine :** Joaquim Balaguer, président. Il succède à Jorge Salvador Blanco (16/5).

Ouganda : Milton Obote renversé par Tito Okello (27/7).

Tanzanie : Julius Nyerere renonce à la présidence de la République. Ali Hassan Mwinyi lui succède (5/11).

Nigéria : le général Mohamed Buhari remplacé par le général Ibrahim Babangida (27/8).

Lésotho : Leabus Jonathan est renversé (19/1).

Ouganda : Yoweri Museweni prend le contrôle de Kampala (25/4).

Soudan : le général Sewar al-Dahab remet ses pouvoirs à un gouvernement civil (6/5).

Afrique du Sud : l'état d'urgence est instauré (12-30/6).

Cameroun : 1 887 personnes tuées par des émanations de gaz toxiques, aux environs du lac Nyos (21/8).

Centrafrique : Jean-Bedel Bokassa regagne clandestinement Bangui, où il est incarcéré (23/10).

Yémen du Sud : violents combats à Aden — 10 000 morts (13-24/1).

Égypte : révolte des forces de police au Caire (25-26/2).

Tunisie : le président Habib Bourguiba destitue son Premier ministre, Mohamed Mzali (8/3).

Libye/Maroc : Hassan II annonce la rupture du traité d'union.

Libye : bombardement américain « d'installations terroristes » et du QG de Kadhafi à Tripoli (15/4).

Philippines : le président Ferdinand Marcos part en exil. Cory Aquino prête serment en tant que chef de l'État (25/2).

Afghanistan : Babrak Karmal est remplacé à la tête du PC afghan par Mohamed Najibullah (4/5).

QU'EST-CE QUE LE TIERS MONDE ?

ON S'EN FOUT ; C'EST LOIN.

Bibliographie thématique

S'il est un sujet abondamment étudié, depuis une trentaine d'années, c'est bien le tiers monde. Par l'ampleur géographico-démographique de la question et par les diverses manières de l'aborder, le tiers monde a suscité et suscite encore de nombreuses publications théoriques ou descriptives. Il est hors de question de recenser ici les centaines de milliers de travaux, thèses, actes de colloques, rapports d'études, comptes rendus de mission ou livres consacrés à tel ou tel aspect du sous-développement et du développement, qui paraissent chaque année dans le monde. Une bibliographie de ce type exigerait des volumes entiers qui, à peine édités, seraient déjà périmés. Contentons-nous donc de présenter, plus modestement, une sélection thématique, en nous efforçant de privilégier les principaux ouvrages qui ont contribué depuis la dernière guerre à un réel enrichissement des termes du débat autour de « la question du développement » et à une meilleure connaissance concrète des sociétés complexes du tiers monde.

T.P.

Ouvrages généraux

C'est en 1951, dans sa livraison d'octobre-décembre de la revue de l'INED, *Population*, que le démographe Alfred Sauvy propose une « Introduction à l'étude des pays sous-développés » – étude qu'il reprendra dans sa *Théorie générale de la population* (tome 1, PUF, 1952). Pour décrire le sous-développement, l'auteur propose toute une série de critères parmi lesquels : des taux de natalité et de mortalité forts, un état de sous-alimentation chronique, un nombre très élevé d'analphabètes, une population en âge de travailler sous-employée et massivement rurale à faible taux de productivité à l'hectare une domination totale des femmes et des enfants, des droits démocratiques inexistants... Cette année-là, dans le numéro du 16 août du magazine *L'Observateur*, il publie un article intitulé « Trois mondes, une planète », qui traite de la guerre froide entre les deux blocs. Ces derniers oublient (!) dans leur vaine course aux armements « les pays sous-développés », et Alfred Sauvy de conclure en une formule qui fera fortune : « Car enfin, le tiers monde ignoré, exploité, méprisé comme le tiers état, veut, lui aussi, être quelque chose. »

Il faudra attendre quelques années pour que l'expression, à l'initiative de Georges Balandier, devienne le titre d'un livre *Le Tiers Monde : sous-développement et développement* (PUF, 394 p., « Travaux et documents de l'INED », n° 29 ; réédition : 1961, n° 39, xxx + 393 p., « Introduction », p. 13-17 « Brèves remarques pour conclure », p. 369-380), puis se popularise au point d'être admise par tous, et ce dans toutes les langues.

En 1953, l'économiste suédois Ragnar Nurske fait paraître à Londres *Problems of Capital Formation in Under-Developed Countries* (Oxford University Press) qui aborde de manière spécifique la question économique des pays en voie de développement.

La même année sort *The Process of Economic Growth* de Walt W. Rostow (Clarendon Press, Oxford), texte qui préfigure son célèbre ouvrage *Les Étapes de la croissance*.

Ce dernier, traduit en 1960 aux éditions du Seuil (il est vrai sans son sous-titre : « *Un manifeste non communiste* »), va connaître un succès mondial et massif. Cette histoire de l'humanité en cinq étapes est commode et rappelle la théorie adverse (le marxisme stalinien) et ses cinq modes de production. Ces deux approches reposent d'ailleurs sur une même conception linéaire et progressiste de l'histoire.

« A considérer le degré de développement de l'économie, écrit Rostow, on peut dire de toutes les sociétés qu'elles passent par l'une des cinq phases suivantes : la société traditionnelle, les conditions préalables du démarrage, le démarrage, le progrès vers la maturité et l'ère de la consommation de masse. » L'on peut donc tracer un cheminement économico-social commun à tous les peuples du monde, les uns étant *en retard* par rapport à d'autres mais tous marchant dans le même sens...

Une telle thèse sera vertement critiquée, davantage par les historiens du reste que par les économistes, sans pour autant imposer la position pragmatique de Gunnar Myrdal, dans *Une économie internationale* (PUF, 1958) : « Une analyse du développement doit donc, à notre avis, commencer par rechercher quelle finalité explique et justifie le bouleversement de structures qu'il constitue, puis une fois définie cette conformité qui permet l'apparition des nouvelles structures, comment réaliser l'adaptation la plus rapide et la moins coûteuse de tous les anciens éléments à la nouvelle forme. »

Le livre de Rostow obligera les marxistes à affiner leur(s) interprétation(s) de Marx afin de mieux rendre compte de la situation des pays nouvellement indépendants. Cela permettra la redécouverte de N. Boukharine, Rosa Luxemburg et Lénine et aussi d'oser les critiquer.

Le marxisme tiers-mondiste a assez mal vieilli, bloqué qu'il était, *primo,* par son obligation politique de défendre coûte que coûte toute organisation se proclamant anti-impérialiste ; et, *secundo,* par sa fâcheuse habitude à faire correspondre la réalité observée au cadre théorique d'analyse...

Mais dès 1980, la remarquable thèse du géographe Yves Lacoste (directeur de la revue *Hérodote*), *Unité et diversité du tiers monde* (Maspero), renouvelait assez profondément cette problématique et ouvrait la voie d'une approche théorique plus soucieuse de la prise en compte des différents niveaux qui composent cette réalité complexe.

On trouvera ci-après une liste – bien sûr non exhaustive ! – des principaux ouvrages de référence autres que ceux précités, ainsi que des titres les plus récents sur le sujet.

• Jacques Austruy, *Le Scandale du développement* (M. Rivière, 1965).
• Jean-Marie Albertini, *Les Mécanismes du sous-développement* (Éditions ouvrières, 1967).
• Samir Amin, *L'Accumulation à l'échelle mondiale* (Anthropos, 1970) ; *Le Développement inégal* (Minuit, 1973) ; *La Déconnexion* (La Découverte, 1986).
• Paul Bairoch, *Révolution industrielle et sous-développement,* (SEDES, 1961) ; *Le Tiers Monde dans l'impasse* (Gallimard, 1971).
• Michel Beaud, *Histoire du capitalisme, de 1500 à nos jours* (Le Seuil, 1981 ; nouvelle édition augmentée, 1987) ; *Le Socialisme à l'épreuve de l'histoire* (Le Seuil, 1982 ; nouvelle édition augmentée, 1985) ; *Le Système national mondial hiérarchisé* (La Découverte, 1987).
• Maurice Bye, Gérard de Bernis, *Relations économiques internationales, I. Échanges internationaux* (Dalloz, 4ᵉ édition entièrement refondue, 1977).
• CEDETIM, *Le Non-Alignement* (La Découverte, 1985).
• Bernard Chanteboup, *Le tiers monde* (Armand Colin, 1986).
• *Croissance, échange et monnaie en économie internationale,* mélanges en l'honneur de M. le professeur Jean Weiller (Economica, 1985).
• Pierre Dockes, *L'Internationale du capital* (PUF, 1975).
• Arghiri Emmanuel, *L'Échange inégal. Essais sur les antagonismes dans les rapports économiques internationaux* (Maspero, 1969).
• Jacques Freyssinet, *Le Concept de sous-développement* (Mouton, 1966).

• Celso Furtado, *Le Mythe du développement économique* (Anthropos, 1976).
• Jacques Giri, *L'Afrique en panne* (Karthala, 1986).
• P. F. Gonidec, Tran Van Minh, *Politique comparée du tiers monde* (Montchrestien, 2 vol., 1981).
• Bernard Guillochon, *Théories de l'échange international* (PUF, 1976).
• André Gunder Frank, *Capitalisme et sous-développement en Amérique latine* (Monthly Review Press, New York, 1967), traduction française (Maspero, 1970); *Le Développement du sous-développement, l'Amérique latine,* traduction française (Maspero, 1970); *Lumpenbourgeoisie et Lumpen-développement,* traduction française (Maspero, 1971).
• P. Jacquemot, M. Raffinot, *Accumulation et développement* (L'Harmattan, 1985).
• Pierre Jalée, *Le Pillage du tiers monde* (Maspero, 1965).
• Yves Lacoste, « Le sous-développement, quelques ouvrages significatifs parus depuis 10 ans », *Annales de géographie,* n° 385, mai-juin 1962; *Géographie du sous-développement* (PUF, 1965).
• Serge Latouche, *Faut-il refuser le développement?* (PUF, 1986).
• Louis-Joseph Lebret, *Suicide et survie de l'Occident* (Éditions ouvrières, 1958); *Dynamique concrète du développement* (Éditions ouvrières, 1961).
• Albert Meister, *La Participation pour le développement* (Éditions ouvrières, 1977).
• Charles-Albert Michalet, *Le Capitalisme mondial* (PUF, 1ʳᵉ édition 1976, seconde édition 1985).
• Pierre Moussa, *Les Nations prolétaires* (PUF, 1959).
• G. Myrdal, *Théorie économique et pays sous-développés* (PUF/INED, 1959).
• Philippe Norel, *Nord-Sud : les enjeux du développement* (Syros, 1986).
• François Partant, *La Fin du développement* (Maspero, 1982).

• François Perroux, « Les espaces économiques », *Économie appliquée,* 1950; « Théorie générale du développement économique », *Cahiers de l'ISEA,* n° 59 série 1; *La Coexistence pacifique* (PUF); *L'Économie du XXᵉ siècle* (PUF); « Qu'est-ce que le développement? », *Études,* janvier 1961; *L'Économie des jeunes nations* (PUF); *Pour une philosophie du nouveau développement* (Aubier, 1981).
• Gilbert Rist et Fabrizio Sabelli (sous la dir. de) *Il était une fois le développement,* Éd. d'en bas, Lausanne, 1986.
• Henri Rouillé d'Orfeuil, *Le Tiers Monde* (coll. « Repères », La Découverte, 1987).
• Ignacy Sachs, *Initiation à l'écodéveloppement* (Privat, Toulouse, 1981).
• Abdelkader Sid Ahmed, *Nord-Sud : les enjeux* (Publisud, 1983).
• Immanuel Wallerstein, *Le capitalisme historique* (La Découverte, 1985).
• Jean Weiller, *Problèmes d'économie internationale* (PUF, 2 vol., 1946 et 1950).

Une telle bibliographie générale ne saurait être sérieuse si l'on n'y mentionnait pas la livraison annuelle de *L'État du monde* (La Découverte), et celle de *L'Annuaire du tiers monde* publié sous l'égide de l'Association française pour l'étude du tiers monde (AFETIMON, 17, rue d'Anjou, 75008 Paris. Tél. 42.65.02.62).

Colonialisme, impérialisme

Sur ce thème, la bibliographie est particulièrement abondante, et on ne signalera ici que quelques ouvrages de référence.

L'histoire économique du monde (cinq tomes, Armand Colin, Paris, 1978), sous la direction de Pierre Léon, présente un remarquable panorama des diverses situations économiques précoloniales, coloniales et postcoloniales.

L'ouvrage d'Henri Brunschwig, *Mythes et réalités de l'impérialisme colonial français* (A. Colin, Paris, 1960), fait figure aujourd'hui de classique, même si les thèses originales de Jacques Marseille (*Empire colonial et capitalisme français, Histoire d'un divorce,* Albin Michel, Paris, 1984) et de Jean Bouvier et René Girault (*L'impérialisme à la française, 1914-1960,* La Découverte, Paris, 1986) renouvellent notre appréciation du rôle des colonies dans l'histoire économique de la France. Raoul Girardet, avec son histoire de *L'Idée coloniale en France* (réed. Pluriel, Hachette, 1972), offre une remarquable synthèse de cette étonnante mobilisation intellectuelle qui a manqué durant plus d'un siècle la gauche et la droite françaises...

Henri Grimal (*La décolonisation, 1919-1963,* Armand Colin, Paris, 1965) offre une excellente synthèse historique des indépendances et de l'émiettement de l'empire.

Serge Latouche (*Critique de l'impérialisme,* Anthropos, Paris, 1979) analyse, et conteste, la conception léniniste de l'impérialisme et propose une autre approche de ce phénomène particulier qu'il considère antérieur au capitalisme.

Démographie, population

La démographie est au cœur de la compréhension des tiers mondes et de leurs avenirs. Jacques Vallin, dans *La Population mondiale* (La Découverte, 1986), expose avec un louable souci pédagogique les principales données démographiques et leurs interprétations.

On lira également avec intérêt les ouvrages suivants :
• Jean-Claude Chesnais, *La Transition démographique, étapes, formes et implications économiques* (Institut d'études politiques, 1984) ;

• *World Population Prospects, Estimates and Projections Assessed in 1982* (Nations unies, New York, 1985) ;
• *Estimates and Projections of Urban, Rural and City Populations 1950-2025 : the 1982 Assessment* (Nations unies, New York, 1985) ;
• *Demographic Indicators of Countries : Estimates and Projections as Assessed in 1980* (Nations Unies, New York, 1982) ;
• Roland Pressat, *L'Analyse démographique* (PUF, 1983) ;
• Reinhart, Armengaud et Dupaquier, *Histoire générale de la population mondiale* (Monchrestien, 1968) ;
• Georges Tapinos, *Éléments de démographie* (Armand Colin, 1983).

Ainsi que les deux périodiques :
• *Populations et Société,* mensuel, dirigé par Michel-Louis Lévy (INED, 27, rue du Commandeur, 75014 Paris) ;
• *Peuples,* revue trimestrielle de l'IPPF (Fédération internationale pour la planification familiale, P.O. Box 759, Inner Circle, Regent's Park, Londres NW1 4 NS, Angleterre).

Agriculture, paysanneries, faim

L'œuvre de l'agronome René Dumont est indispensable à consulter.

De *L'Afrique noire est mal partie* (Le Seuil, 1960/1962) à *Pour l'Afrique, j'accuse* (Plon, 1986), en passant par la série *Finis les lendemains qui chantent* (Le Seuil) jusqu'à *Taiwan, le prix de la réussite* (La Découverte, 1987), René Dumont combine une grande générosité – qui n'exclut pas la dénonciation d'abus divers – dans son analyse a une remarquable connaissance des terrains étudiés. Avec Bernard Rosier, il publie en 1966 *Nous allons à la famine* (Le Seuil, 288 p.), remarquable diagnostic qui fera de lui l'infatigable dénonciateur des dysfonctionnements sociaux, économiques ou politiques conduisant à des situations de pénurie et de misère dans les pays les plus pauvres du tiers monde. Dans chacun de ses ouvrages, « l'agronome de la faim » aborde les questions cruciales liées à la faim : structures foncières, système usurier, marchés local et mondial des biens alimentaires, relations ville/campagne, divisions sexuelle et sociale du travail agricole, croissance démographique, etc.

René Dumont résume et illustre ses propos en un petit ouvrage au ton volontairement nerveux : *La Croissance... de la famine ! Une agriculture repensée* (seconde édition revue et corrigée, Le Seuil, 1981). Dans la conclusion de son livre, il affirme : « La survie exige que le développement agricole de l'avenir tienne compte des trois plus grandes contraintes. Population d'abord, avec le préalable d'arrêter le plus vite possible l'explosion démographique. Politique ensuite, avec la recherche de sociétés nouvelles. Écologique enfin, avec de nouvelles conceptions sociétales visant l'harmonie avec la nature. »

Ces trois préoccupations sont présentes dans l'ouvrage de François de Ravignan *La Faim, pourquoi ?* (Syros, 1983), où il répond à cette question en évitant les simplifications et *a priori* idéologiques. Susan George, quant à elle, s'interroge sur *Comment meurt l'autre moitié du monde ?* (Robert Laffont, 1978) et démonte minutieusement toute une série de mécanismes économico-politiques responsables de ces terribles situations.

Sous forme d'un simple reportage dans le Nordeste brésilien, Robert Linhart nous offre, avec *Le Sucre et la faim* (Minuit, 1980), un livre d'une rare intelligence et d'une grande simplicité, donnant ainsi à ce qu'il raconte plus de poids et de force. C'est aussi une remarquable leçon de choses sur le « sous-développement programmé ».

Le géographe Pierre Gourou, avec *Terre de bonne espérance, le monde tropical* (Plon, 1982) et *La Civilisation du riz* (Fayard, 1984), mêle son expérience du terrain à une analyse des principaux travaux sur le monde tropical. Les effets de la colonisation, le rôle du climat, des engrais, des outils, les conditions de travail, etc., sont étudiés afin d'établir une géographie comparative et historique. Deux ouvrages passionnants.

Louis Malassis, avec son *Économie agro-alimentaire* (Cujas, 1977), fait non seulement le point sur l'économie de ce secteur, mais s'intéresse aux modes de consommations alimentaires et à leur diffusion dans le monde. L'ouvrage collectif *Nourrir les villes en Afrique subsaharienne* (L'Harmattan, 1985) fait le point sur les enquêtes conduites en ce moment en Afrique. Cet ouvrage a le défaut des comptes rendus de colloques : son hétérogénéité ne facilite pas la lecture.

Michel Cépède, Hugues Gounelle de Pontanel et Marcel Auret ont rédigé le « Que sais-je ? » *La Faim* (PUF, 1983, régulièrement remis à jour), qui a le mérite d'être ouvert sur la pathologie et l'histoire de la faim, mais demeure bien « vieillot » dans son analyse.

Pierre Spitz a coordonné la traduction française de *Famine, mieux comprendre, mieux aider* (Berger-Levrault, 1986). C'est le premier rapport à la Commission indépendante sur les questions humanitaires internationales.

Enfin, parmi beaucoup d'autres, signalons huit ouvrages difficilement contournables :

• Jean-Pierre Alaux et Philippe Norel, *Faim au Sud, crise au Nord* (L'Harmattan, 1985).
• Joseph Klatzmann, *Nourrir dix milliards d'hommes* (PUF, seconde mise à jour, 1983). Les ressources de la terre sont suffisantes pour bien nourrir les dix milliards d'hommes qu'elle portera un jour : telle est la conclusion de cette étude. Cependant, ni les pays riches ni les pays pauvres ne sont aujourd'hui prêts à faire le nécessaire.
• Jean-Yves Carfantan et Charles Condamines, *Vaincre la faim, c'est possible* (Le Seuil, 1983). Il est possible de vaincre la faim et chacun peut y contribuer, encore faut-il en comprendre les mécanismes et accepter de rompre avec une façon de produire, de consommer, d'échanger qui entretient la famine.
• René Lenoir, *Le Tiers Monde peut se nourrir* (Fayard, 1984), rapport au Club de Rome.
• Jacques Grall et Bertrand Roger Lévy, *La Guerre des semences* (Fayard, 1985). Qui détiendra les semences détiendra le pouvoir alimentaire.
• Sophis Bessis, *L'Arme alimentaire* (La Découverte, nouvelle édition 1985).
• Gérard et Françoise Conac et Claudette Savonnet-Guyot, *Les Politiques de l'eau en Afrique* (Economica, 1986). Le résultat d'un colloque tenu à la Sorbonne sur les liens entre l'eau et le développement agricole et la participation des paysans à

partir d'expériences locales. Une véritable somme sur le sujet.

Enfin, le livre de Jacques Chonchol, *Paysans à venir* (La Découverte, 1986) fait le point, continent par continent, sur les diverses communautés rurales.

Économie mondiale et commerce international

Le Centre d'études prospectives et d'informations internationales (CEPII) a publié deux rapports : *Économie mondiale : la montée des tensions* (Economica, 1983); *Économie mondiale : 1980-1990, la fracture?* (Economica, 1984), dont une version abrégée et actualisée a été réalisée par Denis Auvers : *L'Économie mondiale* (collection « Repères », La Découverte, 1987).

Ce centre qui est placé auprès du commissariat général du Plan a pour mission de rassembler des informations et d'effectuer des études prospectives sur l'économie mondiale, les échanges internationaux et les économies étrangères. Il publie également une revue et une lettre qui sont des sources d'information spécialisée :
– Revue du CEPII, *Économie prospective internationale* (La Documentation française), 4 numéros par an;
– *La Lettre du CEPII,* 8 numéros par an.

Pour une analyse davantage géopolitique : l'Institut français des relations internationales (IFRI). L'IFRI publie des collections de livres spécialisés, une revue, *Politique étrangère,* mais également un *Rapport annuel mondial sur le système économique et les stratégies,* dit *Rapport RAMSES* (Economica, Paris).

Pour mettre à jour ses connaissances sur chacun des pays : l'Organisation de coopération et de développement économique (OCDE).

L'OCDE est l'auteur d'innombrables ouvrages, tant statistiques que théoriques, ayant trait à l'économie internationale. On retiendra dans cette sélection les études annuelles par pays qui présentent l'évolution économique de chacun des partenaires de l'OCDE.

Citons enfin trois titres de référence :
• André Grjebine, *La Nouvelle Économie internationale* (PUF, 1980).
• Edmond Jouve, *Le Tiers Monde dans la vie internationale* (Berger-Levrault, 1983).
• Gérard Marcy, *Économie internationale* (PUF, 1976). Le manuel qu'il est indispensable d'avoir sous la main.

Monnaie, finance, endettement

Pour étudier les questions financières internationales : la Banque mondiale (plus justement dénommée par son appellation officielle : Banque internationale pour la reconstruction et le développement, BIRD) publie chaque année un rapport. Elle le diffuse gratuitement à son siège, avenue d'Iéna à Paris. C'est une source unique d'informations pour mener des recherches sur la dette internationale.

De même, l'OCDE a publié en 1985 un excellent rapport : *Financement et dette extérieure des pays en développement*.

Plusieurs ouvrages récents sont également à consulter :
• Michel Aglietta, *La fin des devises clés* (La Découverte, 1986) ;
• Pascal Arnaud, *La Dette du tiers monde* (seconde édition, La Découverte, 1986) ;
• Henri Bourguinat, *L'Économie mondiale à découvert* (Calmann-Lévy, 1985) ;
• M. F. L'Hériteau, *Le FMI et la dette* (PUF/SEDEIS, 1985) ;
• Richard Lombardini, *Le Piège bancaire* (Flammarion, 1985).

Industrialisation et technologie

Alain Lipietz, avec *Mirages et miracles, problèmes de l'industrialisation dans le tiers monde* (La Découverte, seconde édition, 1986), fait le tour de la question et propose une nouvelle grille d'analyse des relations économiques Nord-Sud fondée sur la « théorie de la régulation ». De façon plus descriptive, Carlos Ominami, *Le Tiers Monde dans la crise* (La Découverte, 1986), étudie, exemples à l'appui, la pluralité des processus d'industrialisation à l'œuvre dans les pays en développement.

Emmanuel Arghiri, en 1981, a fait paraître un ouvrage corrigeant de nombreuses idées reçues quant au rôle des firmes internationales dans le tiers monde, *Technologie appropriée ou technologie sous-développée* (PUF, Paris), tout en restant un peu trop acritique sur la politique de ces sociétés.

W. Andreff, *Les multinationales* (coll. « Repères », La Découverte, 1987), montre quelle place occupe le tiers monde dans les stratégies des banques et des entreprises de dimension internationale.

Les ouvrages suivants sont également à consulter :
• P. Bairoch, *Révolution industrielle et sous-développement* (SEDES, 1963) ;
• Y. Berthelot, G. Tardy, *Le Défi économique du tiers monde* (La Documentation française, 1978, 2 vol.) ;
• M. Bouguerra, *Les poisons du tiers monde* (La Découverte, 1985).
• J.-R. Chaponnière, *La Puce et le riz : croissance dans le Sud-Est asiatique* (Armand Colin, 1985) ;
• M. Delapierre, *La Vente internationale de la technologie, l'optique de la firme* (OCDE, Centre de développement, 1975) ;
• M. Fouquin (sous la direction de), *Les Nouveaux Pays industrialisés d'Extrême-Orient* (coll. « Problèmes

politiques et sociaux », La Documentation française, n° 523);
• P. Gonod, *Clés pour les transferts de technologie* (BIRD, New York, 1974);
• P. Judet, *Les Nouveaux Pays industrialisés* (Éditions ouvrières, 1981);
• B. Madeuf, *L'Ordre technologique international* (coll. « Notes et études documentaires », La Documentation française, 1981);
• C. A. Michalet, M. Delapierre, B. Madeuf et C. Ominami, *Nationalisations et internationalisation. Stratégie des multinationales françaises dans la crise* (La Découverte-Maspero, 1983);
• C. A. Michalet, *Le Défi du développement indépendant* (Rochevignes, 1983);
• ONUDI (Organisation des Nations unies pour le développement industriel), *L'Industrie dans les années quatre-vingt : changement structurel et interdépendance;*
• J. Perrin, *Les transferts de technologie* (collection « Repères », La Découverte, 1983);
• P. Salama et P. Tissier, *L'Industrialisation dans le sous-développement* (Maspero, 1982);
• A. Weil, *Les Transferts de technologie aux pays en développement par les petites et moyennes industries* (coll. « Études de politique industrielle », La Documentation française, 1980).

Travail, emploi et secteur informel

La plupart des données fiables proviennent du Bureau international du travail (BIT, Genève). Paul Bairoch y a publié plusieurs études dont l'une sur *Le Chômage urbain dans les pays en voie de développement* (1972).
• E. Archambault et X. Greffe (sous la direction de), *Les Économies non officielles* (La Découverte, 1985);

• CIRED, *L'autre moitié : l'économie cachée du secteur domestique et des marchés parallèles,* séminaire de la Maison des sciences de l'homme, 30 mai 1983.
• J. Charmes, « Les contradictions du développement du secteur non structuré », *Tiers Monde,* n° 82, 1980, p. 321-336;

• I. Deble et Ph. Hugon, *Vivre et survivre dans les villes africaines* (PUF, 1982);
• R. Devauges, *L'Oncle, le Ndoki et l'entrepreneur, la petite entreprise congolaise de Brazzaville* (ORSTOM, 1977);
• J.-P. Lachaud, *Les activités informelles à Bangui* (Centre d'études d'Afrique noire, Bordeaux, 1982);
• W. Leonard, « Quelques réflexions sur l'expérience de Madagascar en politique artisanale », *Tiers Monde,* n° 82, avril-juin 1980, p. 337-352;
• Cl. de Miras, « Essai de définition du secteur de subsistance dans les branches de production à Abidjan », *Tiers Monde,* p. 353-372;
• A. Morice, *Les Petites Activités urbaines : réflexions à partir de deux études de cas : les vélos-taxis et les travailleurs du métal de Kaolack (Sénégal)* (IEDES, 1981);
• G. Nihan, « Le secteur non structuré, signification, aire d'extension du concept et application expéri-

mentale », *Tiers Monde,* n° 82, avril-juin 1980, p. 261-284 ;
• S. V. Sethuraman, « Le secteur urbain non structuré, concept, mesure et action », *Revue internationale du travail,* juillet-août 1976 ;
• D. Théry, « Plaidoyer pour développer des techniques plus appropriées et passer du mimétisme au pluralisme technologique », *Tiers Monde,* n° 88, octobre-décembre 1981 ;
• M. P. Van Dijk, *Étude de la littérature servant de base pour des recherches entreprises à Dakar et à Ouagadougou* (Dakar, ILO, avril 1976) ;
• M. P. Van Dijk, *Le Secteur informel* (L'Harmattan, 2 vol., 1987).

Femmes

Ce n'est que très récemment que la plupart des ouvrages sur le tiers monde évoque « la question des femmes ». Il est vrai que de 1975 à 1985 s'est tenue *la décennie de la femme* et qu'il devenait alors de plus en plus risqué d'oublier plus de la moitié de la population mondiale !

En 1970, la Danoise Ester Boshup publie un ouvrage fondateur aux États-Unis, *Woman's Role in Economic Development* (Saint Martin's Press, New York), qui sera traduit en 1983 aux PUF sous le titre *La Femme face au développement économique* (sans actualiser ni les statistiques ni la bibliographie!). Cet ouvrage pionnier demeure particulièrement intéressant d'un double point de vue : problématique et méthodologique.

En 1982, *Terre des Femmes,* ouvrage collectif sous la direction d'Élisabeth Paquot (La Découverte), offrait un panorama de la situation juridique, économique et sociale des femmes dans le monde tout en rassemblant le maximum d'informations chiffrées. Cet ouvrage, unique en son genre, demeure malheureusement actuel dans bien des cas. Un petit ouvrage de synthèse, fort bien fait, *Femmes du tiers monde, travail et quotidien* par Jeanne Bisilliat et Michèle Fiéloux (Le Sycomore, 1983), permet de se familiariser avec les problèmes spécifiques aux femmes quel que soit le continent.

Il existe de nombreux témoignages sur la situation des femmes et d'excellents romans, mentionnons quelques titres importants :
• Awa Thiam, *La Parole aux négresses* (Denoël-Gonthier, 1978) ;
• Domitila, *Si on me donne la parole* (Maspero, 1985).
• R. Daniel, *Femmes des villes africaines* (Inades, Abidjan, 1985) ;
• Wedad Zénié-Ziegler, *La Face voilée des femmes d'Égypte* (Mercure de France, 1985) ;
• Camille Lacoste-Dujardin, *Des mères contre les femmes, maternité et patriarcat au Maghreb* (La Découverte, 1985, seconde édition en 1986).

L'étude de Paulette Songre : *Prostitution en Afrique, l'exemple de Yaoundé* (L'Harmattan, 1986), a le mérite d'exister.

Deux remarquables dossiers concernant les violences sexuelles sont à mentionner :
• Hosken Fran, *Les Mutilations sexuelles,* (Denoël-Gonthier, 1983) ;
• Renée Saurel, *L'Enterrée vive* (Slatkine, 1981).

Urbanisation, logement

Jean Dresch, avec son article « Villes congolaises, études de géographie urbaine et sociale » dans *La Revue de géographie humaine et d'ethnologie,* n° 3 de juillet-septembre 1948, inaugure un nouveau domaine d'investigation pour les sciences sociales : la ville du tiers monde. Il est vrai que celle-ci a déjà fait couler beaucoup d'encre au sein de l'administration coloniale où « les bâtisseurs d'Empire » étaient souvent des constructeurs de cités – que l'on songe à Gallieni et à Lyautey, pour ne rappeler que deux colonialistes talentueux.

Georges Balandier publie son ouvrage pionnier, *Sociologie des*

Brazzavilles noires, en 1955, chez Armand Colin (nouvelle édition aux Presses de la Fondation nationale des sciences politiques, 1986), sans susciter de vocation! Vingt-cinq ans plus tard, « l'urbanisation du tiers monde » est devenue un espace convoité par les urbanistes, les architectes, les géographes, les économistes, les sociologues et autres ethnologues, et un domaine rémunérateur où « experts » et « acteurs » élaborent les villes de demain.

L'architecte égyptien Hassan Fathy, en écrivant l'histoire du nouveau village de Gourna, *Construire avec le peuple* (J. Martineau, 1970), ne savait certainement pas qu'il offrait aux étudiants du tiers monde en architecture une véritable « bible », un texte de référence sur le savoir-faire populaire et la concertation/participation du concepteur avec les futurs habitants et les divers artisans. A défaut de *construire* un village conforme aux vœux des « pilleurs de tombes » qui y logent, Hassan Fathy a fourni une très forte réflexion à des générations d'étudiants : que peut-on faire dans une situation de pénurie où manquent les richesses matérielles et où domine l'analphabétisme? Copier le modèle occidental? Renouer avec une tradition oubliée? Les réponses de Hassan Fathy sont certainement largement dépassées par l'extravagante démographie urbaine et par la diffusion de la modernité, mais son message demeure une source d'imagination.

• P. Bairoch, *De Jéricho à Mexico* (Gallimard, Paris, 1985);
• C. Bataillon (sous la direction de), *État, pouvoir et espace dans le tiers monde,* 1979;
• J. Bugnicourt (sous la direction de), « Environnement et aménagement de l'espace », *Tiers monde,* tome XIX, n° 73, janvier/mars 1978;
• I. Deble et Ph. Hugon, *Vivre et survivre dans les villes africaines* (PUF, 1982);
• D. Drummond, *Architectes des favelas* (Dunod, 1981);
• A. Durand-Lasserve, *L'Exclusion des pauvres dans les villes du tiers monde* (L'Harmattan, 1986). Excellente synthèse des différents travaux sur la question foncière et les mécanismes de ségrégation sociale à l'œuvre dans l'espace urbain. Impressionnante bibliographie;
• H. Coing (sous la direction de), *La Politique de recherche urbaine française dans le tiers monde* (université de Paris-Val-de-Marne, IUP, 1981);
• J. M. Ela, *La Ville en Afrique noire* (Karthala, 1983);
• B. Granotier, *La Planète des bidonvilles, perspectives de l'exploitation urbaine dans le tiers monde* (Le Seuil, 1980);
• Cl. Liauzu (sous la direction de), *Enjeux urbains du Maghreb* (L'Harmattan, 1985);
• A. Rassam et Zghal (sous la direction de), *Système urbain et développement au Maghreb* (Cérès productions, Tunis, 1980);
• J. Turner, *Le Logement est votre affaire* (Le Seuil, 1979). Un classique sur l'autoconstruction dans la lignée d'Ivan Illich;
• P. Ward, *Self-Help Housing, A Critique,* ed. by P. Ward (An Alexandrine Press book, Mansell Publishing Limited, Londres, 1982). Critique du précédent, dix ans plus tard...

La revue *Hérodote* dirigée par Yves Lacoste (La Découverte) a abordé, plusieurs fois, ce sujet : dans ses numéros 11 *(Jean Dresch),* 17 *(Villes éclatées),* 31 *(L'implosion urbaine)* et 36 *(Islams)* qui sont toujours disponibles et dans le n° 19 *(L'habitat sous-intégré)* qui est épuisé.

Le Centre d'études de géographie tropicale de l'université de Bordeaux a organisé de nombreux colloques sur cette question (cf. revue *Pratiques urbaines,* CEGET, CNRS, n⁰ˢ 1 et 2), ainsi que la croissance périphérique des villes du tiers monde, *Travaux et documents de géographie tropicale* (n° 40, Talence, 1980).

L'ORSTOM (Office de la recherche scientifique et technique outre-mer, 213, rue Lafayette,

75010 Paris) et le C N R S ont sur ce thème une riche collection de monographies.

Culture, religions, éducation

Il n'existe aucun ouvrage synthétique en cette matière. Les innombrables publications de l'U N E S C O (7, place de Fontenoy, 75007 Paris) sont très utiles, bien que de contenu inégal. La collection de Jean Malaurie « Terre humaine » (Plon) constitue à n'en point douter la meilleure approche de la quotidienneté, faite de réel et d'imaginaire, des peuples du monde. Les *romans* sont aussi d'excellentes introductions aux manières de vivre, de travailler, de rêver, d'aimer de nos voisins, proches ou lointains – en établir une liste serait tout bonnement absurde.

L'État des religions dans le monde (sous la direction de Michel Clévenot, coédition La Découverte-Le Cerf, 1987) permet de se familiariser avec les principales cosmogonies des peuples des cinq continents, de suivre la constitution des nombreux syncrétismes et de saisir la place de la religion, du sacré, du mystique dans la vic dc tous les jours des habitants de la planète.

Les travaux, pourtant différents, de Georges Balandier, d'Albert Meister et d'Ivan Illich sont assez pluridisciplinaires pour figurer dans cette rubrique.

Jacques Ellul, avec *Changer de révolution, l'inéluctable prolétariat* (Le Seuil, 1981), combat l'universalité de la solution marxiste et prêche pour une plus grande attention aux phénomènes singuliers. Robert Jaulin dénonce *La Décivilisation : politique et pratique de l'éthnocide* (Complexe, Bruxelles, 1974) : « Lorsqu'une civilisation prend en charge une autre, du dedans, cette civilisation s'étend, se répand et détruit la civilisation au-dedans de laquelle elle s'est installée. » Un tel constat est aussi à faire à propos de

la conquête romaine et de l'extension de l'Islam, par exemple...

Ahmed Baba Miské a écrit une *Lettre ouverte aux élites du tiers monde* (Le Sycomore, 1981), et Mohamed Dahmani *L'Occidentalisation des pays du tiers monde* (Economica, 1983) pour combattre les préjugés culturels de leurs concitoyens « subjugués » par l'Occident ou hâtivement « haineux » à son endroit...

Enfants

• F. Blanchard. *Le Travail des enfants,* rapport du directeur général du B I T, Genève, 1983 ;
• *La Situation des enfants dans le monde,* U N E S C O (Aubier-Montaigne, 1985) ;
• *Les Enfants de la rue, l'autre visage de la ville,* rapport à la Commission indépendante sur les questions humanitaires internationales (Berger-Levrault, 1986).

Santé

La meilleure synthèse des différentes connaissances sur ce sujet est *La Santé dans le tiers monde,* de Claire Brisset (La Découverte, 1984).

Le tiers-mondisme en question

En 1983, Pascal Bruckner provoque, avec son ouvrage *Le Sanglot de l'homme blanc. Tiers monde, culpabilité, haine de soi* (Le Seuil), un débat sur les principes philosophiques du tiers-mondisme, ses implications politiques et ses conséquences pratiques. En réponse et aussi en dépassement : *Contre les anti-tiers-mondistes et contre certains tiers-mondistes,* par Yves Lacoste (La Découverte, 1985).

Dans une autre direction : *Le Tiers Monde en question,* sous la direction de Romy Brauman ; et les communications du colloque de *Liberté sans frontières* sur ce thème en janvier 1985 (Olivier Orban).

Et à l'extrême droite, *Le Socialisme contre le tiers monde* d'Yves Montenay et du Club de l'Horloge (Albin Michel, 1983). Alain de Benoist, l'un des maîtres à penser de la « nouvelle droite », tente, quant à lui, avec *Europe, tiers monde, même combat* (Robert Laffont, 1986), de définir un nouveau tiers-mondisme reposant à la fois sur l'autonomie économico-politique et la défense culturelle.

Mythes et espoirs du tiers-mondisme, de Christian Comeliau, (Nouvelle collection CETRAL/ L'Harmattan, 1986), rassemble en quelques pages tout ce que l'on a pu dire et écrire sur le développement économique tel que l'a pensé et réalisé l'Occident. « Puisque nous constituons la première société mondiale qui ait les moyens de se penser comme mondiale », il faut rechercher et établir « une collaboration entre les peuples, qui se trouvent désormais proches l'un de l'autre ».

N'oublions pas d'autres textes plus anciens mais largement annonciateurs de ce débat :
• Ignacy Sachs, *La Découverte du tiers monde* (Flammarion, 1971);
• Gérard Chaliand, *Les Mythes révolutionnaires du tiers monde* (Le Seuil, 1976).

L'aide au tiers monde et les ONG

Sur l'aide, lire : *Charité-Business,* de Bernard Kouchner (Le Pré aux Clercs, 1986); *Le Piège,* de Jean Christophe Ruffin (Lattès, 1986).

Depuis de longues années, les *organisations non gouvernementales* (ONG) consacrent leur énergie à travailler sur le terrain avec les habitants eux-mêmes afin d'améliorer leurs conditions de vie, effort dont témoignent plusieurs ouvrages :
• Dans *L'Aide au tiers monde, solidarité et développement* (Syros, 1984), Didier François fournit un guide de l'action non gouvernementale qui vous permettra de vous retrouver plus facilement dans la galaxie des associations, collectifs et autres coordinations.
• Sous la direction d'Henri Rouillé d'Orfeuil, *Coopérer autrement, l'engagement, les organisations non gouvernementales aujourd'hui* (L'Harmattan, 1984), présente de nombreuses actions concrètes.
• *La Révolution aux pieds nus,* de Bertrand Schneider (Fayard, 1986), est le dernier rapport du *Club de Rome,* mettant en valeur le travail des organisations non gouvernementales.
• Enfin *Les ONG et le droit international* de Mario Bettati et Pierre-Marie Dupuy (coll. « Droit international », Economica, 1986).

Si les organisations non gouvernementales commencent à être bien connues du public, l'on sait moins qu'elles ont été et qu'elles continuent d'être bien souvent des moteurs dans l'élaboration et l'adoption des nouvelles normes internationales qui, chaque jour, règlent aux plus hauts niveaux la vie des hommes et définissent leurs droits.

La plupart des ONG éditent, régulièrement ou non, des bulletins concernant leurs actions sur le terrain; de même de nombreuses revues publient des articles sur tel ou tel aspect du tiers monde, il est impossible, ici, de les recenser. Aussi n'a-t-on retenu que les publications régulières tout en indiquant également les principaux organismes internationaux qui fournissent des informations ou des analyses concernant le tiers monde.

T. P.

Bibliothèques et centres de documentation

• **Agence Coopération et aménagement,** 98, rue de l'Université, 75007 Paris (tél. 45.50.34.38).
• **Agence de coopération culturelle et technique,** 13, quai André-Citroën, 75015 Paris (tél. 45.75.62.41).
• **Banque mondiale,** 66, avenue d'Iéna, 75016 Paris (tél. 47.23.54.21).
• **Bibliothèque du ministère des Affaires étrangères,** 37, quai d'Orsay, 75007 Paris (tél. 45.55.95.40).
• **Bibliothèque de l'INSEE,** 18, boulevard Adolphe-Pinard, 75675 Paris Cedex 14 (tél. 45.40.10.55).
• **Bureau international du travail (BIT),** 205, boulevard Saint-Germain, 75005 Paris (tél. 45.48.92.02).
• **Centre de développement de l'OCDE,** 94, rue Chardon-Lagache, 75016 Paris (tél. 45.24.82.00).
• **Centre de documentation internationale sur le développement et la libération des peuples (CEDIDELP),** 14, rue de Nanteuil, 75015 Paris (tél. 45.31.43.38).
• **Centre d'études et de documentation sur l'Afrique et l'Outre-mer,** La Documentation française, 29/31, quai Voltaire, 75007 Paris (tél. 42.61.50.10).
• **Centre d'études prospectives et d'informations internationales (CE-PII),** 9, rue Georges-Pitard, 75001 Paris (tél. 48.42.68.00).

• **Centre français du commerce extérieur (CFCE),** 10, avenue d'Iéna, 75016 Paris (tél. 47.23.61.23).
• **Centre international de recherche sur l'environnement et le développement,** 54, boulevard Raspail, 75270 Paris Cedex 06 (tél. 45.44.38.49).
• **Centre de recherches et d'information pour le développement (CRID),** 49, rue de la Glacière, 75013 Paris.
• **Collège international du tiers monde,** 6, rue de la Paix, 75002 Paris (tél. 42.61.05.85).
• **Communautés européennes (CEE),** 61, rue des Belles-Feuilles, 75016 Paris (tél. 45.01.58.85).
• **Documentation française,** 29, quai Voltaire, 75007 Paris (tél. 42.61.50.10).
• **Documentation tiers monde,** 20, rue Rochechouart, 75009 Paris.
• **Éducation et développement/Institut international de recherche et de formation,** 49, rue de la Glacière, 75013 Paris (tél. 43.31.98.91).
• **FAO (annuaires mensuels),** 13, rue Soufflot, 75001 Paris.
• **Groupe de recherches et de réalisations pour l'éco-développement,** 18, rue de Varenne, 75007 Paris (tél. 42.22.97.61).
• **Groupe de recherches et de réalisations pour le développement rural dans le tiers monde (GRDR),** 145, rue Saint-Dominique, 75700 Paris (tél. 47.05.16.29).
• **Groupe de recherches et échanges technologiques (GRET),** 30, rue de Charonne, 75011 Paris (tél. 43.38.60.60).